ABAIXO DA CONVERGÊNCIA

ALAN GURNEY

Abaixo da Convergência

Expedições à Antártica

1699-1839

Tradução
S. Duarte

Revisão técnica
Eugênio J. F. Neiva

COMPANHIA DAS LETRAS

Título original
Below the Convergence: voyages toward Antarctica 1699-1839

Capa
João Baptista da Costa Aguiar
sobre *Captain Cook cast away on Cape Cod* (1802), aquarela de Michele Felice Cornè (*c.* 1762-1845).

Índice remissivo
Rosangela de Souza Mainente

Preparação
Claudia Cantarin

Revisão
Beatriz de Freitas Moreira
Claudia Cantarin
Maysa Monção

Dados Internacionais de Catalogação na Publicação (CIP)
(Câmara Brasileira do Livro, SP, Brasil)

Gurney, Alan
Abaixo da convergência : expedições à Antártica, 1699-1839 / Alan Gurney ; tradução S. Duarte ; revisão técnica Eugênio J. F. Neiva. — São Paulo : Companhia das Letras, 2001.

Título original: Below the convergence : voyages toward Antarctica, 1699-1839.
Bibliografia.
ISBN 85-359-0105-1

1. Antártica — Descoberta e explorações — História 2. Antártica — Descrição e viagens I. Neiva, Eugênio J. F. II. Título. III. Título : Expedições à Antártica, 1699-1839.

01-0974 CDD-919.89

Índice para catálogo sistemático:
1. Antártica : Descoberta e explorações 919.89
2. Antártica : Descoberta e viagens 919.89

[2001]

EDITORA SCHWARCZ LTDA.
Rua Bandeira Paulista 702 cj. 32
04532-002 — São Paulo — SP
Telefone (11) 3846-0801
Fax (11) 3846-0814
www.companhiadasletras.com.br

Segundo uma antiga tradição, aqueles que dobraram o cabo Horn por via marítima têm direito a tomar um trago após o jantar com um pé em cima da mesa. Aqueles que cruzaram os círculos polares pelo mar podem colocar os dois pés sobre a mesa. Este livro é dedicado aos últimos — do passado, do presente, do futuro.

Índice

Lista de mapas

Correspondência de medidas

1 onça	= 28,350 g
1 libra	= 0,454 g
1 galão britânico	= 4,546 l (litros)
1 pé	= 0,304 m
1 pint britânico	= 0,568 l (litro)
1 braça	= 1,828 m

Agradecimentos

Além dos títulos mencionados na Bibliografia, as fontes deste livro se encontram na Biblioteca Mitchell, em Glasgow; na Biblioteca Bodleian, em Oxford; e nos Arquivos Públicos de Kew Gardens. Agradeço em especial ao Conselho da Sociedade Hakluyt a permissão para citar suas publicações e reproduzir a ilustração do *Paramore*. Sou igualmente grato a J. Herman, do Departamento de História Natural do Museu Real da Escócia, em Edimburgo, por sua cortesia em mostrar o espécime típico da foca-de-weddell, bem como A. B. Cruickshank, diretor da Real Sociedade Escocesa de Geografia, por possibilitar a reprodução do retrato de James Weddell.

Prólogo

A nascente do Nilo, a possibilidade de uma passagem para as Índias a noroeste do Atlântico, a existência de um imenso continente austral — ao longo dos séculos, tudo isso estimulou a imaginação, as especulações e a energia de um sem-número de geógrafos, cartógrafos e exploradores.

No ano 460 a. C., o mistério das enchentes anuais do delta do rio Nilo — contra as quais aparentemente não se pode lutar — levou o historiador Heródoto à primeira catarata em Assuã. Tanto a nascente como a solução do enigma foram descobertas somente no século XIX, com as explorações realizadas por Burton, Speke, Baker e Stanley. A busca de uma passagem a noroeste para as Índias teve, talvez, objetivos mais limitados: inspirada no século XV por interesses comerciais ingleses, prosseguiu no século XIX por conta das aspirações nacionalistas da Inglaterra e foi concluída por noruegueses no início do século XX, por puro espírito de aventura.

No que diz respeito ao desconhecido continente austral — a *terra australis incognita* —, as coisas se passaram de maneira diferente. Este livro não pretende traçar em detalhes exaustivos as origens desse continente, e sim comentar algumas das viagens empreendidas por exploradores e por caçadores de focas e de baleias no oceano austral, as quais, ao longo de um período de cem anos, eliminaram a *terra australis incognita* dos mapas-múndi, reduzindo-a a um continente muito menos extenso — a Antártica.

É necessário, porém, explicar a hipótese. E, já que ela tem início com os gregos pagãos, parece adequado utilizar uma forma protéica, dar a volta ao globo, selecionar certas cenas e atos e agir como um observador intrometido vindo do Olimpo.

1. *Terra australis incognita*

O objetivo da viagem foi atingido em todos os aspectos; o hemisfério sul foi suficientemente explorado e terminou a busca de um continente austral, tarefa que por vezes atraiu a atenção de algumas potências marítimas ao longo de quase dois séculos, bem como a dos geógrafos de todas as épocas. Não negarei que possa existir um continente ou uma grande extensão de terra próxima ao pólo; ao contrário, sou da opinião de que existe...

Diários do capitão James Cook, *21 de fevereiro de 1775*

Estamos no século IV a. C., e, nas alamedas sombreadas do Liceu de Atenas, Aristóteles caminha com seus discípulos debatendo um tema bastante óbvio para os intelectualmente curiosos: a natureza esférica da Terra em contraposição à tese do planeta em forma de disco chato elaborada pelos gregos antigos dos tempos homéricos. Os argumentos de Aristóteles se baseiam na observação dos fatos: as constelações mudam quando se viaja para o Norte ou para o Sul e durante um eclipse a sombra da Terra projetada na Lua sempre apresenta forma curva. "A esfericidade da Terra", conclui Aristóteles, "está provada pela evidência de nossos sentidos." Conseqüentemente — devido ao senso de equilíbrio, ordem e simetria caro aos gregos —, deveria haver também uma massa de terra ao sul a fim de contrabalançar a massa de terra do norte. Talvez o jovem Alexandre tivesse ouvido essas teorias alguns anos antes, quando Aristóteles fora seu tutor na corte da Macedônia.

Qual seria, no entanto, o tamanho dessa esfera? Um século depois de Aristóteles, no ano 240 a. C., um brilhante polímata, Eratóstenes, é designado bibliotecário-chefe do Museu de Alexandria, a cidade e centro de estudos mais cosmopolita do mundo mediterrâneo. Num experimento requintado apesar de sua simplicidade, Eratóstenes se dispõe a calcular a circunferência da Terra. Os instrumentos para a mensuração são engenhosos: o Sol, um poço profundo e um obelisco vertical. Eratóstenes sabe que perto de Siena (Assuã), cidade ao sul de Alexandria e distante cerca de cinqüenta dias de viagem em lombo de camelo (aproximadamente 5 mil estádios. Um estádio corresponde a 185 metros.), existe um poço profundo no qual o Sol, ao meio-dia da data do solstício de verão, ilumina em linha reta a cavidade sem produzir sombra. Sabendo também que no mesmo dia, em Alexandria, o Sol produz sombra ao meio-dia, Eratóstenes raciocina que, se medir a sombra projetada por um obelisco vertical próximo ao Museu de Alexandria e depois calcular o ângulo dos raios do Sol em relação ao obelisco, poderá conhecer a circunferência da Terra.

Ao curvar-se para medir o comprimento da sombra, Eratóstenes está calculando o tamanho da Terra. O ângulo é de aproximadamente 7,5° — cerca de um qüinquagésimo de uma circunferência. Portanto, a distância entre Alexandria e Siena é constituída por um qüinquagésimo da circunferência da Terra (50 x 5000 = 250 mil estádios, ou 25 mil milhas terrestres), muito próxima da circunferência polar verdadeira, que é de 24 860 milhas terrestres, cerca de 40 mil quilômetros. Com essa experiência criativa tem início a ciência da geodésia, que vem a ser a ciência da mensuração da Terra.

Um giro rápido no globo e estamos na Espanha do primeiro século da era cristã. Aqui, Pompônio Mela, um geógrafo romano, estuda as obras dos gregos para produzir uma geografia latina, *De situ orbis.* Incorpora a seu estudo os trabalhos de Heródoto, os de Eratóstenes e os de Parmênides (filósofo grego que viveu no século VI a. C., e dividiu o mundo em zonas climáticas). Segundo Mela, a massa da Europa setentrional, da Ásia e da África encontra-se separada de um grande continente austral por meio de um oceano equatorial. Trata-se da Terra dos Antíctones, o povo do mundo oposto. No mundo de Mela existem cinco zonas climáticas. A equatorial é tão quente que não pode ser habitada nem atravessada; as duas zonas polares são demasiado frias para que sejam povoadas; porém, entre essas duas terríveis regiões e a região equatorial há uma faixa temperada ao norte e outra ao sul, nas quais pode existir vida. Eis a base para séculos de especulação, mitos e concepções equivocadas.

"No segundo século da era cristã, o Império Romano estava situado na parte mais agradável da Terra e era a porção mais civilizada da humanidade." Assim Edward Gibbon inicia, com elegância clássica, sua obra-prima *The decline and fall of the Roman Empire* [Declínio e queda do Império Romano]. Entretanto, se Roma é o centro político, o centro do saber ainda é Alexandria. Trabalhando entre as prateleiras atulhadas das bibliotecas dessa cidade vibrante há um estudioso chamado Cláudio Ptolomeu, que legará à posteridade diversos volumes e mapas destinados a marcar o ponto mais alto da maré do conhecimento clássico da geografia. Seus mapas são orientados com o Norte no alto e o Leste à direita, como nas cartas modernas; para localizar as cidades e vilas, usa-se um sistema de linhas coordenadas de latitude e longitude; quanto ao problema de escala, Ptolomeu não tem paciência com seus contemporâneos e predecessores, que aumentavam as massas de terra a fim de acomodar os topônimos ou as encolhiam de modo a evitar espaços em branco. Ele enfrenta resolutamente a espinhosa questão de como representar a superfície curva do mundo numa folha plana de pergaminho e sugere que um mapa-múndi em pequena escala seja complementado por mapas regionais em escala maior. Em resumo, Ptolomeu advoga a organização de um atlas moderno. O cálculo das distâncias é um problema grave e ele sugere um astrolábio ou o ponteiro de um relógio solar (gnômon) para medir a altura do Sol e determinar assim a latitude para as distâncias norte e sul. Séculos se passariam até que o problema da longitude — a distância leste-oeste — pudesse ser resolvido. As estimativas de distâncias feitas pelos viajantes aborrecem Ptolomeu. Tais avaliações, segundo o preocupado geógrafo, são pouco dignas de crédito porque, "como gostam de se vangloriar, eles acabam exagerando as distâncias". Ptolomeu, em suma, procura colocar em bases científicas racionais os elementos da geografia e da cartografia. Ao fazê-lo, porém, está selecionando e sintetizando informações recebidas de outras pessoas. Inevitavelmente ocorrem enganos, e em seus dois alentados volumes, um de astronomia e outro de geografia, encontram-se diversos erros que mais tarde terão profundos efeitos sobre as explorações e o pensamento europeus.

No século III a. C., Aristarco de Samos propusera uma teoria segundo a qual a Terra girava em torno do Sol. Ptolomeu, entretanto, escolhe o conceito aristotélico de um universo geocêntrico, no qual o Sol gira em torno da Terra. Trata-se de uma teoria em perfeita concordância com o dogma cristão. Os resíduos deixados por outros equívocos toldarão a percepção dos exploradores europeus durante boa parte do século XVIII. Surpreendentemente, Ptolomeu não aceita a estimativa de Eratóstenes quanto ao tamanho da Terra, preferindo os cálculos do astrônomo grego Posidônio, cujos resultados conferem ao planeta três quartos de suas dimensões verdadeiras. Nessa Terra reduzida, o Mediterrâneo se estende demasiadamente para oeste, e ao sul do equador a África se projeta para o leste, juntando-se à China e fazendo do oceano Índico um mar interior. A massa de terra para o sul é a *terra incognita.* Aí estão, por suprema ironia, as origens dos dois principais equívocos que forneceram as premissas para duas das grandes viagens mundiais. A combinação desses dois erros, o de um mundo menor e o de um Mediterrâneo mais extenso, levaria Cristóvão Colombo a supor que a distância das ilhas Canárias ao Japão fosse de apenas 2400 milhas terrestres (3860 quilômetros), quando na verdade ultrapassa 10 mil milhas (16 mil quilômetros). Por sua vez, a persistência da idéia de uma *terra incognita* ao sul faria com que James Cook zarpasse para a segunda de suas grandes viagens ao redor do mundo.

No século IV a. C. são Basílio bem definiu o espírito da nova era cristã: "Que importância tem saber se a Terra é uma esfera, um cilindro, um disco ou uma superfície côncava? Importa saber é como devo conduzir-me em relação a mim mesmo, aos meus semelhantes e a Deus".

No ano 391, poucos anos após a morte de são Basílio, assistimos, com um gesto de desprezo olímpico, à destruição dos templos e dos centros de cultura da Alexandria por uma multidão cristã enfurecida. Eis o início de mil anos de dogmas cristãos que iriam impedir qualquer investigação livre sobre o funcionamento do mundo natural. Gibbon comentaria tristemente que as prateleiras vazias das bibliotecas "suscitariam o pesar e a indignação de qualquer espectador cuja mente não estivesse completamente obscurecida pelo preconceito religioso". As obras de Ptolomeu e de outros daquele mundo helênico intelectualmente grandioso afundaram em silêncio no pântano da intolerância. A teologia era tudo e a explicação para todos os fenômenos podia ser encontrada nas Escrituras. O mundo retorna à teoria do disco plano dos antigos gregos, pois não apenas o Senhor "está sentado sobre a redondeza da Terra", como também "estendeu os céus como um véu, e os desenrolou como uma tenda para habitar" (Isaías, 40:22). Jerusalém é o centro desse disco porque "esta é aquela Jerusalém que eu fundei no meio das nações e que está cercada das suas terras" (Ezequiel, 5:5). Qualquer sugestão de um continente austral é esmagada com severidade eclesiástica. Em 741, o papa Zacarias excomunga um padre irlandês que cometera a temeridade de pregar tal doutrina. "Pois isso seria admitir a existência de almas que não partilham nem o pecado de Adão nem a redenção do Cristo." Mais ainda, os apóstolos haviam recebido a seguinte missão: "Ide por todo o mundo, pregai o Evangelho a toda criatura" (Marcos, 16:15). Não haviam ido aos antípodas, portanto os antípodas não poderiam existir. A *terra australis incognita* era uma heresia. A respeito desse raciocínio ideológico, um futuro bibliotecário da Real Sociedade de Geografia proferiria este sumário julgamento: "É uma história pouco edificante".

Contudo, ainda que tenha destruído os centros de aprendizado de Alexandria, a religião não terminara sua tarefa. Outra fé monoteísta em breve se espalharia pelo Egito, ao longo da costa da África setentrional e pela península Ibérica: o Islã rompera seu confinamento no deserto. O general maometano que invadiu Alexandria pergunta ao califa sírio Omar o que deseja fazer com as bibliotecas que restaram. "Se esses escritos dos gregos estiverem de acordo com o Livro de Deus", responde o califa, "são inúteis e não devem ser preservados; se dele discordam, são perniciosos e devem ser destruídos." Uma verdadeira armadilha de califa. Assim, todos os livros foram destruídos, a fim de aquecer os banhos públicos. Porém, as obras de Ptolomeu, ameaçadas pelos fanáticos de ambas as religiões, sobrevivem e são traduzidas para a língua árabe. O Islã se torna guardião e zelador de grande parte da erudição clássica.

Para os mais despreocupados, no entanto, nem tudo é feito de teologia inflexível e sombria. Um dos livros mais populares da Idade Média foi o *Polyhistor*, de autoria de um romano do século III, Gaio Júlio Solino. Plagiando despudoradamente o naturalista romano Plínio — Solino recebeu o apelido mordaz de "macaco de Plínio" — e fazendo acréscimos fabulosos de sua própria autoria quanto aos animais e estranhos seres humanos que habitam o mundo, o *Polyhistor* exerceu influência duradoura sobre a adormecida cartografia da Idade Média, e, no mínimo, proporcionou diversão amena. Um geógrafo irado do século XIX, C. R. Beazley, fulminaria a influência de Solino sobre a geografia medieval: "Ninguém a influenciou tão profundamente nem com maior leviandade".

O mapa de Hereford, do século XIII, é um exemplo eclesiástico e decorativo dessa influência prejudicial. A Terra é um disco circular tendo Jerusalém ao centro. O Jardim do Éden tem localização determinada, assim como a arca de Noé, e as terras e ilhas são povoadas pelas criaturas fantásticas de Solino. Ali estão homens com cabeças de cão, os "cinocéfalos"; um ser humano com pés de cavalo, o "hipópode"; outro, cujas longas orelhas lhe chegam aos joelhos; os canibais, "antropófagos" que se alimentam de membros; homens com cabeças no meio do peito; e ali estão, talvez os mais encantadores de todos, os "imantópodes", que têm uma perna só, saltam e dão cambalhotas, e cujos pés são tão grandes que podem ser usados para abrigá-los contra o sol ou a chuva. Nem tudo, porém, é mito, pois há também o desenho de um homem que segura uma longa vara e tem tábuas compridas sob os pés: o primeiro esboço conhecido dos esquis.

Fridtjof Nansen, que tinha muita familiaridade com esquis, nos faz recordar do bibliotecário da Real Sociedade de Geografia com este comentário ácido sobre a influência da Igreja no pensamento medieval: "Esse foi o alimento intelectual que substituiu a ciência dos gregos. Na verdade, a trajetória da raça humana tem altos e baixos".

A maré muda, entretanto. Em 1407, para contrabalançar os mapas da era medieval, ressurgem na Europa, via Constantinopla, as obras de Ptolomeu sobre geografia e astronomia. Faz-se nova tradução, dessa vez do árabe para o latim, e em dois anos essas obras e mapas estão à disposição dos estudiosos europeus. Poucos anos mais tarde, o infante dom Henrique, de Portugal, conhecido como dom Henrique, o Navegador, funda uma escola de navegação em Sagres. Dali, diante do rugir incessante do Atlântico no extremo ocidental da Europa continental, as caravelas dos portugueses partem para suas extraordinárias viagens de exploração.

Almas e especiarias constituem uma fórmula inusitada para a exploração. Mas a razão de ser dessas expedições é a busca de uma rota marítima para as ilhas de especiarias das Molucas, aliada ao desejo veemente de converter os pagãos. Além disso, havia a vontade férrea do infante dom Henrique, visto que os capitães por ele escolhidos demonstram certa pusilanimidade ao ser mandados para regiões dignas de Solino, onde os oceanos fervem e os monstros se preparam para devorar os marinheiros atrevidos e afundar seus navios. Porém, estimulados pelo príncipe visionário, sustentados pela fé e nutridos por uma dieta de carnes e peixes salgados, alho, óleo de oliva, feijão, biscoitos e farinha de trigo, esses marujos rudes e engenhosos descem a costa da África e penetram no oceano Índico em sua busca por cravo, noz-moscada, macis, pimenta, gengibre, canela — e almas.

Em 1487 Bartolomeu Dias já havia dado a volta no cabo da Boa Esperança, no extremo sul da África, e uma década mais tarde Vasco da Gama chegava à Índia. O oceano Índico fechado de Ptolomeu não passava de um mito. Enquanto os portugueses exploravam a costa africana em busca de uma passagem a leste para as Índias, um genovês confiante e de fala sedutora procurava persuadir os espanhóis — ele já havia sido repelido pelos portugueses — a financiar uma expedição que se dirigisse às Índias pelo oeste. Baseado nos mapas de Ptolomeu e manipulando criteriosamente os algarismos para "dourar a pílula", Cristóvão Colombo estimou em apenas 2400 milhas a distância entre as Canárias e Cipango (Japão). Na verdade, são 10 mil milhas; o resto, como se costuma dizer, é história.

Em 1493 essa disputa das duas potências ibéricas por possessões leva Alexandre VI — o mais mundano dos papas — a emitir, com arrogância sublime e onisciência pontifical, uma bula papal que dividiu o mundo entre Espanha e Portugal. A linha divisória dessa partilha estupenda é colocada a 100 léguas (483 quilômetros) a oeste do arquipélago de Cabo Verde. Após árdua disputa entre os dois beneficiários, o limite final é estabelecido, assinado e selado no Tratado de Tordesilhas, em 1494. A nova linha fica 370 léguas (1787 quilômetros) a oeste do arquipélago de Cabo Verde. Todas as descobertas para o Oeste serão espanholas; para o Leste, portuguesas. Nem a corrida dos europeus para a África no século XIX, nem a expansão norte-americana para o Oeste, tampouco a russa para o Leste podem comparar-se a essa colossal arrogância imobiliária.

No meio do caminho, como Apolion, o anjo do abismo, o Novo Mundo tornou-se uma barreira mais poderosa do que a África para atingirem-se as riquezas das Índias. Em 1513 um conquistador espanhol, Vasco Nuñez de Balboa, atravessa o istmo do Panamá e descobre o Pacífico. Num gesto dramático — numa época de gestos dramáticos —, Balboa entra no mar e reivindica para a Espanha todas as terras banhadas por suas águas. Ao oceano dá o nome de mar do Sul. Em 1520 as barreiras aparentemente impenetráveis do continente americano são vencidas por Fernão de Magalhães com a descoberta do estreito que recebeu seu nome. Os três navios de Magalhães levariam 37 dias para percorrer seu caminho pelo interior do estreito. As terras para o sul são batizadas de Terra do Fogo, mas não se tem certeza de que se trate de parte de uma extensa massa de terra ou simplesmente de uma ilha. Somente um barco, o *Victoria*, regressa à Espanha, cheirando mal, fazendo água e infestado de percevejos. Dezoito marujos acometidos de escorbuto, descalços, cobertos de andrajos, com os rostos ocultos pelos cabelos desalinhados e as barbas crescidas, cambaleiam ao caminhar em fila, levando velas acesas ao Convento de Santa Maria da Vitória, em Triana. Ali agradecem por terem chegado em segurança, oram pelas almas dos companheiros mortos e pela de Fernão de Magalhães e fazem penitência "por ter comido carne às sextas-feiras e celebrado a festa da Páscoa em segundas-feiras, devido à perda de um dia em sua contagem". Esses penitentes, os primeiros homens a circunavegar o mundo, haviam sido apanhados pela distorção do tempo quando cruzaram a linha equinocial. No entanto, os eclesiásticos empedernidos e os dogmas de fé são animais resistentes. Séculos mais tarde, em 1898, Joshua Slocum, pilotando o *Spray* na primeira circunavegação solitária, teve de haver-se com três bôeres em Durban, enviados pelo presidente Kruger do Transvaal para verificar a validade da absurda afirmação de Slocum de que estava dando *a volta* ao mundo. Discutiram sem chegar a resultado nenhum. Mais tarde, no mesmo dia, Slocum encontrou na rua um desses cavalheiros e fez um gesto arredondado com a mão, ao que o fundamentalista, sem se deixar abater, retrucou com um movimento plano e chato da sua.

Em 1578, Sir Francis Drake, o belicoso e barbudo arquétipo do guerreiro navegante elizabetano — ou pirata, dependendo da nacionalidade do leitor —, desdenha o Tratado de Tordesilhas e atravessa o estreito de Magalhães em dezesseis dias. Após entrar no Pacífico, ventos de tempestade o arremessam para sudoeste. Quando os ventos amainam, Drake segue para noroeste e aporta na ilha onde fica o cabo Horn, ou próximo a ela. Ali, com jactância típica, Drake deita-se de bruços, abre os braços sobre a face íngreme do cabo e afirma, com um sorriso de criança travessa, que é o homem que se encontra mais ao sul no mundo inteiro. Para o sul de seus braços abertos se estende um oceano brilhante: "o cabo ou promontório extremo [...] fica a 56º [...], de onde não se vê terra firme ou ilha em direção ao sul, e sim o encontro dos oceanos Atlântico e Pacífico numa imensa e livre amplidão". Hoje em dia aquelas águas turbulentas que vão do cabo Horn à Antártica são conhecidas como estreito de Drake. Em 1919 a Conferência Oceanográfica Internacional de Londres fixaria o limite entre o Atlântico e o Pacífico no meridiano do cabo Horn. Drake, sem dúvida, não compreenderia por que demorou tanto tempo para que isso acontecesse.

Mapa-múndi por Abraão Ortélio. De Theatrum Orbis Terrarum, *Antuérpia, 1570.*

TERRARVM.
EQVVS VEHENDI CAVSA, ARANDI BOS, VENANDI ET CVSTODIENDI CANIS, HOMO AVTEM ORTVS AD MVNDVM CONTEMPLANDVM. Cicero.
NONDVM COGNITA
REBVS HVMANIS, CVI AETERTA SIT MAGNITVDO. CICERO:
VTINAM QVEMADMODVM VNIVERSA MVNDI FACIES IN CONSPECTVM VENIT, ITA PHILOSOPHIA TOTA NOBIS POSSET OCCVRRERE. Seneca.

Que conclusões tirariam os cartógrafos dessas viagens espanholas, portuguesas e inglesas? O matemático francês Oronce Finé publica em 1531 um mapa-múndi sofisticado, no qual a Terra do Fogo de Fernão de Magalhães integra um imenso continente meridional confiantemente denominado *Terra australis recenter invento sed nondum plene cognita* — "a terra do Sul recentemente descoberta porém ainda não conhecida em sua totalidade". Em 1570 Abraão Ortélio publica uma magnífica *Theatrum Orbis Terrarum* [Teatro do Mundo]. Essa coleção de setenta mapas chega a quarenta edições. Como no mapa de Finé, a Terra do Fogo figura como parte de um vasto continente austral, uma massa de terra cuja costa rodeia majestosamente a Terra com penínsulas, cabos, baías, angras e rios. No ano anterior à publicação do *Theatrum Orbis Terrarum*, um amigo de Ortélio e cartógrafo como ele havia publicado um mapa-múndi com uma projeção nova e revolucionária. Gerard Mercator — nascido Gerhard Kremer — elaborara aquele mapa inovador para uso dos navegantes: intitulava-se *New and improved description of the world amended and intended for the use of navigators* [Nova e aperfeiçoada descrição do mundo, corrigida e destinada ao uso por navegadores]. Porém, outro século se passaria até que os marujos, gente conservadora e cautelosa, pudessem compreender quão prática era uma carta com a qual, pela primeira vez, seria possível traçar o curso para uma terra distante por meio de uma linha reta.

Mercator e Ortélio publicaram seus mapas nos Países Baixos. Uma década após seu aparecimento, os obstinados burgueses daquelas terras alagadas declararam independência da Espanha e da odiada Inquisição Espanhola. Os séculos XV e XVI viram as caravelas, as carracas e os galeões dos dois reinos ibéricos abrindo caminhos pelos oceanos do mundo. O século XVII pertenceria aos mercadores holandeses, que em seus *flyte* e *jacht* expulsariam os portugueses e os ingleses das Índias Orientais. A Companhia Holandesa das Índias Orientais, Vereenigde Oostindische Compagnie, fundada em 1602, foi o grande empreendimento — praticamente um braço governamental — que monopolizou o comércio dos holandeses com aquela parte do mundo. Até sua dissolução em 1798, essa extraordinária companhia lançou os alicerces das possessões holandesas de ultramar e fez aparecerem nos mapas de todo o mundo as ilhas das Índias Orientais e as costas norte, sul e oeste da Nova Holanda (Austrália).

A Companhia, formada com finalidades comerciais e não de exploração, conseguiu a aprovação de leis aplicáveis aos comerciantes holandeses estabelecendo que somente seus próprios navios estariam autorizados a dirigir-se às Índias Orientais para comerciar, fosse dobrando o cabo da Boa Esperança ou pelo estreito de Magalhães. É possível que os legisladores tenham sido influenciados pelos mapas que mostravam a Terra do Fogo como parte da *terra australis incognita*. Havia, no entanto, quem discordasse. Isaac le Maire, membro fundador da Companhia, enriqueceu com ela e dela se desencantou. Os monopólios geram homens que se sentem sufocados pelo gigante que eles mesmos criaram. Foi assim com Le Maire.

Somente os navios da Companhia podiam passar pelo estreito de Magalhães. Por essa razão, Le Maire pensou em criar uma nova firma — a Australische Compagnie — e buscar uma passagem ao sul do estreito. O promontório de Drake, onde se tem o encontro dos "oceanos Atlântico e Pacífico numa imensa e livre amplidão", podia não ser mais do que simples conversa de marujos na taverna. Mas também podia ser real.

Em junho de 1615 dois navios estão ancorados ao largo de Texel, na Holanda: o *Eendracht*, de 220 toneladas, comandado por Wilhelm Cornelius Schouten, e um *jacht* de 110 toneladas, o *Hoorn*, comandado por Jan Cornelius Schouten. No comando geral da expedição da Australische Compagnie está Jacob le Maire, filho do velho Isaac. O *Hoorn* se perderia, incendiado na costa da Patagônia, mas em 29 de janeiro de 1616 o *Eendracht* dobra o cabo mais meridional da Terra do Fogo e o batiza, passando do Atlântico ao Pacífico. Schouten escreve em seu registro de bordo: "Cabo Hoorn a 57°48'S. Dobrado às 20 horas". Com essa anotação lacônica o temível cabo faz sua estréia nas histórias, lendas e sagas náuticas.

A viagem dos holandeses provoca uma reação galvânica dos espanhóis a essa escamoteação de seu precioso estreito de Magalhães. Com rapidez admirável a repartição das Índias do governo espanhol entrega o comando de duas caravelas de 80 toneladas a dois irmãos rudes, sagazes e experimentados na guerra, Bartolomeu e Gonzalo Garcia de Nodal. A tripulação é composta por portugueses recrutados à força, e com eles os dois irmãos zarpam de Lisboa durante o mês de setembro de 1618 com instruções de verificar a veracidade da viagem dos holandeses em volta da ponta meridional da América do Sul. Naturalmente, eles a confirmam. Afastando-se, porém, do cabo Horn em virtude de ventos fortes, em 12 de fevereiro de 1619 os irmãos descobrem um grupo de ilhas desertas a 56 milhas a sul-sudoeste do cabo. As ilhas recebem o nome de Diego Ramirez, o cosmógrafo da expedição. Esse arquipélago desolado, batido pelas vagas e pelo vento, constitui a terra mais meridional jamais registrada durante um período de 156 anos. Os cartógrafos ajustam devidamente seus mapas-múndi a fim de consignar a nova passagem para o mar do Sul, e as costas da *terra australis incognita* se deslocam um pouco mais para o sul.

Vinte e seis anos após a passagem pelo cabo Horn, dois outros navios holandeses zarpam da Batávia (Jacarta). Não se trata de uma expedição de aventureiros, mas de uma expedição que navega sob a bandeira da Companhia Holandesa das Índias Orientais. A viagem faz parte de um plano amplo de descobrimento da "porção meridional do mundo por toda a volta da Terra, a fim de verificar de que consiste, se de terra, mar ou icebergs, e tudo o mais que Deus ali dispôs". Os arquitetos dessa expedição são Anthony Van Diemen, o grande governador-geral da Batávia, e Franz Jocobszoon Visscher, o mais brilhante de todos os navegadores das Índias Orientais Holandesas. Os dois barcos são o *jacht Heemskerch* e o *flyte Zeehaen.* No comando está Abel Janszoon Tasman, com Visscher como "chefe da praticagem" (ou navegador principal).

Em 13 de agosto de 1642 Tasman recebe suas instruções e os dois navios zarpam no dia seguinte em direção à possessão holandesa de Maurício. As instruções são bastante sensatas. Os nativos de qualquer terra descoberta devem ser tratados com cortesia, e os holandeses são aconselhados a "ser pacientes e encarar os sofrimentos, sem abandonar rapidamente a empresa". Esses conselhos admiráveis, no entanto, não devem afetar o exercício de certo grau de astúcia por parte dos holandeses. Afinal de contas, trata-se de um empreendimento comercial. Tasman recebe instruções cautelosas no sentido de que, se os nativos "oferecerem ouro ou prata em troca de suas mercadorias, finja dar pouco valor aos metais e mostre-lhes cobre, estanho ou chumbo para dar-lhes a impressão de que estes últimos são por nós considerados mais valiosos".

Os dois navios passam um mês em Maurício, preparando-se para a viagem em direção ao sul. O plano é navegar entre 52 e 54° de latitude sul e procurar terras; se não forem descobertas, seguir para o leste até a longitude da extremidade oriental da

Nova Guiné e depois para o norte, a fim de elucidar questões suscitadas a partir das expedições holandesas e espanholas. Há também um plano alternativo que consiste em prosseguir velejando para leste até a costa do Chile. Ali, as províncias do Chile e do Peru, ricas em ouro e prata, exercem dupla atração sobre os holandeses: podem saciar-lhes o apetite por metais preciosos e dar-lhes a satisfação de fazê-lo sob as barbas dos odiados espanhóis.

Carregados de mercadorias para fins de troca, os navios atingem no início de novembro a latitude de 49°4'S. Neve, granizo, vendavais e o frio que assolava a tripulação obrigam-nos a voltar a latitudes mais temperadas, chegando a 44°S, sempre no rumo leste. No fim de novembro avistam terra e em 1º de dezembro ancoram numa baía abrigada. A terra recebe o nome de Terra de Van Diemen (Tasmânia). Não se encontram habitantes, e sim seus vestígios, pois nos troncos das árvores se vêem cortes separados por um metro e meio de distância um do outro. Os nativos poderiam ser gigantes. Na verdade, não eram, mas foi bem triste a história dos descendentes desses tímidos nativos, que tranqüilamente observavam os holandeses. Uma história horrível e vergonhosa. Os britânicos acabariam por estabelecer uma colônia penal na Tasmânia em 1803, e os nativos, deslocados de suas terras ancestrais, lutariam com suas armas primitivas. Um colono escreveu: "Os nativos têm sido muito incômodos e traidores [...] a única alternativa agora é eliminá-los imediatamente, se não se mostrarem amigáveis". Em 1830 a lei marcial foi decretada na Tasmânia e o *pogrom* começou. O território foi esquadrinhado pelos colonos armados, com o intuito de levar os nativos ao beco sem saída da península da Tasmânia, como se fossem animais de caça. Desnecessário dizer que os naturais da ilha, que conheciam muito melhor o terreno, conseguiram escapar dos desajeitados ingleses. Mas os colonos finalmente venceram, removendo os nativos para a ilha Flinders, no estreito de Bass. O último índio puro morreu em 1876.

A expedição holandesa permanece pouco tempo na Tasmânia. Em 4 de dezembro de 1642 os dois navios zarpam daquela terra "não cultivada, na qual a vegetação cresce selvagem pela vontade de Deus" e prosseguem no rumo leste.

Em 13 de dezembro novamente avistam terra. Trata-se de montanhas cobertas por nuvens, com ondas que se espraiam pela costa fazendo espuma branca. Percorrendo esse litoral de aparência inóspita, acabam por chegar a uma região mais baixa, onde há esperança de encontrar ancoradouro seguro. Ao pôr-do-sol de 18 de dezembro, os dois navios ancoram. Uma hora mais tarde vêem-se luzes na costa, tremeluzindo nas sombras da tarde, e duas canoas deslizam na água na direção dos navios. Param a pequena distância, gritam aos holandeses num idioma desconhecido e sopram no que parece aos batavos algo como uma trombeta mourisca. Os europeus, para não ficar atrás, tocam seus próprios instrumentos. Esse concerto improvisado chega ao fim ao cair da noite. Assim termina o primeiro contato entre europeus e os maoris da Nova Zelândia.

Os nativos da Terra de Van Diemen haviam se mostrado tímidos, arredios e misteriosos. No dia seguinte, os nativos da nova terra se mostram bem diferentes. Ao raiar da manhã, os holandeses se vêem cercados por canoas. De repente, sem aviso, uma das canoas maiores, com os nativos remando furiosamente, abalroa um escaler que levava uma mensagem de um navio para o outro. Num frenesi de violência, quatro dos ocupantes do escaler são mortos a pauladas. As aberturas *piacevole* da tarde anterior dão lugar aos acordes *feroce* de uma tragédia já conhecida. Os dois navios levantam ferros e se retiram daquele refúgio desditoso, que os holandeses batizam de baía dos Assassinos. Durante três semanas percorrem o litoral da terra a que chamaram de ilha Staten, em direção ao norte. Ventos contrários os impedem de prosseguir costeando a ilha quando a linha do litoral dobra para leste, e Tasman continua para o norte, penetrando mais profundamente no Pacífico. A expedição finalmente regressa à Batávia, dez meses depois da partida. Os diretores da Companhia recebem a notícia das descobertas com indisfarçável falta de entusiasmo. A viagem não produziu comércio nem lucro; segundo os diretores, Tasman "foi um tanto omisso na investigação da situação, conformação e natureza das terras e povos descobertos, deixando a maior parte da tarefa a ser executada por um sucessor mais investigativo".

Mesmo assim, a viagem de Tasman reduzira em grande parte o litoral da *terra australis incognita.* O mundo ainda esperaria 85 anos pelo nascimento do sucessor mais investigativo.

O ano das descobertas de Tasman, 1642, foi também o ano da morte de Galileu Galilei, astrônomo, matemático e físico, fundador da ciência experimental. Poucos anos antes, Galilei havia sido obrigado pela Inquisição a negar, de joelhos, sua opinião herética de que a Terra se movia ao redor do Sol. Costuma-se dizer que, após haver feito a retratação e enquanto se punha de pé, Galileu teria murmurado "*E pur si muove*" (E, no entanto, ela se move). Mil seiscentos e quarenta e dois foi também o ano do nascimento de Isaac Newton. A visão limitada dos padres jesuítas e os caminhos estreitos dos dogmas cristãos estavam por ser iluminados pela nova era de investigação científica.

Em 1660, numa reunião em Londres, um grupo de cavalheiros eruditos e de espírito investigativo fundou uma associação dedicada aos "estudos experimentais físico-matemáticos". Esse embrião da Real Sociedade é sintomático de uma época em que os progressos na matemática, na óptica e na astronomia resultaram no aperfeiçoamento da ciência da navegação, imprescindível para as explorações do século seguinte. Todavia, os avanços práticos caminham de mãos dadas com a especulação. O relato feito por Tasman sobre sua viagem é publicado em inglês em 1694, e três anos mais tarde aparece o *New voyage round the world* [Nova viagem ao redor do mundo], de William Dampier — dedicado ao presidente da Real Sociedade —, e sua repercussão é tão grande que em poucos meses se publicam três edições.

O retrato de Dampier está na Galeria Nacional de Retratos, em Londres. Exibe um rosto um tanto taciturno, de lábio inferior grosso e olhos meditativos. Sob o quadro, a legenda: "Capitão William Dampier: pirata e hidrógrafo", qualificações sugestivas, que inspirarão em crianças de muitas gerações idéias de romance e aventura em relação às figuras mais sisudas e severas da história britânica. Embora fosse bucaneiro, Dampier também tinha preocupações científicas e possuía a mente investigativa que marcou o século XVIII. Em 1699 publica seu *Discourse of winds, breezes, storms, tides and currents in the torrid zones* [Discurso sobre os ventos, brisas, tempestades, marés e correntes nas zonas tórridas], obra que seria elogiada por navegadores ainda não nascidos, como Cook e Nelson. O editor dos livros de Dampier, que conhecia o seu público e que sentia ainda nas narinas o doce aroma do sucesso da *Nova viagem*, publica novos volumes de viagens de bucaneiros.

A profusão de relatos alimenta as especulações dos acadêmicos no que diz respeito ao tamanho, forma, localização e habitantes da *terra australis incognita*, bem como ao possível comércio com ela. A literatura da época reflete as modas, idéias e preocupações que lhe são próprias; não admira, portanto, que a Lilipute de Swift esteja localizada a noroeste da Terra de Van Diemen. Swift, que se deleitava em alfinetar a falsa erudição, crava o olhar e a pena aguda nos autores desses pesados volumes, cheios de especulação geográfica, e dispara com mira letal seu *Project for the universal benefit of mankind* [Projeto para o benefício universal da humanidade]. "Como o autor", escreve ele, "labutou durante muito tempo e tanto se empenhou para servir e instruir o público, sem nenhuma vantagem para si próprio, finalmente imaginou um projeto que será de grande benefício para a humanidade e ao mesmo tempo lhe renderá apreciável quantia em dinheiro. O autor pretende fazer imprimir, mediante subscrição, em 96 amplos volumes in-fólio, uma descrição exata da *terra australis incognita* coligida com extremo cuidado e sacrifício de 999 escritores eruditos e piedosos, de veracidade indubitável [...] Esta obra será de imensa utilidade para todos os homens e necessária a todas as famílias, pois contém relatos precisos de todas as províncias, colônias e mansões daquela terra vasta, para a qual, por sentença geral, deverão ser transportados todos os transgressores da lei [...]"

De nosso olímpico ponto de observação, a *terra australis incognita* se aproxima da maturidade plena; a partir do ovo de Ptolomeu, transforma-se em larva, em ninfa e finalmente em belíssima imago, ainda que imperfeita. Porém, como no ciclo vital da mais formosa borboleta, o estágio final de imago é também o mais efêmero. Um dos criadores dessa quimera bem argumentada foi Alexander Dalrymple. Em um retrato seu, feito na meia-idade, vê-se um homem corpulento, de lábios petulantes, rosto avermelhado e olhos coléricos que lançam chispas acusadoras contra o observador. Trata-se de um escocês raivoso, que fará todo o possível para conservar viva sua raiva. Dalrymple confessou ser "pedantemente preciso", admirável atributo para o Primeiro Hidrógrafo do Almirantado — esse era seu cargo em 1795 —, qualidade que, contudo, não costuma facilitar as relações pessoais.

Nascido numa distinta família escocesa de juristas e políticos, Dalrymple começou a trabalhar na Companhia das Índias Orientais em 1752 e com quinze anos de idade foi mandado para Madras. O Oriente o fascinou. Ali, durante os treze anos seguintes, percorre com zelo infatigável as bibliotecas em busca de mapas e pormenores do comércio de especiarias e das viagens pelo Pacífico. Geografia, pesquisa das descobertas e astronomia é pouco para seu intelecto poderoso. Com dedicação, energia e capacidade de compilação dignas de um pássaro australiano construtor de ninhos, Dalrymple elabora uma estrutura hipotética sedutora para explicar a existência de um continente austral desconhecido, imenso, fértil e populoso. Alicerçada, murada e fortificada com material proveniente das viagens dos espanhóis, portugueses e holandeses e coberta pela lógica aparentemente inexpugnável tomada aos acadêmicos franceses, sua construção é impressionante.

Em 1765, já membro da Real Sociedade, Dalrymple regressa à Inglaterra. Em 1767 publica *An account of the discoveries made in the South Pacific ocean previous to 1764* [Um relatório das descobertas feitas no oceano Pacífico Sul anteriores a 1764], seguida pelos dois volumes da *Historical collection of voyages... in the South Pacific ocean* [Uma coletânea histórica de viagens... no oceano Pacífico Sul], em 1770 e 1771. Neles está contido todo o resultado de sua pesquisa e sua argumentação em favor da existência de um grande continente desconhecido no Pacífico Sul, cujo litoral setentrional estaria próximo à latitude 28ºS, e na latitude de 40ºS a terra se estenderia ao longo de 100º de longitude, equivalentes a 4596 milhas geográficas, "extensão maior do que toda a parte civilizada da Ásia, desde a Turquia até a extremidade da China".

Dalrymple argumenta, como faria um advogado, que o comércio com um continente dessas dimensões substituiria as trocas com aqueles 2 milhões de miseráveis ingratos que habitavam as colônias americanas. É óbvio que nesse grande continente astral devem existir pelo menos 50 milhões de habitantes, e "as migalhas desta mesa seriam suficientes para manter o poderio, o domínio e a soberania britânicos, proporcionando emprego para todas as indústrias e navios". O motivo pelo qual ninguém descobrira ainda esse continente e todas as suas maravilhas se deve ao comportamento pusilânime de alguns de seus exploradores. É preciso um novo Colombo, um novo Magalhães, e Dalrymple se considera apto para a tarefa. Sua oportunidade chegaria.

O regresso de Dalrymple a Londres coincide com uma época em que os fidalgos cientistas da Europa se encontram em grande euforia com a próxima passagem de Vênus diante do disco solar. A teoria de Sir Isaac Newton de que a Terra não é uma esfera perfeita, e sim mais ampla no equador, acaba de ser confirmada por duas expedições francesas encarregadas de medir o arco de um meridiano no Peru e na Lapônia. O cálculo mostra que o perímetro da Terra é cerca de 42 milhas (68 quilômetros) menor na circunferência polar do que ao longo da linha do equador.

O trânsito de Vênus pelo disco solar, no entanto, transcende a mensuração terrestre, pois representa o primeiro passo para a medição do sistema solar e do universo — a distância entre a Terra e o Sol. Meio século antes, Edmond Halley previra, propusera e argumentara que os dois trânsitos de Vênus em 6 de junho de 1761 e em 3 de junho de 1769 fossem medidos a partir de duas estações de observação separadas por grande distância uma da outra na Terra. As oportunidades seguintes somente ocorreriam em 1874 e em 1882, seguidas de outras em 2004 e em 2012. Halley sabia que não estaria vivo para acompanhar as passagens de Vênus no século XVIII, porém desejava aos astrônomos os melhores votos de êxito. Em 6 de junho de 1761, 120 observadores de nove países contemplam os céus. Mas as dificuldades decorrentes das viagens, das guerras, dos fenômenos atmosféricos e do uso de instrumentos inadequados se transformam em obstáculos intransponíveis e, ao se conhecerem os resultados das observações, as respostas são insatisfatórias. Haverá ainda uma chance em 1796, e a esse trânsito a Real Sociedade confere seu considerável prestígio, influência e patrocínio.

Com certa urgência, a Real Sociedade nomeia uma Comissão do Trânsito, que, por sua vez, recomenda a ida de observadores à baía de Hudson, ao cabo Norte e ao Pacífico. O astrônomo real, o reverendo Nevil Maskelyne, sugere como melhor ponto de observação uma área trapezoidal no Pacífico. Localizada entre as latitudes 5 e 35° Sul e longitudes 172 Leste e 124 Oeste no hemisfério norte, e entre 139 e 172 Oeste no hemisfério sul, encontra-se na zona de interesse de Dalrymple; na verdade, uma parte do trapézio coincide com o desconhecido continente austral por ele proposto. A Real Sociedade o considera a pessoa adequada para seguir na direção dos mares do Sul, pois trata-se de "um navegador competente e perito em observações". Enquanto isso, Maskelyne entrevista outros candidatos ansiosos por observar o trânsito. Charles Green está disposto a seguir para o sul por 300 libras anuais, mais as despesas; William Wales, pelas mesmas condições, aceitaria ir para uma região quente. Green segue efetivamente para o sul, mas o pobre Wales tremeria de frio na baía de Hudson. As condições de Green e de Wales empalidecem diante das de Dalrymple: nada menos do que o comando absoluto de um navio da Marinha Real e a escolha de todos os oficiais; e se "por algum acaso" vier a perder o navio antes de chegar aos mares do Sul, o governo se obrigaria a providenciar outro. Condições simples, segundo Dalrymple, porém as únicas que o satisfariam. Para obtê-las, ele conta com o apoio da Real Sociedade e de um certo Adam

Smith, compatriota escocês, filósofo e pensador emergente no campo da economia. Também fica absolutamente claro que para Dalrymple o trânsito de Vênus tem importância secundária em relação ao seu objetivo primordial — encontrar o grande continente austral. Numa carta ao secretário da Sociedade, cujo tom deferente é de tirar o fôlego, Dalrymple registra que "onde quer que me encontre em junho de 1769 certamente não deixarei passar a oportunidade de fazer uma observação tão importante para a ciência quanto a do trânsito de Vênus". São essas as condições ditadas pelo novo Magalhães, o novo Colombo.

Tais exigências, contudo, fazem engasgar os lordes do Almirantado que deverão fornecer os navios e a tripulação para a viagem aos mares do Sul. O primeiro lorde, Sir Edward Hawke, jura que prefere perder a mão direita a ter de assinar tal nomeação. A opinião dos lordes é comunicada à Sociedade; Dalrymple mantém suas condições — posição insustentável — e recusa-se a cooperar se não forem aceitas. O novo Magalhães, o novo Colombo, perde a oportunidade; Sir Edward Hawke salva sua mão direita.

A Real Sociedade se resigna a proporcionar aconselhamento e instrumentos e nomeia Charles Green observador, juntamente com o jovem e abastado Joseph Banks — com um séquito de oito pessoas e dois galgos —, a fim de estudar a história natural das ilhas e terras do Pacífico. Suas Excelências se congratulam discretamente e designam um obscuro mestre da Marinha Real, agora promovido ao posto de capitão-tenente, para comandar o navio de pesquisa que zarpará para os mares do Sul. O *Endeavour* e James Cook estão prestes a entrar para a história.

Em retrospecto, Cook parece ter sido a escolha óbvia e lógica. Porém, em abril de 1768, alguns dias após o Almirantado ter adquirido por 2800 libras o pequeno navio carvoeiro *Earl of Pembroke*, rebatizado com o nome de *Endeavour*, poucos sugeririam James Cook para seu comando. Seria, talvez, o equivalente inglês da "sala de deliberações cheia de fumaça de cigarro" de Kirke Simpson e um exemplo da forma peculiar com a qual os ingleses tomam decisões, comentada por outro americano, Henry Thoreau: "O governo do mundo em que vivo não foi formado, como o da Grã-Bretanha, numa conversa depois do jantar, regada a vinho". Cook na verdade era conhecido pela Real Sociedade — tinha sido nomeado segundo observador, juntamente com Green — devido às observações que fizera do eclipse do Sol em 1776 enquanto pesquisava o litoral da Terra Nova, e fora reconhecido pela Sociedade como "bom matemático e perito em sua especialidade". Era muito estimado no Almirantado por um grupo de administradores competentes por causa de seus levantamentos topográficos impecáveis das costas do Labrador, da Terra Nova, da Nova Escócia e do estuário do rio São Lourenço. A um dos administradores, Philip Stevens, secretário do Almirantado, deve-se creditar a sugestão do nome de Cook entre inúmeros candidatos qualificados. Sua escolha teve o apoio do governador da Terra Nova, Sir Hugh Palliser, também oficial da Marinha Real.

No dia 20 de maio de 1768 o navio *Dolphin*, sob o comando do capitão Samuel Wallis, ancora em Downs, um ancoradouro localizado no estreito de Dover, após uma circunavegação de 637 dias, trazendo notícias da descoberta de uma nova ilha no Pacífico situada dentro do trapézio de Maskelyne. A posição geográfica da ilha do rei Jorge II (Taiti) foi fixada com exatidão na latitude 17°30'S e longitude 150°O. O cálculo da longitude foi efetuado "tomando a distância entre o Sol e a Lua e fazendo o cálculo segundo o método do dr. Masculine,* que não compreendemos". A descrição que Wallis faz da ilha, de seus habitantes e de sua posição

* A grafia incorreta é da citação original. (N. T.)

convence a Real Sociedade de que ali está o lugar ideal para a observação do trânsito de Vênus.

O *Endeavour* zarpa de Plymouth em 26 de agosto de 1768. A bordo seguem 96 pessoas, provisões para mais de dezoito meses, madeira, lona, vergas, cordame e os melhores instrumentos disponíveis para as observações astronômicas da passagem do planeta. Como uma cápsula espacial, o *Endeavour* acaba de ser lançado para sua missão. As instruções para essa missão, assinadas pelos lordes do Almirantado em 30 de junho, ordenam a Cook que zarpe para o Taiti, estabeleça seu observatório e meça o trânsito. "Quando essa incumbência tiver sido executada", continuam os lordes, "Vossa Senhoria zarpará sem perda de tempo e cumprirá as instruções suplementares contidas no envelope selado que vai incluso."

O envelope selado trata da questão do grande continente austral de Dalrymple. Alguns dos membros da tripulação acreditaram ter visto, ao pôr-do-sol, cumes de montanhas ao sul do Taiti. Poderiam esses picos evanescentes pertencer ao continente austral? Sendo homens pragmáticos, os lordes abordam o tema com cautela: "Considerando haver motivos para imaginar que um vasto continente, ou terra de grandes dimensões, pode existir ao sul da rota singrada recentemente pelo capitão Wallis no navio de Sua Majestade *Dolphin* (da qual Vossa Senhoria receberá a cópia inclusa), ou da rota de alguns navegadores que anteriormente empreenderam viagens semelhantes". Havendo assim disposto o assunto, os lordes continuam dando instruções a Cook na fraseologia do Almirantado, consagrada pelo tempo: "Nestes termos suas ordens são zarpar com o navio sob seu comando tão logo a observação do trânsito do planeta Vênus esteja terminada e seguir as presentes instruções".

As instruções são modelares — concisas e precisas, embora não demasiadamente restritivas. Haviam sido redigidas com grande cuidado.

> Vossa Senhoria se dirigirá rumo ao Sul a fim de descobrir o supramencionado continente até chegar à latitude de 40°, a menos que o encontre anteriormente. Porém, não o havendo descoberto, ou não havendo encontrado sinais evidentes de sua existência nesse trecho, Vossa Senhoria deverá orientar sua pesquisa para o Oeste, entre a latitude acima mencionada e a de 35° até que o descubra ou encontre a costa Leste da terra descoberta por Tasman e agora chamada Nova Zelândia.

Se encontrar o continente, Cook deverá investigar seu litoral, tomar nota dos elementos do mar, rios e terras, da fauna e da flora e dos minerais, trazendo de volta espécimes das sementes das árvores, frutas e plantas. Quaisquer nativos encontrados deverão ser tratados com amizade cautelosa. Se não descobrir nenhum continente, deverá investigar e explorar o litoral da Nova Zelândia, reabastecer-se em algum porto conhecido e regressar à Inglaterra, rodeando o cabo da Boa Esperança ou o cabo Horn.

Três anos mais tarde, com a missão cumprida, o *Endeavour*, castigado pelas intempéries, ancora em Downs, e Cook parte para Londres a fim de prestar contas de sua viagem ao Almirantado. O relato é surpreendente. Nele constam aventuras e perigos, ilhas românticas e naufrágios quase desastrosos. O trânsito de Vênus fora observado; a extensão de qualquer continente austral que pudesse em teoria existir ficava grandemente reduzida; 5 mil milhas de novos litorais haviam sido mapeadas, com a Nova Zelândia e a costa oriental da Austrália firmemente traçadas nos mapas-múndi. Os lordes ficaram extremamente satisfeitos, assim como a Real Sociedade. Jamais outra expedição trouxera de volta tantas amostras interessantes do ponto de vista da história natural: mais de mil novas plantas, centenas de novas espécies de peixes, peles de pássaros e de mamíferos e "inumeráveis insetos". Enquanto os homens do mar do Almirantado e os fidalgos eruditos da Real Sociedade se comprazem com essas dádivas, a alta sociedade londrina se apaixona pelas histórias dos nativos taitianos e suas dóceis mulheres. Como aquela ilha era adequada a uma observação de Vênus! Correm muitos comentários, entre os libidinosos e alvoroçados admiradores, das aventuras amorosas do jovem Banks.

Além de suscitar tais comentários estimulantes, Banks leva para Londres peles de canguru. George Stubbs, o famoso pintor de cavalos, exibe um quadro dessa estranha criatura na Real Academia. Talvez tenha sido esse quadro, ou conversas mantidas com Banks, que levaram o dr. Samuel Johnson, durante sua viagem com Boswell pelas Terras Altas da Escócia e pelas ilhas Hébridas, a demonstrar a uma platéia, depois de um farto jantar, a aparência e os hábitos desse curioso animal. De pé, ereto, juntando as abas do casaco para imitar a bolsa, e estendendo as mãos como pequenas patas, o sisudo doutor dá saltos vigorosos pela sala. Deve ter sido divertido. A opinião de Johnson sobre os "inumeráveis insetos" trazidos por Banks é menos laudatória: para ele existem na Inglaterra insetos suficientes para serem estudados.

Em meio a tantos elogios à histórica viagem, pode-se ouvir, contudo, uma voz discordante. Para Alexander Dalrymple, Cook não fora perseverante em sua tentativa de encontrar o continente austral. Pode-se perceber a extensão da mágoa de Dalrymple por um exemplo encontrado em seus escritos. Indignadas letras em itálico marcam a página como manchas de uma pena calcada com força. "A questão", fulmina um Dalrymple inflamado, "é que ainda *não se determinou se existe ou não um CONTINENTE AUSTRAL*. Embora quatro viagens já tenham sido feitas *sob seu patrocínio* [o do Almirantado], ainda assim ouso apelar, até mesmo a eles, pois *eu não teria regressado em estado de ignorância*." Dalrymple havia construído seu continente austral — como uma estrutura de ninho de pássaro — com material recolhido em muitas fontes. Mas no mundo das aves poderia aparecer um rival capaz de destruir toda a sofisticada construção.

Existiam, na verdade, vastas áreas dos oceanos ainda inexploradas, capazes de conter um continente austral. Sem que Dalrymple soubesse, Cook discretamente formulava um plano para descobri-lo ou encerrar o assunto de uma vez por todas. Um século após a viagem do *Endeavour*, Thomas Huxley escreveria que uma das grandes tragédias da ciência é a morte de uma bela hipótese por causa da crueza dos fatos. A bela hipótese da *terra australis incognita*, que datava de séculos, estava prestes a encontrar seu fim.

2. A arte de descobrir ancoradouros

Embora a latitude seja um tanto incerta
E a longitude também seja vaga

W. J. Prowse, The city of Prague [A cidade de Praga], *1856*

Revelo a longitude (de Hispaniola) somente para advertir o leitor de que nada é mais incerto e de que nenhum método utilizado até o presente para determinar a longitude jamais produziu resultado exato e constante.

Padre Labat, Memórias, *1693-1705*

As descobertas dos séculos XV e XVI exigiam longas viagens através dos oceanos e por isso trouxeram problemas novos e complexos para os navegadores. Um era a dieta, outro era a navegação correta. As três palavras-chave da navegação costeira — registro de navegação, prumo e vigilância — eram insuficientes para a determinação precisa da localização de novas terras e descobertas. Portanto, logo que os navegantes europeus perdiam de vista os cabos, promontórios e mares internos conhecidos, defrontavam-se com a espinhosa questão de determinar a posição em que se encontravam. Como se sabe, nos oceanos do mundo não há trilhas, e os pontos de referência são móveis: o Sol, a Lua, as estrelas e os planetas.

O registro de navegação, o prumo e a vigilância ainda constituem a santíssima trindade do credo do marinheiro, e quem não aderir a esses três mandamentos estará cometendo uma enorme estupidez. Apenas os métodos mudaram ao longo dos séculos. Os brinquedos dos iatistas amadores de hoje estão equipados com sistemas de navegação por satélite, hodômetros, ecobatímetros e radares — que são as versões eletrônicas digitais, com microprocessadores, da ampulheta, dos blocos de madeira para estimar a velocidade dos navios, dos hodômetros de linhas de nós e dos prumos de mão.

Essa trindade continha em si três outros elementos: a tríade da velocidade, do tempo e da direção. O método mais simples de estimar a velocidade de um barco é conhecido como "hodômetro holandês". Conhecendo-se a distância entre a proa e a popa, atira-se um pequeno quadrante de madeira ao mar, na proa, e contam-se os segundos até que ele chegue à popa. Um simples cálculo fornecerá a velocidade do barco.[1] Provavelmente foi assim que se estimou a velocidade do *Victoria* durante sua primeira viagem de circunavegação. O mesmo princípio serve de base para um método mais sofisticado, que gerou o uso da palavra "nó" para designar a unidade de velocidade de um navio. Esse sistema simples surgiu na metade do século XVI e continua em uso no século XX. Amarra-se uma linha com nós distribuídos em inter-

1. Para o cálculo da velocidade medida em nós, usa-se a fórmula 0,6·*d* dividido por *s*, em que *d* é a distância e *s*, o tempo contado em segundos.

valos iguais e conhecidos a um pequeno quadrante de madeira ao qual se juntou um lastro não muito pesado. Desce-se esse quadrante para o mar e, quando o primeiro nó entra em contato com a água, gira-se uma ampulheta de meio minuto. Quando a areia acabar de escorrer, verifica-se a linha e contam-se os nós que entraram na água, o que determina a velocidade em nós — milhas náuticas por hora. Em um barco bem navegado, o quadrante seria lançado de hora em hora, e seriam anotados a velocidade e o rumo pela bússola num registro provisório, e finalmente no livro de registro geral do navio a cada mudança de turno, de quatro em quatro horas.

O hodômetro padrão é uma evolução do hodômetro comum. O "hodômetro permanente" de Foxon foi experimentado em 1773 na viagem do capitão Constantine Phipps ao Ártico; James Cook também utilizou um hodômetro — pela primeira vez — a bordo do *Resolution*, no trajeto de Santa Helena para a Inglaterra. O hodômetro padrão funciona segundo o princípio do parafuso de Arquimedes. Na extremidade da linha que está em contato com o mar há um rotor em forma de torpedo; esse rotor gira com o fluxo da água fazendo rodar uma engrenagem montada no navio, a qual, por sua vez, aponta num mostrador a distância percorrida. Substituído pelas engenhocas eletrônicas colocadas na popa dos navios, o sistema ainda é usado em pequenos iates.

Porém até mesmo as estimativas mais grosseiras do percurso diário pouco significam se o rumo não for conhecido. O hemisfério norte tem como vantagem a estrela Polar, que para fins de navegação rudimentar parece estar fixa no céu. Na navegação noturna a estrela é um facho imóvel que aponta para o Norte. O Sol é o farol diurno, ainda que mais errático. Para a navegação oceânica em águas desconhecidas, é necessário algo mais. A bússola magnética dos marinheiros foi inventada pelos chineses, levada ao Ocidente pelos mercadores árabes, atravessou os países islâmicos e foi pela primeira vez mencionada nas obras de Alexander Neckam, monge inglês da Universidade de Paris, entre 1180 e 1190. Mais do que qualquer outra invenção — igualada somente pelo canhão, também invenção chinesa —, a bússola permitiu aos europeus dominar os oceanos do mundo durante mais de quatro séculos.

O prumo é um instrumento mais humilde, que tanto mede a profundidade da água como determina o tipo de leito que se encontra no fundo. Sofisticado em sua simplicidade, esse pedaço de chumbo em forma de fuso fica preso a uma linha marcada em braças.[2] A extremidade inferior do chumbo é oca e abriga uma bola de sebo a que se agarra o tipo de leito — areia grossa, areia fina, areia e conchas, lodo etc. —, um indicador muito importante para o comandante de navegação costeira que conhece os riachos, as baías, as angras e o litoral de seus domínios marítimos. Para esse tipo de navegador, o prumo era o elemento mais importante da trindade da navegação.

O mar não respeita nacionalidades e a maior parte das anedotas sobre ele tem temas comuns, qualquer que seja o idioma em que são contadas. Uma delas é a história engenhosa de um pequeno barco de cabotagem cujo proprietário era o próprio comandante, conhecedor tão profundo de sua costa que sabia exatamente a posição em que se encontrava ao olhar, cheirar e finalmente provar a amostra do leito trazida pelo prumo. Em certa viagem, transportando galinhas da fazenda do sr. Brown, em meio a denso nevoeiro, o comandante mandou baixar o prumo. O imediato, por troça, colocou no oco o sebo e também

2. Uma braça equivale a 6 pés [1,82 metro] — a distância, da ponta dos dedos de uma das mãos ao da outra, de um homem de estatura média com os braços abertos.

um pouco do excremento das galinhas, retirado dos engradados. O prumo desceu, a profundidade foi medida e depois o comandante olhou o sebo, cheirou-o e por fim provou-o — e imediatamente levantou a cabeça, gritando: "Meu Deus, rapazes, depressa, virem a bombordo! Estamos em cima da fazenda do senhor Brown!".

Entretanto, o conhecimento das sutilezas do material preso ao sebo é útil apenas para a navegação costeira. Para encontrar o rumo nos oceanos insondáveis e não mapeados é necessário saber a latitude e a longitude; esse sistema de coordenadas para mapear a superfície da Terra exige a observação do céu, e não do fundo do mar.

Tal sistema de coordenadas, no qual os paralelos da latitude correm para Leste e Oeste e os meridianos da longitude na direção Norte e Sul, foi formulado no século II a. C. por Hiparco, astrônomo e matemático grego, pai da trigonometria e flagelo de muitas gerações de estudantes pouco aplicados. Era possível solucionar o problema da determinação da posição de um observador sobre uma linha de latitude medindo-se a altura da estrela Polar ou do Sol sobre o horizonte. Os instrumentos para medir a altura eram simples: o astrolábio em forma de disco, o quadrante a balestilha ou quadrante de Jacob (aperfeiçoados em 1595 por John Davis, que os transformou no quadrante inglês ou quadrante duplo, a fim de que o observador não tivesse de olhar diretamente para o Sol). No século XV já existiam tabelas de cálculos. Delas munido, o navegador podia calcular a latitude com margem de erro de poucas milhas, desde que o tempo estivesse bom e as condições do mar, relativamente calmas. O convés oscilante de um barco pequeno não é a plataforma ideal para observações astronômicas e os cálculos de latitude podem apresentar erros graves, mesmo quando feitos pelos melhores navegadores.

A determinação da latitude, contudo, tão-somente situava o marujo num ponto qualquer ao longo de uma linha que dava a volta ao mundo. Para saber a localização exata nessa linha, era necessário outro posicionamento — de preferência perpendicular à linha da latitude —, e o local onde ambas se cruzavam seria a posição do observador. Porém, esse posicionamento — a longitude — constituía um enigma muito mais complicado e aparentemente insolúvel.

Um autor do século XVI deu pouca importância à questão. "Há quem se preocupe muito em encontrar uma forma de determinar a longitude", escreveu ele, "mas isso é enfadonho demais para os marinheiros, pois exige conhecimentos profundos de astronomia. Por esse motivo, não quero que ninguém imagine ser possível determinar a longitude no mar mediante o uso de quaisquer instrumentos; assim, que os marinheiros não se deixem perturbar com o assunto e continuem (segundo seu costume) a manter registro exato e perfeito do rumo de seus navios."

O método de "manter registro exato e perfeito" consistia em anotar a velocidade do barco e o rumo marcado pela bússola e em seguida fazer deduções conforme a deriva provocada pelas correntes ou pelos ventos. Isso se fazia, em geral, por meio de estimativas. Esse método é conhecido, de forma um tanto macabra, como navegação estimada.* Um navegante que deixasse de manter seus registros exatos poderia acabar encalhado. Nas viagens longas, a determinação das posições longitudinais poderia ter erros de centenas ou mesmo de milhares de milhas. O navegador de Fernão de Magalhães, por exemplo, após a terrível travessia do Pacífico, cometeu um erro de quase 53º na longitude das ilhas

* Em inglês, *dead reckoning*; a palavra *dead* significa "morto", embora seja usada, no caso da navegação estimada, com a acepção de "exato" ou "preciso". Daí a alusão do autor a "macabro". (N. T.)

Filipinas — correspondente a 3 mil milhas. Em suma, o método é uma adivinhação; adivinhação com informação, mas de qualquer modo, adivinhação.

Os governos dos países marítimos se preocupavam com as perdas de vidas, de navios e de mercadorias. França, Holanda, Veneza e Espanha ofereceram prêmios para quem solucionasse o problema da longitude. Em 1598, Filipe III da Espanha ofereceu 6 mil ducados e uma pensão vitalícia de mais 2 mil ducados a quem encontrasse uma solução prática. Ninguém conseguiu.

A solução, no entanto, parecia tentadoramente simples. A Terra gira 360° em torno de seu eixo a cada 24 horas. A cada hora, portanto, o Sol se move ao longo de 15° de longitude. Se o marujo souber que horas são, digamos, em Londres, Paris ou Madri (suponhamos que esse seja o primeiro meridiano, palavra que significa "meio-dia"), e mediante a observação do Sol determinar o meio-dia no meridiano em que se encontra, poderá calcular a distância que o separa do primeiro meridiano, para Leste ou para Oeste. Assim terá encontrado sua longitude. Necessita, porém, de dois instrumentos bastante precisos: um medidor da altura do Sol e um relógio que marque as horas de maneira impecável. Os instrumentos para medir o tempo nos barcos dos séculos XV e XVI eram as ampulhetas, viradas a cada meia hora, demasiadamente imprecisas.

Em 1675 o reverendo John Flamsteed, designado primeiro astrônomo real no recém-construído Observatório de Greenwich, passou a residir na casa projetada pelo arquiteto Christopher Wren. Sua missão era corrigir "as tabelas dos movimentos dos céus e a localização das estrelas fixas, a fim de determinar a tão desejada longitude dos pontos para aperfeiçoar a arte da navegação e da astronomia". Estava lançada a semente para a longitude de zero grau — o primeiro meridiano — que passava pelo Observatório de Greenwich, de forma que a hora dali constituísse o ponto inicial dos fusos horários do mundo.

Ao navegar de Gibraltar para a Inglaterra, em 1707, a frota do vice-almirante Sir Cloudesley Shovell naufragou nas ilhas Scilly. O almirante e mais 2 mil marinheiros morreram afogados. Ironicamente, essa catástrofe teve menos a ver com a longitude do que com a latitude. Mesmo assim, aumentaram os esforços para que se solucionasse o problema da longitude; mas como os governos, por serem instituições burocráticas, são lentos, somente em 1714 o Parlamento aprovou uma lei que estabelecia "uma recompensa pública para a pessoa ou pessoas que consigam determinar a longitude no mar". Numa época em que um artesão qualificado podia considerar-se afortunado se ganhasse por ano 26 libras; um marinheiro experiente da Marinha Real, 14 libras, e seu comandante, 100 libras, o prêmio pela determinação da longitude era generoso:

> 10 mil libras, se o método tivesse erro máximo de um grau, ou 60 milhas náuticas;
>
> 15 mil libras, se tivesse erro máximo de dois terços de grau, ou 40 milhas náuticas;
>
> 20 mil libras, se tivesse erro máximo de meio grau, ou 30 milhas náuticas.

Organizou-se uma Comissão de Longitude, composta por quarenta membros. Se a maioria considerasse determinado método "útil e praticável", metade da recompensa seria paga. A expressão "útil e praticável" era ambígua e prometia causar discussões ásperas entre os membros da Comissão. Menos ambígua era a forma de pagamento do restante da recompensa. Um navio, utilizando o método proposto, partiria das Ilhas Britânicas até algum porto nas Índias Ocidentais e, conforme o grau de precisão verificado, a segunda parte do prêmio seria paga.

Ao ser convidado para fazer parte da Comissão "a fim de encontrar a longitude no mar", Sir Isaac Newton replicou com irreverência evidente que não sabia que a longitude havia sido perdida. Entretanto, aceitou o convite, e durante várias décadas a Comissão examinou mais de trezentos métodos para determinar a longitude.

O prêmio oferecido atraiu, inevitavelmente, muitos loucos e excêntricos. Um certo Owen Straton foi entrevistado pela Comissão, porque declarava possuir "um instrumento por ele inventado" capaz de determinar a longitude. Era um relógio solar. No século XVIII determinar a longitude se transformou no equivalente a resolver palavras cruzadas. No *The Rake's progress* [O progresso de Rake] Hogarth satirizou o tema, colocando na cena de um hospício um interno meditando serenamente sobre o problema da longitude, cercado por seus companheiros lunáticos em grande agitação.

O louco criado por Hogarth poderia resolver o problema da longitude de duas maneiras: por meio da mecânica ou da astronomia/matemática. Para que o método mecânico desse certo, era necessário fabricar um relógio, ou instrumento de medição do tempo, de tais precisão e qualidade que fosse capaz de funcionar em ritmo uniforme durante viagens longas, em temperaturas extremas e em meio aos movimentos violentos do navio. Quando da primeira reunião da Comissão de Longitude, não existia nenhum exemplar de tal instrumento de relojoaria. Grande número das propostas examinadas pela Comissão tratava da solução astronômica/matemática — a escolhida pelo lunático de Hogarth. Exigia a medição da distância entre a Lua, que se movia com relativa rapidez, e as estrelas fixas. O método da "distância lunar" tinha seus inconvenientes: os cálculos eram complexos, a mensuração tinha de ser exata e todo o processo dependia da precisão de tabelas astronômicas.

Deu-se grande passo quanto à precisão da mensuração astronômica no mar em 1731, quando John Hadley inventou o quadrante de reflexão, um instrumento cuja aplicação era mais fácil e cujos resultados eram mais acurados do que os obtidos por seus antecessores, como o quadrante duplo, o astrolábio ou a balestilha. Em 1757 o quadrante de Hadley foi aperfeiçoado pelo capitão John Campbell, evoluindo para o sextante. Em 1777 o brilhante engenheiro e fabricante de instrumentos Jesse Ramsden construiu uma "máquina de dividir", capaz de graduar arcos e escalas lineares com precisão até então desconhecida. Em 1792 Ramsden fabricava sextantes cuja exatidão nada ficava a dever aos instrumentos modernos, com seus telescópios, escalas verniê, filtros solares e espelhos.

A invenção de Hadley demonstrava aparentemente a superioridade do método da distância lunar; numa época de apostas, um jogador inveterado consideraria esse método o favorito para ganhar o prêmio.

Os princípios que regem as distâncias lunares haviam sido propostos em 1474 pelo astrônomo alemão Regiomontanus. Quase trezentos anos se passariam, entretanto, até que outro alemão, Tobias Mayer, fazendo cálculos a partir dos princípios de Newton, conseguisse produzir um conjunto de tabelas lunares para a determinação da longitude. Ironicamente, Mayer buscava a exatidão na cartografia, e não a longitude no mar. Ele escreveu em 1747 que "é sabido que, em geografia, é necessário poder determinar com maior exatidão a latitude e a longitude de muitos, na verdade a maioria, dentre numerosos lugares conhecidos e importantes. Esse é um dos principais objetivos da astronomia [...]". Foi, portanto, um cartógrafo/astrônomo/matemático alemão que jamais estivera no mar — na verdade, nunca tinha visto o mar — quem reivindicou o prêmio em um memorial endereçado ao presidente da Comissão de Longitude.

As tabelas de Mayer foram utilizadas pelo dr. Nevil Maskelyne, futuro astrônomo real, numa viagem a Santa Helena para estudar o trânsito de Vênus de 1761. Os resultados foram encorajadores e pareciam poder proporcionar a determinação da longitude no mar com aproximação de 1°, ou 60 milhas náuticas. Mayer morreu em 1762 e um ano mais tarde o dr. Maskelyne incorporou suas tabelas no *The British mariners guide (containing complete & easy instructions for the discovery of the LONGITUDE at sea and land, within a degree, by observations of the difference of the Moon from the Sun and stars, taken with HADLEY's quadrant... by NEVIL MASKELYNE, A. M. fellow of TRINITY COLLEGE, CAMBRIDGE, and of the ROYAL SOCIETY)* [Guia para os navegantes ingleses (contendo instruções completas e fáceis para a determinação da longitude no mar, com graduações, pela observação da distância entre a Lua e o Sol e as estrelas, a partir do quadrante de Hadley... por Nevil Maskelyne, membro do Trinity College, Cambridge, e da Real Sociedade]. Não há menção ao reverendo dr. Tobias Mayer.

Em 1765 o Parlamento aprovou uma moção que concedia aos herdeiros de Mayer 3 mil libras, embora o método e as respectivas tabelas por ele concebidas fizessem jus à metade da recompensa de 10 mil libras. A mesma moção conferiu o restante da recompensa máxima a um certo John Harrison. Para que Harrison recebesse o dinheiro, porém, o Parlamento modificou a regulamentação de 1714, alterando as exigências finais. Harrison teria de fabricar pelo menos mais dois de seus "medidores de tempo" e, além disso, o que talvez fosse mais irritante, demonstrar sua capacidade e conhecimento — adquiridos ao longo de muitos anos — a três mecânicos experientes e três relojoeiros rivais.[3] A corrida para determinar a longitude no mar estava empatada entre o método da distância lunar e os relojoeiros, ou "mecânicos", como em tom condescendente os chamava Maske- lyne, partidário do método lunar.

Em 1661 Christiaan Huygens, físico e astrônomo holandês, terminou de construir o primeiro relógio de pêndulo especificamente projetado para encontrar a longitude no mar. Nessa tarefa Huygens foi auxiliado por Alexander Bruce, segundo conde de Kincardine, na época exilado na Holanda. Quando Carlos II foi restaurado ao trono britânico, Bruce levou dois desses relógios ao regressar à Inglaterra, onde foram testados a bordo do iate real por Robert Hooke, físico inglês e curador de experimentações da Real Sociedade. Era evidente, no entanto, que um relógio de pêndulo seria incapaz de marcar o tempo com exatidão num navio que jogasse e sacudisse.

Na época da regulamentação de 1714, nada havia sido produzido com exatidão e robustez suficientes para poder ser usado no mar, mesmo com os refinamentos da mecânica de relojoaria, como a substituição do pêndulo por um balanço de molas, com uma mola auxiliar que mantinha o mecanismo em um ritmo constante de movimento enquanto se dava corda à mola principal.

No mesmo ano da criação da Comissão de Longitude, um inventor inglês, Jeremy Thacker, cunhou a palavra "cronômetro" para designar um instrumento náutico para medição do tempo, ou relógio.[4] John Harrison, carpinteiro nascido em Yorkshire,

3. Essas exigências adicionais foram comunicadas a Harrison numa reunião da Comissão de Longitude em 1765, da qual ele saiu enraivecido, jurando "jamais concordar com isso enquanto tiver uma gota de sangue inglês em minhas veias".
4. Somente em 1782 a palavra "cronômetro" apareceu nas atas da Comissão de Longitude.

tinha 21 anos de idade quando a palavra recém-inventada por Thacker apareceu em seu panfleto *The longitude examined* [A longitude examinada]. Até morrer, em 1776, Harrison e seu irmão James dedicariam grande parte de suas vidas à construção e ao aperfeiçoamento de um cronômetro prático.

Embora tenha ocorrido no século XVIII, a história possui todos os ingredientes das fábulas moralistas de aperfeiçoamento pessoal tão a gosto da era vitoriana. Inicia-se com o nascimento humilde de John Harrison numa família pobre de carpinteiros na aldeia de Foulby, nome que evoca Dickens, em Yorkshire. Após um ataque de sarampo, os pais de Harrison colocaram um relógio sobre o travesseiro da criança convalescente, a fim de distraí-la com o tique-taque. Estava decidido o futuro do pequeno John. Seguindo os passos do pai, aprendeu o ofício de carpinteiro e ganhava uma renda suplementar fazendo trabalhos de reconhecimento de terrenos e à noite — o elemento de auto-aperfeiçoamento — estudava mecânica e física à luz de vela. Aos 21 anos, já consertava e fabricava relógios. Seu gênio natural se manifesta com a invenção do pêndulo de grade — solução engenhosa para o problema da expansão e contração do comprimento do pêndulo comum — e o mecanismo chamado balancim de "gafanhoto".* Em 1728 resolveu entrar na competição para ganhar o prêmio da longitude, fabricando um relógio náutico. Levando consigo modelos e projetos de suas invenções, viajou para Londres em busca de apoio financeiro. Um relojoeiro importante, George Graham, fez o papel de mecenas e financiou o trabalho de Harrison de seu próprio bolso.

* O balancim de "gafanhoto" é uma pequena roda dentada que trabalha em conjunto com uma peça similar a um braço de balança. Quando a roda é girada, o braço se move para um lado e para o outro, fazendo com que os ponteiros do relógio se desloquem em pequenos saltos. (N.R.T.).

Com o apoio financeiro de George Graham e ajudado por seu irmão James, John Harrison levou sete anos para construir seu primeiro "relógio do mar", terminado em 1735. Atualmente, esse relógio encontra-se no Museu Marítimo de Greenwich. Pesa mais de 32 quilos e cabe dentro de uma caixa de três pés cúbicos (cerca de 45 centímetros de aresta). Seus quatro mostradores indicam o dia do mês, as horas, os minutos e os segundos. As engrenagens são feitas de madeira. Com todas as suas alavancas, contrapesos, arames, molas, excêntricos e rodas dentadas feitas de latão, seu aspecto é um tanto esdrúxulo. Ficou conhecido com a denominação de H-1. Para ser usada no mar, toda a engenhoca ficava montada sobre argolas suspensas por molas em espiral nos quatro cantos de um estojo de madeira.

Cinco membros da Real Sociedade examinaram o H-1 e recomendaram que fosse experimentado no mar. A Comissão de Longitude aceitou a recomendação e Harrison zarpou com sua criatura no *H.M.S. Centurion* numa viagem a Lisboa. Os resultados foram suficientemente encorajadores para que a Comissão adiantasse aos irmãos Harrison a importância necessária à construção de uma versão aperfeiçoada. A segunda criação de Harrison, o H-2, jamais conheceu o mar. Mais alto e mais pesado do que o predecessor, recebeu alguns aperfeiçoamentos, porém não suficientes para satisfazer os Harrison. Outro derivado, o H-3, exigiu dezessete anos entre concepção, desenho, construção e aperfeiçoamento, com John Harrison trabalhando solitariamente em sua criação. Ao mesmo tempo, dedicava-se a sua obra-prima, o incomparável H-4. Os ancestrais do H-4 eram grandes, pesados e incômodos. O novo exemplar representava um salto considerável em termos de melhoria de projeto, mecanismo e aparência: de um mastodonte de 32 quilos a um relógio de 12 centímetros de diâmetro que cabia confortavelmente na mão ou dentro de um bolso de casaco (ele assemelha-se a um relógio grande de bolso). Quanto ao projeto, equivalia, por exemplo, à diferença entre a máquina de escrever Remington de 1874, barulhenta e pesada, e uma Olivetti moderna, esguia e portátil.

Em 1761 Harrison propôs experimentar suas mais recentes criações no mar. Na ocasião, somente o H-4 foi testado, numa viagem de ida e volta a Port Royal, na Jamaica. O filho de Harrison, William, acompanhou o H-4 na experiência marítima e convenceu o incrédulo comandante da praticalidade do "relógio do mar" valendo-se de medições precisas em Madeira e na Jamaica. Convencer a Comissão era outra questão.

Segundo a Comissão, os resultados haviam sido negativos. A longitude de Port Royal calculada pelo relógio (diferença de 1,25 minuto em relação à marca aceita) foi questionada com base na afirmação um tanto discutível de que tal marca (calculada dezoito anos antes a partir da observação do trânsito de Mercúrio) era também suspeita. Após tempestuosa travessia de regresso a Portsmouth, a longitude dessa cidade portuária, calculada pelo H-4, diferia apenas 18 milhas da marca aceita. Indignado, Harrison fez ver à Comissão que mesmo depois de uma viagem de cinco meses o H-4 errara por menos de dois minutos. E, o que era mais relevante, o *ritmo* ("marcha" do cronômetro) segundo o qual um relógio atrasava ou adiantava deveria também ser levado em conta na aferição de suas qualidades.

Decidiu-se fazer uma segunda experiência no mar com o H-4, na qual William Harrison novamente agiu como guardião do precioso mecanismo. John Harrison deixara por escrito a afirmação de que o H-4 se manteria preciso a 72º Fahrenheit e que adiantaria ou atrasaria um segundo por dia a cada 10º de variação. Calculou também que o H-4 adiantaria um segundo por dia durante toda a viagem. Em março de 1764 o *H.M.S. Tartar* zarpou rumo a Madeira e Barbados. As estimativas de Harrison foram confirmadas com triunfo e as longitudes foram calculadas com aproximação de 10 milhas náuticas, enquanto o tique-taque do H-4 marcava silenciosa e competentemente os segundos. O prêmio de 20 mil libras exigia exatidão com margem de erro de 30 milhas náuticas. Parecia, à primeira vista, que Harrison tinha toda a razão em reivindicar a recompensa máxima.

Em Barbados o desempenho do H-4 fora verificado por Nevil Maskelyne, a partir das observações dos satélites de Júpiter. Maskelyne, que viajara alguns meses antes, utilizara o método da distância lunar e as tabelas de Mayer para determinar a longitude em sua travessia do Atlântico. A Comissão ficava obrigada a avaliar dois sistemas — o de Harrison e o de Mayer — e a escolher um deles. Mas seus integrantes tinham agora um duplo dilema, representado pelas palavras "útil e praticável".

Tanto o relógio de Harrison como o método da distância lunar eram úteis — mas seriam práticos? Seria possível a outra pessoa além de Harrison fabricar um relógio suficientemente preciso? E, o mais importante, qual seria o custo? Quanto ao método da distância lunar e seus proponentes, o astrônomo real, Nevil Maskelyne, reconhecia serem necessárias quatro horas para chegar ao fim dos complexos cálculos. Poucos mestres da Marinha Real e um número ainda menor de comandantes de navios mercantes se entusiasmariam com essa perspectiva. Assim, portanto, como costumam fazer os órgãos colegiados, a Comissão tomou uma decisão que não satisfazia a nenhuma das partes. Os herdeiros e os partidários de Mayer acharam pífias as 3 mil libras da recompensa, e foram necessários vários meses de persuasão para fazer com que Harrison concordasse com as novas regras da moção de 1765.

O que também irritava Harrison era a exigência da Comissão de que o H-4 fosse ainda experimentado no Observatório Real, onde Nevil Maskelyne, que acabava de ser nomeado astrônomo real, faria o papel de jurado e de juiz. Com certa razão, Harrison achava que Maskelyne, partidário do método da distância lunar, não poderia, ou não quereria, agir como árbitro imparcial. E na verdade foi assim. "Não se pode confiar no relógio do sr. Harrison", sentenciou o oracular astrônomo real, "para determinar a longitude com aproximação de 1^0 numa viagem de seis semanas às Índias Ocidentais, nem para calculá-la com aproximação de meio grau durante mais de quinze dias, e mesmo assim o relógio tem de ser mantido a uma temperatura pouco acima do ponto de congelamento."

Como essa decisão contrariava o desempenho efetivo do H-4 em duas viagens às Índias Orientais, não demorou para que Harrison argumentasse que o obtuso astrônomo real deixara de levar em conta o *ritmo* do relógio. "Não é necessário que um relógio execute suas revoluções exatamente no espaço de tempo tomado pela Terra para executar as suas", retrucou Harrison; "basta que funcione invariavelmente *em algum tempo conhecido*, e nesse caso a diferença constante entre o comprimento de uma revolução e o de outra aparecerá como adiantamento ou atraso do relógio, e essa perda, ou ganho, sendo constante, é o *ritmo de seu movimento*, que, ao ser adicionado ou reduzido da hora apresentada pelo relógio, fornecerá a hora exata e conseqüentemente a diferença de longitude."

Enquanto trocavam essas salvas de fuzilaria, Maskelyne publicava a primeira edição do *Nautical Almanack* [Almanaque náutico] de 1776 (baseado nas tabelas de Mayer e reduzindo o tempo de computação das distâncias lunares), e Harrison começava a trabalhar em seu quinto relógio; quinhentos exemplares do panfleto de Harrison, que descrevia a construção de seus "medidores de tempo" (com 31 páginas e quinze desenhos), haviam sido impressos e publicados "por ordem dos membros da Comissão de Longitude", e os mesmos membros da Comissão haviam solicitado a Larcum Kendall que fabricasse uma réplica do H-4.

Em 1770 Harrison terminara o H-5 e Larcum Kendall, sua cópia do H-4. Kendall levara três anos para fazê-la, recebera 500 libras da Comissão de Longitude e os elogios de William Harrison pela qualidade da execução desse relógio bonito e requintado, que viria a tornar-se histórico. É conhecido, inevitavelmente, como K-1.

No ano seguinte, 1771, o tenente James Cook regressou à Inglaterra no *Endeavour*, após uma movimentada viagem de três anos ao redor do mundo. Joseph Banks, o jovem naturalista que participara da expedição, tornou-se o queridinho da sociedade inglesa e principal convidado dos bailes, saraus, festas e recepções nos endereços mais badalados de Londres. Cook foi promovido — um degrau mínimo — ao posto de comandante e regressou a seu lar e a sua família de mulher e dois filhos na parte leste da cidade de Londres, conhecida como Mile End. Preparava-se discretamente uma segunda viagem de exploração. A bordo do *Endeavour*, Cook utilizara o método da distância lunar para determinar a longitude no mar. A nova viagem proposta — outra circunavegação — oferecia a oportunidade ideal para um teste decisivo dos novos relógios.

Harrison apelou à Comissão para que o H-4 e o K-1 fossem levados na nova viagem de Cook. Sua reivindicação do restante do prêmio de 20 mil libras se basearia na exatidão desses dois relógios. O pedido encontrou ouvidos moucos, mas se tratava de uma surdez seletiva. Em outubro de 1771 Nevil Maskelyne fazia suas manobras de bastidores a fim de colocar dois representantes do Observatório Real a bordo na viagem seguinte, além do "relógio fabricado pelo sr. Kendall por ordem desta Comissão e atualmente sob a custódia do astrônomo real". Outros relógios, segundo uma nova concepção de John Arnold, fariam companhia ao K-1.

Entra em cena Sua Majestade Jorge III. Este monarca muito combatido, profundamente interessado pelo problema da longitude, já havia recebido John Harrison e seu filho em audiência. Harrison apelava agora ao soberano e explicava suas razões na longa batalha com a Comissão. Costuma-se dizer que, após ouvir o relojoeiro, o rei Jorge teria dito entre dentes: "Por Deus, Harrison, vamos fazer justiça". O H-5, a mais recente criação de Harrison, foi testado durante dez semanas no observatório particular do rei, em Richmond. Após esse período, o relógio apresentou erro de apenas quatro segundos e meio. O soberano estava empenhado no assunto, e, o que era mais importante, sua influência era poderosa. Em 6 de maio de 1773, com o apoio pessoal do monarca, Harrison apresentou ao Parlamento uma petição solicitando as 10 mil libras restantes. Menos de dois meses mais tarde, a decisão conferiu ao inventor, então com oitenta anos de idade, não 10 mil, mas 8750 libras. A Comissão e o Parlamento exibiam ainda seu comportamento mesquinho, e Harrison deixou por escrito sua opinião de que esperava "ser o primeiro, e pelo bem de meu país o último, a ser prejudicado por haver depositado minha confiança numa decisão do Parlamento inglês".

Três anos mais tarde morreu John Harrison, não antes porém do regresso de Cook e do *Resolution* da viagem de circunavegação do globo e da Antártica, realizada entre 1772 e 1775. Nessa viagem Cook transportara a cópia da obra-prima de Harrison feita por Larcum Kendall. O comandante afetuosamente elogiou "nosso amigo de confiança, o relógio" e "nosso guia infalível, o relógio". Talvez, contudo, a confirmação mais autêntica do gênio de John Harrison tenha ocorrido no trecho final da viagem. Após três anos de navegação Cook confiava tanto no relógio que, ao partir da Cidade do Cabo em direção a Santa Helena, em companhia dos homens do *Dutton*, da Companhia das Índias Orientais, escreveu: "Confiando nas qualidades do relógio do sr. Kendall, resolvi tomar rumo direto para a ilha, e ele não nos decepcionou, pois lá chegamos, como previsto, na madrugada do dia 15 de maio". Com efeito, tal era a confiança de Cook no relógio que um jovem guarda-marinha da tripulação do *Resolution* deixou registradas estas palavras: "No dia anterior ao da chegada em Santa Helena, os marujos do *Dutton* nos interpelaram, temendo que errássemos o rumo da ilha, mas o capitão Cook zombou deles, dizendo que, se quisessem, ele acertaria o centro da ilha com o pau da bujarrona".

No dia seguinte àquele em que o *Resolution* ancorou em Spithead, o "relógio, amigo de confiança" de Cook, foi levado para Greenwich sob os cuidados do astrônomo de bordo, William Wales, a fim de ser entregue a Nevil Maskelyne. O astrônomo real, confrontado com o extraordinário desempenho do K-1 em sua viagem de três anos, tinha agora o fantasma de seus comentários negativos sobre o H-4. No entanto, os poderosos e influentes, conhecedores dos meandros das comissões e capazes de influenciar outros poderosos, também sabem como modificar as políticas de acordo com seus interesses. Assim era o arquilunar Maskelyne. O sucesso do K-1 acarretou a revogação de todas as decisões relativas à longitude. Em 1774 o Parlamento aprovou uma nova moção sobre o assunto, formulada em grande parte por Maskelyne. As condições exigidas a qualquer relojoeiro eram severas, e a recompensa financeira foi reduzida à metade. Além disso — num brilhante golpe de técnica legislativa —, era necessária uma maioria de *dois terços* dos membros da Comissão para a aprovação do método. Com efeito, Maskelyne podia afirmar que "dera aos mecânicos um osso duro de roer".

O K-1 circunavegaria novamente o globo na terceira, última e fatal viagem de Cook. O outro cronômetro de Kendall — o K-2 — tinha como destino ser levado pelo capitão Bligh na viagem do *Bounty*.* Quando Bligh e seus companheiros foram abandonados no escaler, os amotinados prudentemente conservaram o K-2 e o utilizaram para encontrar a ilha Pitcairn. Lá o instrumento permaneceu de 1789 a 1808, quando aportou na ilha um navio caçador de focas americano, o *Topaz*, sob o comando do capitão Mayhew Folger. Para surpresa de Folger, a ilha estava habitada. O esconderijo dos amotinados fora finalmente encontrado. Numa troca de presentes entre os americanos e os descendentes dos revoltosos — dentre os tripulantes do *Bounty*, somente John Adams, que adotara o nome de Alexander Smith, estava vivo —, Folger recebeu a bússola de azimute e o cronômetro de Kendall, provenientes do *Bounty*. O *Topaz* zarpou de Pitcairn e dirigiu-se às ilhas de Juan Fernández com o objetivo de caçar focas. Talvez se possa imaginar que tais aventuras tenham sido suficientes para o K-2, mas em Juan Fernández o *Topaz* foi saqueado por um ambicioso governador espanhol, e o K-2 sumiu. Apareceu mais tarde em Concepción, no Chile, onde um espanhol chamado Castillo o comprou por 3 dobrões. Quando o espanhol morreu, em 1840, o relógio foi vendido ao capitão Herbert do *H.M.S. Calliope*, que o levou de volta à Inglaterra. Quase meio século havia se passado desde que o K-2 fora embarcado no *Bounty*.

Durante esse meio século, as tentativas de Maskelyne de promover o método da distância lunar contra as incursões dos des-

* Navio onde ocorreu o famoso motim, narrado em diversas versões na literatura e no cinema. (N. T.)

prezados "mecânicos" aos poucos se enfraqueceram. O processo, no entanto, fora longo. O conservadorismo inato dos marinheiros é proverbial, e o problema dos custos jogava em favor dos lunares. Tanto para o governo como para o armador particular, um investimento de 10 xelins no *Almanaque náutico* era mais atraente do que uma despesa de 100 libras em um relógio que acabava de surgir. Somente em 1825 os cronômetros passaram oficialmente a fazer parte do equipamento dos navios da Marinha de Sua Majestade Britânica.

A Comissão de Longitude foi dissolvida em 1828. Durante os 114 anos de sua existência lançou as bases da navegação científica mediante a conjunção do cronômetro com as tabelas de navegação lunar. O cronômetro acabaria por conquistar a supremacia, entretanto somente em 1908 as tabelas lunares deixaram de ser publicadas anualmente no *Almanaque náutico*.

As marinhas estrangeiras perceberam rapidamente as vantagens do cronômetro. Em 1819 o capitão Thaddeus Bellingshausen, no comando de dois navios expedicionários russos, o *Vostok* e o *Mirny*, zarpou para a Inglaterra — na época líder mundial na fabricação de instrumentos de navegação e de hidrografia — a fim de adquirir cronômetros, sextantes, instrumentos de medição do trânsito de astros, horizontes artificiais, planímetros, telescópios acromáticos e mapas. A expedição marcou o início de uma viagem histórica que faria a circunavegação da Antártica e seria a primeira a avistar terra abaixo do Círculo Antártico.

O cuidado dos russos na seleção de instrumentos contrasta fortemente com a atitude de um almirante inglês da época, que interpelou um de seus oficiais ao vê-lo trazer para bordo uma caixa de aparência suspeita. Ao ser informado de que se tratava de um cronômetro, mandou desembarcá-la, afirmando que não queria "necromancia" a bordo.

A última palavra, porém, talvez deva ficar com um americano que, quase dois séculos após a morte de John Harrison, levantou-se ao final de um jantar com o primeiro-ministro inglês no famoso endereço do número 10 da Downing Street e propôs um brinde ao relojoeiro havia muito falecido. Sua invenção, disse ele, permitira mapear a Terra com exatidão e fora a precursora dos sistemas de navegação que haviam levado o homem à Lua. O nome do proponente do brinde era Neil Armstrong.

3. A peste do mar

O destino das nações depende de como elas se alimentam.

Jean Anthelme Brillat-Savarin, The physiology of taste [A fisiologia do gosto], *1825*

Doença conhecida na Inglaterra como Scuruie e Scurby, e no mar como escorbuto.

Gerard's Herbal, 1597

Scorbutum... escorbuto... mal-de-luanda. Seja qual for seu nome, foi a doença que durante quatro séculos matou mais marinheiros do que balas de canhão e de mosquete, afogamentos e naufrágios, todos juntos. Era a Peste Negra do mar. Os sintomas eram tão horrendos quanto os da peste. Como registrou Richard Hakluyt, autor do best-seller de 1589 *The principal navigations, voyages and discoveries of the English nation* [As principais navegações, viagens e descobertas da nação inglesa]: "Por causa da navegação, os marinheiros caem vítimas de diversas moléstias: as gengivas crescem e incham, sendo necessário cortá-las, formam-se edemas nas pernas, todo o corpo dói e fica dormente, sem que possam mover as mãos e os pés".

Para o marujo do século XVI, o escorbuto era mais uma moléstia a ser acrescentada à caixa de Pandora de enfermidades entre as quais se contavam a varíola, a sífilis, a malária, a disenteria, o tifo, a febre amarela e a peste bubônica. Na época, as doenças eram consideradas um dos riscos normais da vida, tão imutáveis quanto o nascer e o pôr-do-sol ou o nascimento e a morte e, nos casos extremos como o da Peste Negra, manifestação da ira divina pelos pecados da humanidade. As palavras de são Cipriano soavam terrivelmente verdadeiras: "Estais assolados pela morte e pela fome? Vossa saúde se encontra abalada por doenças incontroláveis? A humanidade em geral está atormentada por moléstias epidêmicas? Tudo isso se deve aos vossos pecados".

Além da teoria do castigo divino, havia diversas explicações sobre a causa do escorbuto. Talvez fosse algum miasma, algum eflúvio no ar sobre os oceanos, alguma mudança insalubre de clima quando se cruzava o equador... Qualquer que fosse a causa, a doença fazia parte das longas viagens marítimas. Sir Richard Hawkins (que navegou ao redor da extremidade sul da América e penetrou no Pacífico em 1593) expressou o desejo de que "algum homem de ciência tratasse do assunto, pois é a peste do mar que assola os marinheiros".

A viagem de ida e volta de Vasco da Gama de Portugal à Índia entre 1497 e 1499 pressagiou novos perigos para os homens do mar engajados numa missão que em si já era perigosa. Dois terços dos homens de Vasco da Gama morreriam da peste do mar, e o almirante foi obrigado a abandonar dois de seus quatro navios em razão dessas baixas e da fraqueza da tripulação restante.

Algumas das travessias da viagem duravam mais de noventa dias. Em contraste, o mais longo percurso de Colombo ao cruzar o Atlântico foi de cinqüenta dias, e o mais curto, de 22.

Dos cinco navios e 265 homens que zarparam com Magalhães em 1519, somente um barco e dezoito homens regressaram à Espanha. Na terrível travessia do Pacífico, na qual passaram três meses e vinte dias sem nenhum reabastecimento de alimentos frescos, dezenove homens morreram de escorbuto. Os remanescentes, mais mortos do que vivos, tiveram de beber água amarelada e pútrida, comer pó de biscoito infestado de insetos e fedendo a urina de rato, chupar serragem, mascar couro de boi (usado como isolante das juntas) arrancado dos mastros, empapado em água salgada durante cinco dias e posteriormente assado nas brasas, enquanto os ratos eram vendidos em leilão a quem pudesse pagar. Na viagem de regresso, partindo das ilhas Molucas, o *Victoria*, carregado de especiarias, faria uma travessia de 148 dias sem reabastecimento. O resultado foi a morte por escorbuto de metade da tripulação, alguns dos quais nativos das Índias Orientais. E assim, tendo nas narinas o cheiro da morte misturado ao aroma de cravo, canela, noz-moscada e macis, os vivos lançavam os mortos ao mar, no qual, como notou Pigafetta, o infatigável diarista italiano naquela viagem, os cristãos flutuavam devidamente com os rostos para cima, na direção do céu, enquanto os cadáveres dos pagãos apontavam para baixo, na direção do inferno.

O escorbuto não se limitava ao mar. Contudo, sua irrupção brusca — sua maior malignidade — e o número terrível de mortes que causava faziam com que parecesse um novo tipo de doença aos marinheiros dos primeiros tempos das longas travessias pelos oceanos. Em 1675 Gideon Harvey, médico da corte de Carlos II, distinguiu os vários tipos de escorbuto: da boca, das pernas, de natureza ácida, das juntas, do estômago, da terra e do mar.

Denominou-o "doença de Londres", acreditou-o infecciosa e achava que os bebês a adquiriam ao ser beijados pelos pais infectados e desavisados. Para Sir Richard Hawkins, que possuía vinte anos de experiência em navegações, 10 mil homens haviam contraído o escorbuto e morrido por causa dele. Como muitos outros, Hawkins acreditava que a causa era a longa exposição aos ares do mar. A fim de evitar esse mal, sugeria que o convés fosse lavado com vinagre e os navios, fumigados com alcatrão. A melhor cura era "o ar da terra; pois o mar é natural para os peixes, e a terra, para os homens". Havia, porém, outra cura: laranja e limão, frutas ácidas. Hawkins escreveu: "Trata-se de um maravilhoso mistério do poder e da sabedoria de Deus, que ocultou virtude tão grande e desconhecida nessa fruta, remédio seguro para essa enfermidade".

No entanto, o escorbuto não era curado apenas com laranjas e limões. Jacques Cartier, com três navios e 110 homens oriundos de St. Malo, passou o inverno de 1535-6 em Stadacona (Cidade de Quebec) no Canadá. Durante aquele inverno os índios huronianos locais enfrentaram uma doença mortal que rapidamente se alastrou entre os franceses. A descrição da enfermidade e de sua cura, feitas por Cartier, a identificam como o escorbuto.

> A mencionada doença desconhecida começou a espalhar-se entre nós da maneira mais estranha que jamais se viu ou se ouviu falar, pois alguns perderam todas as forças e não conseguiam ficar de pé, e em seguida suas pernas incharam e os nervos se encolheram como carvão. Outros ficaram com manchas de sangue de cor arroxeada na pele, as quais subiam pelos tornozelos, joelhos, coxas, ombros, braços e pescoço; as bocas exalavam um odor nauseabundo e as gengivas apodreceram a ponto de cair-lhes a carne, até mesmo as raízes dos dentes, que também caíam.

Se, para os franceses, a doença parecia ter vindo dos índios, deles veio também a cura. Naquela primavera, com pelo menos cinqüenta indígenas e 25 franceses mortos, apareceu o miraculoso remédio. Os índios ensinaram os franceses a fazer uma poção com a casca e as folhas de uma árvore a que chamavam de *Ameda*, ou *Hanneda*. Com essa poção, a cura era quase imediata, com "tamanha eficácia que, se todos os médicos de Montpellier e Louvain [as principais escolas de medicina da época, na Europa] lá estivessem com todos os remédios de Alexandria, não poderiam ter feito tanto em um ano quanto aquela árvore fez em seis dias".

É provável que a *Ameda* fosse um cedro-branco-do-norte, também conhecida como árvore-da-vida, *arbor vitae*, *Lebensbaum*, tuia-do-canadá, cujo nome científico é *Thuja occidentalis*. Maravilhado com essa árvore mágica, Cartier mandou arrancar alguns arbustos novos e transportá-los à França, onde foram plantados nos jardins da corte em Fontainebleau.

Cartier vinha procurando uma passagem para a China pelo noroeste. Sessenta anos após o inverno que o assolou no Canadá, uma expedição holandesa comandada por Willem Barents, que buscava uma passagem pelo nordeste, padeceu um inverno ainda mais terrível no oceano Ártico, na desolada ilha de Nova Zembla, a 76ºN de latitude. Tratava-se do ponto mais ao norte em que europeus passavam, pela primeira vez, o inverno. Com o navio bloqueado e esmagado pelo gelo, dezesseis homens e um jovem taifeiro construíram uma cabana com madeira do navio e das árvores. O carpinteiro e o jovem morreram de escorbuto. Em junho de 1597, com as seqüelas do escorbuto após aquele inverno, os sobreviventes tomaram os escaleres e navegaram 600 milhas em direção à costa da Rússia. Foi uma das viagens de bote mais notáveis e menos conhecidas, que merece rivalizar com as de Bligh e Shackleton. Willem Barents, o "guia principal e único piloto no qual confiamos depois de Deus", morreu na travessia. Ao chegarem à ilha de Vaygach, encontraram uma cura para a doença.

> [...] nessa ilha encontramos grande quantidade de folhas de Leple,[1] que nos serviram muito bem, e parecia que Deus nos havia mandado propositadamente para lá: tínhamos muitos homens enfermos, e a maior parte de nós se preocupava com as mazelas de nossos corpos, e havíamos ficado de tal forma enfraquecidos que mal podíamos remar, mas com aquelas folhas nos curamos, à vista do que nada podíamos fazer além de ficar maravilhados, e demos muitas graças a Deus por isso e por muitas outras das mercês que a nós mostrou, pelo grande e inesperado auxílio que proporcionou em nossa perigosa viagem; e, como disse antes, comemos as folhas em grandes bocados, pois na Holanda tínhamos ouvido falar de suas grandes virtudes e vimos que eram maiores do que esperávamos.

Eram folhas de cocleária — *Cochlearia officinalis.*

Uma fruta, uma árvore, uma planta em flor. Três curas eficazes para a peste do mar. Outros remédios e preventivos recomendados se baseavam na crença de que o segredo se encontrava na acidez da laranja e do limão. Era lógico, portanto, que, quanto mais amargo o gosto, mais eficaz o tratamento. Entre esses remédios adstringentes e duvidosos estavam o vinagre, a água do mar e o óleo de vitríolo (ácido sulfúrico) — e para os afortunados marinheiros de Bristol, um ou dois goles da água quente que brota de um poço no estuário do rio Avon. Os remédios para os doentes que estavam em terra eram menos drásticos, mais eficazes e mais palatáveis: beldroega (*Portulaca oleracea*), agrião (*Masturtium officinale*), becabunga (*Veronica beccabunga*), salsa (*Petroselinum cris-*

1. *Lepelbladen*, ou folhas de colher. Em meados do século XVI um médico holandês, Forestus, encontrou um meio para curar o escorbuto misturando *lepelbladen* (cocleária) e *beekpunge* (planta da variedade *Veronica americana*, da América do Norte, ou *V. beccabunga*, da Eurásia).

pum), cerefólio (*Anthriscus cerefoliom*), morango (*Fragaria vesca*) e uma planta de jardim da família da mostarda (*Hesperis matronalis*). A mais utilizada, no entanto, era a cocleária.

Em 1676 publicou-se em Londres um fino volume intitulado *Cochlearia curiosa: or the curiosities of the scurvygrass* [Curiosidades sobre a cocleária], do dr. Andreas Valentinus Mollimbrochius (Moellenbrock). Escrito originalmente em latim — a língua universal dos eruditos e dos fidalgos —, foi vertido para o inglês por Thomas Sherley, doutor em medicina. Moellenbrock dava sábios conselhos sobre o tema:

> [...] Tome-se a cocleária cortada bem fina ou picada e junte-se-lhe suco de limões e laranjas azedos, e com isso se conseguirá um líquido de gosto agradável e eficaz contra o escorbuto, pois esse tipo de poção é de grande serventia contra essas doenças, da qual o povo da Noruega está livre devido a seu uso [...].

O lorde William Howard comprava "cocleária para minha senhora"; o conde de Bedford pagou 4 pence por "cocleária para colocar na beberagem das crianças", e, a fim de mostrar que a erva não era privilégio dos aristocratas, os pacientes do Hospital São Bartolomeu de Londres recebiam porções de cocleária — desde que recomendadas pelo médico. A fermentação era a forma mais conhecida de beneficiar-se da planta. Eis a receita de uma beberagem preparada no século XVII:

> Do suco de cocleária, uma medida de um pint [0,568 litro]; do suco de agrião, outra medida igual; do suco da chicória, meio pint [0,27 litro]; do suco de fumária, meio pint; proporções para um galão [4,5 litros] de *ale*;* tudo deve ser misturado num tonel.

* *Ale*: bebida fermentada, semelhante à cerveja. (N. T.)

Os ricos, se preferissem tomar pílulas, podiam colocar-se sob os cuidados do dr. John Pechy, que assim anunciava seu tratamento patenteado contra o escorbuto em 1696:

> Excelentes pílulas purgativas preparadas por John Pechy, doutor em medicina [...]. Curam o escorbuto, a doença mais comum neste Reino [...]. O preço de cada caixa é 1 xelim e 6 pence, com instruções para o uso.

Fossem quais fossem seus ingredientes, as pílulas de Pechy não eram baratas. O preço de uma caixa era suficiente para sustentar um lavrador e toda a família durante uma semana.

Vários médicos europeus eruditos como Wierus (1567), Forestus (1595), Eugalenus (1604) e Sennertus (1624) publicaram obras sobre o escorbuto, atribuindo sua causa a tantos motivos quantos eram os remédios propostos: "excesso de bílis", "obstrução do baço", "corrupção dos humores", "grande melancolia", "humor linfático", "ar malsão", "textura sanguínea viciada", e, quanto aos marinheiros, "conseqüência inevitável da vida sedentária e da alimentação baseada em carnes salgadas". Esta última é de autoria do dr. William Cockburn, médico da Armada.

Hoje em dia sabemos que o escorbuto é uma doença causada pela ausência de algum elemento na dieta. Em 1912 um bioquímico inglês, o professor Frederick Hopkins, publicou uma monografia em que sugeria que, além dos carboidratos, proteínas, gorduras, minerais e água existentes na alimentação, outras substâncias eram necessárias à boa saúde. Denominou-as "fatores alimentícios acessórios". No mesmo ano, o polonês Casimir Funk, com escolha de palavras digna de um publicitário, cunhou a palavra "vitamina" para designar esses fatores alimentícios acessórios e apresentou sua teoria sobre doenças devidas à deficiência de vitaminas. Porém, somente em 1932 surgiu a última peça do complicado quebra-cabeça do escorbuto. O cientista húngaro A. Szent Gyorgi, pesquisando um problema inteiramente diverso, isolou uma substância cristalina existente nas glândulas suprarenais e, com muita propriedade, na páprica. A mesma substância fora também isolada no suco de limão. Havia sido descoberta a vitamina C — o ácido ascórbico. Após testes em cobaias, verificou-se que era antiescorbútica. Mais de quatrocentos anos haviam se passado desde a observação de Sir Richard Hawkins sobre laranjas e limões.

O termo "antiescorbútico" fora utilizado pela primeira vez duzentos anos antes da elucidação do mistério. Em 1734 publicou-se em Leiden, cidade holandesa em que se localiza a famosa universidade e centro de ciências médicas, um pequeno volume de 85 páginas intitulado *Observationes circa scorbutum* [Observações sobre o escorbuto], de autoria de Johannes Bachstrom, doutor em medicina. Em cada página há um sopro de limpeza e frescor. Foram banidos as "bílis negras" e os "humores linfáticos" medievais, assim como os diversos tipos de escorbuto. Tratava-se de uma única doença e o dr. Bachstrom estava seguro de sua causa e de sua cura: o escorbuto resultava da deficiência de vegetais frescos na dieta. A única cura — em suas palavras, o "antiescorbútico" — eram os legumes, ervas, frutas e grãos frescos. Aconselhava os marinheiros a aprovisionar maior quantidade de vegetais e os soldados vítimas de cerco a plantar legumes nas fortificações. Quanto às pessoas em geral que viviam em terra, deveriam comer a maior quantidade possível de alimentos vegetais.

Se o naufrágio de 2 mil marujos da frota de Sir Cloudsley Shovell deflagrara a fundação da Comissão de Longitude e a invenção de um cronômetro prático, outra viagem desastrosa da

Marinha Real estimulou reformulações médicas, um epíteto para uma nação, mudando o curso da história.

No último dia de 1600 a rainha Elizabeth assinou a carta de licença de uma nova empresa de comércio com as Índias Orientais. Nascia a Companhia Inglesa das Índias Orientais. Era um empreendimento de "ações mútuas", do qual participavam quase duzentos investidores. Na lista encabeçada pelo conde de Cumberland, figuravam Nicholas Barnsley, comerciante de legumes, com 150 libras; James Deane, comerciante de tecidos, 300 libras; Sir Richard Saltonstall e seus filhos, 200 libras; Sir Stephen Seame, lorde prefeito de Londres, 200 libras. A frota da Companhia Inglesa das Índias Orientais que zarpou de Londres em janeiro de 1601 era comandada por James Lancaster, experiente marujo elizabetano que já havia viajado às Índias Orientais. Seu navio capitânia transportava alguns frascos de suco de limão — e era o único da frota de cinco barcos que o fazia. Manifestou-se o escorbuto, seguido pelas inevitáveis mortes. A nau capitânia *Red Dragon* foi a menos afetada, pois Lancaster administrava a cada um uma colher de chá de suco de limão por dia: "O suco funcionava melhor se o paciente comesse pouco e se abstivesse inteiramente da carne salgada, a qual, por estarmos no mar, é a única causa que provoca essa doença".

Depois dessa viagem inicial, todos os navios da Companhia Inglesa das Índias Orientais passaram a transportar suco de limão. O capitão John Smith, fundador da Virgínia, reiterou as opiniões de Lancaster em sua *Seaman's grammar* [Gramática do marinheiro], de 1627, na qual recomendava que os navios levassem especiarias, queijo holandês, toicinho, vinho, carne de carneiro, geléia e "o suco de limão para o escorbuto. Alguns dirão que prefiro que os homens se divirtam a que lutem, mas digo que a falta dessas coisas necessárias ocasiona a perda de um número maior de homens do que todos os que morreram na Marinha britânica desde 88".[2]

Os pragmáticos marujos ingleses não foram os únicos a perceber os benefícios oferecidos pelo suco de limão. Os holandeses Wilhelm Schouten e Jacob le Maire compraram 25 mil limões "por algumas contas de vidro e facas de má qualidade feitas em Nuremberg" aos nativos de Serra Leoa antes de embarcar para a histórica passagem pelo cabo Horn em 1616. No início do século XVII os espanhóis estocavam nos navios que viajavam entre as Filipinas e o México "agrio de limón" (suco de limão) e "jarabe de limón" (xarope de limão).

Em Londres, o Almirantado parecia impermeável à experiência anterior, aos conselhos dos homens do mar e às práticas dos navios da Companhia Inglesa das Índias Orientais. Afinal de contas, eram apenas marinheiros mercantes relegados às sombras, sem o toque luminoso da oficialidade real. Em 1740 o Almirantado despachou um esquadrão de cinco vasos de guerra, uma corveta e dois navios de abastecimento, com uma tripulação de 2 mil homens. Comandada pelo capitão George Anson, a expedição tinha por objetivo quebrar a hegemonia espanhola no Pacífico. E trazer os despojos. Era a política de poder e saque. Com estranha imbecilidade o Almirantado impingiu ao competente e resignado Anson 260 enfermos aposentados de Chelsea (a maioria na casa dos sessenta e setenta anos), e mais de duzentos marinheiros inexperientes para servir na força de desembarque. Inicialmente haviam sido prometidos a Anson quinhentos aposentados, porém "todos os que tinham pernas e forças para sair de Portsmouth desertaram". Os remanescentes, todos soldados veteranos, embarcaram "com preocupação tal que transparecia em suas fisionomias, mesclada com não pequeno grau de

2. Trata-se de 1588, ano da "Invencível Armada" espanhola.

indignação por haverem sido assim retirados de seu repouso para uma missão fatigante". Era também uma sentença de morte.

O equipamento e as provisões do esquadrão somente poderiam ser classificados como criminosos. Quatro anos mais tarde, somente um navio e menos de duzentos homens regressaram às costas da Inglaterra — mas os tesouros capturados foram avaliados em meio milhão de libras. O custo foi de mil homens mortos de escorbuto, mais de trezentos de tifo e disenteria, quatro em batalha e o restante em naufrágios, acidentes, de fome e deserção. Anson recebeu um título de nobreza e Richard Walter, Mestre das Artes, capelão do navio *Centurion*, escreveu um livro de sucesso, *A voyage round the world* [Uma viagem ao redor do mundo].

O dr. James Lind, 28 anos de idade, médico da Marinha Real, resolveu investigar as baixas espantosas dessa expedição. Sua primeira providência foi estudar a literatura mundial sobre a doença e em seguida os relatórios das expedições. Havia também perguntas a ser respondidas quanto à viagem de Anson. Por que, por exemplo, os doentes desembarcados do *Centurion* em Juan Fernández morreram, enquanto os que estavam ainda mais combalidos e que ficaram a bordo do *Gloucester* — tão doentes que não podiam ser removidos — acabaram se recuperando? A resposta era que os marujos do *Gloucester* haviam comido legumes frescos, enquanto se acreditava que os do *Centurion* seriam curados pelo ar da terra.

Toda a pesquisa de Lind indicava as frutas cítricas como a melhor arma contra o escorbuto. Em 1747, a bordo do *Salisbury*, o médico teve a oportunidade de confirmar suas hipóteses. É o que se conhece nos círculos médicos como a clássica experimentação controlada. Doze marinheiros doentes de escorbuto foram selecionados para essa investigação clínica. Todos ficaram alojados nas mesmas dependências e todos foram alimentados da mesma forma — com algumas variações. Dois recebiam 1 litro de cidra todos os dias; dois tomavam 25 gotas de elixir de vitríolo três vezes por dia; dois bebiam duas colheres de vinagre três vezes por dia; dois consumiam diariamente 200 mililitros de água do mar; dois comiam uma mistura pastosa "do tamanho de uma noz-moscada" preparada com alho, sementes de mostarda, rábanos silvestres, bálsamo do Peru e mirra resinosa; e outros dois comiam duas laranjas e um limão por dia, "que devoravam com apetite, em horas diferentes, de estômago vazio". Um dos pacientes tratados com laranja e limão voltou ao serviço em seis dias, e o outro alguns dias depois, seguido pelos que tomaram cidra.

Em 1753 Lind publicou os resultados de sua pesquisa no famoso *A treatise on the scurvy* [Tratado sobre o escorbuto] e recomendou que houvesse uma ração de suco de limão a bordo de todos os navios da Marinha Real. O conselho foi recebido pelo Almirantado com indiferença glacial. Em vez disso, colocando a esperança acima da experiência, os lordes preferiram depositar sua fé em duas substâncias de valor antiescorbútico discutível. Uma delas, o chucrute, havia sido recomendado ao Almirantado por um cirurgião com as seguintes palavras: tratava-se de "uma comida alemã [...] constituída nada mais do que repolhos cortados em pedacinhos e prensados, preservados de forma a durar muito tempo. Esse prato é altamente apreciado por Sua Majestade, e certamente não prejudicaria os marinheiros serem obrigados a comer junto com a carne algo que para o Soberano constitui uma iguaria". O chucrute tem mínimo valor antiescorbútico. A outra escolha do Almirantado não tinha nenhuma propriedade nesse sentido. Era um extrato de malte concebido pelo dr. David MacBride, eleito pela Marinha Real o antiescorbútico padrão. Em 1767 a Comissão de Doentes e Feridos (o braço do Almirantado que cuidava da saúde na Marinha) declarou considerar a laranja e o limão ineficazes contra o escorbuto. Ao mesmo tempo, os médicos espanhóis e portugueses concordavam inteiramente com as conclusões de Lind de que "os sucos de limões e laranjas amargas são um remédio extraordinário e constituem meios seguros de prevenção" contra o escorbuto. Além disso, "seria supérfluo explicar aos portugueses inteligentes as virtudes dos limões e laranjas amargas, pois todos eles sabem que são os remédios mais eficazes contra as doenças dos marinheiros".

O Almirantado pode ter considerado ineficazes as laranjas e os limões, mas os 2400 doentes desembarcados da Frota do Canal durante a primavera de 1780 permitem avaliar a eficiência dos antiescorbúticos por ele escolhidos. Isso ocorreu após um bloqueio da costa francesa que durou seis semanas. No Almirantado, porém, não havia apenas obscurantistas uniformizados. Em 1795, após haver sido bombardeado pelos conselhos de Sir Gilbert Blane (membro da Comissão de Doentes e Feridos e discípulo de Lind) e do dr. Thomas Trotter, médico da Frota do Canal, o Almirantado finalmente capitulou e determinou que uma dose de suco de limão e açúcar fosse servida a bordo dos navios de Sua Majestade.

Os 28 gramas de suco e os 425 miligramas de açúcar eram em geral adicionados à ração de rum. Em 1760 havia 1754 casos de escorbuto no Hospital Naval de Haslar. Em 1806 houve apenas um. Haviam-se passado cinqüenta anos desde a recomendação de Lind e duzentos desde a adoção do suco de limão pela Companhia Inglesa das Índias Orientais. Outros armadores mercantes se mostraram tão teimosos e mesquinhos quanto o Almirantado: foram necessárias duas leis do Parlamento — em 1854 e em 1894 — para obrigar os armadores a fornecer uma dose diária de limão aos marinheiros. Foi assim que surgiu o "suco de limão dos marinheiros ingleses", do qual derivou o epíteto, um tanto pejorativo, de "limey", usado pelos americanos com referência aos ingleses de hoje.*

Durante as guerras napoleônicas, de longa duração, nas quais a Marinha Real foi exigida ao máximo, o almirante Nelson comprou na Sicília 50 mil galões de suco de limão (a 1 xelim por galão) para os marinheiros das frotas inglesas que executavam o bloqueio. Sir Gilbert Blane, para quem "cinqüenta limões podem ser considerados grande auxílio para a frota", observou, após a derrota de Napoleão, que, se a Marinha Real tivesse sofrido o mesmo número de baixas ocorrido durante a guerra de independência dos Estados Unidos, teria perdido a guerra naval contra o imperador francês. (E se o suco de limão tivesse sido fornecido em 1753 — conforme o conselho de Lind —, a guerra nos Estados Unidos poderia ter tido um resultado diferente.) O limão se mostrara tão poderoso quanto as peças de artilharia naval.

A história da cocleária, das laranjas e dos limões foi deliberadamente contada de maneira agradável, evolutiva, embora lenta em termos humanos. Mas a evolução social é cheia de encruzilhadas e acasos, tanto quanto o é a evolução biológica. Um dos acasos irônicos é o de que o navegador cuja preocupação principal consistia na saúde de seus homens foi também aquele que — involuntariamente — concorreu para retardar a introdução da ração de suco de limão em 1795.

Nenhum homem morreu de escorbuto nos navios comandados por James Cook. Era um registro inédito. No *Endeavour* ele perdera um homem com disenteria e malária, mas isso acontecera na Batávia, *fenua mate*, a terra que mata. Devido ao impe-

* Trata-se de uma derivação do nome do limão de casca verde, *lime* em inglês. O limão-galego, maior e de casca amarela, é conhecido como *lemon*. (N. T.)

cável desempenho sanitário do *Resolution*, Cook foi aceito como membro da Real Sociedade e recebeu a medalha Copley. Sir John Pringle, que, como presidente da Sociedade, fez o discurso por ocasião da condecoração, afirmou, com as velas da retórica desfraldadas, que "se Roma condecorou com a *Coroa Cívica* a quem salvou a vida de um único cidadão, de que maneira poderia ser recompensado o homem que, havendo salvado muitas vidas, perpetuou [...] os meios através dos quais a Grã-Bretanha pode agora, nas viagens mais distantes, preservar inúmeros de seus filhos mais intrépidos, os marinheiros [...]". Um desses marujos do *Resolution* era Thomas Perry que, em balada composta nos alojamentos, elogiava Cook da seguinte forma:

Éramos marujos fortes que não temíamos o frio
E que de todas as doenças ficamos livres
Graças ao Capitão, sempre tão bondoso,
*Que em todas as ilhas nos deu alimentos frescos.**

Thomas Perry tinha toda a razão. O suprimento que Cook recebera do Almirantado continha muitos itens que eram tidos como antiescorbúticos: chucrute, essência de malte, geléia de cenouras (recomendada pelo barão Storsch, de Berlim, como "extraordinário antiescorbútico"), caldo, *rob* de limão e laranja e essência de abeto. Os dois últimos exigem certa explicação. *Rob*, da palavra árabe *robb*, significando xarope de frutas, era um método recomendado por Lind como uma das formas de preservar o suco do limão ou da laranja. Era preparado mediante a condensação do suco pelo aquecimento — processo que sem dúvida lhe

* We were all hearty seamen no cold did we fear / And we have from all sickness entirely kept clear / Thanks be to the Captain he has proved so good / Amongst all the Islands to give us fresh food.

retirava qualquer valor antiescorbútico. A essência de abeto remonta à mágica árvore canadense de Cartier. Lind havia chamado a atenção para o tratamento russo e sueco do escorbuto, feito com uma espécie de cerveja produzida a partir de brotos e agulhas de pinheiros novos. MacBride também o recomendava: "O abeto seco, quando fervido com água durante uma hora e meia, dará uma boa forma de cerveja [...] o abeto pode ser conservado em qualquer lugar seco até dois a três anos depois do corte". A beberagem resultante devia ser tão insossa quanto inútil.

Cook, por sua vez, provavelmente conheceu a cerveja feita com abeto durante os anos que passou na costa canadense. E nunca deixou de preparar a beberagem; sempre que surgia a oportunidade, colhia brotos frescos na costa de qualquer nova terra descoberta. A cerveja de abeto ainda era fabricada nos Estados Unidos no fim do século XIX e o estilo lacônico da receita a seguir demonstra sua origem americana:

> Um pint [0,568 litro] de extrato de abeto de boa qualidade, 12 libras [5,4 quilos] de melaço, três galões de água. Ferva tudo e espere uma hora. Junte três ou quatro galões de água, um pint de fermento (a água deve estar morna). Despeje num recipiente de dez galões. Encha-o. Deixe fermentar. Feche bem. Engarrafe.

Na verdade, as provisões de Cook eram insignificantes como antiescorbúticos. A saúde de seus homens foi preservada graças a seus incansáveis e incessantes esforços para manter seus navios limpos, secos, fumigados, aquecidos, para retirar a água velha dos tonéis e substituí-la por água fresca a cada oportunidade, além de caçar ou colher, para levar à mesa, qualquer coisa que nadasse, voasse, caminhasse ou germinasse. Como ele próprio registrou, "Visitamos poucos lugares nos quais a arte humana ou a natureza não houvessem proporcionado alguma forma de reabastecimento, fosse animal ou vegetal, e o primeiro cuidado era obtê-los por todos os recursos à minha disposição e obrigar os demais a utilizá-los, por meio de exemplo ou da autoridade". Poucos oficiais da Marinha Real eram capazes de tanta determinação. Os marinheiros o amaldiçoavam por suas aventuras gastronômicas. Um deles escreveu que desejava que Cook "fosse obrigado a comer essas malditas coisas misturadas na sopa durante todos os dias de sua existência. Mesmo assim, não havia ninguém tão ignorante a ponto de não compreender o quanto aquilo era importante". Devido a seu exemplo, aqueles marujos rudes, grosseiros e analfabetos voltavam para bordo como crianças de um passeio pelo campo, trazendo "um lenço cheio de verduras", somente para agradar a seu comandante.

As realizações brilhantes de Cook, aliadas a seus conselhos, reforçaram a crença do Almirantado de que a escolha do chucrute e da essência de malte era correta. O exemplo de Cook também influenciou outros países. Não podemos deixar de olhar com ironia para o inteligente lobo-do-mar italiano Alessandro Malaspina que, em 1789, supervisionava diligentemente a fabricação do chucrute e da essência de malte em Cádiz — porto onde havia grande oferta de laranjas e limões — antes de partir no comando de uma expedição espanhola de cinco anos para o Pacífico e o Alasca. Foi uma viagem em que não se fizeram novas descobertas, mas que se distinguiu por suas observações geográficas e realizações hidrográficas e científicas, além de um impressionante resultado no campo da saúde, pois nenhum homem morreu de escorbuto. Malaspina, contudo, levou as frutas cítricas meridionais juntamente com o chucrute e o malte do Norte.

Há um aspecto final da história do suco de limão que recorda o contista O. Henry. O método de preservar o suco mediante sua condensação — o *rob* — havia sido abandonado e substituído (sem dúvida com a aprovação entusiástica dos marinheiros) pela adição de 25% de rum ao suco fresco — sendo o álcool o agente preservador. Essa ração, obrigatória na Marinha Real, virtualmente eliminou o escorbuto no mar. Com efeito, a doença se tornou tão rara que em 1830 um médico eminente diagnosticou um caso de escorbuto como câncer das gengivas, de tal forma os sintomas lhe eram desconhecidos.

Após as guerras napoleônicas, a Marinha Real, orgulhosa das vitórias e dispondo de homens e navios, dirigiu suas atenções para o Ártico. A busca de uma passagem pelo noroeste novamente despertava interesses, dessa vez por motivos que tinham mais a ver com o romantismo do que com o mercantilismo crasso. Havia também a mera política de poder. O urso russo estendera as garras através do estreito de Bering e tomara parte do continente norte-americano, com entrepostos comerciais e povoados que chegavam até quase São Francisco, ao sul.[3] Entre 1818 e 1852 a Marinha Real despachou seus navios para o Ártico com tonéis de suco de limão misturado ao rum — a fim de baixar o ponto de congelamento —, e a maior parte dos marinheiros permaneceu livre dos sintomas de escorbuto.

Na década de 1860 o Almirantado deixou de comprar seus limões na Sicília, Malta, Portugal e ilha da Madeira, começando a adquirir os limões de casca verde das Índias Orientais — que faziam parte do Império —, onde eram mais baratos. Em 1875-6, uma expedição da Marinha Real ao Ártico comandada pelo capi-

3. Houve um povoado russo no estuário do rio Rússia, cerca de 97 quilômetros ao norte de São Francisco. A fronteira entre os territórios russo e britânico no Ártico foi fixada em 1825, a 141°O.

tão George Nares, com dois navios e 121 homens, foi dizimada pelo escorbuto. A peste do mar regressara e o suco de limão verde perdeu prestígio como antiescorbútico.

Hoje, sabemos que o suco de limão verde contém metade da vitamina C do chamado limão-galego. Para um marinheiro alimentado exclusivamente com conservas que contêm pouco ou nenhum ácido ascórbico, os 30 gramas diários de suco de limão-galego são o mínimo necessário para afastar a doença, enquanto a mesma quantidade de suco de limão de casca verde não é suficiente. Com efeito, em 1911, William Bruce, explorador e cientista polar escocês, desprezou o suco de limão de casca verde por considerá-lo "inofensivo" e "útil para outras coisas". Bruce atribuiu o escorbuto à teoria médica do envenenamento por ptomaína, então em voga, e aconselhou que os alimentos enlatados fossem usados unicamente para variar a dieta. A prevenção e cura nas regiões árticas consistia em usar os produtos da natureza, "comendo as excelentes focas e peixes [...] e os ovos e a carne dos inumeráveis pingüins e outros pássaros". É a voz de James Cook.

O escorbuto está intimamente ligado à dieta. Desde a época a que os portugueses chamam "das Descobertas", no século XV, até o início do século XIX, as provisões dos navios pouco mudaram. As personagens de Shakespeare, Comandante, Grumete, Mestre, Artilheiro e seu imediato, poderiam ter trocado de lugar com seus correspondentes em C. S. Forester e pouquíssimas diferenças seriam notadas — exceto pelo fato de que os homens de Hornblower engoliriam rum em vez de conhaque.

O motivo dessa aparente inércia era o antigo problema da preservação dos alimentos. Até as primeiras décadas do século XIX o processo de preservação conhecera poucos progressos desde 3 mil anos antes. A preservação mediante secagem ao sol ou fumigação era conhecida de nossos mais antigos ancestrais; Homero fala em alimentos salgados; as conservas com vinagre, mostarda, sal e mel são conhecidas desde o século I d. C., e os romanos já usavam o gelo. O queijo é uma forma de preservar o leite; além disso, a cerveja preserva o centeio e o vinho, as uvas.

Na metade do século XVI, antes que Espanha, Inglaterra, Holanda e França tivessem estabelecido colônias no continente norte-americano; antes que os ingleses houvessem fundado a Companhia de Mercadores Aventureiros para a Descoberta de Regiões, Domínios, Ilhas e Lugares Desconhecidos e houvessem chegado por mar a Arcangel e depois seguido por terra até Moscou (primeiro e pequeno passo da extraordinária aventura que levou ao domínio de mais de um quarto da superfície terrestre, e quase tanto dos povos do globo, o que lhes legou um idioma internacional) — antes de tudo isso, a quantidade de provisões fornecida a um marinheiro na Inglaterra de Henrique VIII era meio quilo de biscoitos, 4,5 litros de cerveja e meio quilo de carne para quatro dias da semana; nos dias restantes forneciam-se queijo e peixe seco.

Durante a segunda década do século XIX, quando Moscou estava em chamas e os soldados franceses pilhavam os arredores; quando Washington foi incendiada e saqueada — o butim foi pequeno — pelos ingleses, a quantidade de provisões de um marujo da Marinha Real de Jorge II era meio quilo de biscoitos e 4,5 litros de cerveja diários, 900 gramas de carne de porco salgada, 1,8 quilo de carne de boi salgada, 340 gramas de queijo, 230 gramas de manteiga, 2 pints de ervilhas secas e 3 de aveia por semana. Havia três dias por semana em que não se fornecia carne — eram os "dias de *banyan*", nome que deriva da casta vegetariana dos *banian*, na Índia.

Para as viagens mais longas ao sul, a manteiga (que ficava rançosa e acabava engordurando as madeiras) era substituída pelo óleo de oliva, a aveia o era por arroz e a cerveja (que ficava choca rapidamente), por vinho e conhaque. A ração de queijo era do desacreditado queijo de Suffolk ou de Essex, tão duro — porém de melhor conservação — que com ele os marinheiros faziam botões para os uniformes. Era conhecido como "Suffolk Thump" (murro de Suffolk) ou "Suffolk Bang" (pancada de Suffolk) e foi imortalizado por Samuel Pepys, que escreveu que sua mulher se zangara "com a família porque comiam queijo de Suffolk". Custando a metade do preço dos queijos melhores, sua reputação lhe valeu os seguintes versos toscos:

Aqueles que me fizeram eram rudes
Pois mais duro que o diabo me fizeram,
As facas não me cortam, o fogo não me queima,
*Os cães latem para mim mas não me querem.**

James Cook, que em seu tempo de marinheiro trabalhara nas cobertas e agüentara aquele queijo infame, insistia em que seus navios recebessem queijo de Cheshire, mais palatável.

Numa época em que os pobres da Inglaterra subsistiam com pão, queijo e ervilhas secas, as rações dos marinheiros pareciam um pouco melhores do que as dos que se encontravam em terra firme, ainda que nutricionalmente desastrosas. No entanto, as porções prescritas diferiam muito das que eram realmente servidas. Depois de 1776, por um passe de mágica, os intendentes dos navios foram autorizados a reduzi-las em um oitavo, a fim de compensar as perdas e os vazamentos. Os intendentes — talvez os oficiais mais detestados da Marinha Real — eram em geral comerciantes que visavam ao lucro; os mais corruptos dentre eles costumavam vender as provisões dos navios e encher os bolsos com dinheiro. A petição dos intendentes para a redução de um

* They that made me were uncivil / For they made me harder than the devil, / Knives won't cut me, fire won't sweat me / Dogs bark at me but won't eat me.

oitavo da ração acolhida pelo Almirantado representou um esforço de recuperação das perdas "do pão quando se quebra e se transforma em poeira; da manteiga, cuja porção mais próxima da tampa não serve para comer; do queijo, que se deteriora pelo mofo e apodrece, e acaba sendo consumido juntamente com larvas e outros insetos; das ervilhas, aveia e farinha, que se enchem de baratas, lagartas e outros vermes". A petição é um indicador significativo da qualidade das provisões. O depósito de abastecimento do Almirantado, em Deptford, era conhecido sarcasticamente como "o caruncho velho".

Carne de porco rançosa, carne de vaca apodrecida, água e cerveja chocas, biscoitos cheios de insetos, era disso que consistia a alimentação cotidiana dos marujos que se aventuravam pelos mares do Sul — os da Marinha de Guerra e os caçadores de baleias e de focas. Às vezes levavam carne fresca. Carneiros, vitelas, porcos, cabritos e galinhas eram embarcados vivos, a maior parte destinada à mesa dos oficiais. Um desses animais, uma cabra, ficou famosa por haver circunavegado o globo duas vezes. Embarcada para fornecer leite — para os oficiais —, participara com o capitão Samuel Wallis da viagem do *Dolphin* de 1766-8, quando os taitianos viram pela primeira vez os europeus e a cabra. Foi uma experiência memorável para os taitianos: o animal deu uma marrada nos fundilhos de um dos nativos, que saltou ao mar aterrorizado, "e todos os demais, vendo o que acontecera, seguiram seu exemplo com grande precipitação". A cabra retornou ao Taiti com Cook, no *Endeavour*, e depois ficou tranqüilamente pastando no jardim do comandante em Mile End, com uma coleira de prata no pescoço, na qual haviam sido gravados os versos compostos em sua honra pelo dr. Samuel Johnson — em latim e com referências clássicas. O que mais se poderia esperar do doutor?

Perpetui, ambita bis terra, praemia lactis
Haec habet, altrici Capra secunda Jovis.[4]

A cabra morreu em 28 de março de 1772. Antes de expirar, ao que se diz — e espera-se que seja verdade —, o Almirantado decidiu admiti-la como pensionista no hospital dos marinheiros em Greenwich.

Havia uma fonte de carne fresca disponível em todos os navios, não sancionada pelas repartições administrativas e desconhecida das rações estabelecidas pelos intendentes. Eram os ratos. Foram comidos pelos homens de Magalhães na primeira circunavegação, pela tripulação de Bougainville (tanto marinheiros como oficiais — o príncipe de Nassau pagou 6 sous por cada um, considerando-os excelentes) na primeira circunavegação francesa realizada entre 1766 e 1769; em 1792 um marujo do *Active* escreveu que a tripulação os esfolava e grelhava e que tinham gosto muito parecido com o dos coelhos; os oficiais os adoravam; o barão Raigersfeld, que escreveu na mesma época, comprou ratos alimentados a biscoito e queijo, que, condimentados e grelhados, diferenciavam-se bastante em relação aos pedaços de carne de porco salgada. O explorador americano dr. Elisha Kent Kane os comeu no Ártico, quando seu navio ficou lá retido pelo gelo durante dois invernos. Inicialmente, tentou exterminá-los por meio de uma experiência improvisada e quase desastrosa com gás, mas acabou se alimentando deles: "A repugnância de meus colegas em partilhar comigo a iguaria daqueles 'pequenos

4. Traduzida por Boswell em forma de quadra: Quase tão famosa quanto a ama de Júpiter / Esta cabra deu duas vezes a volta ao mundo / Merecendo o cuidado e o amor de seu dono / Encontra agora calma perpétua e pasto. Em inglês: In fame scarce second to the nurse of Jove / This Goat who twice the world has traversed round / Deserving both her master's care and love / Ease and perpetual pasture now has found.

veados' deu-me freqüentemente a vantagem de saborear uma sopa de carne fresca, o que sem dúvida contribuiu para minha relativa imunidade ao escorbuto". O empírico Kane acertara: o rato possui uma enzima que sintetiza a vitamina C — comer o repugnante animal de fato vem a ser uma medida antiescorbútica eficaz. Com efeito, a maioria das carnes frescas, comidas cruas ou malpassadas, curam o escorbuto. Somente as cobaias, os macacos e os humanos não possuem a enzima que sintetiza o ácido ascórbico.

Lobscouse (ensopado), *skilligolee* (mingau de aveia), *burgoo* ou café escocês (mingau de aveia com carne salgada), *pease pudding* (ervilhas secas cozidas numa bolsa), *duff* (farinha de trigo cozida com passas), *cracker hash* (biscoitos molhados e carne salgada), *hard tack* (biscoitos com carne salgada), *soft tack* (pão branco macio e manteiga — só para oficiais): essa era a limitada litania da alimentação dos homens do mar. A carne de boi salgada, que os marujos americanos chamavam de "cavalo velho", tinha de ser ensopada num "tonel de arreios" — outro comentário irônico sobre seu conteúdo. As rações menos comestíveis dentre as servidas às tripulações eram espetadas numa faca e erguidas, enquanto os marinheiros bradavam os seguintes versos:

Cavalo velho! Cavalo velho! Quem te trouxe aqui?
De Sacarap ao porto de Portland,
Carreguei pedras durante muitos anos.
Trabalhei muito, trabalhei bem,
Até cair e quebrar a espinha.
Eles me trataram muito mal
E me salgaram para que os marinheiros comessem da minha carne.
Os marujos me desprezam,
Me pegam e furam meus olhos,

Comem minha carne e roem meus ossos
*E atiram os restos para Davy Jones.**

O paladar dos marinheiros, endurecido por essa alimentação indigerível, era tão caloso quanto suas mãos. Os bons cozinheiros eram raros. "Deus manda a carne e o diabo manda os cozinheiros" — eis um ditado que resume a opinião dos marujos, e nisso a Marinha Real era mais malservida do que os navios mercantes. Em 1704 o Almirantando expediu ordens relativas ao engajamento de cozinheiros, a fim de que se desse preferência "aos aleijados e estropiados dentre os pensionistas de Chatham [um hospital de marinheiros]". Os deveres do cozinheiro eram assim resumidos:

DO COZINHEIRO

1. Ocupar-se da carne na bacia de salmoura.
2. Em caso de tempestade, zelar para que a carne não se perca.
3. Cozinhar as provisões e entregá-las à tripulação.

James Cook escreveu uma carta de protesto à Comissão da Marinha quando tomou conhecimento da designação do cozinheiro de seu navio: "O homem que Vossas Senhorias houveram por bem nomear cozinheiro no navio de Sua Majestade *Endeavour* é um doente aleijado, incapaz de exercer suas funções sem o auxílio de terceiros; como não parece satisfeito com a designação,

* Old horse! old horse! what brought you here? / From Sacarap' to Portland pier / I carted stone for many a year. / I laboured long and well, alack, / Till I fell down and broke my back. / They picked me up with sore abuse / And salted me down for sailor's use. / The sailors they do me despise, / They pick me up and damm my eyes, / They eat my flesh and gnaw my bones / And throw the rest to Davy Jones.

rogo que seja nomeado outro". Em sua sabedoria, a Comissão da Marinha realmente designou outro, um certo John Thompson, que perdera a mão direita. Cook protestou novamente, mas a Comissão foi inflexível e o *Endeavour* zarpou com um cozinheiro maneta.

Havia, entretanto, um elemento das provisões que era consumido com prazer e aprovação universais: o rum. Era uma época em que se bebia muito, época da *Gin Lane* de Hogarth para os pobres da cidade e de vinho borgonha, do Porto, champanhe e conhaque para os fidalgos urbanos, e das quatro garrafas de vinho para as bebedeiras dos camponeses imitadores de Squire Western e Parson Supple.* O rum dos marinheiros era então servido em abundância e qualquer tentativa de modificar esse estado de coisas levava a "descontentamento na Frota". Em 1740 o almirante Vernon (que tinha o hábito de usar um casaco grosso de gorgorão que lhe valera o apelido de *Old Grog*) teve a coragem, ou a temeridade, de ordenar a diluição da ração de rum, num esforço para banir da Frota "o dragão da bebedeira". O meio litro de rum, servido ao meio-dia e às seis da tarde, seria diluído em 100 mililitros de água. Talvez admirando a ousadia do Velho Grogue em intrometer-se com o rum, os marujos prontamente batizaram a mistura de "grogue". Na época de Nelson, a ração de "grogue", servida ao meio-dia com o entoar da alegre canção *Nancy Dawson* ou *Drops of brandy* [Gotas de conhaque], havia sido reduzida a 1 gill (um quarto de pint [100 mililitros]) de rum com 3 gills de água, e em anos subseqüentes foi sendo gradualmente diminuída. Finalmente, em 1970, essa antiga e sagrada tradição da Marinha Real foi abolida, e com ela os "sorvos" e "goles", dinheiro líquido entre a marujada.

* Squire Western e Parson Supple são personagens do romance *Tom Jones*, do inglês Henry Fielding (1707-54). (N. T.)

Em 1806 a Marinha francesa começou a fazer experiências com conservas de carnes, frutas e verduras acondicionadas em frascos de vidro. Era um processo inventado por um confeiteiro, Nicolas Appert, que em 1809 recebeu do agradecido Napoleão 12 mil francos e o título de "benfeitor da humanidade". O processo de Appert consistia em aquecer os alimentos dentro dos frascos a alta temperatura e em seguida fechá-los hermeticamente com camadas de cortiça. A idéia atravessou o canal e em 1812 as instalações industriais de Donkin & Hall na Blue Anchor Road, em Bermonsdey, fabricavam conservas de carne acondicionadas em vasilhas de ferro recoberto de estanho — não em frascos de vidro — que pareciam latas de chá. Nos rótulos das latas aparecia a palavra francesa *bouilli*, que significa carne cozida. Tinha início assim a indústria das conservas em lata, que gerou a expressão "bully beef". Já em 1813 a Marinha Real recebia suprimentos de carne enlatada e quatro anos mais tarde um panfleto da Donkin & Hall citava testemunhos de celebridades como Sir Joseph Banks, o almirante Cochrane e lorde Wellesley.

As expedições britânicas ao Ártico a partir de 1814 levaram conservas enlatadas de carne bovina, carneiro, vitela e legumes. A expedição ártica russa, realizada entre 1815 e 1818, comandada por Otto von Kotzebue, levou produtos da Donkin & Hall e os considerou excelentes. Uma expedição russa à Antártica sob o comando de Thaddeus Bellingshausen fez uma parada na Inglaterra a fim de abastecer-se de mapas, instrumentos de navegação e das "sopas frescas de vegetais e carnes especialmente conservadas [...] por mr. Donkin". A corveta francesa *Astrolabe* transportou alimentos conservados por Appert na viagem de três anos ao Pacífico, no período entre 1826 e 1829 — em latas, não em frascos de vidro —, porém sem sucesso, tendo em vista que a maior parte do frango acabou apodrecendo. O comandante dessa expedição, Dumont d'Urville, regressou ao Pacífico e à Antártica no período compreendido entre 1837 e 1840 abastecido com enlatados fornecidos por Noel & Taboureau, que utilizavam novo processo. A carne, embalada em vasilhas de 30 quilos, teve pior destino do que o frango de Appert: as latas começaram a explodir sete semanas após a partida de Toulon.

Os ingleses tiveram mais êxito com suas provisões enlatadas. Em 1839, 26 toneladas de alimentos enlatados foram embarcadas no *Erebus* e no *Terror* antes de zarparem para a Antártica. Havia carne bovina, carneiro, vitela, sopa de legumes, cenouras, cenoura branca, beterraba, cebolas e nabo. Após a viagem, Sir James Clark Ross recomendou o fornecimento de provisões enlatadas a todos os navios da Marinha Real. O Almirantado reagiu à proposta de Ross com velocidade muito superior à de sua reação às sugestões de Lind. No mesmo ano, 1847, os enlatados se tornaram parte obrigatória do abastecimento normal (desde 1831 já faziam parte dos "alívios médicos" dos navios). O novo tipo de abastecimento, contudo, que incluía o suco de limão verde, em breve cairia em desuso. Devido às quantidades encomendadas pelo Almirantado, os fabricantes começaram a aumentar o tamanho dos vasilhames. Os volumes de 900 gramas a 2,7 quilos de peso se transformaram em volumes de 4,5 a 6,4 quilos. Os maiores eram os que apresentavam conteúdo putrefato com mais freqüência. A escala das perdas foi tão grande (em um ano mais de 50 toneladas de carne foram condenadas, somente em uma central de abastecimento) que uma comissão investigadora foi nomeada, gerando como recomendações que se limitasse o tamanho dos vasilhames a 2,7 quilos e que o Almirantado estabelecesse sua própria fábrica de enlatados no Depósito de Abastecimento de Deptford.

O limite do tamanho dos vasilhames era empírico, porém fazia sentido. Louis Pasteur ainda não havia publicado os resultados de seus estudos sobre o papel dos microrganismos na fermentação e putrefação, e acreditava-se ser suficiente expulsar o ar de dentro dos recipientes para que o conteúdo ficasse conservado. Hoje sabemos que a parte central dos grandes volumes de carnes era insuficientemente aquecida e que as bactérias permaneciam vivas ali, contaminando o restante.

No tempo das navegações a vela, o abastecimento dos navios era definido pelos hábitos alimentares de cada país, pelas diferenças regionais existentes e hábitos em relação à comida. O rol de provisões dos marinheiros franceses permaneceu imutável durante cem anos. Estabelecido em 1689 por Jean Baptiste Colbert, consistia em biscoitos, carne bovina salgada, bacalhau salgado, toicinho, queijo, ervilhas secas, feijões secos, azeite, vinagre, vinho e conhaque, além de legumes em conserva para os oficiais e os doentes. Por alguma estranha sutileza gastronômica, os marinheiros franceses preferiam a carne salgada inglesa à sua própria e, quando capturavam algum navio inglês, a primeira coisa que tomavam era a carne.

Em 1647 Estienne Cleirac chamou os franceses de *gastrolâtres* — homens devotados a seus estômagos. Tal descrição é reforçada com a leitura das *Memórias* do padre Labat. Esse sacerdote simpático e bonachão zarpou para as Índias Ocidentais em 1693, e os banquetes de Luculus a bordo do *Loire* somente poderiam ter ocorrido num barco francês. No café da manhã serviam-se pão recém-assado, manteiga, queijo, presunto ou patê, *ragout* ou *fricassée* e um vinho "muito excelente". Ao meio-dia, caldo de galinha, carne irlandesa *du petit salé*, carneiro ou vitela, *fricassée* de frango, dois *ragouts*, duas saladas, queijo, geléias, frutas cozidas e nozes. O jantar era semelhante, só que regado com mais vinho.

Havia a bordo duas grandes caixas em que se plantava chicória (vigiadas dia e noite por um sentinela que espantava os ratos e os marinheiros). Quando a chicória acabava, semeavam-se alface e rabanetes.

Anos mais tarde, notava-se a mesma atitude civilizada. Viajando de uma ilha caribenha para outra numa barca francesa armada com dois canhões — dispondo-se, porém, de apenas uma bala —, o bom padre observou que aquele único tiro não poderia ser disparado, pois a bala de ferro era usada para moer as sementes de mostarda destinadas ao *cochon boucanné*. Era o exemplo perfeito do aforismo de La Rochefoucauld: "Comer é uma necessidade, mas comer bem é uma arte".

Comparem-se as *Memórias* de Labat com um incidente relatado nas *Memoirs of William Hickey* [Memórias de William Hickey] durante a viagem do navio *Plassey*, da Companhia das Índias Orientais, da Inglaterra para a Índia. Não havia pão fresco, apenas biscoitos duros, "extraordinariamente ruins e farinhentos". Os biscoitos eram tão duros que houve uma aposta de 5 guinéus de que um dos companheiros de Hickey seria incapaz de engolir um sem usar as mãos e sem beber água, no tempo máximo de quatro minutos. Foi engolido, num processo de quase-asfixia, quando faltavam seis segundos para o fim do prazo. Era a alimentação se transformando em um jogo.

Labat e Hickey exemplificam as atitudes de seus respectivos países em relação à comida. Se levarmos o aforismo de Billat-Savarin — "Diz-me o que comes e eu te direi quem és" — a sua conclusão lógica, os hábitos alimentares de uma nação podem ser avaliados devorando-se seus habitantes. Em sua *Histoire Naturelle des Antilles de l'Amérique*, Rochefort descreveu a opinião dos nativos caribenhos sobre as virtudes gastronômicas dos europeus. Os espanhóis eram virtualmente incomestíveis, duros e cheios de cartilagens; os holandeses, insossos e sem gosto; os ingleses, um pouco melhores, mas os franceses eram considerados saborosos, deliciosos.

Nos navios americanos — os da Marinha, os baleeiros e os caçadores de focas —, as provisões poderiam ser as mesmas das carroças de Conestoga e das caravanas de pioneiros ao penetrarem nas pradarias: fardos de carne de porco salgada, farinha de trigo, melaço, feijões, café, rum e uísque. No Rio de Janeiro, durante a primeira etapa da Expedição Exploradora dos Estados Unidos, realizada entre 1838 e 1842, verificou-se que 125 litros de uísque haviam vazado dos tonéis do *Vincennes.* Se levarmos em consideração a inventividade dos marinheiros quando se trata de retirar bebidas de tonéis, é improvável que o vazamento fosse natural.

O consumo abundante de vinho, cerveja e aguardente pelos marinheiros dos séculos XVIII e XIX é um dos aspectos mais espantosos de sua dieta nutricionalmente desastrosa. Medindo-se a absorção de energia — o combustível — em calorias, fica evidente que mais de metade da energia lhes era proporcionada pelo álcool. A imortal leitoa de P. G. Woodhouse, a Imperatriz de Blandings, consumia 57800 calorias por dia a fim de preservar suas formas premiadas. O corpo humano necessita de menos — cerca de 3500 calorias para um homem saudável. Sem o vinho, a cerveja e o rum, a dieta dos marinheiros não teria calorias suficientes para permitir a um escriturário do Almirantado segurar sua pena de escrever.

Os fanáticos por saúde dos dias de hoje, apóstolos devotados da dieta e do exercício, cujas crenças se dirigem mais ao corpo temporal do que à alma, cujos ícones são os tênis próprios para a prática de *jogging* e os aparelhos de ginástica, que quando o vinho, a cerveja ou a aguardente lhes chegam aos lábios os medem puritanamente em "unidades", com os mesmos critérios classificariam esses marinheiros como alcoólatras típicos. É lícito presumir que os navios de Sua Majestade britânica fossem guarnecidos por bêbados inveterados. Nada mais natural então que, após a batalha de Trafalgar, essa Marinha de paus-d'água houvesse preservado o corpo de seu Almirante em um tonel de bebida para levá-lo de volta à Inglaterra em sua última viagem.

4. O oceano austral

Acredito firmemente na existência de uma extensão de terra próxima ao pólo, que é a origem da maior parte do gelo espalhado por todo este vasto oceano austral.

Diários do capitão James Cook, *6 de fevereiro de 1775*

Quase três quartos da superfície da Terra estão cobertos de água salgada. O Departamento de Hidrografia dos Estados Unidos e o da Grã-Bretanha publicam guias (roteiros) referentes a essa vasta área — seriam os Baedekers* dos oceanos. As *Sailing directions* americanas são impressas em folhas soltas, reunidas em capas atualizáveis. Os *Pilots* ingleses são volumes encadernados

* Coleção de guias turísticos publicados originalmente na Alemanha a partir da primeira metade do século XIX, cujo nome, na Inglaterra e nos Estados Unidos, se tornou sinônimo de guia de viagem. Os guias recebem esse nome por causa de Karl Baedeker (1801-59), livreiro alemão e editor desses guias. (N. T.)

que podem figurar com dignidade em qualquer estante. O conteúdo de ambas as publicações é semelhante.

Os *Pilots* somam, no total, 73 volumes que cobrem os litorais e os mares do mundo, desde o *Africa Pilot* (nº 1) ao *Ch'ang Ch'iang Pilot* (nº 73). Encadernados em tecido azul-marinho sóbrio com letras douradas e numerados como soldados enfileirados nas prateleiras da sala de mapas, formam um impressionante repositório de informação náutica, assim como experiência e conhecimento alcançados com sacrifício. Se existe algo que pode ser considerado um vade-mécum náutico, essas publicações cumprem perfeitamente tais funções. Abundantes de sábios conselhos quanto às marés, correntes, recifes, bancos de areia e ancoradouros, não são conhecidos por sua prosa lírica. Hilaire Belloc, no entanto, encontrou num deles uma frase que lhe ficou na memória. A qualidade da escrita é homérica: "Mas o marujo fará bem em evitar essa travessia ao aproximar-se a mudança da maré, se o vento encrespar, ou a escuridão cair sobre o mar".

O nono volume da série é sobre a Antártica. O título completo na capa dá uma idéia de grandes aventuras e viagens comparáveis a uma odisséia. Eis o que se lê nessa capa:

O

ROTEIRO ANTÁRTICO

CONTENDO

A COSTA DA ANTÁRTICA

E TODAS AS ILHAS AO SUL DA ROTA

USUAL DOS NAVIOS

Em resumo, esse volume é o guia dos marinheiros que se dirigem ao oceano austral. O capitão James Cook, o primeiro homem a comandar uma expedição às altas latitudes meridionais, deu esse nome ao oceano após verificar quão grandiosa era essa vasta extensão circumpolar de água: seu clima, padrões dos ventos, correntes, fauna e flora. Porém, quais são os limites desse oceano? Mais concretamente, qual é sua fronteira norte?

A segunda edição do *Antarctic Pilot*, publicada em 1948, responde sem dificuldade a essa pergunta, afirmando diretamente: "O nome 'oceano austral' foi adotado para toda a porção do globo limitada ao norte por uma linha que liga as extremidades meridionais da América do Sul, África, Austrália e Nova Zelândia, e ao sul pelo litoral da Antártica". Na quarta edição, de 1974, lê-se uma nota vacilante e incerta: "O oceano austral é o termo geralmente adotado pelos cientistas britânicos, embora não seja aceito universalmente, para a extensão circumpolar de água que jaz ao norte do continente antártico e cujos limites setentrionais não se encontram definidos com precisão, mas seguem aproximadamente a latitude de 55ºS".

Os oceanógrafos russos se juntam a seus irmãos britânicos e preferem a definição da segunda edição. O Departamento de Hidrografia dos Estados Unidos, em sua *Sailing directions for Antarctica*, astutamente evita o assunto e não faz menção a um oceano austral — na verdade, nem mesmo a um oceano antártico. Os cientistas americanos são aconselhados a escrever oceano austral, com letras minúsculas, contrariando a gramática inglesa. A Comissão Oceanográfica Internacional da UNESCO escreve "oceanos austrais", no plural, o que não faz nenhum sentido. O Chile e a Argentina, por motivos políticos (consideram a parte sul do Pacífico e do Atlântico pertencente a sua esfera própria de influência), não querem saber desse nome.

É mais fácil tratar da vastidão desse oceano do que da semântica. Um navegador solitário e resoluto que dirigisse a proa de seu barco para o Sol nascente e deixasse à popa a massa do cabo

Horn poderia navegar à volta do mundo ao longo da latitude de 56ºS e chegar de volta ao cabo Horn, queimado pelo vento e pelo sol, após percorrer mais de 12 mil milhas de oceano sem avistar terra e tendo por companheiros somente pássaros marinhos, baleias, golfinhos e talvez um ou outro iceberg.

Outro navegador que desejasse fazer o mesmo, partindo do litoral rochoso do Labrador à latitude de 56ºN, navegaria por um curto trecho de 1850 milhas até ser bloqueado pela ilha de Jura, ao largo da costa oeste da Escócia. Desse trecho em diante sua viagem ao redor do mundo seria mais por terra do que por água. Se for possuidor de um espírito inquiridor, poderá fazer pequenos desvios e visitar nessa ilha a isolada fazenda na qual George Orwell escreveu *1984*, ouvir o flautista sob as muralhas do castelo de Edimburgo e aprender algo sobre essa cultura no festival daquela cidade; caminhar, como Hamlet, pelos corredores do castelo de Elsinore; meditar diante da tumba de Lenin na Praça Vermelha, cruzar as rotas comerciais dos vikings dos séculos IX e X no rio Volga e visitar a Universidade de Kazan, onde Lenin e Tolstoi estudaram; atravessar o imenso e sinistro pântano de Vasyugan, na Sibéria; facilitar a viagem fazendo uso da ferrovia transiberiana; cruzar os montes Stanovoi na Sibéria oriental; voltar à água na curta travessia do mar de Okhotsk, seguida por uma viagem ainda mais curta por terra, através da península de Kamtchatka, e por outra travessia marítima pelo mar de Bering, até ser obstruído pelas altas vertentes das montanhas Costeiras, no litoral do Alasca; atravessar o riacho Dawson, no final da rodovia do Alasca, e finalmente cruzar aquela grande extensão do Canadá que parece conter mais água do que terra, até chegar de volta ao litoral do Labrador. Teria a pele marcada pelas mordidas da melhor coleção de insetos do hemisfério norte e a mente repleta de impressões históricas, culturais, políticas e literárias, além da mala cheia de objetos *kitsch* para turistas — daqueles que se compram num impulso e de cuja aquisição nos arrependemos para sempre.

O viajante meridional teria atravessado uma extensão aparentemente estéril de oceano, privado de história e de interesse. Somente o esvoaçar do albatroz poderia trazer-lhe vagas lembranças dos tempos que na escola ouviu sobre o velho Marinheiro de Coleridge e sobre o destino daquela personagem incivilizada. Ou então, se tivesse maior inclinação pela literatura, talvez a vastidão e a imensidão do oceano austral suscitassem o mundo de Dante, em que o hemisfério setentrional era constituído de terra e o meridional, de água, apenas com as faldas do monte Purgatório surgindo das profundezas do mar. Seria, entretanto, poupado do olhar impessoal e pétreo dos funcionários em cada fronteira — expressão que vestem juntamente com seus uniformes e que, aliada aos carimbos, integra o armamento burocrático na batalha oficial que tem como objetivo perturbar e amedrontar o público anárquico.

Mesmo assim, esse navegador teria cruzado fronteiras. Não as fronteiras marcadas por avisos, bandeiras, cercas e guardas uniformizados, mas aquelas mais duradouras, determinadas por rios, desertos e cadeias de montanhas. Serpenteando a Antártica a cerca de 800 milhas da linha do litoral, entre as latitudes de 50º e 60º Sul, duas extensões de água, de temperaturas e salinidades distintas, para lá convergem. Nesse lugar onde se encontram, as águas da superfície que envolvem o continente, quase no ponto de congelamento, passam para baixo das águas subantárticas, mais quentes. Os oceanógrafos dão a isso o nome de Convergência Antártica.

Para a tripulação de um navio que esteja se dirigindo para o Sul, a fronteira é bem definida. Em poucas horas a temperatura do ar e da água baixam vertiginosamente e se aproximam do ponto de congelamento, enquanto desce o nevoeiro. Se o marinheiro tiritante no convés percebe que cruzou uma fronteira, o mesmo acontecerá com o biólogo marinho ou com o oceanógrafo que estudam amostras colhidas nas redes de plâncton e nas dragagens do leito; a Convergência é uma fronteira biogeográfica com formas distintas de vida do plâncton e de sedimentos do fundo em ambos os lados da linha divisória.

O exemplo mais dramático da influência da convergência pode ser visto nas diferenças climáticas existentes entre duas ilhas do oceano austral. A ilha Staten, que constitui o prolongamento da cauda de escorpião na extremidade da América do Sul, fica a mil milhas de distância da Geórgia do Sul, porém na mesma latitude. A primeira ilha é arborizada, úmida e fresca. A segunda é árida, ventosa, coberta em mais da metade por gelo e neve permanentes, além de possuir geleiras que adentram o mar. Isso acontece porque no meridiano da Geórgia do Sul a Convergência inflete para o Norte, devido às correntes e à configuração do fundo do mar, englobando a ilha, enquanto a de Staten permanece em águas mais temperadas.

Às vezes, em razão da perfeita adaptabilidade que um animal consegue num meio difícil e hostil, a mentalidade popular o associa a um determinado ambiente, passando mesmo a representá-lo, e ele se torna o animal emblemático desse ambiente. Tal como o urso polar para o Ártico, o pingüim para a Antártica e o camelo para o deserto, no oceano austral o representante mais adequado é o albatroz-errante. Esse pássaro magnífico, cuja envergadura é de mais de 3 metros, plana sem esforço acima das vagas espumantes e constitui a essência pura das águas austrais. Ao lançar-se ao ar do lugar de seu nascimento na Geórgia do Sul a fim de iniciar sua hégira que durará de três a cinco anos — esse é o tempo que leva para regressar ao lar ancestral —, um jovem albatroz-errante voará incessantemente ao redor do globo e das águas do oceano austral, com a curiosidade apenas ocasionalmente despertada pela visão de um navio solitário ou de uma ilha isolada.

Nenhum outro continente está assim rodeado por tamanha extensão de água. Os vagalhões, vagas e o estado desse oceano, sob o empuxo dos ventos predominantes do Oeste, continuamente completam a volta ao continente, que é restringida somente pelo gargalo de 620 milhas entre as extremidades da América do Sul e da península Antártica.

Experiências realizadas com garrafas e cartões derivantes indicam uma pista que flui para o Leste a uma velocidade entre 5 e 18 milhas por dia. A natureza, contudo, é capaz de realizar suas próprias experiências de fluxo: em 5 de março de 1962 uma erupção submarina a 35 milhas a noroeste da ilha Zavodovski, a mais setentrional das ilhas que compõem o arquipélago de Sandwich do Sul, vomitou milhões de toneladas de pedra-pomes. Nove dias mais tarde, o *H.M.S. Protector* registrou que 2 mil milhas quadradas de oceano estavam recobertas de partículas dessa matéria vulcânica em pedaços tão grandes que poderiam bloquear as entradas de água do navio. A pedra-pomes chegou à costa da Nova Zelândia no início de 1964, com os pedaços maiores navegando com o vento a uma velocidade de 16 milhas por dia, como brinquedos flutuando na água de uma banheira. Em 1978 e 1979 utilizou-se um método mais sofisticado e dispendioso num estudo de temperatura e pressão atmosférica. Grande quantidade de bóias derivantes no oceano austral, e elas transmitiam sua posição e informações climáticas diversas vezes por dia a um satélite: a velocidade média de deslocamento foi de 13 milhas diárias. O capitão James Clark Ross chegara à mesma conclusão quase 150 anos antes, a bordo do *Erebus* e do *Terror*. Tendo zarpado da ilha Kerguelen dirigindo-se a leste, para a Tasmânia, observou-se que os navios estavam entre 12 e 16 milhas adiantados em relação à sua posição estimada. Após um período de dois dias sem observações, verificou-se que se encontravam 58 milhas a leste da posição. Nos dias de hoje, em que a navegação se faz por sistemas de satélite, trechos como esse mostram os perigos da navegação a vela baseada em cálculos lunares ou solares ou na navegação estimada e suscitam visões de naufrágios repentinos e trágicos em alguma das ilhas desoladas que se erguem como armadilhas fatais no oceano austral. Em um desses arquipélagos, nas ilhas Auckland, ao sul da Nova Zelândia e sobre a rota dos navios que se dirigem da Austrália ao cabo Horn, nove barcos e mais de cem vidas se perderam no curto espaço de quarenta anos.

A pista irrestrita do oceano austral, impelida pelos ventos predominantes de Oeste — os "ventos uivantes dos 40°"(*roaring forties*) dos tempos em que se usavam velas redondas —, produz mares encapelados e grandes vagas. Ao longo do registro diário efetuado por James Cook, em que descreve os meses que passou no oceano, perpassa a litania de "vagalhões enormes", "vastos vagalhões", "prodigiosos vagalhões", "mar extraordinário", "o mar subiu prodigiosamente". Cook não era dado a exageros, e suas anotações lacônicas são corroboradas por informações de satélites americanos que mostram "ondas com altura significativa" de 11 metros no espaço de poucos dias em alguma parte do oceano austral. A "altura significativa" de uma onda vem a ser a altura da média do terço mais alto das ondas medida num período de vinte minutos; a altura máxima durante esse período às vezes é o dobro da "altura significativa". Em seus mapas de ondas do oceano austral, os russos sugerem alturas máximas entre 24 e 30 metros próximo à ilha Kerguelen. Os pesadelos dos marinheiros são feitos de ondas monstruosas que alcançam 30 metros.

O continente envolto por esse imenso oceano possui defesas ainda mais implacáveis do que simples ventos ou ondas.

Durante os meses de inverno, mais da metade do oceano abaixo da Convergência gradualmente congela e envolve o continente num abraço de ferro.

Os inuit* do Ártico possuem um vocabulário amplo para descrever diferentes tipos de neve. Os homens do mar, por sua vez, desenvolveram um extenso glossário para categorizar os muitos tipos e condições do gelo no mar:** "bergy bits" [gelo solto, derivante, em pequenos pedaços], "brash" [gelo fraturado], "floe" e "floeberg" [gelo flutuante sozinho], "fast" [gelo firme junto à costa], "frazil" [gelo pastoso], "hummocked" [gelo redondo], "pressure ridge" [crista de pressão], "breccia" [gelo com rachaduras] e outros mais, como "anchor", "nilas", "grease", "growler", "flooded", "ice cake", "pancake", "rotten", "shuga", "slush" e "pack". Até mesmo os submarinistas possuem termos próprios para designar o gelo como o vêem, de baixo para cima: "friendly", "skylight", "bummocks", "hostile" e "canopy".

Devido a seu conteúdo de sal, o gelo do mar se forma e atua de maneira diversa do gelo de água doce. Na imagem agradável das *Sailing directions for North Canada* [Roteiro de navegação para o norte do Canadá], "cinco centímetros de gelo de água doce sustentam um homem pesado caminhando; cinco centímetros de gelo do mar não sustentarão uma criança engatinhando". E os estágios do gelo em formação produziriam um som agradável aos ouvidos infantis: "frazil", "grease", "slush", "shuga", "pancake". O último deles é o mais decorativo e instantaneamente reconhecível. Um movimento da água para cima quebra a superfície con-

* Nome com que os esquimós se autodenominam, por considerarem "esquimó" um termo pejorativo. "Inuit" significa "o povo"; "esquimó", "comedor de carne crua". (N. T.)

** Alguns desses termos vão reproduzidos do original, por não possuírem equivalente em português. (N. T.)

gelada recém-formada e ainda frágil, empurrando os pedaços e produzindo formas mais ou menos circulares com as beiradas erguidas — como se a superfície do mar, num passe de mágica, se cobrisse de pétalas de lírios congeladas. Na fase seguinte, as "panquecas" se soldam e, com as temperaturas abaixo de zero e tempo calmo, o gelo rapidamente passa a "floe" e a "pack ice". No ponto máximo de congelamento do mar, o gelo consolidado cobre cerca de 7 milhões de milhas quadradas no oceano austral — uma massa de gelo do tamanho da América do Sul. Depois de setembro, com o retorno da primavera e do sol de verão, o cordão em volta da Antártica lentamente afrouxa e o gelo solto e corroído flutua em pedaços ao longo das correntes marinhas. No entanto, mais de 1 milhão de milhas quadradas desafiam o sol de verão e continuam, como um cordão de ferro, bloqueando vastos trechos do litoral da Antártica para qualquer embarcação que se aproxime.

Se um navio cruzar a Convergência no rumo sul, encontrará grandes extensões de gelo consolidado flutuante e despenderá um bom tempo tentando executar a frustrante tarefa de ziguezaguear por entre o cambiante labirinto de pedaços de gelo. Mas a impressão inicial que o marinheiro tem do gelo, ao cruzar a Convergência, é de estar avistando as "ilhas de gelo" dos primeiros viajantes: icebergs de forma tabular destacados das plataformas de gelo da Antártica. Esses icebergs tão diferentes dos do Ártico são planos e não raro têm milhas e milhas de comprimento. Quando as ondas batem na base de suas falésias, eles podem muito bem ser confundidos com ilhas.

Os primeiros viajantes, em especial os que provinham da vida civil e não faziam parte da tripulação propriamente dita — os "cavalheiros aventureiros", como os chamavam os marujos ao se referirem a artistas, naturalistas e astrônomos —, tendiam a descrever os icebergs através da lente do movimento romântico na literatura e nas artes, sobretudo no que dizia respeito ao efeito do cenário sobre a sensibilidade do observador. Essas descrições falam de "sentimentos de reverência e admiração", "amplidão majestosa", "grandeza inconcebível", "delicadamente belos", "aspecto estranhamente aterrorizante". A palavra "sublime", quintessência do período romântico, com freqüência aparece nessa prosa, como passas no meio da massa de um pudim.

Aos olhos ictéricos e pragmáticos dos marujos, que não são dados aos arroubos de fantasia dos fidalgos literatos do romantismo, com suas idéias de vida rural simples, cenários inspiradores e "nobres selvagens" derivados de Rousseau, os icebergs representavam apenas mais um risco perigoso e imprevisível. Os benefícios que ofereciam, se fossem suficientemente grandes, era proporcionar abrigo a sotavento; quando suficientemente pequenos, forneciam pedaços de gelo que, derretidos, produziam água fresca.

O padrão sazonal e a seqüência para a quebra do gelo consolidado no inverno determinaram a posição das primeiras descobertas ao longo do litoral antártico. Com efeito, antes da Segunda Guerra Mundial e do reconhecimento aerofotográfico da Antártica, a maior parte da costa do continente permanecia envolta em mistério e conjeturas, sendo indicada nos mapas pela linha interrompida que denota a incerteza cartográfica.

Essas extensões do litoral, orladas por gelo consolidado permanente, são os derradeiros bastiões do sistema de defesa da Antártica. Mas são contrabalançadas por pontos débeis nos quais é possível a um navio alcançar a costa com relativa facilidade durante os meses de dezembro a março. As ilhas Shetland do Sul, partes da península Antártica, a costa leste do mar de Weddell e, os mais famosos de todos, a plataforma gelada de Ross e a ilha de Ross constituem os mais típicos desses pontos.

Os meses de verão nas Shetland do Sul têm temperaturas médias acima do ponto de congelamento, fato que lhes rendeu o apelido um tanto condescendente de "cinturão de banana", dado por aqueles que guarnecem as instalações científicas situadas em climas mais frígidos. Esse calor relativo, combinado com as zonas de baixa pressão que freqüentemente atravessam a península trazendo fortes ventos, leva à rápida dissolução do gelo formado no inverno. As condições são diferentes na parte oriental do mar de Weddell. Lá, os ventos de leste e uma corrente subsuperficial comparativamente morna vinda do oceano Índico contribuem para a dissolução do gelo marinho. Em compensação, porém, uma ponta de gelo consolidado se estende para leste a partir da extremidade da península, formando uma barricada contra a penetração no mar de Weddell, que perdura quase até o fim do verão. Foi com essa ponta de gelo que o *Resolution* e o *Adventure* de Cook depararam em 1773, assim como os baleeiros neste século. Quanto ao gelo consolidado do mar de Ross, os ventos e as correntes rasgam um corredor que segue aproximadamente o meridiano de 180° até o coração da Antártica. Foi essa a rota seguida pelos navios de Ross, Scott, Shackleton, Amundsen e Byrd, e que os levou à ilha de Ross e à plataforma gelada de Ross — o ponto mais meridional até onde é possível navegar.

Esse oceano hostil e remoto, com suas ondas e vagas monstruosas; seu padrão constante de zonas de baixa pressão que circulam pelo continente sucedendo-se rapidamente umas às outras; icebergs e gelo consolidado; águas superficiais quase congeladas; ilhas desoladas e inóspitas salpicadas pelo mar — tudo isso, a milhares de milhas das grandes concentrações populacionais do hemisfério norte, parece uma atração improvável para as frotas de navios e os inúmeros navegadores que nos últimos dois séculos fizeram a longa viagem para o Sul, num ciclo recorrente de invasões. Alguns realizaram viagens de exploração, porém a maior parcela delas tinha como objetivo de fato caçar focas e baleias.

Apesar de sua aparência estéril, o oceano austral abaixo da Convergência é na verdade um caldo rico e fecundo que sustenta várias espécies de animais, notáveis mais por sua quantidade do que por sua diversidade. Um observador que se encontrasse na amurada de um navio avançando pelo gelo quebrado e levantando placas à sua passagem veria a base de tal riqueza nas manchas amareladas da parte inferior dessas placas. Uma dessas algas, *Phaeocystis poucheti*, floresce com tamanha abundância que é capaz de obstruir uma rede de plâncton com sua massa gelatinosa. Nos tempos em que os biólogos marinhos diziam palavrões, tomavam bebidas fortes e mascavam e fumavam tabaco, essa alga era comumente conhecida como "cusparada de tabaco dos holandeses".

Aqui fica o pasto do oceano — o fitoplâncton — do qual se alimentam as pequenas criaturas do mar — o zooplâncton. Um dos elementos do zooplâncton, o *Euphausia superba*, um crustáceo de 5 centímetros de comprimento, semelhante ao camarão, fornece a alimentação dos pássaros marinhos e dos pingüins, focas e baleias. Os antigos baleeiros chamavam a baleia-azul, a *Balaenoptera musculus*, de "barriga de enxofre", devido à fina camada de fitoplâncton amarelo-esverdeado que cobria sua cor natural. A visão de uma baleia-azul alimentando-se no oceano austral ilustra de imediato, de forma impactante, uma cadeia de alimentação extraordinariamente curta — do fitoplâncton ao zooplâncton e daí ao maior mamífero que jamais existiu sobre o planeta.

Em volta dos pedaços grandes de gelo flutuam os pedaços pequenos
E os diatomáceos amarelos nada seriam sem eles.*
Quarenta milhões de camarõezinhos deles se alimentam
*E são eles que engordam o pingüim, a foca e a baleia.***

* Algas, ou fitoplâncton (*Bacallariophycea*). (N. T.)

** Big floes have little floes all around about 'em, / And all the yellow diatoms couldn't do without 'em. / Forty million shrimplets feed upon the latter, / And *they* make the penguim and the seals and whales much fatter.

Assim escreveu Thomas Griffith Taylor, geólogo da segunda expedição antártica do capitão Robert Falcon Scott, realizada entre 1910 e 1911. Existem na Antártica onze espécies dos camarõezinhos mencionados por Griffith Taylor — ou krill, a palavra de origem norueguesa para o alimento das baleias —, mas o principal é a *Euphausia superba.* Distribuídos à volta do continente abaixo da Convergência, com maiores concentrações perto das ilhas Shetland, juntam-se em grupos tão grandes que por isso o mar adquire coloração rosada. Nessas concentrações extraordinárias, os bilhões de krill nadam com precisão militar, todos alinhados paralelamente e com as cabeças voltadas na mesma direção. Em 1981 foi avistado ao largo da ilha Elefante um monstruoso cardume de krill, estimado em mais de 2 milhões e meio de toneladas (compare-se com a captura anual de peixes no mundo inteiro, que é da ordem aproximada de 70 milhões de toneladas). Esse hábito do krill de viver em cardumes transforma-os em presa fácil para a baleia-azul — aliás para qualquer predador, inclusive o homem — durante os quatro meses do período de alimentação. Uma baleia-azul adulta necessita de cerca de 4 toneladas de krill por dia.

Hoje em dia a possibilidade de avistar uma baleia-azul nas águas da Antártica é remota. A matança maciça de mais de 31 mil animais durante a estação 1930-1 desferiu um golpe mortal à espécie e reduziu a um número irrisório, algo em torno de 2% da população original.

As baleias que se vêem com mais facilidade, especialmente nas regiões ricas em krill, são a baleia-fin (ou rorqual), a baleia-sei (ou espadarte), a baleia (ou rorqual) de bryde, a baleia-minbe (ou baleia-anã), a baleia-de-corcova (ou baleia jubarte), o cachalote e a baleia-assassina. Todas, exceto as duas últimas, se alimentam de krill. A jubarte talvez seja a mais característica entre elas, com suas barbatanas extraordinariamente longas — um terço do comprimento do corpo — e sua seqüência específica de movimentos de mergulho: uma rotação lenta, em que mostra a corcunda, depois as barbatanas da cauda se erguem no ar antes do mergulho final para as profundezas. É inesquecível a visão de uma jubarte aparentemente em recreação, flutuando na superfície com uma barbatana gigante erguida como uma vela e depois girando com todas as barbatanas estendidas, como uma criança que roda com os braços abertos, para em seguida afundar em seu mergulho lento e sinuoso. Se o observador tiver sorte, poderá apreciá-la saltando de costas numa imensa explosão de água — exuberantes 40 toneladas de baleia.

Há uma baleia que evoca certa apreensão, injustificada do ponto de vista humano: a baleia-assassina ou orca. Lineu lhe deu o nome *Delphinus orca* — o golfinho do demônio —, e o animal granjeou para si uma temível reputação. Avistar um cardume de baleias-assassinas com suas caudas cortando as águas como foices, patrulhando a orla da camada de gelo, efetivamente provoca um arrepio de medo. É o mesmo tipo de ameaça associada a inúmeros filmes sobre a Segunda Guerra Mundial: quando a câmera focaliza a esteira denunciadora de um periscópio de submarino, sabe-se que, abaixo daquele sinistro periscópio — ou barbatana —, algo terrível está a espreitar.

A baleia-assassina é um animal relativamente pequeno, não mais do que 8 a 10 metros de comprimento. Sua característica principal é a alta barbatana dorsal, que pode atingir 1,80 metro num macho adulto, e tem como particularidade o corpo malhado de branco e preto. Na Antártica, a parte branca dessas baleias é manchada de amarelo por causa de uma camada de algas. As principais zonas de caça são as passagens entre as camadas de gelo consolidado e entre os pedaços de gelo flutuante, visto que seus hábitos alimentares são predatórios e onívoros — focas, pingüins, polvos, peixes e até mesmo outras baleias.

Como a maioria dos animais que caçam em conjunto, possuem grande inteligência e trabalham em equipe. A placa de gelo sobre a qual repousa uma foca solitária pode de repente ser levantada por baixo, inclinando-se e fazendo o animal deslizar impotentemente para a morte. O autor já avistou seis baleias-assassinas nadando em fila, com um macho adulto à frente, em direção a uma placa de gelo onde descansava uma foca sonolenta; diante do gelo, as baleias se voltaram rapidamente, provocando uma série de marolas que varreram a placa, derrubando a foca para dentro da água.

Scott e o fotógrafo de sua expedição, Herbert Ponting, assistiram em 1911 à demonstração da capacidade de caça desses animais. Na ocasião, o *Terra Nova* estava ancorado no gelo consolidado, descarregando provisões para o acampamento de inverno na ilha Ross, a 1 milha e meia de distância. Ponting, que desejava fotografar alguns icebergs presos ao gelo, preparava um trenó onde guardava seu equipamento fotográfico, tendo próximo de si dois cães puxadores de trenó amarrados ao cabo de popa do navio. Também próximas, patrulhando as águas na orla do gelo, havia meia dúzia de baleias-assassinas. Scott gritou a Ponting, mostrando-lhe as baleias. Para o fotógrafo, os animais eram um modelo perfeito; para as baleias, Ponting e os cães eram alimentos estranhos, mas talvez saborosos. As baleias mergulharam sob o gelo e reapareceram "com grande furor". O gelo se rompeu e Ponting saiu correndo e saltando de uma placa de gelo para a outra, em busca de segurança. Mais tarde, recordou, havia pensado naqueles instantes que a primeira mordida seria muito desagradável, porém sem dúvida não se importaria muito com a segunda. Ainda que os biólogos marinhos mais competentes lhe assegurassem que jamais um ser humano havia sido devorado por uma baleia-assassina, o consolo para Ponting não seria de grande valia. O tenente Victor Campbell — conhecido dos companheiros do *Terra Nova* pelo apelido de "O Malvado" — registrou em seu diário o seguinte relato do incidente: "Que ironia ser comido por engano, como se fosse uma foca, e depois ser cuspido por ser homem...". De forma um tanto mais cáustica, em uma carta endereçada à sua irmã, o imediato trocou a palavra "homem" por "um simples fotógrafo".

A cerca de 7 milhas ao norte de onde teve lugar a aterradora aventura de Ponting, no cabo Royds da ilha de Ross, erguia-se a cabana vazia que servira de alojamento de inverno para a expedição de Shackleton — nessa altura Sir Ernest Shackleton — de 1907 a 1909. A cabana foi construída em uma cavidade entre as rochas vulcânicas da ilha, ao lado da colônia de pingüins-de-adélia mais meridional de toda a Antártica. A 50 milhas do cabo Royds, do outro lado da ilha de Ross, no cabo Crozier, encontra-se a colônia que na época era a única de pingüins-imperador. Ambas as raças são talvez as mais conhecidas entre as variedades de pingüins: o imperador, devido a seu tamanho — é o maior pingüim conhecido —, e o adélia, por sua característica penugem preta e branca que lembra um cavalheiro gorducho vestido de casaca, tão do agrado dos caricaturistas e por essa razão imortalizado como o arquétipo dos pingüins da Antártica.

Os nomes científicos de animais e plantas sempre produzem no leitor leigo um olhar de incompreensão, seguido do rápido virar da página. Entretanto, examinar o conjunto de nomes vernáculos e científicos dos animais antárticos é uma experiência recompensadora, salutar e às vezes intrigante. O *Homo sapiens*, por pertencer a uma espécie burocrática que aprecia quantificar e catalogar, busca levar ordem a um mundo aparentemente anárquico, tornando-o menos ameaçador. O naturalista e físico sueco Lineu, nascido em 1707 com o nome de Carl von Linné, empreendeu esforços árduos para ordenar a flora e a fauna ao criar o sistema moderno de nomenclatura científica. A latinização de seu nome para Carolus Linnaeus foi feita em consideração a uma época em que o latim era a língua franca (linguagem de mercadores usada no Levante e mistura de italiano, francês, grego, espanhol e turco) dos cientistas — termo que por sua vez surgiu somente em meados do século XIX. Lineu concebeu um sistema duplo, isto é, com duas palavras, que descreve os gêneros e as espécies da flora e da fauna. A linguagem que utilizou é uma combinação bárbara de pseudolatim com raízes gregas.

A derivação do substantivo vernáculo "pingüim" perdeu-se nas névoas do tempo — neste caso, nas névoas setentrionais. A ilha de Funk, ao largo da costa da Terra Nova, era conhecida dos marinheiros ingleses do século XVI como ilha Pingüim, assim denominada, acredita-se, em virtude do corvo-marinho ou torda, grande pássaro não voador — hoje extinto — que fazia ninho na ilha. Essa presa indefesa era facilmente caçada e com sua carne, fresca ou salgada, abastecia-se o navio. O nome do pássaro não voador do Norte foi então transferido pelos marinheiros ingleses para o pássaro não voador do Sul.

Mas "pingüim" é uma palavra estranha. Algumas autoridades afirmam originar-se do galês *pen gwyn*, que significa "de cabeça branca" — no entanto o alcatraz tinha a cabeça escura; outros dizem que se origina do latim *pingüis*, que significa "gordo"; há os que acreditam que sua procedência é inglesa, *pin-wing*, em referência às asas pequenas. Em um mapa do século XVI, a ilha Funk aparece como ilha Puanto — "fedorenta" —, assim chamada por causa dos depósitos de guano provenientes do grande número de outros pássaros marinhos. Talvez algum velho e esquecido marinheiro galês, falando em sua própria língua, tenha dado à ilha o nome de "cabeça branca" em razão da cobertura de guano, e o nome tenha sido então transferido ao pássaro.

Entramos agora num mundo de *Alice in wonderland* [Alice no país das maravilhas], ou de *Through the looking glass* [Através do espelho]. O nome científico do já extinto corvo-marinho é *Pingüinus impennis*, que significa "pingüim sem penas". O grande corvo-marinho possuía penas e não pertencia aos esfenisciformes a ordem de todos os pingüins (que se distinguem por possuírem ordem e família próprias — Spheniscidae). Ora, a palavra *spheniscus* é uma forma latinizada da palavra grega que significa "cunha", porém, no pingüim, existe muito pouca coisa que tenha essa forma, a não ser talvez a cauda e, se dermos largas à imaginação, os pequenos cotos de asas.

Não importa; a palavra "pingüim" foi usada pela primeira vez para descrever a ave meridional durante a terceira circunavegação do mundo, realizada por Thomas Cavendish no *Desire*, em 1586-8. Cavendish parou na mesma ilha do estreito de Magalhães em que Sir Francis Drake ancorara nove anos antes. Ali, Drake havia encontrado, "em profusão, uma ave que não voava, do tamanho de um ganso, da qual matamos 3 mil em um dia e nos abastecemos completamente delas". Cavendish e seus homens seguiram o exemplo de Drake, "matando e salgando grande quantidade de pingüins para alimentação". No curso dos dois séculos seguintes, a palavra "pingüim" tornou-se comum em outras línguas. O conde de Buffon, naturalista francês do século XVIII, aborreceu-se tanto ao se dar conta de que os ignorantes marinheiros ingleses confundiam o grande corvo-marinho setentrional com uma ave meridional completamente diferente que propôs chamar o pássaro do Sul de *manchot*, que significa "de um só braço" em francês. Como o pingüim tem duas asas distintas — ou braços —, a escolha do eminente naturalista não foi feliz. Portanto, "pingüim" teimosamente permaneceu: *pingüino* em espanhol, *pingüin* em alemão, *pingvin* em dinamarquês e sueco e, por fim reconhecendo a derrota, os franceses se conformaram com *pinguoin*, com *manchot* em segundo lugar.

Entretanto, o que dizer dos nomes vernáculos e científicos de cada uma das espécies de pingüins avistadas pelos primeiros marinheiros no oceano austral? Tomemos, para começar, o pingüim-imperador, *Aptenodytes forsteri*. O gênero *Aptenodytes*, do latim bárbaro com raízes gregas, significa "mergulhador sem penas", mas, embora mergulhe, como todos os pingüins, o imperador está longe de não possuir penas.

As primeiras peles e carcaças de pingüim-imperador, preservadas inteiras em tonéis cheios de vinagre forte, chegaram à Europa a bordo do *Erebus* e do *Terror*, em 1843. Em Londres, John Gray, curador de zoologia no Museu Britânico, declarou tratar-se de uma nova espécie e lhes deu o nome específico de *forsteri* em honra de Johann Forster, que viajara a bordo do *Resolution* como naturalista, embora seja duvidoso que Forster possa ter avistado um pingüim-imperador durante a viagem com Cook.

Ross e os naturalistas a bordo do *Erebus* e do *Terror* acharam tão difícil matar esses valentes pássaros que recorreram a métodos bastante originais:

> Durante os últimos dias vimos muitos dos grandes pingüins, e vários deles foram capturados e trazidos vivos para bordo; de fato, era difícil matá-los, e isso exigia muita crueldade, até que recorremos ao ácido cianídrico, do qual uma colherada dava conta da tarefa em menos de um minuto. O peso dessas enormes aves variava entre 60 [27 quilos] e 75 libras [34 quilos]. O maior de todos foi morto pela tripulação do *Terror* e pesava 78 libras [35 quilos].

O seguinte nessa hierarquia avícola é o pingüim-rei, *Aptenodytes patagonicus*, pouco menor do que o imperador. Johann Forster matara alguns espécimes na Geórgia do Sul, e o nome da espécie derivava da crença errônea de que as aves se acasalavam na Patagônia.

Vejamos as variedades menores dos pingüins encontrados pelos primeiros navegantes do oceano austral. Pouco antes de morrer, em 1774, Oliver Goldsmith compilou um livro de história natural e registrou que "nossos marinheiros [...] dão a esses pássaros [os pingüins] o nome muito pouco elegante de 'pés na bunda' (*arse-feet*). Não apenas os marinheiros, tendo em vista que o nome genérico das três espécies do pingüin *Pygoscelis* é uma versão latinizada do grego *pygo*, 'nádegas', e *scelos*, 'perna', isto é, o 'pingüim com pernas nas nádegas'".

O nome da espécie do *Pygoscelis antarctica*, o "pingüim jugular", confere certo reconhecimento ao fato de que, depois do imperador e do adélia, essa ave é aquela cujo acasalamento se dá na região mais meridional dentre os demais pingüins da Antártica. O nome vernáculo vem de um traço preto bastante visível sob o queixo, semelhante à tira com que se prende um elmo ou boné. O *Pygoscelis adeliae*, que tomou o nome da esposa do explorador antártico francês Dumont d'Urville, se acasala ainda mais ao sul do que o "jugular". O *Pygoscelis papua*, também chamado "gentio" ou pingüim-papua, recebeu de John Forster esse nome — e aqui vemos que se enganou redondamente — porque supunha que essas aves se reproduziam em Papua, ou Nova Guiné. O nome vernáculo "gentoo" surgiu nas ilhas Malvinas durante o século XIX, e parece pouco adequado para descrever um pingüim. O nome em si é uma versão anglicizada do *gentio* português — que significa "idólatra" —, termo empregado na Índia pelos maometanos para qualificar os hinduístas. Em um livro de viagens inglês do século XVIII encontramos uma referência a "moças *jentoo* que dançavam em Madras". Talvez a cabeça colorida desse pingüim, que apresenta crista vermelha e manchas brancas acima dos olhos, tenha trazido a algum marinheiro das Malvinas a lembrança de climas mais quentes e os gestos das dançarinas indianas, com seus rostos pintados.

Também nas Malvinas se acasalam os pingüins-saltadores, *Eudyptes crestatus*, e os pingüins-"macarrão"(ou pingüim-de-penacho), *Eudyptes chrysolophus*. O termo genérico *Eudyptes* significa "bom mergulhador". Ambas as espécies possuem cristas amareladas acima dos olhos — *crestatus* quer dizer "com crista", e *chrysolophus*, "de crista dourada". Quando se vê um pingüim saltador sair do mar e subir aos pulos uma falésia em direção a sua colônia, fica evidente porque recebeu esse nome. "Macarrão" é um pouco mais misterioso.

Na época das grandes viagens do século XVIII, jovens ingleses afetados regressavam de seus passeios ao continente imitando as roupas, os penteados e as modas mais extravagantes da Europa e muito impressionados com a comida no estrangeiro, especialmente a italiana. Em 1764, numa de suas muitas cartas, Horace Walpole mencionou o "Clube Macarrão, composto de jovens acostumados a viajar e que usam tranças longas e lunetas". A afetação exibicionista desses jovens tolos divertia o povo comum, e algum marinheiro já esquecido deve ter dado tal denominação a esse pingüim por causa de sua crista vistosa. Para os americanos, a palavra ficou imortalizada em um dos versos do *Yankee Doodle*:*

> Yankee Doodle *veio à cidade*
> *Montado num alazão;*
> *Pôs uma pena no chapéu*
> *E chamou-a "macarrão".***

* Canção de versos zombeteiros popular nos Estados Unidos durante a guerra da independência. (N. T.)

** Yankee Doodle came to town / Riding on a pony; / Stuck a feather in his cap / And called it macaroni.

O pingüim-de-magalhães é o último da lista. Reproduzindo-se nas Malvinas e na parte meridional da América do Sul, pertence ao gênero *Spheniscus* e à espécies, *magellanicus* que faz referência a uma das áreas em que realizam o acasalamento, o estreito de Magalhães. Devido ao som que emite, parecido com o zurro de um jumento, é também conhecido nas Malvinas como "pingüim-asno". Os puristas da ornitologia, no entanto, consideram que o pingüim-asno é uma espécie semelhante, porém com pequenas diferenças, que se reproduz na África do Sul. Mesmo assim, o pingüim-de-magalhães, ou "asno", quer o da América do Sul quer o da África, foi sem dúvida o primeiro a ser avistado pelos europeus.

Somente em terra, nos lugares de procriação, é que os pingüins aparecem como pássaro dominante. Em algumas das ilhas do arquipélago das Malvinas, na Geórgia do Sul, na Macquarie, na Kerguelen, na Heard e nas Shetland do Sul, forneciam carne, ovos e gordura aos caçadores de focas. A não ser pelas inúteis penas, desempenhavam naquela época as mesmas funções dos importantes gansos domésticos no norte da Europa. No mar, apareciam repentinamente, de surpresa, saltando da água como pequenos projéteis num vôo de trajetória baixa, ou então, junto ao gelo consolidado, eram vistos num grupo solenemente reunido em conferência. Quando ficou retido pelo gelo no mar de Ross em 1910, a caminho da ilha de Ross, o *Terra Nova* deparou com tais grupos de pingüins-de-adélia. Os marinheiros se juntavam no convés e cantavam uma das canções famosas nos cabarés da época. Um dos versos dizia: "Ela tem anéis nos dedos, sinos nos pés e monta em elefantes para ir aonde desejar". Cecil Meares, que tinha voz poderosa porém desafinada, encerrava a serenata com "God Save the King", e os pingüins, até então fascinados pela música de cabaré, se afastavam. Esse pequeno episódio enregelado contém a essência do fascínio com que os humanos admiram aquelas criaturas muito semelhantes a nós, que caminham eretas e vivem em grupos ativos, comparáveis a uma cidade movimentada. Não consigo imaginar nenhum outro animal que inspire dessa maneira um coro masculino.

Os albatrozes e as procelárias eram companheiros constantes dos marujos que navegavam na vastidão solitária do oceano austral. Os navegantes em barcos a vela eram mestres da improvisação e os albatrozes mortos ou capturados no mar são testemunhas mudas dessa característica. Dedos ágeis e pacientes transformavam os ossos ocos em pitos de cachimbo e as grandes patas palmiformes em bolsas para tabaco. Os pássaros menores eram poupados e serviam de companheiros amistosos, trazendo um ar de liberdade aos homens confinados nos espaços exíguos da vida a bordo. Ali, do centro de seu mundo limitado pelo círculo do horizonte, os marujos observavam as pequenas, delicadas e esvoaçantes procelárias que pareciam caminhar sobre a água; as pardelas-de-bico-branco, cujo dorso acinzentado lhes dava uma aparência fantasmagórica e que corriam em vôo rápido e errático logo acima da superfície das ondas e cavados do oceano; as gorduchas procelárias mergulhadoras, cujas asas pareciam girar como hélices quando entravam na água ou dela irrompiam como balas atiradas num alvo; revoadas de belas pombas-do-cabo, pretas e brancas, que brincavam com a crista das ondas e eram grandes seguidoras dos navios; e, se estivessem próximos a icebergs ou a gelo consolidado, as procelárias da neve, etéreas e alvas, que passavam como espíritos pelo cenário gelado.

Ali, no meio do gelo, nadam por entre as passagens ou descansam sobre as placas quatro das seis espécies antárticas de foca. A mais comumente avistada pelos navios que passam pelo gelo é a foca-caranguejeira. Contrariando o próprio nome, essas focas não comem caranguejos e sim grandes quantidades de krill. Por causa dessa dieta, mancham o gelo ou a neve de um vermelho-rosado quando sobem para a superfície das placas e ali depositam seus excrementos. A fim de deglutir o krill, as focas possuem um sistema dentário facilmente reconhecível: complexas protuberâncias se juntam, formando uma espécie de coador, de modo que, quando abocanham uma quantidade de krill, é possível expelir a água mantendo o alimento na boca. É uma variante mais sofisticada das placas ósseas das baleias que se alimentam por um sistema de filtros. As focas-caranguejeiras também se distinguem por serem as mais numerosas do mundo — mais de metade da população mundial total de focas é constituída por essas criaturas dos gelos. Como costumam ficar deitadas sobre as placas glaciais, o observador poderá notar dentre elas grande proporção ostentando marcas de cicatrizes profundas e paralelas na pele. Essas são as focas que tiveram sorte e conseguiram, quando jovens, escapar da mordida de outra foca, a foca-leopardo.

Descansando sobre o gelo endurecido, a foca-leopardo é inconfundível: a cabeça tem a forma de uma cúpula, na silhueta há uma corcova e a boca é fina e comprida. "Reptiliana" e "perigosa" são os adjetivos que vêm à mente. Como a baleia-assassina, é um predador oportunista de dieta variada. Patrulhando as águas de uma colônia de pingüins, pode abocanhar uma ave adulta distraída ou um animal mais jovem e inexperiente. Contudo, os animais de sangue quente não são sua única presa. Quase 40% de sua dieta é constituída pelo onipresente krill. A fim de poder deleitar-se com essa dieta variada, a foca-leopardo desenvolveu dentes semelhantes aos da foca-caranguejeira, embora os seus sejam mais compridos e mais afiados, como os do lobo do conto de fadas. São dentes que servem de coador e com os quais ela também captura peixes e desfia carne.

Comparada com essa foca magra e faminta, como Cássio,* a foca-de-weddell seria o tipo que Júlio César procurava. A foca-de-weddell é um animal sonolento e gorducho, que, como um membro de um clube inglês, tende a manter-se próxima a seu hábitat, no caso o gelo recém-formado. É o arquétipo das focas: cabeça e grandes olhos redondos, silhueta robusta. Uma foca com todas as qualidades exigidas pelas organizações conservacionistas para extrair dinheiro de um público que ama os animais neotênicos (Walt Disney, ao transformar um roedor no simpático e infantil Mickey Mouse, sabia o que estava fazendo).

Jamais muito distante de um buraco no gelo ou perto de sua orla, a foca-de-weddell é uma criatura gregária, que em geral emerge em grupos de doze ou mais. Para manter-se "cheinha", ela se alimenta de peixes, polvos e invertebrados do fundo do mar, os quais localiza mesmo na escuridão das profundezas e na penumbra do longo inverno. Sedentária em terra ou no gelo, porém ativa na água, essa notável foca é capaz de mergulhar até 600 metros de profundidade e permanecer mais de uma hora debaixo d'água. De maneira a conservar abertos os buracos no gelo — e elas têm de fazer isso constantemente durante o inverno —, usam os dentes num movimento lateral de serra, que acaba por gastar-lhes a dentadura até as gengivas. Para a foca-de-weddell, isso significa a morte.

A mais arisca das focas do gelo consolidado é a foca-de-ross. Em janeiro de 1841, durante a expedição do *Erebus* e do *Terror*, uma foca de aparência estranha foi avistada no gelo. Como ocorre freqüentemente quando se vê pela primeira vez um animal desconhecido, o resultado foi sangrento. Um sargento dos Fuzileiros Reais foi o primeiro a chegar à placa de gelo em que se encontrava a foca e enterrou-lhe uma picareta de mão na cabe-

* Alusão a um personagem do *Júlio César*, de Shakespeare. (N. T.)

ça, seguindo-se um tiro. Três crânios dessa espécie estranha de foca foram levados na viagem de volta à Inglaterra; reconhecida como uma nova espécie, foi batizada em honra de James Clark Ross, o comandante da expedição. Somente cinqüenta outros encontros foram registrados ao longo de meio século, não porque a foca seja especialmente rara, mas por ser difícil avistá-la, visto que prefere o hábitat do gelo endurecido mais remoto. Tem focinho curto e grandes olhos numa cabeça larga; quando ela é avistada, desenhos e fotografias atentamente estudados ganham vida, pois a cabeça se ergue e o pescoço e o peito inflam como os de um pombo. Se lhe pusermos uma peruca loira e colocarmos uma lança sob a nadadeira, pareceria uma valquíria polar de busto avantajado prestes a iniciar uma ária de Wagner.

Todas essas focas, habitantes do gelo consolidado, foram poupadas da matança a que foram submetidas outras duas espécies — o elefante-marinho e a foca-de-pêlo da Antártica. O primeiro é cobiçado por causa de sua gordura e a segunda, devido à pele; ambos, por se acasalarem em terra firme, atraíam como ímãs os seres humanos à Antártica. A história natural e o destino desses animais estão ligados de forma tão estreita aos homens e às primeiras explorações do oceano austral que não é possível tratar delas apenas em um parágrafo. Em resumo, este livro se ocupa tanto delas como de seus caçadores.

Contemplemos, portanto, esse oceano abaixo da Convergência da maneira que se apresentava durante a segunda metade do século XVIII: imenso, hostil, fecundo e vibrante de vida, ao redor de um continente vazio, frio e estéril. Ali estava, com efeito, a última fronteira na parte mais extrema do mundo, onde o mar e a terra continuavam ignorados desde que o *Homo sapiens* iniciara seu extraordinário êxodo da África para os 60 mil anos de perambulação pelo mundo. Desde aquele êxodo, esse bípede colonizador e gregário se dirigira para o Norte até a orla das terras que circundam o oceano Ártico e, para o Sul, até a Austrália e a Tasmânia; realizara viagens extraordinárias a fim de povoar as ilhas espalhadas pelo Pacífico e Nova Zelândia; caminhara para o Oriente pela Ásia até chegar às Américas e dali descera ao beco sem saída meridional da Terra do Fogo, na própria fronteira do oceano austral. A espécie humana ocupava agora o globo desde os inuit de Etah, no paralelo de 78ºN, na Groenlândia, até os iamana fueguinos, no paralelo de 56ºS, próximo ao cabo Horn. Como para reforçar e reassegurar suas características únicas num mundo hostil, vivendo no limite da extinção, tanto os inuit como os iamana chamam a si mesmos de "o povo".

O impacto de outro membro dessa espécie nômade, esse *wandervogel*, sobre as águas, a vida e as terras ao sul dos iamana ocorreu com velocidade alarmante e feroz. Em meados do século XVII, James Ussher, arcebispo de Armagh e pregador na Lincoln's Inn, proclamou nos *Annales Veteris et Novi Testamenti*, após estudos exaustivos da Sagrada Bíblia e das obras de Martinho Lutero e Johannes Kepler, que a Terra e o homem haviam sido criados em 23 de outubro de 4004 a. C. Com certeza calvinista chegou até a fornecer a hora exata — tudo aconteceu ao meio-dia. Ussher está enterrado na abadia de Westminster. Não devemos, porém, zombar desse prelado generoso e de bons sentimentos. No século XX outras autoridades eminentes ridicularizaram a idéia da deriva continental — e viveram para assistir à comprovação de que estavam errados.

Seguindo os passos do prelado, podem-se marcar a data e a hora do fim do isolamento imemorável da Antártica. Pouco mais de um século após a revelação do arcebispo, entre onze horas e meio-dia de 17 de janeiro de 1773, dois navios e mais de duzentos homens cruzaram o Círculo Polar Antártico pela primeira vez. Mais tarde, naquele dia, sem que suspeitassem, encontrar-se-iam a cerca de 80 milhas do continente antártico, detidos pelo gelo consolidado. O capitão James Cook e os marinheiros do *Resolution* e do *Adventure* iniciavam um novo capítulo da exploração polar.

5. Edmond Halley e o *pink Paramore*

Ele recebeu autorização e auxílio de seu pai para viajar à ilha de Santa Helena, exclusivamente em prol do progresso da astronomia, a fim de acertar os mapas do hemisfério sul, que antes eram cheios de erros, baseados somente nas observações de marinheiros ignorantes. Ali ficou alguns meses. Ao regressar, apresentou, com uma breve descrição, seu planisfério a Sua Majestade, que ficou muito satisfeito; mas como recompensa recebeu somente elogios.

John Aubrey, Brief lives [Vidas breves], *publicado em 1813*

Arquimedes e o banho, Newton e a maçã, Halley e o cometa, Darwin e o macaco, Einstein e a teoria da relatividade. Tudo isso constitui fonte de inspiração para a pena dos caricaturistas e todas essas personagens foram imortalizadas para as pessoas comuns e para a posteridade. Contudo, somente a intervalos de 76 anos, quando o cometa que leva seu nome se aproxima da

Terra, é que os cartunistas e o público se lembram de Edmond Halley, amigo de Sir Isaac Newton. É irônico pensar que a predição da periodicidade de aparição desse cometa feita por Halley seja a única realização de que se tenha lembrança de sua carreira brilhante, que atravessou 85 tumultuosos anos, da Commonwealth de Oliver Cromwell aos reinados de seis soberanos britânicos.

Edmond Halley foi mais do que um astrônomo. Numa era de polímatas, foi o supremo polímata: astrônomo, matemático, geofísico, meteorologista, agrimensor, cartógrafo, hidrógrafo, inventor, navegador e marinheiro. Nascido em 1656 numa família de prósperos comerciantes — o pai vendia sal e fabricava sabão, bem como possuía uma renda de mil libras anuais pelo aluguel de suas propriedades —, Halley demonstrou sua precocidade científica aos dezesseis anos, quando mediu a variação da bússola magnética em relação ao Norte verdadeiro. Aos dezessete, "bem versado em latim, grego e hebraico", o jovem Halley entrou para o Queen's College, em Oxford. O que o atraía, porém, era a beleza fria e lógica da linguagem matemática. Anos mais tarde, escreveu: "Desde a infância demonstrei tendência acentuada para as matemáticas; e quando há cerca de seis anos (1672) me dediquei integralmente à astronomia, tive tamanhos prazer e deleite com esse estudo que quem não o experimentou dificilmente poderá compreender".

Antes de obter grau de bacharel em Oxford, Halley publicou sua primeira monografia científica sobre a órbita elíptica dos planetas na *Philosophical Transactions* da Real Sociedade. Nessa época propôs ao secretário da Sociedade catalogar e localizar as estrelas do hemisfério sul. Seu catálogo seria o companheiro dos catálogos de estrelas do hemisfério norte, compilados por Hevelius, em Danzig, Cassini, em Paris, e Flamsteed, na Inglaterra. Os fidalgos filósofos da Real Sociedade aprovaram a proposta, o rei Carlos

II a endossou, o pai de Halley a financiou com 300 libras e a Companhia das Índias Orientais proporcionou-lhe o transporte. Foi um arranjo perfeitamente satisfatório sob todos os aspectos.

Radiante com sua boa sorte, Halley começou a reunir os instrumentos de mensuração adequados. "E assim, tendo assegurado a viagem, mandei fazer um sextante com um raio de 1,70 metro; a armação era de ferro e o braço, os raios e as escalas, de latão. Está equipado com telescópios em lugar de visadas abertas, e, além disso, para que possa efetuar todos os movimentos necessários, está montado sobre dois semicírculos denteados colocados em ângulo reto um em relação ao outro e manejados por meio de parafusos sem fim (ou de Arquimedes), o que permite, com pouco esforço, ajustar o plano do sextante ao de quaisquer duas estrelas selecionadas. Ademais, tenho um quadrante de cerca de 60 centímetros de raio [...]."

Aos 21 anos, Halley zarpou com um assistente para Santa Helena (pequena ilha de origem vulcânica situada no Atlântico Sul, onde Napoleão Bonaparte cumpriria seu exílio e acabaria morrendo) em novembro de 1676, levando aquele circunspecto sextante, o quadrante, micrômetros e vários telescópios — um dos quais com quase 8 metros de comprimento — e ainda um relógio de pêndulo. Passou um ano na ilha e sua colheita celeste gerou 341 estrelas. Ao regressar à Inglaterra, começou a catalogar os resultados e produziu o primeiro volume impresso de posições estelares medidas por telescópio, o *Catalogus Stellarum Australium*. Astutamente, batizou uma constelação austral em homenagem ao rei Carlos e entregou um exemplar de sua obra a esse monarca dissoluto e mentiroso. O rei devolveu a gentileza da mesma forma — embora não em espécie — e instou a Universidade de Oxford a conferir a Halley "o grau de Mestre de Artes, com dispensa de executar quaisquer exercícios anteriores ou subseqüentes". Naquele mesmo ano de 1678 Halley foi eleito

Retrato de Edmond Halley por Thomas Murray. Cortesia do presidente e do Conselho da Real Sociedade.

membro da Real Sociedade. Iniciava-se a brilhante e longa trajetória de sua carreira.

Nas duas décadas seguintes Halley visitou o astrônomo Hevelius em Danzig, fez o obrigatório périplo europeu, inclusive uma visita a Jean Cassini, diretor do Observatório de Paris, instituição onde deixou a lembrança de ser "um homem encantador e de rara inteligência". Num plano mais pessoal, deu-se seu casamento com Mary Tooke, em 1682. Dois anos após o casamento, Halley viajou ao Trinity College, em Cambridge, a fim de consultar Isaac Newton. O encontro gerou uma amizade e estima mútuas que tiveram repercussões importantes. A visita de Halley a Newton tinha como finalidade encontrar provas matemáticas com relação aos movimentos planetários. As leis de Kepler estavam perfeitas, mas a questão era encontrar o porquê. Newton, catorze anos mais velho que Halley, tinha as respostas e as provas desejadas pelo jovem. Estavam em algum lugar entre seus papéis, e haviam se perdido sem razão aparente. Não tinha importância; Newton refaria todos os cálculos e remeteria as provas a Halley. Poucos meses depois, os cálculos de Newton chegaram a Londres e Halley — que também era matemático competente — ficou admirado e satisfeito com a elegância do amigo. Voltou a Cambridge e em novas conversas com Newton viu-se na posição de um arqueólogo trabalhando numa escavação e fazendo descobertas de extraordinárias originalidade e beleza. Os achados tinham de ser publicados.

Newton, homem tímido e reservado, havia sido colhido pelos ventos rudes da controvérsia a respeito de sua teoria de que a luz branca era a mistura da luz de todas as cores, razão pela qual estava receoso de publicar outras obras. Halley, por sua vez, estava decidido a fazer com que aqueles tesouros fossem trazidos à luz e utilizando sedução e habilidade diplomáticas tratou de persuadir Newton a juntar todas as peças de seu trabalho numa grande dissertação para a glória maior da ciência.

Três anos depois daquele primeiro encontro entre Halley e Newton foi publicada a *Philosophiae Naturalis Principia Mathematica* (Princípios matemáticos da filosofia natural), ou os *Principia*, como se tornou conhecida a obra. Tinha sido inspirada, editada e subsidiada por Halley. Incorporados nesse grande tratado científico da física newtoniana do século XVII, resultado do trabalho de um intelecto distinto e de uma pena excelente, estavam os princípios que seriam aplicados no programa espacial por cientistas e computadores do século XX. Um comentarista do século XIX, refletindo sobre os esforços de Halley, afirmou que, se não fosse sua insistência, os *Principia* "não teriam sido concebidos, nem escritos, se chegassem a ser concebidos, tampouco impressos, se chegassem a ser escritos".

Tendo guiado os *Principia* a seu destino, Halley voltou-se em seguida para o mundo submarino, inventando um prático sino de mergulho. Segundo ele, essa cápsula, quando arriada pela borda de uma fragata da Marinha, seria capaz de "manter três homens sob a água a uma profundidade de dez braças durante uma hora e três quartos, sem nenhum inconveniente e em perfeita liberdade de ação para trabalhar como se estivessem na superfície". O próprio inventor mergulhou e achou que debaixo d'água fazia frio; por isso, "fortificou-se" com uma roupa primitiva feita de "um colete triplo de flanela ou de lã, protegido da água por uma vestimenta de couro bem lubrificada, muito justa e colada ao corpo". Suas invenções para o trabalho debaixo d'água foram tão bem-sucedidas que ele acabou fundando uma firma para recuperar navios naufragados, cujas ações tinham cotação publicada nos jornais.

A recuperação de peças de naufrágios era assunto importante, mas o problema de determinar a longitude no mar era questão mais premente. Nem Halley nem Newton consideravam possível a fabricação de um mecanismo de relógio suficientemente preciso para a navegação marítima. A resposta estava nas estrelas e nos planetas, ou talvez na variação da agulha da bússola magnética em relação ao Norte verdadeiro.

Em março de 1693 uma folha de papel manuscrita com caligrafia miúda foi entregue aos fidalgos da Real Sociedade. Na capa, em letras elegantes, estava escrito: "Proposta de mr. Middelton e mr. Halley para aperfeiçoar a navegação utilizando a bússola". A proposição era sucinta e direta. Pedia o auxílio da Real Sociedade e o uso de seus bons ofícios visando obter um pequeno barco — não maior do que 60 toneladas — a fim de empreenderem uma viagem do Leste para o Oeste "através do grande oceano austral". A viagem teria como objetivo estudar a variação magnética nos oceanos do mundo e quaisquer outros métodos práticos para determinar a longitude no mar. O custo da expedição correria por conta de Middleton e as observações seriam feitas por Halley. E assim, num arrazoado de cerca de trezentas palavras, começava a primeira viagem de pura investigação científica.

Os bons ofícios da Real Sociedade foram eficazes e tudo caminhou com notável rapidez. Em três meses o Almirantado dava ordens ao estaleiro de Deptford para que construísse um barco de 80 toneladas, e oito meses mais tarde o estaleiro informou aos lordes que o "novo *pink* aqui construído estará pronto para ser lançado ao mar a qualquer momento [...]". O pequeno *pink* foi devidamente lançado com as marés da primavera e entrou para a Marinha Real com o nome de *Paramore*. A designação *pink* é de origem holandesa e dá nome a um barco tão despretensioso quanto um tamanco holandês, pois os *pinks* da Marinha Real geralmente eram utilizados para fins de abastecimento e de transporte de madeira para mastros. Esse navio auxiliar da Marinha era pequeno para ser lançado ao mar como navio de exploração: 20 metros de comprimento por 6 metros de boca; três mastros, popa estreita, proa larga e saliente, lados em forma de gomos que cresciam a partir da linha d'água e voltavam a encolher-se na altura do convés e fundo chato com pouco calado. Não era uma forma que inspirasse muita confiança para zarpar de um ancoradouro abrigado do vento.

Após a explosão inicial de atividade, houve um hiato de dois anos até que a expedição ganhasse ímpeto. Em 4 de junho de 1696 Halley foi nomeado mestre e comandante do *Paramore*. No mesmo dia prepararam-se os decretos de nomeação do suboficial encarregado do convés, do artilheiro e do carpinteiro. Para o Almirantado, sempre preocupado com os custos, o navio era considerado "em missão particular", portanto lhe cabia fornecer o barco e a tripulação, cujos salários de doze meses, no entanto, caberia ao capitão Halley — ou à Real Sociedade — assegurar. Surpreendentemente, satisfeitas as condições financeiras, o Almirantado ordenou que o *Paramore* fosse recolhido a um dique. Halley fora designado para supervisionar, na Casa da Moeda, em Chester, o recolhimento de moedas antigas e danificadas e a subseqüente substituição por dinheiro recém-cunhado; como se tratava de um lugar repleto de tentações para gente desonesta, a atividade exigia a presença de uma pessoa proba e íntegra.

Durante dois anos o *Paramore* repousou em seu dique em Deptford, enquanto Halley organizava a Casa da Moeda de Chester. De repente, em 1698, a figura improvável e corpulenta do czar da Moscóvia entrou em cena. Viajando sob o diáfano véu do pseudônimo de Peter Mikhailov e acompanhado por grande comitiva de russos que gostavam de beber, o czar chegou a Sayes Court, perto dos estaleiros de Deptford, a fim de estudar a arte da construção naval inglesa. Para Pedro I — que ficaria conhecido na história como Pedro, o Grande —, permanecer incógnito era uma situação divertida que causava graves problemas de protocolo aos países visitados pela "Grande Embaixada" russa. O mesmo se pode dizer a respeito das maneiras espalhafatosas desses estranhos visitantes russos. Sophia, eleitora de Hanôver, manifestou secamente seu desejo de que os modos do czar fossem "um pouco menos rústicos". Talvez o governo inglês, que arcou com as despesas dos reparos a Sayes Court após a destruidora e exuberante estada do grupo russo, tivesse a mesma opinião. Porém, apesar do sigilo, era necessário demonstrar deferência sutil aos desejos do soberano. Para o czar, as vantagens de se manter sob um disfarce eram evidentes. Como Peter Mikhailov, podia deleitar-se com os prazeres comuns de fumar e beber em alguma taverna da Great Tower Street; como Pedro I, podia fazer ao governo inglês solicitações que certamente seriam recusadas ao cidadão Peter Mikhailov.

Um desses pedidos foi um encontro com Halley para conversar sobre assuntos científicos e náuticos, dois temas de grande

O pink Paramore. Cortesia da Sociedade Hakluyt.

interesse para o czar. Pedro gostou tanto do astrônomo e achou-o tão agradável que freqüentemente o convidava para jantar em Sayes Court. Foi talvez depois de um desses jantares que Pedro fez nova solicitação ao governo inglês, desta vez que o *Paramore* fosse preparado e aparelhado para partir. Assim, com o czar manejando a roda do leme, o pequeno navio realizou os ensaios iniciais de navegação. Essa experiência pode ter sido a que levou Pedro I a declarar que "preferia ser almirante na Inglaterra a czar na Rússia".

Halley terminara sua tarefa na Casa da Moeda e, após longa espera nos estaleiros reais e um breve intervalo de navegação junto com o czar, o *Paramore* se transformou numa colméia de atividade, ao ressoar dos malhos do ferreiro de bordo, os gritos roucos dos marujos e o embarque dos grandes tonéis de carne salgada de boi e de porco, farinha de trigo, queijo e ervilhas secas para serem armazenadas nos porões. Haviam chegado ordens do Almirantado segundo as quais, "como Sua Majestade houvera por bem emprestar seu *pink Paramour* a mr. Hawley para uma viagem às Índias Orientais ou aos mares do Sul, por este meio ordenamos que o barco seja aparelhado e preparado para tal viagem, com provisões adequadas para doze meses [...]". Poucos dias mais tarde, em 19 de agosto de 1698, Halley recebeu sua segunda designação como mestre e comandante do *Paramore.*

A decisão do Almirantado de entregar a um leigo o comando de um navio da Marinha Real parece estranha. Porém, mesmo equipado com seis canhões de projéteis de 1,3 quilo e dois canhões móveis de meio quilo, o *Paramore* não era um vaso de guerra, e sim um barco em "missão privada". Além disso, o que faltava a Halley em experiência marítima certamente lhe sobrava em conhecimentos de navegação. A Marinha se encontrava, naquele momento, em uma fase de transição de sua história: mantinha suas características mais igualitárias e populares próprias da Marinha da era Tudor, que alugava navios particulares para missões de guerra e à qual se aplicava a observação de Drake de que "é preciso que o fidalgo trabalhe a bordo com os marinheiros, e os marinheiros com os fidalgos". Ainda não se transformara na corporação militar petrificada, rígida e hierarquizada do século XIX, que foi tão afetuosamente satirizada por Gilbert no *H.M.S. Pinafore.*

Quase dois meses após a nomeação de Halley, outro oficial foi designado para o *Paramore*: o tenente Edward Harrison, oficial com oito anos de serviço, com as patentes de imediato e de tenente. A escolha dos lordes, contudo, se revelaria infeliz.

Em 1694 Harrison havia apresentado ao Almirantado um documento sobre a resolução do problema da determinação da longitude no mar. O trabalho fora recebido com frieza e Halley, que na ocasião desempenhava a função de escrivão da Real Sociedade, considerara a idéia pouco prática. Harrison expandira seu estudo em um livro publicado em 1696, intitulado *Idea Longitudinis.* Nesse volume, o colérico autor, ainda ferido pela recusa da Real Sociedade, tecia comentários rudes no sentido de que "há algumas pessoas na Inglaterra que têm o dever (porque são pagas para isso) de aperfeiçoar a *Navegação* e a *Astronomia*, das quais muito se espera e pouco ou nada se vê". O livro teve a mesma receptividade do documento.

Harrison era, portanto, um oficial ressentido que fora designado para ser comandado por um civil sem experiência do mar; além disso, para agravar o problema, devia obediência à pessoa que, a seu ver, havia causado a não-aceitação de sua *magnum opus.* Halley não suspeitava do ego ofendido do oficial.

Poucos dias depois de Harrison ter se apresentado a bordo, Halley recebeu suas instruções do Almirantado. Não causaram surpresa, pois se baseavam em suas recomendações. Em parte, diziam o seguinte:

> Considerando que Sua Majestade houve por bem emprestar a Vossa Senhoria o *Paramour* para sua expedição, que tem por finalidade aperfeiçoar os conhecimentos sobre a longitude e as variações da bússola, e estando o navio completamente guarnecido, carregado e abastecido segundo a vontade de Sua Majestade para esta expedição, Vossa Senhoria está autorizado e instruído a partir imediatamente de acordo com as instruções a seguir.
>
> Vossa Senhoria deverá seguir pela melhor rota em direção ao sul do equador e dali observar, na costa leste da América do Sul e na costa oeste da África, as variações da bússola, com toda a precisão possível, e, da mesma forma, a verdadeira posição tanto em longitude como em latitude dos portos a que chegar.
>
> Deverá também fazer observações semelhantes em tantas ilhas do mar entre as mencionadas costas quantas tiver a oportunidade (sem realizar grandes desvios) dentro de sua rota; e, se a estação do ano permitir, deverá penetrar tanto quanto necessário ao sul até descobrir a costa da *terra incognita* que se supõe existir entre o estreito de Magalhães e o cabo da Boa Esperança, assim como determinar a verdadeira posição de seu litoral.

Halley deveria ainda visitar fazendas inglesas nas Índias Ocidentais "com vistas a determinar sua verdadeira situação geográfica" e "não omitir nenhuma oportunidade de tomar nota da variação da bússola, da qual deverá manter registro diário".

Não há nenhuma menção à circunavegação e Benjamin Middleton desaparecera da cena, como o gato de Cheshire.

Com sua tripulação de vinte homens, o *Paramore* desceu o Tâmisa em 20 de outubro de 1698. As duas semanas seguintes seriam frustrantes para Halley em sua nova função. Embora tivesse sido lançado ao mar em 1694, tratava-se da viagem inaugural do *pink*, a não ser pelas saídas com o jovem czar da Rússia, e, como acontece em geral com navios novos nessas ocasiões, os problemas apareceram com freqüência alarmante. O *Paramore* mostrou-se deficiente na navegação com vento de proa e, pior ainda, fazia água e o lastro de areia entupia as bombas manuais. Halley dirigiu-se às docas da Marinha, em Portsmouth, para recalafetar as juntas defeituosas e trocar o lastro para cascalho. Em 22 de novembro, terminados os reparos, o *Paramore* se juntou à frota do contra-almirante John Benbow, que se encontrava ancorada ao largo da ilha de Wight, esperando um vento favorável que a levasse através do canal da Mancha em direção à ilha da Madeira e às Índias Ocidentais. A frota daria proteção ao *Paramore*, cujo armamento era leve contra os piratas mouros. Assim argumentou Halley numa carta ao Almirantado: "Nossos homens têm certas dúvidas quanto a viajarmos desacompanhados, pois poderemos encontrar piratas". Não se tratava de um temor injustificado, pois, se encontrasse tais piratas, os "sallymen" — piratas árabes predadores que zarpavam do porto de Sale, no Marrocos —, o *Paramore*, insuficientemente armado, poderia sem dúvida ser capturado, e a tripulação vendida nos mercados de escravos da costa norte da África.

Na ilha da Madeira, a frota de Benbow partiu para as Índias Ocidentais, deixando o *Paramore* para que recebesse a carga obrigatória de vinho Madeira. Com os barris a bordo, Halley tomou o rumo das ilhas de Cabo Verde, onde, ironicamente, o barco foi alvejado com má pontaria pelos canhões de dois nervosos navios mercantes ingleses, que o tomaram pelos perigosos piratas árabes de que falamos acima. As ilhas forneceram madeira e água "a um preço muito extravagante", de acordo com Halley, e logo o

Paramore se lançou ao Atlântico. As sete semanas seguintes foram de grande frustração. Vítima das calmarias, ventos de proa e de uma corrente que o puxava para o norte, o *Paramore* pouco avançou no desejado rumo sul. A água foi racionada até 1,6 litro por dia, e Halley resolveu dirigir-se à ilha de Fernando de Noronha, a cerca de 300 milhas ao sul do equador e a 200 da costa do Brasil.

Foi durante essa travessia que o ressentido Harrison, que ainda nutria sua ira, encontrou ouvidos receptivos no mestre da tripulação, com quem se aliou. Os primeiros indícios de problemas com os marinheiros foram conhecidos em meados de fevereiro, quando Halley, subindo ao convés nas primeiras horas da manhã, viu que o rumo determinado pelo mestre seguia para o norte de Fernando de Noronha, contrariamente às ordens recebidas. Halley concluiu que isso fora feito "com o propósito de passar ao largo da ilha e frustrar minha viagem, embora fingissem que a vela da bitácula havia se apagado e que não tinham podido reacendê-la". No dia seguinte desembarcaram sem encontrar água, "somente tartarugas e caranguejos em abundância". Fundeando próximo à ilha, Halley tratou de melhorar as condições desfavoráveis de seu navio mediante alterações no ângulo de inclinação dos mastros e nos brandais, além da limpeza do casco, incrustado de limo e craca. Poucos dias depois zarparam em direção à costa do Brasil, em busca de água fresca. Ao chegar ao rio Paraíba, reabasteceram-se e souberam pelos portugueses que se tratava do primeiro navio inglês que lá aparecia nos últimos trinta anos. Por ser tarde, naquela altura da estação, para uma incursão pelo oceano austral a fim de procurar a *terra incognita*, Halley pensou em passar o inverno no litoral brasileiro. Porém, "como os oficiais se mostravam renitentes e refratários", resolveu zarpar em direção às Índias Ocidentais na ingênua esperança de substituir alguns dos mais obstinados dentre seus oficiais por homens da frota das colônias.

Nas Índias Ocidentais repetiu-se o incidente de Fernando de Noronha. Desta feita o subversivo Harrison mostrou seu verdadeiro estofo e por pura perversidade modificou as ordens de Halley, que eram singrar pelo sul de Barbados de modo a atingir o ancoradouro da costa Sul, levando o *Paramore*, de difícil manejo, na tentativa de passar pelo norte da ilha. Halley, notando a mudança de curso do navio, subiu ao convés, enfrentou o malcriado Harrison e ordenou a reversão do rumo. Tornara-se evidente que a influência maléfica de Harrison sobre alguns dos suboficiais ameaçava toda a expedição, e Halley, sem conseguir encontrar nas Índias Ocidentais substitutos para os descontentes, dirigiu o navio de volta à Inglaterra, "pois verificara ser absolutamente necessário trocar alguns de meus oficiais". Durante a viagem de regresso, Harrison mostrou-se novamente insubordinado, obrigando Halley a retirá-lo dos quartos de serviço e de suas atribuições — tendo de assumir com isso todas as responsabilidades no *Paramore*. Em 22 junho de 1699 o navio fundeou em Downs. No dia 3 de julho Harrison e alguns dos suboficiais foram julgados em corte marcial a bordo do *Spitfire*, de setenta canhões. Presidido pelo infortunado Sir Cloudesley Shovell,[1] o conselho não encontrou provas de desobediência flagrante, e sim apenas "alguns resmungos entre os acusados, como acontece geralmente nos navios pequenos em tais circunstâncias", e absolveu-os com uma repreensão severa.

1. O leitor se recordará de que a perda de vidas no naufrágio da frota do almirante Cloudesley Shovell nas ilhas Scilly, em 1707, foi o motivo pelo qual o governo inglês estabeleceu a Comissão de Longitude. O almirante não morreu afogado no desastre. Homem gordo, flutuou até uma praia e ali, semiconsciente, foi assassinado por uma mulher local que pretendia roubar o grande anel de esmeralda que trazia no dedo.

Foi nesse dia que o inocente Halley descobriu as verdadeiras razões da animosidade de Harrison para com ele. Segundo o ressentido oficial, Halley havia provocado a fria acolhida proporcionada a seu documento e livro sobre a longitude, e sua raiva, nutrida durante quatro anos, encontrara uma válvula de escape na viagem. Harrison, compreendendo que perdera toda possibilidade de promoção, abandonou a Marinha Real e passou para a mercante.

Para Halley, a viagem fora uma grande decepção. Decidido, no entanto, a prosseguir nas investigações, propôs ao Almirantado uma segunda viagem. Os lordes concordaram.

O *Paramore*, com alterações destinadas a melhorar seu desempenho, partiu de Downs em 27 de setembro de 1699, acompanhado pelo *Falconbird*, da Real Companhia Africana, que se dirigia à costa da Guiné. Bem armado com trinta canhões e numerosa tripulação, o *Falconbird* daria proteção contra os piratas árabes. A bordo do *Paramore* seguiam 24 homens, dos quais nove haviam feito a primeira viagem. Os marinheiros adicionais tinham sido solicitados por Halley, uma vez que o Almirantado, com humor negro, designara um mestre de tripulação que tinha somente um braço. As ordens e instruções recebidas do Almirantado eram uma cópia virtual das da primeira viagem, mas, a pedido de Halley, dera-se maior ênfase à busca da *terra australis incognita.* As instruções eram para que procurasse "as terras meridionais desconhecidas entre o estreito de Magalhães e o cabo da Boa Esperança entre as latitudes 50 e 55 Sul [...]".

Ao seguir pelo canal da Mancha junto com o *Falconbird*, Halley verificou rapidamente que as modificações introduzidas no *Paramore* haviam aperfeiçoado suas qualidades náuticas. Outros sinais eram igualmente encorajadores: os oficiais e os marinheiros trabalhavam bem e "se interessavam tanto em servir-me desta vez quanto foram negligentes na anterior, de maneira que agora sigo com grande satisfação [...]".

Havia, naturalmente, além dos riscos normais, a preocupação com a ameaça constante dos piratas mouros. Uma semana após a partida, os dois navios passaram por uma frota de dezoito barcos dinamarqueses em viagem de regresso, que denunciaram a presença de piratas no horizonte. Na verdade, era uma chalupa inglesa solitária, proveniente de Dartmouth. No dia seguinte um navio de aparência estranha surgiu no horizonte, "navegando rapidamente com o vento", segundo a anotação de Halley. Outro falso alarme. Tratava-se de um barco holandês com bandeira francesa, transportando um carregamento de figos para Faro, em Portugal.

Em 12 de outubro o *Paramore* separou-se do *Falconbird*, o navio da Real Companhia Africana que seguia para a costa da Guiné com sua carga de rum, armas de fogo, pólvora, facas, sebo, vasilhames de cobre e tecidos, que seriam trocados por madeira de lei, peles, marfim, ouro e escravos. O *Paramore*, sozinho agora no vasto oceano, rumou para a ilha da Madeira a fim de carregar barris de vinho. Não chegou, entretanto, à ilha. Embora estivesse na mesma latitude, encontrava-se a sotavento e muito a leste, o que significava que tomaria muito tempo para navegar orçando* numa região infestada pelos piratas mouros. E assim, com mais prudência do que sede, Halley se dirigiu para as ilhas de Cabo Verde com o intuito de embarcar água, menos saborosa porém mais essencial.

Na travessia para as ilhas ocorreu uma tragédia. Manley White, o taifeiro, caiu pela borda e afogou-se. Halley tinha gran-

* Em jargão náutico, navegar contra o vento, isto é, tão próximo quanto possível da linha do vento. (N. T.)

de afeição pelo jovem Manley e a perda de sua vida — a única em todas as viagens do astrônomo — o afetou muito, pois sempre que mencionava o acidente lhe vinham lágrimas aos olhos. O abastecimento de água nas ilhas foi sombrio, mas os tonéis foram enchidos e o *Paramore* seguiu para o Sul, atravessando o Atlântico, cruzou o equador e tomou rumo oblíquo em direção à costa brasileira e ao Rio de Janeiro. Ali, à sombra do Pão de Açúcar, embarcaram lenha para a cozinha e reabasteceram os tonéis de água e os de rum, em lugar do vinho da Madeira. Em 29 de dezembro o *Paramore* levantou ferros e zarpou, passando as montanhas protetoras da barra e ganhando o Atlântico rumo ao oceano austral.

Halley seguia as instruções em geral peremptórias do Almirantado: "Vossa Senhoria deverá zarpar sem perda de tempo [...] e fazer a descoberta das terras austrais ainda desconhecidas [...]". Mas o objetivo da viagem continuava a ser o registro das variações magnéticas e sua utilização como possível solução para a determinação da longitude. Ora, essa questão é um problema semelhante ao do ovo e da galinha. Os cálculos para a variação magnética são relativamente simples, contudo ela tem de ser registrada no mapa mediante o uso das coordenadas de latitude e longitude. Como encontrar a longitude com suficiente exatidão?

Em 1610, Galileu, olhando em seu telescópio caseiro — tinha ouvido falar dessa recente invenção holandesa e fabricara um para si próprio —, descobriu o brilho tênue da luz dos satélites de Júpiter. Vinte e quatro anos mais tarde, e após noites incontáveis de observação, deixou escrito que suas posições e eclipses poderiam constituir um método para a determinação da longitude. Era um método jamais experimentado. Outro italiano, Giovanni Domenico Cassini, levou a idéia um pouco mais adiante e aperfeiçoou as tabelas de Galileu, expandindo-as. Convidado a ir à França em 1669 em virtude da qualidade de seu trabalho, esse astrônomo e autor de levantamentos geográficos, aos 43 anos de idade, foi convencido a colaborar com a Real Academia de Ciência, que acabava de ser fundada. O convite não era exatamente altruísta: Luís XIV e seu ministro das Finanças, Jean Baptiste Colbert, que possuía mentalidade científica, havia muito pretendiam elaborar o primeiro mapa preciso da França. A idéia de Galileu, aperfeiçoada por Cassini, seria o método a ser empregado para encontrar as longitudes. Já em 1676 Cassini e outros astrônomos haviam aperfeiçoado as tabelas para o uso prático dos satélites de Júpiter. Newton inventara o telescópio de reflexão, que constituía grande aperfeiçoamento do modelo de Galileu. Astrônomos e geógrafos experimentados foram enviados a fim de fazer medições e a grande tarefa teve início. Encontrar a longitude a partir de satélites de planetas era, no entanto, uma operação complicada e longa, nada prática no mar, e que continha muitas possibilidades de erro.

Halley usou esse método para determinar a longitude das ilhas e angras visitadas pelo *Paramore.* No mar, a questão era diferente. Ali, os únicos meios disponíveis, desde que as águas estivessem calmas e o navio sem jogar, eram os pouco freqüentes eclipses da Lua ou o ocultamento de estrelas por esse astro. Tais oportunidades, todavia, eram raras, e Halley, o navegador mais científico de sua época, calculava a latitude mediante a observação do céu e a longitude por meio de estimativas. As tabelas para as observações lunares e o cronômetro de Harrison eram triunfos a ser alcançados no futuro.

O *Paramore* navegou para o Sul — varrido por ventanias, tranqüilizando-se nas calmarias e enfrentando os súbitos aguaceiros, enquanto a variação magnética era medida em todas as oportunidades que surgiam. No final de janeiro, Halley assinalava o frio crescente, "mal tolerável para nós, acostumados a climas mais quentes [...]". Estavam a 50°S, pouco ao norte de uma linha entre as Malvinas e a Geórgia do Sul. Os dias seguintes foram empregados em lenta navegação com poucas velas, tomando a profundidade de hora em hora, pois haviam entrado num denso nevoeiro e avistado pingüins nadando, sinal — talvez — de terra. Pela descrição de Halley, os pingüins provavelmente eram os "gentios" e pingüins-rei, duas das espécies que se acasalam nas Malvinas e na Geórgia do Sul.

Alguns dias mais tarde, na latitude 51°30'S (Londres fica a 51°30'N), Halley considerou o clima abominável, "enevoado, chuvoso e desconfortável, embora aqui estejamos no auge do verão". As temperaturas já estavam bem abaixo de zero e a tripulação passou a receber rações completas de provisões e de rum.

Em 1º de fevereiro, à latitude 52°24'S, avistaram o que pareciam ser três ilhas: "Chatas no topo e cobertas de neve [...] brancas como leite, com falésias perpendiculares de todos os lados [...]. Sua grande altura nos levou a concluir que se tratava de terra; no entanto não havia sinal de nenhuma árvore nem de verdura sobre elas [...]". Essas ilhas recordaram à tripulação a costa meridional da Inglaterra e os rochedos brancos de Beachy Head e North Foreland. Assim foram batizadas.

Os mapas rudimentares de que Halley dispunha não mostravam ilhas próximas àquela posição. Havia duas possibilidades: ou se enganara redondamente em sua navegação ou aquelas ilhas eram constituídas de gelo, por mais extraordinário que isso parecesse. Caiu a noite e Halley, que com a escuridão e o vento aumentando não desejava aproximar-se demasiadamente, permaneceu afastado, aguardando a madrugada do dia seguinte. O dia raiou com forte nevoeiro, e somente ao meio-dia a visibilidade melhorou, possibilitando que percebessem que as ilhas eram de fato de gelo, e não de terra. Estimou-se que a maior delas teria 5 milhas de comprimento. Com os dedos endurecidos pelo frio, Halley fez um esboço das ilhas no livro de registro de bordo — o primeiro desenho de um iceberg tabular antártico.

Os dias seguintes se mostrariam perigosos. Estavam agora navegando em meio ao nevoeiro e por eles passavam icebergs grandes e pequenos e placas de gelo derivando com velocidade. Era como se se esgueirassem, com os olhos parcialmente vendados, num mar acinzentado de ilhas e recifes enfeitiçados que tivessem o desconcertante poder de mudar de posição como num passe de mágica. Os tripulantes do *Paramore* tinham total consciência da precariedade de sua situação. "Esse perigo", escreveu Halley, "fez com que meus homens refletissem a respeito dos riscos que corríamos por estarmos sozinhos, sem um barco a nos acompanhar, e também sobre a morte inevitável de todos nós, no caso de colisão, o que poderia facilmente acontecer entre essas montanhas de gelo no nevoeiro, que aqui é denso e freqüente." O frio já era bastante desagradável, porém a umidade constante era pior: "A umidade é tão penetrante que nossas roupas de cama, as de vestir e os papéis etc. ficam molhados por causa dela, mesmo dentro das cabines".

Quando avistaram pela primeira vez os icebergs tabulares, o *Paramore* estava a apenas dois dias de viagem da ilha Geórgia do Sul, que não figurava em nenhum dos mapas com que Halley se lançara à viagem e que ainda esperaria três quartos de século até que o capitão James Cook desembarcasse em suas praias. Agora, entretanto, o *Paramore* já se encontrava ao norte, longe daquela região deprimente onde apenas por instantes um sol pálido os aquecera e na qual Halley não conseguira marcar nenhumas variações magnéticas durante dez dias consecutivos. A última vez que avistaram gelo fora a 50ºS, e, pela primeira vez em muitas semanas, o *Paramore*, para grande alívio de Halley, "passou uma noite serena".

Em 14 de fevereiro Halley estimou que as ilhas de Tristão da Cunha, esses picos isolados de rocha vulcânica a meio caminho entre a América do Sul e a África, estavam a cerca de 360 milhas a noroeste — e ele desejava conhecê-las. Poucos dias mais tarde as ilhas apareceram no horizonte, diretamente diante da proa do *Paramore*. A navegação de Halley havia sido precisa, tendo em vista que não se tratava de chegar à latitude das ilhas e em seguida acompanhar o paralelo até atingi-las; era necessário navegar em diagonal diretamente no rumo da posição em que elas se localizavam.

A não ser por uma pequena colônia nas Malvinas, o arquipélago de Tristão da Cunha é o único lugar de acasalamento da grande cagarra, pássaro marinho que migra para o Norte numa rota quase tão longa quanto os 22 mil quilômetros que percorre a andorinha do Ártico. O mar agitado tornou impossível o desembarque e Halley rumou para o cabo da Boa Esperança, a quase 1500 milhas de distância e praticamente em linha reta para o Leste. Uma semana depois de os picos das ilhas onde se acasalam as cagarras terem desaparecido no horizonte, o *Paramore* foi sacudido por ventos muito fortes vindos do Sul. Com apenas uma vela e menos capaz de controlar o rumo do que um pássaro, o *Paramore* foi impiedosamente arrastado pela tempestade, e até mesmo a pequena vela revelou-se excessiva nessas condições perigosas. O navio entrou em mares montanhosos, mas, como disse o próprio Halley, "a vontade de Deus fez com que o barco continuasse flutuando". Atravessaram a tormenta com os mastros nus. Em 27 de fevereiro Halley verificou a latitude: estavam bem ao norte do cabo da Boa Esperança.

Fazia nove semanas que se encontravam no mar, e a água ia escasseando. A tempestade que inundara a cabine de Halley até a altura dos joelhos também levara consigo, estragando-a, boa quantidade de biscoitos, farinha e queijo. Embora o vento se mostrasse inadequado para rumar para o cabo, era favorável para Santa Helena, e, quando a tempestade amainou, Halley alterou seus planos e dirigiu-se à conhecida ilha, onde poderia abastecer-se de água e outras provisões.

A tempestade impedira qualquer estimativa razoável de longitude, por isso Halley foi obrigado a fazer uso novamente do método tradicional de navegação pela latitude: primeiro rumar para o Norte até a latitude da ilha e depois seguir o paralelo de Santa Helena para o Oeste, se o vento estivesse a favor. Em 12 de março ancoraram ao largo da pequena capital da ilha, Jamestown, em águas de 23 braças de profundidade.

Pouco mudara em Santa Helena em um quarto de século, desde que Halley lá passara um ano quando jovem. Ainda era propriedade da Companhia das Índias Orientais, que a administrava, protegia com seus próprios soldados e abastecia com seus navios. Esse estado de coisas duraria até 1834, quando a ilha se tornou colônia britânica. Qualquer visitante impaciente e crítico a desprezaria, considerando-a estéril e miserável, com pouco conforto, frutas escassas e nada de manteiga fresca. Para os navios da Companhia das Índias Ocidentais, no entanto, tratava-se de uma escala muito agradável na longa travessia para a Índia ou para a China.

O *Paramore*, abastecido com o que a ilha podia oferecer e com os tonéis cheios de água salobra, zarpou de Santa Helena em 30 de março. Halley deixara aos cuidados do governador uma carta dirigida a Josiah Burchett, secretário do Almirantado em Londres, a qual seguiria a bordo da próxima embarcação que por ali passasse. A carta constituía uma medida de precaução, uma espécie de profilaxia contra os riscos do mar; se o *Paramore* desaparecesse com toda a tripulação, os lordes pelo menos teriam um relato sucinto do desenrolar da viagem até a chegada a Santa Helena.

A carta informava o Almirantado de que o *Paramore* havia atingido a latitude 52,5°S e a longitude 35°O, tendo encontrado grandes ilhas de gelo que Halley — erroneamente — julgou estarem sobre terra firme. Nessas latitudes, "a temperatura diurna e noturna era de congelamento, e daí se pode compreender como se originam esses blocos de gelo, sempre crescentes e jamais derretendo". Pode-se perdoar a teoria de Halley, pois as grandes plataformas glaciais que haviam gerado aquelas prodigiosas ilhas geladas estavam muito longe de ser descobertas. A carta terminava com um relatório do progresso obtido nos registros de variações magnéticas e com a afirmação de que Halley estava completando "uma teoria geral que tenho grandes esperanças de confirmar".

O nome em inglês das cagarras ["shearwater", literalmente "corta-água"] vem de suas temerárias acrobacias acima da superfície da água do oceano. É um pássaro que dança com as ondas, e nessa bela parceria suas asas de vez em quando fendem o topo das vagas, rompendo a água.

O *Paramore* começava a viagem de regresso. Com as velas desfraldadas à brisa favorável, o pequeno *pink* executava seus próprios passos de dança, um pouco mais matronais, com as ondas do Atlântico. A cerca de 2 mil milhas ao sul, as grandes revoadas de cagarras abandonavam o arquipélago de Tristão da Cunha no primeiro estágio de sua migração anual em direção aos ricos viveiros do Atlântico Norte. Dirigem-se primeiro ao litoral oriental da costa brasileira e depois ao norte, cruzando o equador e cortando em seguida as Índias Ocidentais e Bermudas para chegar às águas dos Grandes Bancos, ao largo da costa da Terra Nova. Dali atravessam o Atlântico, atingindo as águas litorâneas do sudoeste da Irlanda e as proximidades do canal da Mancha, aonde chegam durante os meses de agosto e setembro.

O curso do *Paramore* era cópia virtual da rota que seguiam essas aves. A partir de Santa Helena, o *pink* apontou a proa para a misteriosa ilha de Trindade, ao largo da costa do Brasil, "a fim de verificar se existem ilhas no lugar em que aparecem no mapa". Halley a encontrou, nela desembarcou e trocou a água salobra de Santa Helena pela água doce de Trindade; reivindicou a ilha para Sua Majestade o rei Guilherme III e deixou a bandeira inglesa hasteada, juntamente com carne fresca em forma de casais de cabritos, porcos e galinhas-d'angola vivos, para uso de futuros náufragos. Os descendentes dos cabritos e dos porcos ainda corriam pela ilha duzentos anos mais tarde.

Quatro meses depois da partida de Trindade, o *Paramore* ancorou no estuário de Plymouth. Durante a travessia, Halley havia aportado no Brasil, nas Índias Ocidentais, nas Bermudas e na Terra Nova. A última anotação no diário de bordo do *Paramore* data de 9 de setembro de 1700, e nela se lê: "Entreguei o *pink* esta tarde ao capitão William Wright, mestre-de-comitiva em Deptford".

A passagem não decorrera sem incidentes, mas os problemas que atribularam o comandante não foram causados pela tripulação ou pela atmosfera — eles vieram de terra firme. Em Pernambuco (Recife), Halley foi preso na casa de um certo sr. Hardwick, que se dizia cônsul da Inglaterra, sob suspeita de estar fazendo contrabando. Acrescentando novos agravos à dignidade de um capitão da Marinha Real, o *Paramore* foi revistado em busca do produto do contrabando. Os portugueses deram a entender a

Halley que o pretenso cônsul era simplesmente um agente da Real Companhia Africana, e que tencionava entregá-lo mediante recompensa em dinheiro. A patente de Halley, conferida pelo Almirantado, finalmente convenceu o ambicioso Hardwick do grave erro que ia cometendo. Em Barbados, o governador advertiu Halley sobre uma doença que grassava na ilha. Partiram prontamente, mas o comandante e alguns dos marinheiros contraíram a enfermidade, febre amarela ou febre tifóide. Recuperados, encontraram alívio nas Bermudas depois do que enfrentaram no Brasil e em Barbados. Ali, o *Paramore* foi carenado e raspado, os conveses foram recalafetados e o casco, novamente pintado. A Terra Nova surgiu coberta de forte nevoeiro e em Toad's Cove o *Paramore* foi alvo de tiros lançados por um nervoso pesqueiro de bacalhau que vinha de Bideford, em Devon. Mais uma vez o *Paramore* fora confundido com um navio pirata. Em Toad's Cove, porém, reabasteceram-se de água fresca e lenha para a cozinha; estavam a apenas dezoito dias da costa inglesa.

Dois anos haviam se passado desde a partida de Halley da Inglaterra em sua viagem de investigação científica. Era tempo de rever suas observações e apresentá-las ao público. Antes, no entanto, era preciso fazer o tedioso acerto de contas com os funcionários do Almirantado e organizar os menos tediosos encontros com velhos amigos no King's Arms em Ludgate Hill — Halley continuava a ser uma pessoa sociável. Em fins de outubro, o astrônomo apresentou aos membros da Real Sociedade um resumo dos resultados das duas viagens e o primeiro esboço de "um mapa que continha muitas e curiosas marcas". Era a primeira menção à valiosa contribuição de Halley à cartografia: essas marcas, ou, em suas palavras, "linhas de curvas", eram traços que ligavam os pontos de variação magnética equivalente. Utilizadas para representar graficamente os valores idênticos, passaram a ser chamadas por seus contemporâneos de "linhas de Halley". Atualmente são conhecidas como isolinhas. Quando os leitores dos jornais de hoje em dia olham o mapa das condições do tempo vêem as "linhas de Halley" em forma de isóbaras, que unem os pontos de pressão atmosférica igual, ou isotermas, que marcam as curvas de igual temperatura.

Em 1703 Halley expandiu seu mapa do Atlântico, englobando o mundo inteiro. Essa nova carta, com o sonoro título de *A new and correct sea chart of the whole world showing the variations of the compass as they were found in the year M.D.C.C.* [Uma nova e correta carta marítima do mundo inteiro, mostrando as variações da bússola tais como registradas no ano de MDCC], teve diversas edições e revisões e foi utilizada durante um século. A única região onde não aparecia variação era o Pacífico, pois, como relatou Halley, "não ouso presumir poder descrever as prováveis curvas dos mares do Sul, por não possuir registros dessa região". James Cook preencheu essa lacuna.

O comando do *Paramore* por Halley não havia terminado. A seu pedido, o *pink* voltou à ativa em 1701 para sua investigação das marés do canal da Mancha. O mapa resultante foi utilizado durante um século, tal como seu mapa do mundo.

De 1702 até sua morte, em 1742, Halley continuou a interessar-se pela navegação e pela cartografia, embora suas maiores contribuições tenham sido de fato no terreno da astronomia e da matemática. Os serviços prestados no mar, entretanto, deixaram marcas evidentes, pois o astrônomo real, reverendo John Flamsteed, escreveu: "Halley [...] agora fala, pragueja e bebe rum como um capitão de navio". Não obstante a censura implícita no comentário do astrônomo real, Halley foi nomeado para assumir o cargo quando Flamsteed faleceu.

Halley morreu aos 85 anos, muito querido e respeitado. Um de seus pequenos legados foi haver apresentado John Harrison a George Gresham, o relojoeiro londrino que mais tarde financiou a continuação do trabalho de Harrison na construção de um cronômetro marinho prático. Essa apresentação pode ser considerada um gesto de pouco valor, mas era típico daquele homem generoso e afável.

Halley está enterrado, como convém, perto do Observatório Real e do meridiano de Greenwich. Sua tumba está malconservada e invadida por ervas, mas no século XIX foi trasladada para o recinto murado do observatório antigo, e em parte de seu epitáfio se lê: "Tendo sido em vida grandemente estimado por seus compatriotas, a gratidão exige que sua memória seja respeitada pela posteridade".

O monumento mais importante a sua memória é a estação científica britânica na Antártica que leva seu nome, na plataforma Brunt, no limite do mar de Weddell. Não seria improvável que os icebergs que tanto o impressionaram e os quais ele esboçou nos registros do *Paramore* tivessem se originado nessa plataforma. Mais significativamente, foi a estação Halley, especializada na observação dos fenômenos atmosféricos, que percebeu a destruição da agora famosa camada de ozônio. Halley com certeza teria aprovado.

6. James Cook

Fiz-lhe um relato da conversa mantida entre mim e o capitão Cooke, no dia anterior, no jantar de Sir John Pringle. Ele ficou muito satisfeito com a precisão conscienciosa desse consagrado circunavegador, que colocou na devida perspectiva muitas das histórias exageradas das viagens narradas pelo dr. Hawkesworth. Disse-lhe que, enquanto conversava com o capitão, fiquei entusiasmado pela aventura e curiosidade e me senti fortemente inclinado a acompanhá-lo na viagem seguinte. JOHNSON: "Ora, meu senhor, um homem realmente se sente assim até que verifica que muito pouco pode aprender dessas viagens".

James Boswell, The life of Samuel Johnson, *1776*

No último domingo de julho de 1775, um navio pequeno de três mastros, batido pelos ventos, em cuja popa ondeava o pavilhão branco de Sua Majestade britânica o rei Jorge III e de cujo mastro principal pendia o comprido estandarte vermelho e branco, ancorou em meio à azáfama dos pequenos barcos que corriam como baratas-do-mar pelas águas agitadas de Spithead. A um observador que com sua luneta espreitasse o antigo ancoradouro da Marinha Real, próximo a Portsmouth, a embarcação recém-chegada pareceria deslocada em comparação com as canhoneiras de Sua Majestade — um humilde cavalo de carroça em meio a um campo de puros-sangues.

Esse observador curioso examina com sua luneta a popa do barco de aparência comum, que a maré faz oscilar. Verifica alguns entalhes com pátina dourada à volta de sete bem-proporcionadas janelas do castelo de popa e duas janelas laterais a boreste e a bombordo. Duas escotilhas redondas, uma de cada lado, enquadram o posto do timão pintado de vermelho, que desaparece no casco logo abaixo das janelas de popa. A luneta focaliza um ponto acima das escotilhas e, sob as janelas, vê-se claramente o nome do navio: *Resolution*.

Depois de repousar os olhos e cheirar uma pitada de rapé, o observador ergue novamente a luneta e imagina a razão da extraordinária movimentação no convés e por trás daquelas elegantes janelas. Sente sua memória despertar e em seguida se entusiasma. Ali está o capitão James Cook! Finalmente, ele regressava — não havia dúvida a respeito — de mais uma de suas viagens vibrantes, entusiasmantes e repletas de aventuras. A luneta se retrai ruidosamente e é guardada no bolso, enquanto o observador pensa que será necessário ler com atenção ainda maior o conteúdo futuro dos jornais e revistas de Londres. Talvez também precise refrescar a memória com uma olhadela rápida em seu próprio exemplar do relato de Hawkesworth sobre a viagem de Cook no *Endeavour*. Um pouco prolixa, pensa o observador — mas isso deve ser culpa do dr. John Hawkesworth, que acredita ser um novo dr. Johnson. Mais uma pitada de rapé.

Esse observador crítico estaria absolutamente correto.

Mais tarde, no mesmo dia, encontraríamos o alto e ossudo comandante do *Resolution* numa sacolejante diligência a caminho de Londres, juntamente com dois naturalistas, um artista, um astrônomo e um jovem guarda-marinha, todos integrantes da expedição. Por que um guarda-marinha estaria dividindo as acomodações com seu comandante e com os "cavalheiros aventureiros"? É que o jovem Richard Grindal, "jovem ponderado e inteligente", segundo um de seus colegas, havia se casado apenas uma hora antes de engajar-se no *Resolution* para partir na viagem de três anos. É possível que seu capitão o estivesse fazendo apressar-se para a lua-de-mel por tanto tempo adiada. Cook, por seu turno, ia ao encontro dos lordes do Almirantado munido de relatórios, registros de bordo, diários e mapas manuscritos dessa viagem, sua segunda circunavegação. Só depois seguiria para sua casa em Mile End, cerca de 5 milhas a leste da sede do Almirantado, onde o esperava a sra. Cook.

Assim terminava uma viagem de três anos mais do que notável: uma viagem que pusera por terra todas as teorias exageradas de existência de um continente austral grandioso, populoso e fértil; que provara a precisão e a confiabilidade dos novos relógios de John Harrison; que redescobrira e colocara na posição correta diversas ilhas do Pacífico e que desvelara novas terras — tudo isso, para maior satisfação de Cook, sem mortes por escorbuto. De certa forma a viagem do *Resolution* fora uma excursão pessoal de Cook. Ele a sugerira, planejara, organizara, virtualmente escrevera as instruções e a comandara. Sem dúvida, nos meses decorridos desde a concepção da expedição até o dia da partida, em 1772, alguns episódios estranhos haviam tomado lugar — certa acrimônia, certo desperdício de recursos públicos, a utilização de grandes quantidades de tinta e de muitas penas de ganso para escrever. Porém, nada disso se comparava aos resultados da viagem.

Para entender essa expedição, é preciso tomar distância e contemplar esse homem imponente e de aparência severa rodeado por seus companheiros de viagem — um dos quais lhe daria motivo para constante irritação durante três anos — enquanto a diligência joga e se sacode a caminho de Londres.

Três meses antes de seu quadragésimo sétimo aniversário, encontramos James Cook ocupando o posto de comandante da Marinha Real. Em breve será promovido ao nível superior — hierarquia que, caso sua vida seja suficientemente longa, quase lhe garante a patente de almirante e o prestígio social decorrente. Com efeito, o jovem Grindal, que procurava passar tão despercebido quanto possível na diligência, acabaria chegando ao posto equivalente ao de capitão-de-mar-e-guerra de hoje, comandaria o *Prince* na batalha de Trafalgar sob as ordens de Nelson e se aposentaria como vice-almirante Sir Richard Grindal. Entretanto, bastaria olhar para o rosto de Cook, com seus olhos castanhos e inteligentes, para perceber que esse homem não dá muita importância à alta hierarquia conseguida simplesmente por tempo de serviço. Em sua fisionomia não existe vaidade excessiva.

Poucos meses depois, Joseph Banks encomendaria ao artista Nathaniel Dance um retrato de Cook, que se encontra hoje na parede do Museu Marítimo, em Greenwich. Significativamente, Cook não foi representado cercado de alusões clássicas estilizadas, gregas e romanas, como era comum naquela época. O perspicaz Dance percebeu que esse ambiente não combinaria com o caráter de seu modelo. Cook aparece sentado, curvado para a frente, vestindo o uniforme com o dólmã desabotoado e um tanto amarrotado, como se tivesse se vestido às pressas — há coisas mais importantes com que se preocupar. A mão direita repousa sobre um mapa aberto, e a esquerda segura a borda da carta; Cook está olhando para além do quadro, acima do ombro direito do observador. Vê-se um rosto decidido, de feições másculas, um tanto severo: é o rosto de quem tomou muitas decisões, tem o hábito do comando — e espera que suas ordens sejam prontamente obedecidas. Em suma, é a fisionomia de um homem capaz e competente, judicioso, digno de confiança, sereno nos momentos de crise. As pessoas comentariam que Dance havia capturado a expressão verdadeira de Cook.

O retrato o mostra no auge de sua carreira. Diante de si, mais uma grande viagem — novamente no comando do *Resolution* — ao hemisfério norte e oceano Ártico. Em seguida, a cena derradeira, uma tragédia shakespeariana: a morte nas águas sangrentas da baía de Kealakehua, na costa ocidental do Havaí. Uma tragédia para aquele que escrevera, a respeito dos habitantes das ilhas do Pacífico: "Nós conspurcamos a moralidade deles [...]. Introduzimos em seu meio desejos e talvez doenças que jamais conheceram e que servem somente para perturbar a feliz tranqüilidade que eles e seus antepassados desfrutaram. Se alguém negar a veracidade desta afirmação, que me diga o que ganharam os nativos em toda a América com as relações que estabeleceram com os europeus".

Nessa que seria a última década de sua vida, Cook atingiria o status quase mítico de maior homem do mar e explorador de seu tempo — aliás, de qualquer outra época. Alcançar essa qualidade lendária tendo nascido em uma cabana de dois cômodos, paredes de argila e teto de palha no norte de Yorkshire é um fato extraordinário. Batizado na igreja da aldeia em 3 de novembro de 1728 com o nome de "James, filho de um trabalhador diarista", o menino foi o segundo dos oito filhos de James e Grace Cook. Era uma época em que a morte espreitava e apenas os mais fortes sobreviviam. Quando James estava com dezessete anos e já trabalhava num armazém e armarinho na aldeia de pescadores de Staithes, Yorkshire, sua mãe já vira morrerem quatro de seus filhos.

A medição de fitas, a pesagem cuidadosa de alfinetes, açúcar, sal e temperos eram atividades improváveis no começo da futura destreza de Cook na marinharia, navegação e levantamento hidrográfico. Cook deve ter pensado nisso quando jovem. Do

Retrato do capitão James Cook por Nathaniel Dance, 1776. Cortesia do Museu Marítimo Nacional.

lado de fora da loja, viam-se o horizonte do mar do Norte, os barcos de pesca, os carregamentos de arenque e o constante desfile de navios carvoeiros trazendo o combustível do norte para Londres e para o continente.

Cook trabalhou como ajudante na loja durante dezoito meses e depois tomou a primeira decisão que o lançou no caminho da fama e da praia do Havaí. Ia começar o longo aprendizado que culminou no grande tríptico de viagens.

Em 1746 o jovem vendedor do armazém foi contratado como "empregado durante três anos" por John Walker. John e seu irmão Henry, que pertenciam à fé dos quakers, eram armadores e comandantes de navios carvoeiros, altamente respeitados — e respeitáveis — e provenientes de Whitby. O comércio de carvão no mar do Norte não era uma atividade comum, e tampouco os barcos que o realizavam eram comuns. Aquelas águas, e os navios nos quais Cook aprendeu a ser um homem do mar, teriam enorme influência sobre o jovem aprendiz. O comércio e os navios exigem explanação.

Tornou-se lugar-comum descrever esse transporte de carvão do norte para Londres como "o jardim-de-infância dos marinheiros". Trata-se, porém, de um jardim-de-infância duro e impiedoso. O mar do Norte é raso e traiçoeiro, cheio de bancos de areia e marés rápidas. O litoral inglês diante desse mar é igualmente inóspito, com angras secas ou situadas em estuários de rios cujas barras mudam constantemente de posição. A navegação nesse litoral se fazia mediante a utilização do prumo e do hodômemetro, vigilância, e conhecimento do lugar. As tempestades e ventanias cobravam alto. Numa noite terrível de 1692 perderam-se duzentos barcos e mais de mil vidas. Cada década produzia sua tragédia, com os cadáveres de centenas de marinheiros sendo atirados às praias de areia e cascalho.

O tráfego de carvão pelo mar começou no século XVI, e, em 1746, quando Cook zarpou pela primeira vez a bordo do *Freelove*, pertencente a Walker, aquela atividade empregava milhares de marinheiros em mais de mil navios. Só em Whitby viviam os proprietários de duzentos navios. Um século mais tarde, três quartos da frota de cabotagem eram constituídos por barcos carvoeiros que transportavam 2 milhões e meio de toneladas de carvão por ano para as lareiras e fábricas de gás para iluminação de Londres. Em 1838 um observador notou "quase 2 mil barcos esperando vento favorável em Yarmouth Roads. Começaram a mover-se em 1º de novembro e foram seguidos por outros mil que vinham do Sul; no total, mais de 3 mil veleiros passaram por Roads em cinco horas, e mal se podia ver o mar, de tantos navios".

O comércio desenvolveu um tipo de barco adequado ao transporte do diamante negro do Norte. Tinha o porão espaçoso, para acomodar a carga; era robusto, para agüentar o baque no fundo quando atracado a um cais com o carregamento completo e a sustentação natural do mar desaparecesse com a maré baixa; esvaziado, mantinha-se estável devido à forma da parte submersa do casco, de maneira a necessitar de um mínimo de lastro para a viagem de volta. O resultado era o "gato", palavra que descrevia a forma do barco e não seu velame. Não se sabe a origem da denominação. Nos tempos de Cook, os "gatos" tinham velas redondas com três mastros colocados num casco bojudo, de fundo chato. Não havia figura de proa para adornar o barco e o único aceno de estética eram as proporções das janelas de popa. Quanto ao tamanho, aquele primeiro barco de Cook, o *Freelove*, de 341 toneladas, podia ser considerado típico: 32 metros de comprimento e 8 metros de boca, guarnecido por um mestre, imediato, carpinteiro, cozinheiro, cinco marinheiros e dez aprendizes.

Quando não estava sendo instruído na prática da marinhagem, Cook morava com a família de quakers em Whitby e estudava os aspectos teóricos da navegação, por determinação de John Walker. Provavelmente não necessitava de estímulo e Mary Prowd, a governanta dos Walker, lhe fornecia alimentação especial e um estoque de velas. Um quarto de século mais tarde, quando Cook, já famoso, voltava ao Yorkshire para visitar seu velho pai e os Walker, a idosa Mary Prowd, na casa da família, abraçava o cavalheiro a quem os homens importantes de Whitby haviam ido esperar e exclamava: "Oh, querido James! Que bom revê-lo!".

Em 1750 o aprendizado de Cook chegara ao fim e ele embarcou pela primeira vez como marinheiro. Seguiram-se viagens à Noruega, ao Báltico, pelo canal da Mancha e ao mar da Irlanda; em 1752, já era imediato. Três anos depois, John Walker convidou-o a comandar o *Friendship*. Em nove anos passara de aprendiz a comandante e talvez, no futuro, pudesse pisar o convés de um barco de sua propriedade. O filho do trabalhador havia ido bastante longe.

No entanto, em 17 de junho de 1755 Cook tomou uma decisão aparentemente irracional: alistou-se voluntariamente como marinheiro na Marinha Real. Era preciso contemplar um mundo mais amplo do que o limitado pelo horizonte visto de um carvoeiro. Talvez fosse esse o desejo de Cook, e o que vira lhe dava perspectivas mais entusiasmantes do que o comércio de cabotagem do mar do Norte.

A Grã-Bretanha estava prestes a entrar em mais uma de suas intermináveis guerras com a grande rival comercial, a França; os demais países europeus executavam suas habituais e confusas contorções antes de escolher seus aliados; mais além, na Índia, as companhias comerciais rivais francesa e inglesa ensaiavam seus próprios passos de dança com os governantes locais, trazendo guerras ao subcontinente; do outro lado do Atlântico, as lutas contra os nativos e os franceses tomavam proporções, e estes últimos ameaçavam descer do Canadá pelo vale do rio Ohio. Com efeito, George Washington, então jovem coronel da milícia da Virgínia, havia se rendido aos franceses em Fort Necessity. A fim de conter a ameaça francesa, Benjamin Franklin orquestrou a única solução que lhe pareceu adequada. "Não haverá tranqüilidade para nossas treze colônias", disse ele, "enquanto os franceses dominarem o Canadá." Sua exortação em breve seria ouvida.

Europa, Índia, América do Norte, Índias Ocidentais; era uma guerra mundial em preparação. Em 1755 a Marinha Real estava em pé de guerra, mandando patrulhas de recrutamento às ruas. Cook não tinha muitos motivos para preocupar-se, visto que os carvoeiros tinham direito a quatro homens isentos do recrutamento por cada 100 toneladas — em geral o mestre, o imediato, o carpinteiro e um ou mais marujos. Porém, os pormenores jurídicos sobre quem se isentaria da conscrição costumavam ser esquecidos pelas odiadas patrulhas que varriam as ruas e os ancoradouros. A apregoada "liberdade" britânica desaparecia nos navios de guerra.[1]

Em tal atmosfera, portanto, com nuvens de guerra se amontoando no horizonte, James Cook alistou-se voluntariamente na

1. O recrutamento forçado ("impressment") era o método usado — e do qual se abusou — pelas autoridades governamentais de muitos países para conseguir homens para os exércitos e marinhas. Ganhou notoriedade na Inglaterra, durante as guerras napoleônicas, com patrulhas de recrutamento da Marinha "forçando" os homens nas ruas e os marinheiros dos navios mercantes. Certos ofícios estavam "protegidos" do recrutamento forçado, mas, quando havia necessidade de acelerar a conscrição, a proteção de nada adiantava.

Marinha. O oficial encarregado do recrutamento em Wapping deve ter se surpreendido com a grande sorte em conseguir elemento tão promissor quanto aquele marinheiro alto, saudável e capacitado. O que foi uma perda para John Walker representou um ganho para o rei Jorge.

Em um mês, o competente marujo James Cook, do navio *Eagle*, com sessenta canhões, foi promovido a imediato do mestre de bordo. Dois anos depois de ter se engajado, a maior parte dos quais passados no mar, bloqueando o canal da Mancha contra os franceses, Cook enfrentou o exame para ser designado mestre e foi aprovado. Sua patente era agora a do mais importante suboficial do navio. Essa posição hierárquica merece explicação.

A graduação de "mestre" já não existe, e mesmo no tempo de Cook era um tanto anacrônica. Séculos antes, quando não havia Marinha de Guerra permanente, os monarcas arrendavam navios mercantes, com o mestre e a tripulação, e colocavam a bordo os fidalgos e soldados para as batalhas. A função do mestre era levar o navio ao inimigo ou depositar as tropas em terra, deixando que os guerreiros lutassem entre si com suas armaduras e cotas de malha. No século XVIII, o método ficara um pouco mais sofisticado. O monarca agora era — nominalmente — proprietário dos navios, porém permaneciam as responsabilidades do mestre como resquícios do passado, além da sutil hierarquização social de casta. Os oficiais da Marinha comissionados pelo Almirantado eram fidalgos das "castas elevadas" que lideravam seus homens na batalha; o mestre que conduzia o navio até o local da batalha ainda era o marujo de "casta baixa" designado por um certificado da Comissão da Marinha e não por comissionamento, como os oficiais. Mesmo assim, o mestre de "casta baixa" embarcado num navio de "primeira classe"[2] ganhava mais do que os tenentes de "casta elevada".

Os deveres de um mestre na Marinha do século XVIII eram amplos, demandavam tempo e envolviam as fainas de bordo em todo o navio. Eram eles que navegavam o barco, mantinham o registro, anotavam os bancos de areia, rochas e recifes, eram responsáveis pelos mastros, vergas, velas e cabos; supervisionavam as condições de navegabilidade e o lastro da embarcação e, finalmente, assinavam todas as prestações de contas e vales. Em resumo, um mestre merecia o que ganhava.

James Cook foi mestre durante onze anos e durante esse tempo, quase todo passado em águas da América do Norte, construiu os sólidos alicerces de suas habilidades em levantamento hidrográfico e como homem do mar; e, o que não era menos importante, refinou suas qualidades de líder de marujos, com preocupação vigilante e constante pela saúde e o bem-estar de seus comandados. Tendo servido ele próprio como marinheiro, conhecia bem o caráter improvisador e irresponsável dos marujos. Também testemunhara muitas mortes causadas pelo escorbuto. Cook nutria pelos homens a mesma consideração com a qual tratava os preciosos instrumentos de navegação e hidrografia: ambos eram inestimáveis e exigiam manutenção — dava no mesmo se um marinheiro morresse por doença ou tiro de canhão.

2. O almirante lorde Anson, durante seu primeiro mandato como primeiro lorde do Almirantado (1751-6), introduziu um sistema que classificava os navios de guerra segundo o número de canhões que possuía. Os de primeira classe levavam de cem canhões para cima; os de segunda, de 85 a cem: os de terceira, de 70 a 85; os de quarta, de cinqüenta a setenta; os de quinta, de 32 a cinqüenta; os de sexta, qualquer número de peças até 32, desde que fossem comandados por um capitão-de-mar-e-guerra, ou então classificados como "chalupas", se comandados por um oficial de patente inferior.

Por volta de maio de 1756, a guerra de fato entre ingleses e franceses na América do Norte finalmente, inevitavelmente, se transformou em guerra declarada. O desejo de Benjamin Franklin estava prestes a ser realizado e custaria milhares de vidas. Dois anos mais tarde, Cook se encontrava em Halifax, na Nova Escócia, servindo como mestre a bordo do navio de 64 canhões *Pembroke*, comandado pelo capitão John Simcoe. A travessia a partir da Inglaterra durara dois longos meses e nela haviam morrido 26 marinheiros, e muitos tiveram de baixar ao hospital após a chegada a Halifax. Cook presenciara o flagelo do escorbuto durante os meses do bloqueio à França e agora testemunhava a inutilidade do *Pembroke*, com a maioria da tripulação no hospital.

Poucos meses depois, com os homens já recuperados, o *Pembroke* participou do cerco e da captura de Louisburgo na ilha de Cabo Breton. Após a batalha, ao pisar em terra, Cook reparou num militar que trabalhava com um instrumento inusitado, com o qual media ângulos e tomava nota dos resultados num caderno. Os dois começaram a conversar e Cook descobriu tratar-se do major Samuel Holland, engenheiro militar e topógrafo que planejava a construção de fortificações. O instrumento era um planímetro. Segundo Holland, Cook "expressou intenso desejo de aprender o uso do dispositivo [...]. Combinei que no dia seguinte o faria conhecer todo o processo". Esse encontro casual em Louisburgo — Cook e Holland evidentemente se trataram com grande amabilidade e descobriram afinidades — teria efeitos profundos sobre a carreira futura de Cook.

No dia seguinte, a bordo do *Pembroke*, Cook recebeu instrução sobre o uso teórico do instrumento. Holland passou a noite no barco — seria interessante poder estar presente para ouvir a conversa — e, de manhã, ele, Cook e dois jovens guardas-marinhas desceram à terra para utilizá-lo numa demonstração prática. Simcoe, oficial da Marinha muito original, estimulou Cook a tomar ciência dos métodos militares de topografia e desenho. Na volta a Halifax, a espaçosa cabine de popa do *Pembroke* se transformou numa sala de desenho de plantas cartográficas. Holland narra: "Durante a estada em Halifax, sempre que conseguia uma folga de meus deveres, ia ao *Pembroke*, cuja grande cabine, dedicada a objetivos científicos e ocupada em sua maior parte por uma prancheta, não tinha lugar para indolentes. Sob os olhos do capitão Simcoe, eu e Cook compilávamos o material para elaborar uma carta do golfo e do rio São Lourenço [...]. Essas cartas foram muito usadas, porque alguns exemplares foram produzidos antes de partirmos de Halifax para Quebec, em 1759".

Antes de depenar franceses em Quebec e durante o longo e frígido inverno, Cook, estimulado por Simcoe, começou a aprender trigonometria esférica e a absorver o conteúdo do *A compleat system of astronomy* [Um sistema completo de astronomia], bem como do *The young mathematician's companion* [O companheiros do jovem matemático], de Charles Leadbetter. Apesar do título, que recorda a escola primária, este último era um volume que compreendia aritmética, geometria, trigonometria plana e esférica, astronomia e cartografia. Ora, não podemos dizer que se tratassem de leituras comuns para um mestre da Marinha Real. As habilidades de navegação da maior parte dos mestres começavam com o fio de prumo e terminavam com a estimativa da longitude e a determinação da latitude. Enquanto Cook aperfeiçoava seus conhecimentos de navegação e cartografia naquele inverno de 1758-9, os britânicos planejavam o ataque a Quebec.

Durante o verão de 1759, numa operação magistralmente organizada, com 35 vasos de guerra e 119 de transporte, a Marinha subiu o São Lourenço levando o Exército britânico à cidade francesa fortificada. Os franceses haviam retirado os marcos de auxílio à navegação ao longo das partes perigosas e tortuosas do rio e acreditavam ser impossível aos navios de guerra britânicos chegar próximo à cidadela. A função de Cook, junto com outros mestres, era fazer a sondagem e a marcação do canal navegável, agindo como batedores. De certa forma, era um regresso ao antigo papel de conduzir os soldados à batalha.

No *A historical journal of the campaigns in North America* [Um registro histórico das campanhas na América do Norte], de autoria do capitão do Exército John Knox, há um breve e maravilhoso relato de uma pequena parte dessa operação. O capitão viajou no navio-transporte *Goodwill*, comandado por um mestre mercante que atendia pelo apelido de "Old Killick" (o Velho Killick). Em uma das passagens mais arriscadas, o imediato tomou o leme e "Old Killick" adiantou-se, falando por meio de uma trombeta:

> Avancei com esse marinheiro experiente, que ia me mostrando o canal enquanto passávamos, apontando, pelas corredeiras e pela cor da água, onde havia pedras (para mim invisíveis), bancos de areia, lodo ou cascalho. Deu ordens com grande despreocupação, pilheriou com os barcos de sondagem que singravam de cada lado, ostentando bandeiras de cores diversas para nos guiar; quando algum deles o chamava, e apontava a água mais profunda, ele respondia: "Sim, sim, meu caro, faça a marcação, uma p-p-perigosa navegação — ora, se não gaguejarmos um pouco por causa disso ninguém acreditará na Inglaterra etc.". Quando acabamos de passar por aquele lugar complicado, no qual o canal faz um ziguezague, o mestre mandou o imediato entregar o leme a outra pessoa, dizendo: "Imagine se no Tâmisa não existem milhares de lugares cinqüenta vezes mais perigosos do que este; fico envergonhado ao ver ingleses se preocupando com isto".

Depois da conquista de Quebec, Cook foi nomeado mestre do *Northumberland*, de setenta canhões. Já haviam se passado três anos com a frota destacada para a América do Norte e seu trabalho de cartografia continuava. Logo ficou evidente para seus superiores que James Cook estava acima do nível comum dos mestres. Em 1761 recebeu um prêmio de 50 libras por "haver se tornado, por si mesmo, mestre de praticagem do rio São Lourenço". Seu nome foi elogiado em cartas ao Almirantado. Em outubro de 1762, terminada a longa guerra, o *Northumberland* regressou à Inglaterra e um dos últimos atos de seu comandante — agora contra-almirante lorde Colville — foi escrever uma carta ao Almirantado:

> O senhor Cook, que foi mestre do *Northumberland*, informou-me de que apresentou aos lordes do Almirantado todos os seus desenhos e observações relativas ao rio São Lourenço, parte da costa da Nova Escócia e da Terra Nova.
>
> Nesta ocasião, peço permissão para dar conhecimento aos senhores lordes de que, com base em minha experiência do gênio e da capacidade do senhor Cook, considero-o perfeitamente qualificado para a tarefa que realizou e para atividades mais importantes nesse campo. Como eu próprio observei a confecção desses desenhos, permito-me afirmar que podem constituir o meio de levar muitos pelo caminho correto, mas que ninguém será por eles desencaminhado.

A carta está datada de 30 de dezembro de 1762.

Esse mês de dezembro foi importante na vida de Cook. Poucos dias antes de Colville escrever essa missiva — uma agradável cena doméstica, quando comparada aos anos passados no mar em companhia masculina —, chega-nos a imagem de Cook passeando de braços dados com uma bonita moça, atravessando campos verdes até a igreja da paróquia de Barking. Ali, após a cerimônia de casamento na igreja de Santa Margarida, a moça de 21 anos assinou o novo nome no registro: "Elizabeth Cook, nascida Batts".

Na velhice, Elizabeth Cook gostava de contar a história da caminhada pelo campo. Ao escrever estas linhas, olho um retrato da sra. Cook, pintado já em idade madura — ela morreu com 93 anos —, e a beleza e o espírito da jovem que ganhou o coração de James Cook me fitam através do manto da idade. Uma senhora muito respeitável, podemos pensar, que tinha um elevado sentido das conveniências. Usava um anel onde guardava um chumaço de cabelos do marido e, quando desaprovava a conduta de alguém, o comentário infalível de censura era: "O senhor Cook jamais teria feito isso".

Elizabeth Cook passou apenas quatro meses com o marido antes que ele partisse em viagem para a América do Norte. Durante esse período ocorreram coisas importantes. Foi assinado o Tratado de Paris, que marcou o fim da Guerra dos Sete Anos e entregou vastos territórios da América do Norte aos assustados e atarefados funcionários em Londres. O levantamento cartográfico preciso dessas novas aquisições era de extrema relevância. Embora já fosse possessão britânica antes da guerra, a Terra Nova estava mal demarcada nos mapas, e Cook foi escolhido pelo Almirantado para executar o levantamento do litoral dessa ilha importante e estratégica — importante pela presença dos pesqueiros e da madeira e estratégica pela posição nos flancos do golfo de São Lourenço.

A Terra Nova tinha 6 mil milhas de litoral complexo, tortuoso e intrincado; a estação favorável ao levantamento era curta e a costa quase sempre estava coberta de nevoeiro. Para cumprir a missão, Cook levou semanas e gastou 68 libras, 11 xelins e 8 centavos em instrumentos de hidrografia entre os quais havia um teodolito, "um quadrante telescópico de latão construído por John Bird", bússolas de azimute, bandeiras e mastros, prumos e fios para mares profundos, sebo, machados, picaretas e "duas tábuas comuns para desenhar em cima". Para seu assistente, Cook solicitou um desenhista da "Torre", a repartição encarregada da artilharia e dos mapas militares.

É patente que Cook, na costa da Terra Nova, não tinha intenção de usar o método naval de levantamento hidrográfico contínuo ou corrido. Nesse método, quando as condições atmosféricas e o tempo disponível permitem, utilizam-se as técnicas militares de triangulação baseadas em terra — a bordo, um teodolito é inútil — e barcos para fazer as sondagens no mar. O "levantamento corrido" naval tradicional era efetuado a partir do mar, com o barco navegando ao longo da costa num rumo conhecido; então, cuidadosamente, medem-se as distâncias percorridas e registram-se as características proeminentes do litoral. Era um método passível de erros grosseiros. Quando mais idoso, Cook definiu o que entendia como um levantamento correto: "Fazer o levantamento de um lugar, na minha opinião, significa fazer-lhe uma planta geométrica, na qual cada ponto esteja em sua verdadeira posição".

Cook passou cinco anos na Terra Nova. Na primavera, no verão e no outono trabalhava-se ao longo do litoral, e os invernos eram passados em Londres. Seu barco era uma escuna de 68 toneladas, o *Grenville*, ex-*Sally*, construído em 1754 num estaleiro em Massachusetts. Durante o verão de 1765-6, o *Grenville* foi convertido em brigue de velas redondas porque Cook, numa carta à Comissão da Marinha, explicou que "as escunas são embarcações pouco adequadas para as descobertas, pois, se encontrarmos algum perigo inesperado, não se pode confiar no seu estaiamento se for necessário cair a ré utilizando as velas, acabam encalhando antes que fiquem velhos".

Cook, no entanto, estava acumulando outros conhecimentos além dos pertinentes à navegação e ao levantamento de terreno numa costa perigosa. Aprendeu a preparar remédios antiescorbúticos com "cerveja de pinheiro" e "essência de abeto"; colhia diferentes espécies de amoras para variar a dieta, com caça fresca, peixes e pássaros. Durante o verão de 1776 foi feita uma observação de um eclipse do Sol. Desenvolvida e comparada com outra observação do mesmo eclipse realizada em Oxford, foi possível confirmar a exatidão da longitude obtida na primeira observação. Com efeito, os resultados foram comunicados à Real Sociedade pelo dr. John Bevis e publicados na *Philosophical Transactions*. James Cook estava se tornando conhecido dos fidalgos cientistas de Londres.

Os meses de inverno eram utilizados para a preparação de mapas à mão e de roteiros de navegação, na casa de Cook em Mile End. O Almirantado permitiu que Cook os publicasse, mas com gravação e impressão por sua conta, além dos entendimentos necessários com os negociantes de mapas de Londres. Era curioso que a Marinha mais poderosa do mundo não dispusesse ainda de um departamento de hidrografia para a publicação de cartas. Os franceses estavam muito mais adiantados do que os britânicos, com cartógrafos e geógrafos trabalhando no Depôt des cartes et plans de la Marine, instituído em 1720. Somente em 1795 a Inglaterra criou um departamento de hidrografia — com Alexander Dalrymple como diretor de hidrografia —, e a primeira carta do Almirantado só foi publicada em 1801. Mesmo assim, o departamento era pouco mais do que um depósito glorificado. Entretanto, em 1808 o capitão Thomas Hurd assumiu o cargo de diretor de hidrografia e convenceu o Almirantado a comercializar as cartas ao público, bem como organizou um serviço naval de levantamento. Quando jovem, Hurd havia trabalhado com Holland e Des Barres — outro engenheiro militar — nos levantamentos efetuados na América do Norte. Evidentemente, a Marinha estava aprendendo alguma coisa com o Exército.

Durante seis invernos passados em Londres, Cook aperfeiçoou suas técnicas ao tratar com funcionários obscurantistas e dilatórios no Almirantado; pesquisou as lojas de mapas de Londres em nome do governador da Terra Nova, o capitão Hugh Palliser, seu antigo comandante no *Eagle*, em busca de provas de direitos pesqueiros franceses sobre a ilha; organizou as melhorias introduzidas no *Grenville*; teve um encontro com o primeiro lorde do Almirantado e o secretário do Tesouro — ocorrência inusitada para um simples mestre. Em suma, Cook estava sendo notado por gente poderosa e influente que, por sua vez, reconhecia a capacidade desse homem impressionante e de fala discreta.

No inverno de 1767-8, concluiu seu trabalho na "Chart of the West Coast of Newfoundland... by James Cook, Surveyor" [Carta da costa oeste da Terra Nova, por James Cook, hidrógrafo], com o roteiro de navegação anexo à carta. O gravador foi J. Larken, que havia gravado os trabalhos anteriores de Cook; o mapa foi publicado em 1768, juntamente com o roteiro, e posto à venda por "J. Mount e T. Page, de Tower Hill, Thos. Jefferys, esquina de St. Martin's Lane, no Strand, e Andrew Drury, em Duke's Court, perto da igreja de St. Martin". O *Grenville* tinha de ser preparado para o trabalho da temporada seguinte e Cook requisitou um médico para a tripulação. Na primavera, pediu reembolso do reparo dos instrumentos e do custo do papel de carta. O Almirantado, porém, tinha outras tarefas para Cook, e Michael Lane, seu assistente, foi designado para assumir seu lugar no *Grenville* com vistas a prosseguir o levantamento das costas da Terra Nova.

Em 25 de maio de 1768, os lordes decidiram que "James Cook seria designado capitão-tenente do barco *Endeavour*". O Almirantado fizera uma escolha brilhante e James Cook navegou para a história. Aqueles anos difíceis na América do Norte finalmente haviam lhe proporcionado recompensa.

Nos mapas ficou registrado o resultado prático, os frutos daqueles anos. Eram trabalhos magistrais, magníficos. As cartas manuscritas, confeccionadas na casa de Cook, em Mile End, são de grandes dimensões — uma tem 3 metros de comprimento, outra 2,40 por 1,5 metro, uma terceira, 1,80 metro por 90 centímetros —, são coloridas e contêm pormenores topográficos que não estão incluídos nas versões gravadas, igualmente primorosas e agradáveis ao olhar. E, o que é mais importante, são precisas. O capitão Bayfield, que no século XIX seguiu os passos de Cook ao atualizar os levantamentos realizados na América do Norte, foi quem deu a palavra final: "Em nada exagerei no que se refere aos defeitos dos antigos mapas do golfo, Cabo Breton e Nova Escócia. O marinheiro não pode confiar com segurança em nenhum deles, exceto os de Cook e Lane".

A viagem de três anos do *Endeavour* terminou em julho de 1771. De um dia para o outro, Banks e o dr. Solander, os naturalistas da viagem, passaram a ser as figuras mais badaladas da sociedade londrina. Banks foi apresentado ao rei no Palácio de St. James... Banks e o dr. Solander se encontraram com o rei em Richmond... Banks foi visto na Corte... Banks presenteou Sua Majestade com uma coroa de ouro decorada com penas, vinda do Chile... Banks e o dr. Solander receberam o grau de doutores honorários em direito civil na Universidade de Oxford... O governo proporcionará dois navios a Banks a fim de prosseguir suas descobertas nos mares do Sul... O festejado Banks fará em breve nova viagem à ilha de São Jorge, nos mares do Sul, para a qual, diz-se, o governo fornecerá três navios... O naturalista sueco Lineu sugeriu que a Nova Gales do Sul fosse chamada de Banksia... Aos 27 anos, o jovem Banks começava a ter uma opinião bastante vaidosa a respeito de si próprio.

As atividades de Cook não foram objeto dos mexericos de Londres. Em Mile End encontrou uma esposa sofredora, porém estóica. Dois filhos, James e Nathaniel, estavam sãos e contentes, mas a filha de quatro anos, Elizabeth, morrera três meses antes de seu regresso. Um filho, Joseph, que Cook nem chegara a ver, tinha nascido, sido batizado e enterrado no período de um mês a contar da partida do *Endeavour*. A atividade constante, normal ao fim das grandes viagens, funcionou como anestésico para suas perdas pessoais.

Dois meses após o regresso, Cook foi promovido a comandante e recebeu sua carta-patente das mãos de Sua Majestade. Ele não esqueceu seu velho amigo e mentor John Walker — o quaker de Whitby recebeu cartas que descreviam a viagem do *Endeavour*. Em uma delas, Cook tranqüilamente mencionava a possibilidade de nova viagem, desta vez com dois navios, e sua convicção de que "o comando me será entregue".

A questão da existência de um extenso continente austral ainda perturbava a mente de Cook. Na cabine de popa do *Endeavour*, conversara longamente com Banks sobre o tema; Banks menciona o assunto em seus diários e Cook, num *post-scriptum* à viagem de seu navio, esboça um plano para resolver o problema, utilizando como base da pesquisa a Nova Zelândia.

O Almirantado, agradavelmente surpreso com a receptividade do público à viagem de Cook e glorificado por reflexo, encontrou méritos na proposta. Isso serviria também para reacender os brios de Alexander Dalrymple, que ainda se mostrava ofendido por ter sido rejeitado para o comando da expedição e continuava a disparar salvas de invectivas para todos os lados.

Tomada a decisão, Cook recebeu ordens de procurar em Londres barcos que servissem para viagens a "regiões remotas". Eram necessários dois. Cook ficaria contente se um deles fosse o *Endeavour*, mas o navio partira em missão de abastecimento nas Malvinas. Os carvoeiros haviam se revelado ideais para o trabalho de exploração e em pouco tempo Cook selecionou três deles. No início de novembro o Almirantado havia comprado dois, o *Marquis of Granby*, de 462 toneladas, e o *Marquis of Rockingham*, de 340 toneladas. Ambos tinham menos de dois anos de idade e suas qualificações eram impecáveis — haviam sido construídos nos estaleiros de Fishburn, em Whitby, o mesmo que construíra o *Endeavour*.

No fim do mês, o Almirantado já trocara os nomes dos navios para *Drake* e *Raleigh*, registrando-os como chalupas de guerra. O *Drake* teria doze canhões e 120 homens, e o *Raleigh*, dez canhões e noventa marinheiros. A partir daí, os preparativos caminharam rapidamente. A viagem para as "regiões remotas" deveria iniciar-se em março e os dois barcos tinham de ser adaptados para suas novas tarefas. Era preciso um lugar para armazenar os equipamentos, as provisões, a pólvora e os projéteis; a artilharia tinha de ser instalada e as bocas de tiro, adaptadas; também era preciso construir acomodações para os oficiais e a tripulação, bem como uma cozinha no convés inferior para substituir a primitiva que se localizava no convés principal, usada no comércio de cabotagem; ainda, reformar os mastros, as vergas, as velas e o cordame, além de instalar um novo revestimento de madeira para servir de barreira ao cupim gusano.

Cook estava agora mergulhado nos inúmeros pormenores da viagem cuja data de partida se aproximava. Mais uma vez foram empregadas as habilidades aprendidas durante os anos do *Grenville* para tratar com os funcionários letárgicos. Apenas um pedido de Cook não foi atendido: a requisição de acabamento de latão para a mobília da cabine grande foi negada por um burocrata anônimo da Comissão da Marinha, por não ter precedentes. O próprio Cook pagou pelos acabamentos. Considerando as demais modificações efetuadas nos navios, a sentença do funcionário era cômica.

Enquanto as embarcações eram adaptadas, seus nomes também sofriam alterações trazidas pelos ventos cautelosos da diplomacia. Nomes tão evocativos como *Drake* e *Raleigh* certamente ofenderiam os suscetíveis espanhóis. Assim se pensava nos corredores do poder, em especial porque esses navios iriam em missão em mares ainda considerados propriedade privada da Espanha, por mais risível que isso pudesse ser. Os nomes foram mudados. Quando Cook tomou conhecimento, escreveu aos antigos proprietários dos navios informando-os de que "o Almirantado alterou os nomes dos navios, de *Drake* para *Resolution* e de *Raleigh* para *Adventure*, os quais, na minha opinião, são muito mais adequados do que os antigos". *Endeavour*, *Resolution*, *Adventure*: em algum lugar do Almirantado havia gente com noção de propriedade.

Em sua viagem anterior, Cook navegara por mares perigosos, abundantes em recifes não assinalados, bancos de areia e ilhas. Havia sofrido um naufrágio quase total na Grande Barreira de Recifes, e sobrevivera. O *Endeavour* enfrentara doença e morte na Batávia, impregnada de epidemias de febre. Porém, enquanto fazia os preparativos para a nova viagem, surgiam riscos capazes de impedir a realização da expedição antes mesmo que tivesse início.

O perigo chegou personificado em Joseph Banks. Ele e Solander haviam aceitado o convite para viajar novamente com

Cook, mas a adulação em torno do jovem em Londres havia sido tão grande que ele passou a se considerar uma estrela em ascensão. Para começar, desaprovou com veemência a escolha de dois carvoeiros feita por Cook; pensava mais em algo como um vaso de guerra de 44 canhões, ou um dos que eram utilizados nas batalhas das Índias Orientais. Foi obrigado, no entanto, a aceitar o pequeno e acanhado *Resolution*. Mesmo assim, energia, encanto pessoal e bons contatos são forças poderosas, além da amizade que Banks mantinha com o primeiro lorde do Almirantado, o debochado jogador e político John Montagu, quarto conde de Sandwich. Em breve chegaram ordens para novas alterações no *Resolution* destinadas a acomodar a crescente comitiva pessoal de Banks, que aumentava juntamente com seu ego. Os membros da *entourage* eram agora em número de dezessete — incluindo dois músicos de trompa. Banks começava a cair na armadilha de acreditar que a viagem era sua, e que Cook nada mais era que um prático sob seu comando.

Para alojar o numeroso grupo de Banks, a superestrutura do *Resolution* foi elevada em 30 centímetros, adicionou-se um convés na seção central e construiu-se uma nova cabine para acomodar o comandante, pois o grupo ocuparia também a grande cabine de popa anteriormente destinada a Cook. Esse marinheiro competente sabia perfeitamente o que isso poderia implicar: o peso extra e a ação do vento sobre uma superfície mais ampla do navio poderiam provocar um desastre. Impotente diante desse furacão de influência e loucura, preferiu esperar a tempestade passar, como bom marujo.

Em fins de abril — a partida de início marcada para o mês de março tivera de ser adiada devido a todas essas mudanças —, os dois navios foram mandados para Long Reach a fim de receberem carregamento de pólvora e munição. Ali os "jovens fidalgos" de ambos os navios, cheios do entusiasmo e da exuberância da juventude antes de uma grande aventura, "alvoroçaram as aldeias vizinhas desembarcando para fazer compras e tomar chá, às vezes ficando em terra toda a noite simplesmente pelo prazer de retirar sinais, tabuletas de lojas, colocando-as em outras casas durante a noite". Por causa desses e outros excessos de travessuras juvenis — alguns tinham apenas catorze anos —, Cook os repreendeu severamente. Mas o comandante em breve teria coisas mais importantes em que pensar do que tratar das brincadeiras de seus jovens guardas-marinhas.

O dia da verdade aconteceu em maio, quando o *Resolution* foi mandado para Downs. Ao descer o Tâmisa, o barco se mostrou tão instável, frágil e em perigo de emborcar, que o prático se recusou a levá-lo além de Nore. O navio passara da descrição anterior de Cook, de que se tratava "do mais adequado do que qualquer outro para a missão a que se destina", para o que o seu capitão-tenente laconicamente chamava "barco extremamente perigoso e inseguro". Outro tenente escreveu, com petulância indiferente: "Eu embarcaria num tonel de grogue ou no *Resolution*, se me mandarem, mas devo dizer que esse é de longe o navio mais instável que jamais vi ou de que ouvi falar".

Percebendo os resultados desastrosos das idiotices inspiradas por Banks, o Almirantado ordenou que o *Resolution* fosse recolhido ao estaleiro mais próximo, em Sheerness. Lá, o barco foi invadido por uma horda de ferreiros e carpinteiros, que arrancaram as modificações catastróficas. Ao visitar o navio a fim de verificar como transcorriam os trabalhos, o inflamado Banks explodiu em tal acesso de arrogância que um dos jovens guardas-marinhas escreveu mais tarde: "Quando ele viu o barco e as alterações que haviam sido feitas, gritou palavrões, bateu o pé no cais como um louco e imediatamente mandou seus empregados retirarem todos os seus pertences que já haviam sido embarcados". Por diversas vezes Banks havia ameaçado abandonar a viagem ao menor sinal de que seus desejos estivessem sendo contrariados. Desta vez o Almirantado suspirou coletivamente de alívio, aceitou a renúncia e começou a procurar substitutos para a parte científica da expedição.

As mudanças do *Resolution* se transformaram em *cause célèbre* pública. O mundo das celebridades havia corrido a visitar as obras do navio para acomodar o famoso Banks. Os carpinteiros navais praguejavam ao ver senhoras bem-vestidas caminhando delicadamente por entre a limalha. E agora o sr. Banks não mais viajaria! Os boatos começaram a se espalhar em infindáveis murmúrios.

Cook continuou os preparativos aparentemente intermináveis para a viagem adiada, enquanto uma batalha verbal se desenrolava entre Banks e seus admiradores de um lado e o Almirantado do outro. Tremendo de indignação, Banks disparou uma carta a lorde Sandwich arrolando seus motivos para desistir da viagem. Nessa missiva, Banks cometeu a imprudência de afirmar que não fora consultado sobre o tipo de navio escolhido e que o *Resolution*, "se não fosse absolutamente inútil, era no mínimo inadequado para a projetada expedição". E isso não foi tudo. Sem o convés adicional, afirmava ele, o navio ficaria superlotado, tornando-se insalubre. O *Launceston*, de 44 peças de artilharia, seria muito melhor, e Banks conhecia muitos comandantes "que de boa vontade se disporiam a nele navegar para a pretendida expedição, desejosos de mostrar ao mundo que o sucesso de tal empresa depende muito mais da prudência e da perseverança do comandante do que de qualquer tipo específico de navio que possa ser utilizado". A bofetada em Cook era malévola e imerecida. Na verdade, essa carta foi a maior tolice que Banks poderia ter escrito — resultado inevitável de uma personalidade inflada pela publicidade.

Sandwich mandou a carta para a Comissão da Marinha, que não viu com bons olhos os conselhos gratuitos de um leigo no assunto. O primeiro parágrafo do canhoneio de resposta troava: "A primeira objeção do sr. Banks ao navio diz respeito tão-somente a suas próprias conveniências e na verdade se resume em dizer que 'a parte anterior da cabine tem 1 ou 2 polegadas a menos'. Quanto ao tipo adequado de navio, sua capacidade e suficiência para a viagem, a opinião dele jamais foi solicitada, e nem em sã consciência poderia ter sido pedida, visto ele não ter nenhumas qualificações para formar juízo correto quanto à matéria; e pela mesma razão a opinião agora expendida não deve ser aceita". Outras salvas explosivas demoliram os argumentos enganosos de Banks e reduziram-nos a escombros flutuantes.

Sandwich juntou-se a seu amigo na refrega e redigiu uma carta de vinte páginas refutando todas as acusações de Banks. Terminava com uma ironia letal, que o retalhava em pedaços:

> Em suma, espero que, para o benefício da porção mais curiosa da humanidade, seu desejo de realizar longas viagens não cesse, e faço votos de sucesso em todas as suas iniciativas, mas o aconselharia a aparelhar o senhor mesmo um navio, a fim de assegurar esse êxito, pois somente essa providência será capaz de conferir-lhe o absoluto comando de toda a expedição; todavia, como tenho sincera preocupação por seu bem-estar e conseqüentemente por sua preservação, ardentemente rogo que tal navio não seja um antigo vaso de guerra nem um dos valorosos barcos que navegam para as Índias, e sim um carvoeiro novo.

Banks realmente embarcou para novas viagens. Em julho, fretou o brigue *Sir Lawrence*, de 190 toneladas, e partiu para a Islândia.

Em meio aos ruídos de martelos, serras, marretas e ferros de calafetar, o *Resolution* voltou a ser "o navio mais adequado para a missão a que se destina". Para Cook, os intermináveis detalhes da próxima viagem prosseguiram. Os memorandos, ordens e contra-ordens, perguntas e sugestões se sucediam entre Cook, a Comissão da Marinha, a Comissão de Abastecimento, a Comissão de Doentes e Feridos e o Secretariado do Almirantado. A Comissão de Abastecimento revelou admirável ânimo cooperativo e experimental, apressando-se em aceder às solicitações de Cook. Repolho salgado, chucrute, carne de boi e de porco, sebo, manteiga, ervilhas, trigo, sal, azeite, sementes de mostarda, língua, açúcar, sopas em conserva, suco de limão e de laranja, aveia em quantidades extraordinárias, peixe seco, queijo, pão, picles fortemente temperados, quatro barris de carne bovina experimentalmente conservada, tonéis de geléia de cenoura preparada pelo barão Storsch, o aparelho inventado por mr. Irving para destilar água doce a partir da água do mar, o instrumento do dr. Priestley para adoçar a água fazendo-a passar por "ar fixo", a máquina do tenente Osbridge para transformar "água estagnada em água potável", o mosto de malte fervido feito por mr. Pelham para fabricar cerveja, a receita de mr. Hale para produzir fermento fresco, o pó do dr. James para as febres — os produtos específicos do século XVIII para todo tipo de males. A Comissão de Abastecimento lamentou a falta de conhaque francês em Guernsey; seria aceitável o conhaque espanhol? Havia tonéis de aguardente, vinho do Porto, frascos de álcool para a preservação dos espécimes de história natural, lonas novas para toldos e velas, redes de pescar da melhor qualidade, bolsas de lona para os marinheiros em lugar dos costumeiros baús — tendo em vista que o espaço para armazenamento a bordo diminuía assustadoramente —, âncoras para gelo, máquinas para desempenar madeira, engrenagens e rodas dentadas para os guinchos, ferramentas sobressalentes, ferros de calafetar, ferramentas de toneleiro, barris novos de várias formas e tamanhos. A lista parecia não ter fim. Para os marinheiros, o Almirantado forneceu dois dólmãs e calças de lã grossa (feitas do mesmo pano com que se cobriam as portas dos paióis de pólvora), para uso no clima frio para onde se dirigiam. Os nativos das ilhas não foram esquecidos. Barris de pregos, ferramentas, espelhos, pentes, contas, chaleiras, martelos, "lençóis velhos de boa qualidade", pedras de amolar e pedras de esmeril foram embarcados nos navios já sobrecarregados. Também faziam parte da lista 2 mil medalhas cunhadas pela firma Boulton & Fothergill, de Birmingham (em que apareciam os dois navios e a inscrição otimista "Zarparam da Inglaterra em março de MDCCLXXII"), "para serem distribuídas aos nativos das novas terras descobertas em que venham a tocar".

Cook, a Comissão de Abastecimento e a Comissão de Doentes e Feridos tinham especial interesse em experimentar possíveis remédios antiescorbúticos. Cook levara chucrute a bordo do *Endeavour* e percebera que os marinheiros, gente conservadora e devotada à carne de porco e de boi salgada e aos bolos de ameixa, relutavam em comê-lo. Nos primeiros estádios da viagem, Cook mandara açoitar dois homens por recusar-se a comer carne fresca. Tal comportamento era considerado motim. Mais tarde, usou métodos de persuasão mais sutis em seus esforços para preservar a saúde de sua tripulação:

> No começo os homens não queriam comer o chucrute e por isso pus em prática um método que jamais vi falhar quando se trata de marinheiros, que consiste em mandar preparar todos os dias

um pouco desse prato para a mesa do comandante e permitir que todos os oficiais, sem exceção, pudessem também servir-se, deixando que os marinheiros escolhessem entre comer tanto quanto desejassem ou não o tocar; essa prática, porém, durou apenas uma semana até que fui obrigado a estabelecer rações, pois o temperamento e a disposição dos marujos são tais que qualquer coisa que lhes seja fornecida de maneira diferente da comum, mesmo que para o bem deles, não é aceita e há acusações contra quem tiver inventado a novidade; mas, no momento em que vêem seus superiores dar-lhe valor, a mesma coisa passa a ser a melhor do mundo e o inventor, pessoa de muito respeito.

Para esses marinheiros do século XVIII, a vida na Marinha Real era dura, severa e muitas vezes brutal. Visto da perspectiva de hoje, com sua sensibilidade mais apurada e seletiva, esse período da história parece extremamente rude. Quase duzentos crimes cometidos pelos súditos de Sua Majestade eram passíveis de castigo pelo enforcamento e as execuções proporcionavam diversão pública: o cadafalso, o poste para açoite e o pelourinho eram os instrumentos empregados pela classe governante para controlar os mais turbulentos. O açoite com o "gato-de-nove-caudas", o instrumento naval, é o castigo que mais marcadamente permaneceu na memória moderna. Essa chibata, que ficava significativamente guardada numa bolsa de feltro de cor vermelha, tinha um cabo de 60 centímetros em geral feito de madeira ou de corda, ao qual eram presas as nove "caudas" de fios de 60 centímetros de comprimento por pouco menos de 1 centímetro de espessura. O conjunto completo pesava cerca de meio quilo e nas mãos de um imediato perito no assunto era capaz de fazer desmaiar um homem. Se no poder de um comandante inseguro e brutal, tornava-se instrumento de sadismo, de inusitada selvageria. Esses comandantes se gabavam de ter a bordo contramestres canhotos, capazes de marcar com golpes cruzados os cortes feitos pelos carrascos destros. Para os marujos que serviam nos navios comandados por oficiais humanos e decentes, o chicote nada mais era do que um dos riscos da vida, dentre os quais havia tempestades, naufrágios, acidentes, doenças, comida estragada, atraso nos pagamentos e a morte.

Alguns dos homens que haviam comido chucrute e estendido suas redes no *Endeavour* estavam agora a bordo do *Resolution*. Havia marujos que estavam servindo em outros navios e escreveram a Cook pedindo para embarcar com ele. Sempre que possível, o obsequioso Almirantado efetuou as transferências. Em sua maioria, eram típicos representantes da marujada: jovens, analfabetos, rudes, sentimentais, bons marinheiros e acostumados às provações — e, sempre que possível, bêbados. Embarcaram também fuzileiros que tocavam gaita de foles, flautim, violino e tambor. Um ano depois, os taitianos e os maoris se encantariam com as interpretações musicais dos fuzileiros. Cook, que não era de desperdiçar elogios, mais tarde escreveu, a respeito de seus marinheiros, que "se mostraram capazes de sobrepujar todas as dificuldades e perigos que encontraram". Essa opinião foi reforçada por John Elliot, que embarcou como guarda-marinha e escreveu suas memórias "a pedido de sua mulher, para uso e deleite *somente* de seus filhos". As memórias esclarecem incidentes e personalidades, revelando aspectos ocultos pela redação mais circunspecta dos diários formais. Elliot registrou, sobre a tripulação: "Farei justiça aqui dizendo que *nenhum homem* poderia sob quaisquer circunstâncias comportar-se melhor do que eles, e o mesmo deve-se dizer dos oficiais; acrescentarei que acredito jamais ter existido um navio que por período tão longo, e sob tais circunstâncias, haja gozado de maior felicidade, ordem e obediência".

As memórias trazem um curioso guia de referências para seus filhos, com "observações" curtas sobre os "oficiais e fidalgos do convés superior". Cook é um "navegador e oficial sóbrio, corajoso, humano e competente". O primeiro-tenente, Robert Palliser Cooper, recebe os qualificativos de "discreto, constante, bom oficial" na coluna das observações. O segundo-tenente, Charles Clerke, é "valente e bom oficial, o favorito de todos". O diário e as cartas do próprio Clerke a Joseph Banks mostram uma personalidade diferente. Vivaz, inteligente e divertido, Clerke seria o tipo de convidado ideal para um jantar. Fora alegremente para o mar, a fim de navegar "num barril de grogue". Havia embarcado no *Endeavour* e faria com Cook a terceira e última circunavegação; Clerke é que assumiria o comando quando da morte de Cook e morreria ele próprio tuberculoso a bordo do *Resolution,* sendo enterrado na remota península de Kamtchatka, na Rússia imperial.

O terceiro oficial era Richard Pickersgill. Essa seria sua terceira circunavegação, tendo viajado no *Dolphin* e no *Endeavour.* Muito competente, era freqüentemente utilizado por Cook para o reconhecimento nos escaleres, quando se aproximavam de ancoragens desconhecidas. Possuidor de um temperamento um tanto romântico e meditativo, numa época em que se bebia muito, o comentário de Elliot a respeito dele é revelador: "Bom oficial e astrônomo, mas gosta de um 'grogue'". Isso, no entanto, jamais afetou suas decisões durante a viagem. Somente mais tarde o vício da bebida ocasionou seu desligamento da Marinha e, de acordo com uma fonte, sua morte por afogamento no Tâmisa.

Quanto aos guardas-marinhas, acreditavam que viajar com o capitão Cook era "um distintivo no quepe de qualquer jovem". Entre eles, dois mais tarde atingiram fama: George Vancouver, de catorze anos — explorador embrionário —, considerado "um jovem tranqüilo e inofensivo" por Elliot; e James Burney, de 21 anos, filho do dr. Charles Burney, irmão de Fanny Burney e amigo de Joseph Banks, do dr. Johnson e de Charles Lamb. Era "inteligente e excêntrico", segundo Elliot, embora não haja indicação de suas excentricidades. O próprio Elliot se beneficiaria de seu "distintivo no quepe". Terminada a viagem, foi objeto de interesse dos diretores da Companhia das Índias Orientais para embarcar num de seus navios, e na entrevista "eles afirmaram ter ouvido que eu acompanhara Cook e que, tendo sido seu pupilo, deveria ser bom marinheiro; depois perguntaram por meu tio e pediram que eu me retirasse". Elliot conseguiu o posto.

Joseph Gilbert, o mestre do *Resolution*, aos quarenta anos era um dos homens mais velhos a bordo. Tal como Cook, fizera o reconhecimento das costas do Labrador e da Terra Nova durante algum tempo, e Cook tinha grande apreço por suas qualidades. De acordo com Elliot, era um "oficial estável e bom".

O navio menor, o *Adventure*, era comandado por Tobias Furneaux, de Devon. Era o segundo-tenente a bordo do *Dolphin* sob o comando de Samuel Wallis, quando a tripulação foi a primeira a avistar no horizonte os picos do Taiti. Embora fosse um marinheiro competente, Furneaux não possuía o instinto do explorador, o gosto pela navegação e a geografia, o espírito investigador e a natureza inquiridora, tão evidentes em Cook.

Durante a viagem do *Endeavour*, Cook determinara a longitude pelo método da distância lunar, que seria novamente utilizado na segunda viagem, mas o Almirantado percebeu a oportunidade de experimentar as novas "máquinas-relógio". Três delas haviam sido confeccionadas por John Arnold e outra, uma cópia do premiado relógio H-4 de John Harrison, por Larcum Kendall, sob a supervisão de Harrison. Era o K-1, cuja fabricação demorara três anos e que estava prestes a entrar para a história náutica.

Dois relógios — um deles era o K-1 — ficaram no *Resolution* e dois no *Adventure*. Repousavam em caixas de mogno guarnecidas com três fechaduras, cada qual com sua própria chave. Durante a viagem, o serviço de dar corda e o uso dos relógios eram cuidados de maneira quase religiosa por três sacerdotes, o capitão, o primeiro-tenente e o astrônomo, que se juntavam, cada um com sua chave, para a abertura quase cerimonial das caixas. Era um presságio arrepiante dos rituais do lançamento de mísseis nucleares.

A Comissão de Longitude designou dois astrônomos. A bordo do *Resolution* seguia William Wales, de 38 anos, natural de Yorkshire, sincero, espirituoso e divertido, inclusive pelo sotaque de sua região. "Homem estável e competente", segundo Elliot. Wales observara o trânsito de Vênus em 1769 na baía de Hudson para a Real Sociedade. Após a viagem do *Resolution*, tornou-se professor da Escola de Matemática de Christ's Hospital. Chegamos agora aos produtos literários da expedição: Charles Lamb, Leigh Hunt e Samuel Coleridge foram todos seus alunos.

Lamb recordava-se de Wales como "aquele valoroso marinheiro, além de excelente matemático, co-navegador do capitão Cook [...] sempre bem-humorado, sempre cheio de alegria, o que era acentuado por um genuíno provincianismo de dialeto nortista, mas que em nada lhe retirava a agudeza das observações severas". Leigh Hunt o descreveu como "um homem bom, de modos simples e diretos, de físico avantajado e fisionomia benigna. Quando esteve em Otaheite, os nativos por brincadeira lhe roubaram as roupas de baixo, o que lhe pareceu uma intimidade absolutamente impensável".

Sua influência mais duradoura, entretanto, foi sobre Samuel Coleridge. Os meninos em idade escolar provocam seus professores, instando-os a falar sobre os assuntos de sua predileção, de maneira que possam ficar tranqüilamente ouvindo os mestres discorrerem a respeito no lugar das aborrecidas aulas. A viagem de Wales proporcionou um rico veio de histórias, tanto que o dr. Bernard Smith, em um número de 1956 do *Journal of the Warburg and Courtauld Institutes* [Diário de Warburg e dos Institutos Courtauld], nota muitas afinidades entre o diário de Wales e as palavras e imagens utilizadas no "Rime of the ancient mariner" [Verso do velho marinheiro].

Ofuscado pelo porte físico de Wales, estava o astrônomo do *Adventure*, William Bayly, que também observara o trânsito de Vênus, porém do cabo Norte.

O indignado e praguejante Banks que se retirara da expedição num rompante, levando consigo seus amigos, deixara uma lacuna em duas áreas essenciais: história natural e arte. John Zoffany, o artista escolhido por Banks, foi substituído pelo pintor paisagista William Hodges, registrado na crônica do navio como marinheiro competente. Com 28 anos, tinha talento para paisagens terrestres, marítimas e vastidões geladas. Em 1986, num leilão de arte no interior da Irlanda, veio à luz um retrato de Cook pintado por Hodges. É um trabalho mais forte e severo do que o retrato mais clássico de Dance. Ali estão o mesmo queixo e nariz salientes, a mesma boca curva e firme — e a decisão e a vontade indômita de Cook são mais incisivamente transmitidas ao observador. Aqueles três anos a bordo do *Resolution* evidentemente tinham proporcionado a Hodges ampla oportunidade de estudar seu comandante.

Chegamos finalmente ao último dos membros convidados da expedição, os substitutos de Banks e Solander. Com exceção talvez do americano Charles Wilkes, uma das figuras mais controvertidas da história da exploração da Antártica foi Johann Reinhold Forster, acompanhado por seu filho George Forster.

Forster chegara à Inglaterra com o filho de onze anos em 1766, com um inglês tão precário quanto o dinheiro que trazia em seus bolsos: 3 guinéus e meio.* Um ano mais moço que Cook, nascido na Prússia, corria por suas veias uma poderosa mistura de sangue inglês, escocês, polonês e prussiano. Era pastor luterano e possuía grande interesse por geologia, geografia, etnologia, história da antiguidade, história antiga, línguas egípcias, história natural e coleções de livros. Fora para a Inglaterra em busca de fortuna e com o objetivo de recuperar sua herança, que gastara principalmente em livros. Na Inglaterra foi apresentado ao mundo científico e erudito local por intermédio de suas ligações com a colônia de emigrados alemães. Passou anos dando aulas em escolas provinciais, e de sua copiosa pena fluíram estudos, panfletos e cartas sobre história natural, geologia, geografia e história da antiguidade. Seu filho George fazia traduções. A correspondência de Forster era vasta e sua erudição prussiana excitava a admiração de figuras influentes do mundo acadêmico. Sua oportunidade surgiu com a desistência de Banks e o Almirantado, estimulado pelos que o conheciam, escolheu-o para seguir com a expedição. Ele seria o naturalista, tendo o filho como assistente. Em decorrência da designação, Forster receberia um generoso pagamento de 4 mil libras (Wales ganhava 400 libras por ano, e Cook, 110).

Seu currículo nos mostra um pedagogo itinerante, possuidor de vastos interesses, ainda que intermitentes. Mas o que dizer do homem? O falecido professor J. C. Beaglehole[3] o descreve como um pesadelo. No outro extremo, Georg Lichtenberg — contemporâneo de Forster — escreveu: "Se Forster tivesse comandado o

* Antiga moeda inglesa, cujo valor era de 1 libra e um xelim. (N. T.)

3. Todos os participantes da expedição de Cook devem gratidão eterna à Sociedade Hakluyt e ao valoroso professor Beaglehole por sua obra magistral a respeito dos diários de Cook e pela biografia definitiva que produziu.

Resolution no lugar de Cook, o mundo erudito saberia três vezes mais". Desnecessário dizer que tais palavras são de tal forma absurdas e extravagantes que a ingênua sugestão desse outro alemão somente pode merecer uma risada de incredulidade de nossa parte.

A opinião de Elliot fica entre as duas: "Um homem inteligente, porém brigão e encrenqueiro". Elliot também conta alegremente que Burr (o imediato do mestre) havia dado um soco no "velho Forster" porque este o chamara de mentiroso e que Cook às vezes o mandava retirar-se de sua cabine. O afável Clerke, insistentemente provocado, ameaçara dar-lhe um tiro; Forster, dando-se ares de importância, achava que a cabine de Gilbert deveria ter-lhe sido destinada e por isso vivia em estado permanente de guerra com o mestre; entre Wales e Forster havia um abismo de antipatia e a tripulação imitava seu sotaque e seus gestos. Forster pode ter sido inteligente, mas era pedante na mesma proporção, sem senso de humor e dado a fazer citações em latim, além de patologicamente desconfiado. Em suma, era inimigo de si próprio e revelou-se um companheiro desagradável numa viagem longa e freqüentemente enfadonha. O jovem George — "moço bom e inteligente", segundo Elliot — passava a maior parte do tempo agindo como pára-choque entre os ocupantes do *Resolution* e seu espinhento pai. Chega-se a desejar que Banks tivesse podido controlar seu ego inflado e viajado no *Resolution*, para aliviar o peso da cruz de Cook, mas o que aguardava a desprevenida tripulação era a personalidade ácida de Forster.

Em 15 de junho Cook pediu por escrito a permissão da Comissão da Marinha para reconstruir "duas cabines de proa sob o convés superior" destinadas aos Forster. No dia 21 despediu-se da mulher e dos filhos e embarcou no *Resolution* em Sheerness, descendo o Tâmisa com a maré do dia seguinte em direção a

Plymouth. Ali, desde maio, o *Adventure* aguardava. Para alívio geral, o *Resolution* navegou perfeitamente ao longo do canal da Mancha.

Em fevereiro, antes dos problemas com o navio, Cook havia mandado um memorando a Sandwich expandindo seu plano original para elucidar a questão do hipotético continente austral. Compreendera a necessidade de explorar não somente os setores do Pacífico e do Índico, mas também o do Atlântico, como um cão de caça procura as tocas dos animais. A sugestão era zarpar do cabo da Boa Esperança e aproveitar os ventos para Oeste em uma latitude Sul elevada. Navios e homens se recuperariam na Nova Zelândia e passariam os meses de inverno nas ilhas do Pacífico. O verão seguinte seria novamente desfrutado nas altas latitudes do setor do Pacífico; depois aportariam no cabo Horn e passariam ao Atlântico Sul de modo a explorar seu setor, antes de regressar ao cabo da Boa Esperança. Cook anexou ao memorando um mapa da rota proposta. Com esse método, afirmava, a hipótese centenária finalmente seria desvendada.

Em Plymouth Cook recebeu as instruções finais — cópia virtual de seu próprio plano — e nada encontrou que o surpreendesse: "Na verdade, eu havia sido consultado por ocasião de sua preparação, e nada que eu não aprovasse e compreendesse perfeitamente foi acrescentado".

Depois do embarque das provisões frescas, realizou-se um ato final simbólico. Todos os cronômetros e observatórios portáteis foram levados à terra, examinados e postos a funcionar. Na manhã seguinte, bem cedo, o *Resolution*, com um contingente total de 118 pessoas, e o *Adventure*, com 83, ambos carregados de animais vivos, implementos e provisões para dois anos, partiram com a leve brisa de Noroeste e rumaram para o Sudoeste na direção de Ushant, na rota da Madeira. Começava a grande viagem.

7. A viagem do *Resolution* e do *Adventure*

Costumo ler para duas senhoras, às vezes para mais, porém nunca para menos. Atualmente, estamos circunavegando o globo, e a antiga história com a qual me diverti há alguns anos me parece agora quase nova, graças a minha memória não muito retentiva. Sinto, porém, muita falta da viagem de Cook; poderia mandá-la para mim? Gostaria de ter também a de Forster. Esses dois livros juntos me ajudariam a passar o inverno satisfeito, e lhe ficaria muito agradecido.

William Cowper, carta a Joseph Hill, 20 de outubro de 1783

Quanto ao Resolution, *esse honesto produto do estaleiro do sr. Fishburn em Whitby, mostrou-se um dos grandes, um dos mais soberbos navios da história; se dentre todos os navios do passado esse pudesse ser recriado e tornado imortal, seria visto com reverência.*

J. C. Beaglehole, introdução aos Journals of captain James Cook [Diários do capitão James Cook], *1969*

Todas as longas viagens possuem o mesmo ritmo, desde a travessia egípcia à fabulosa terra de Punt, no século XV a. C., até um iate do século XX cruzando o Atlântico. Os meses de preparação antecedem o frenético carregamento de provisões e equipamento, os últimos adeuses e depois o corte das amarras com a terra quando as espias são recolhidas ou a âncora é içada. O crescente hiato de água entre o barco e a costa marca o Rubicão: ninguém passa por essa experiência sem se sentir tocado.

O mundo do viajante se transformou agora num artefato insignificante, feito pela mão do homem e lançado a um elemento quase insubstancial e mutável. Cortados os cordões umbilicais que mantêm um elo com a terra, tem-se a percepção de que ficaram para trás as irritações da vida terrestre, seus aborrecimentos, azáfamas e multidões. E no mundo novo e reduzido do mar passa a vigorar uma disciplina diferente e às vezes mais rigorosa do que a que existe em terra. A vida do marinheiro é como a do cenobita, marcada por regularidade monástica: o sino do ângelus é substituído pelo sino de bordo que marca as horas e as mudanças de turno. Se pouca atenção é devotada às condições da alma do marujo, grande é a preocupação com os aspectos materiais do navio: seus mastros, vergas, velame, cabos, casco e convés — e, no caso específico de Cook, com a saúde e limpeza dos homens sob seu comando.

Enquanto as costas de Devon e da Cornualha desapareciam no horizonte, o tenente Pickersgill escrevia uma despedida intitulada "Farewell Old England" ["Despedida à velha Inglaterra"] em seu diário e Cook sem dúvida dava um suspiro de alívio ao deixar para trás os problemas que enfrentara e voltar a atenção para os que tinha diante de si. A longa travessia do *Resolution* até o cabo proporcionaria uma boa oportunidade de mostrar à tripulação qual era seu estilo.

O trajeto de dezesseis dias até a ilha da Madeira foi marcado por poucos acontecimentos. Pickersgill notou que o *Resolution* parecia ser mais rápido e mais manobrável do que o *Adventure*. Os Forster se queixaram de suas acomodações e se muniram de vinho do Porto misturado com temperos como preventivo contra o enjôo. Porém, mesmo essa poção não aquietou as preocupações do jovem Forster, para quem "a humanidade não foi concebida para fazer as vezes de animais anfíbios e [...] nossa atual situação não é natural".

Na ilha, os dois barcos se reabasteceram de água fresca, frutas, carne de boi, mil réstias de cebolas e quatrocentos galões de vinho Madeira. Cook ficou sabendo que um jovem chamado Burnett acabava de deixar a ilha após uma estada de três meses, o que o divertiu muito. Esse suposto mr. Burnett estivera esperando Joseph Banks e o *Resolution*, mas partira após ter recebido uma carta de Banks. O cerne da história estava no fato de que uma empregada descobrira que o presumido mr. Burnett era na verdade uma mulher. Obviamente Banks esperava aumentar seus prazeres a bordo do *Resolution*. Nisso nada mais fazia do que seguir os passos de outro naturalista, Phillibert de Commerson, que partira de Bougainville na primeira circunavegação francesa, realizada entre 1766 e 1768. Commerson fora discretamente acompanhado de um empregado chamado Baré. Somente após a chegada ao Taiti, cujos nativos imediatamente perceberam que Baré era uma mulher, é que o subterfúgio fora descoberto: tratava-se mais de uma *femme de chambre* do que de um *valet*. Elliot censurou o estratagema de Banks: "A menos que essa senhora fosse *extraordinariamente prudente*, poderia causar muitos problemas". Os dois navios zarparam para Funchal com a notícia dos planos de Banks circulando alegremente entre eles.

O estilo de Cook começou a fazer-se notar. Os homens foram dispostos num sistema de três turnos, em vez das costumeiras quatro horas de serviço por quatro de descanso. Com o novo regime, a tripulação cumpria quatro horas de guarda, seguidas por oito de descanso. Os conveses inferiores foram fumigados e arejados;[1] em todas as oportunidades redes, beliches e roupa de cama eram inspecionados e também arejados no convés; depois do bombeamento diário do navio, derramava-se água salgada no poço da bomba, pois isso ajudava, como notou Cook, a diminuir "o odor da água estagnada no porão, que era extremamente desagradável"; o suco de cerveja condensado experimental de mr. Pelham foi içado ao convés, e poucos dias depois que se lhe juntou água fria a fermentação foi tão vigorosa que explodiu as rolhas e até mesmo a tampa de um tonel. As únicas criaturas que levaram vantagem com essa antecipação do processo de fabricação foram as cabras, que lamberam a cerveja do convés, ficando "bastante inebriadas e ofegantes, como se estivessem agonizando; mas em breve se recuperaram e engordaram".

Ao som das explosões dos tonéis, o *Resolution* e o *Adventure* partiram para o Sul, em direção a Porto Praia, em Cabo Verde. Ali, embarcaram mais água — salobra, deve-se confessar —, obtida com muito esforço, porque a arrebentação das ondas era tão forte que os tonéis cheios tiveram de ser puxados por entre as vagas até um escaler ancorado mais ao largo. Na palavras de Clerke, era "um lugar miserável para obter-se água [...] e a que conseguimos não era a melhor, apenas tolerável". As ondas carregaram uma infortunada novilha, frutas, cabras, porcos e aves. Também embarcaram macacos, comprados como mascotes pelos

1. Cook costumava utilizar um sistema primitivo de fumigação. Acendiam-se carvões, alcatrão ou enxofre nos conveses inferiores e em seguida, com todos no convés superior, as escotilhas e vigias eram fechadas.

guardas-marinhas e marinheiros. Matreiros, sujos e cheios de vermes, logo os animais despertaram o elevado senso de higiene de Cook com seus hábitos pouco sanitários, e o comandante mandou matá-los.

Um desses animais escapou aos olhos de Cook, escondido que foi por John Elliot, mas não durou muito. No cabo da Boa Esperança cometeu sua última travessura ao atirar tinta sobre uma carta que estava sendo escrita pelo imediato, John Whitehouse. O furioso Whitehouse, provocado além de sua capacidade de tolerância, pegou a pistola e "fê-lo saltar pela escotilha". Elliot lamentou a perda da mascote, o que talvez explique a caracterização que fez de Whitehouse: "astucioso, sensível porém litigante, insinuante e malévolo".

Um incidente ao norte do equador revela o estilo de Cook ao lidar com seus homens. Segundo contou James Burney, numa carta à irmã — em termos bastante delicados —, dois homens, "a fim de divertirem-se, transformaram em privada as calças de nosso armeiro". O dono do vestuário reclamou, e Cook pôs fim à contenda ordenando que os dois marinheiros pagassem cada qual por metade do valor das calças e em seguida tirassem a sorte com uma moeda. O "vencedor", na verdade o perdedor, teria de usar as calças pelas quais acabara de pagar. Isso foi feito, "depois de muitas caretas", acompanhadas de piadas escatológicas dos marujos que observavam, divertidos.

Chegaram ao cabo da Boa Esperança — na época, colônia holandesa — em 30 de outubro. Durante a viagem, o *Resolution* perdera um homem, que tinha caído pela borda, e o *Adventure*, dois guardas-marinhas, vítimas de doença. O restante da tripulação de ambos os navios estava em excelente estado, se comparada à de dois barcos holandeses que atracaram alguns dias depois.

Os holandeses haviam perdido quase duzentos homens doentes de escorbuto e mais sessenta iam ser tratados em terra.

Os ingleses passaram quase um mês no cabo. Todos os dias havia pão fresco para a tripulação, além de carne de boi e de carneiro, e "todos os legumes que conseguissem comer". Saíam para a terra em grupos, "para refrescar-se". Cook estava preparando seus homens para enfrentar os rigores que os esperavam. Os navios foram calafetados e pintados, enquanto se encomendavam provisões frescas, vinho e conhaque. Os astrônomos levaram seus observatórios e relógios portáteis para terra, a fim de efetuarem seus complexos cálculos. Dentre os quatro relógios, o Harrison-Kendall mostrava-se o mais preciso e confiável, enquanto os Arnolds eram erráticos indignos de confiança. Os Forster faziam estudos de botânica e encontraram um colega sueco de 24 anos de idade, Anders Sparrman, que fora aluno de Lineu; convenceram-no a embarcar no *Resolution* como assistente, com Forster pagando suas despesas de alimentação e mais um pequeno estipêndio. Cook se viu "fortemente importunado" por Forster para que aceitasse aquele naturalista adicional, e cedeu de bom grado. Sparrman, com efeito, mostrou-se um jovem discreto: um pouco rígido, empertigado, chocava-se facilmente com os palavrões e blasfêmias proferidos pelos marinheiros ingleses, bem como com o comportamento deles. "Homem estável e inteligente", segundo a opinião do inestimável Elliot.

O mês de novembro no cabo foi de intensa atividade epistolar para Cook. O Almirantado foi informado de tudo o que ocorrera com a expedição até aquele momento e uma carta simpática foi escrita a Banks, cujo primeiro parágrafo era assim: "Algumas circunstâncias difíceis que ocorreram na parte final da viagem do *Resolution* acarretaram, penso eu, certa frieza entre mim e o senhor, mas não creio que seja razão suficiente para que eu corte o contato com um homem ao qual devo muitas obrigações". Cook fornece alguns detalhes da viagem até o cabo e assina "seu mais grato e humilde servidor".

John Walker, dos tempos de Whitby, também foi lembrado. Vale a pena transcrever a carta inteira, pois Cook, prestes a lançar-se ao desconhecido, mostra disposição para filosofar:

> Cabo da Boa Esperança, 20 de novembro de 1772
> Caro senhor,
> Não tendo nada de novo a comunicar, não deveria perturbá-lo com uma carta se não fosse costume os homens se despedirem de seus amigos antes de afastar-se do mundo, e eu quase não posso imaginar-me como parte dele porque estou privado de quaisquer conexões com sua porção civilizada, e em breve essa condição deverá durar pelo menos mais dois anos para mim. Penso nas regiões inóspitas para as quais me dirijo e na perigosa viagem, mas ainda assim a enfrento com grande alegria; a Providência me tratou muito bem em muitas ocasiões e confio em que a proteção divina continuará a me guardar; tenho dois bons navios bem aparelhados e bem guarnecidos. O senhor deve ter ouvido falar do clamor que se ergueu contra o *Resolution* antes que eu partisse da Inglaterra, mas asseguro-lhe que jamais embarquei em melhor navio. Por favor, transmita meus melhores respeitos a todos os amigos de Whitby e acredite-me com o maior apreço e estima.
>
> Seu mais devotado amigo,
> JAM[s] COOK

Podia ser um quaker escrevendo a outro.

Na tarde de 22 de novembro, os dois navios levantaram âncora e partiram para o Sul, em direção ao desconhecido. Ou a "novas e terríveis cenas", segundo George Forster.

As ordens de Cook, após deixar o cabo da Boa Esperança, eram buscar "o cabo Circuncisão, que mons. Bouvet afirma estar na latitude 54°00'S, aproximadamente na longitude 11°20'L de Greenwich". Esse cabo de nome estranho, atualmente chamado de ilha Bouvet, havia sido avistado no dia da festa da Circuncisão, em 1º de janeiro de 1739, por Jean Bouvet de Lozier, que comandava dois navios da Companhia Francesa das Índias Orientais, o *Aigle* e o *Marie*. Procuravam a terra do Sieur de Gonneville, que datava do século XVI, lugar que atraía muito os franceses, pois De Gonneville afirmava ter lá habitado durante seis meses e trazido consigo um "príncipe" para comprovar o que dizia. A localização dessa terra estava aberta à especulação, mas certamente ficava em algum lugar ao sul do equador. Com esse tênue indício de localização, os cartógrafos franceses a moviam à volta do globo à vontade. Provavelmente era o Brasil. Isso não importava; do ponto de vista francês, qualquer terra que fosse descoberta ao sul do cabo da Boa Esperança serviria de ponto de escala para as Índias Orientais. Haviam encontrado um lugar assim, uma falésia coberta de névoa, inóspita e coberta de gelo. Bouvet, que não conseguira desembarcar, ficou dez dias nas vizinhanças — seu prático acreditava que haviam chegado a uma pequena ilha, sem descobrir nada mais.[2]

Essa não era a única descoberta francesa que Cook pretendia investigar. Durante o mês que passara no cabo da Boa Esperança, coletara informações a respeito de outra viagem francesa mais recente. Tanto quanto lhe foi possível averiguar, cerca de oito

2. A ilha Bouvet, com diâmetro máximo de cerca de 4 milhas, ou 6,4 quilômetros, é bastante original. A chegada de Bouvet se assemelha muito ao achado da proverbial agulha no palheiro. É a ilha mais isolada do mundo — a terra mais próxima fica a mil milhas de distância. A longitude estimada por Bouvet para o cabo Circuncisão nada tem a ver com sua verdadeira posição: 54°25'S e 3°24'L.

meses antes de sua chegada ao cabo dois navios franceses haviam zarpado para o Sul, partindo da ilha Maurício, e em algum lugar próximo à latitude 48ºS haviam encontrado terra. Era informação parca, no entanto Cook se sentiu na obrigação de verificar. Os nomes dos navios eram conhecidos, mas não os de seus comandantes.

O incógnito comandante era o bretão Yves de Kerguelen-Tremarec. Luís XV o despachara com dois navios, o *Fortune* e o *Gros Ventre*, com a missão de continuar a busca de Bouvet pela sedutora terra de De Gonneville: rica, fértil e talvez, judiciosamente colonizada, capaz de substituir o perdido Canadá. Mas onde, exatamente, ficaria essa terra meridional? Bouvet encontrara uma falésia gelada, que não poderia, nem em fantasia, ser transformada na terra fabulosa, o novo Jardim do Éden.

Em 12 de fevereiro de 1772, partindo de Maurício em direção ao Sul, Kerguelen encontrou o que pensou ser a mítica terra. Não foi possível desembarcar devido ao mau tempo, e nas mesmas condições desfavoráveis e tendo perdido de vista seu companheiro, o navegador regressou a Maurício, e dali voltou à França. O comandante do *Gros Ventre* conseguiu pôr os pés em terra em uma angra a que chamou de Enseada do Leão-Marinho — hoje Enseada Gros Ventre, na ilha Kerguelen.

O relato de Kerguelen a Luís XV foi pouco fidedigno. O bretão batizou a terra com o nome de França Austral e afirmou que seria uma escala vital na rota da Índia, Molucas, China e dos mares do Sul. Disse que o clima era propício à colonização e que, sem dúvida, a terra forneceria madeiras, minas, diamantes, rubis, pedras semipreciosas e mármore. Quanto aos nativos: "Encontraremos pelo menos seres humanos naturais, vivendo em estado primitivo, livre de desafios e remorsos e ignorantes dos artifícios dos homens civilizados. Com efeito, a França Austral proporcionará uma maravilhosa visão de espécimes morais e físicos". Tudo nessa descrição tinha mais a ver com as doutrinas de Rousseau, com o culto do "nobre selvagem" e uma imaginação celta inflamada do que com o bom senso — especialmente quando esse novo Jardim do Éden fora apenas entrevisto em meio a um tempo enevoado e feio.

Mesmo assim, todos acreditaram e Kerguelen zarpou da França no comando de uma pequena frota de três navios, o *Rolland*, o *Oiseau* e o *Dauphine*, no rumo da nova terra da França Austral, colocada na latitude equivalente à de Paris. Pobre Kerguelen: dá pena pensar no entusiasmado bretão em seu castigo. O francês desembarcou em 14 de dezembro de 1772 e passou o resto do ano explorando a costa noroeste. Na altura da primeira semana de janeiro, com os navios em estado deplorável e a tripulação assolada pelo escorbuto, o triste bretão abandonou a terrível costa, já não mais a França Austral otimista, e sim a Terra da Desolação. Contudo, o pior estava por vir. De volta à França, teve a sorte comum aos portadores de más notícias. Começaram também a surgir perguntas embaraçosas. Por que abandonara o *Gros Ventre* em sua primeira viagem? Era necessário ter levado escondida a bordo na segunda viagem uma mocinha de Brest para seu próprio deleite? E o que faziam a mulher e a filha do governador da ilha de Bourbon em seu navio capitânia? Kerguelen foi expulso do serviço naval e preso — não, não na Bastilha, mas em um pequeno castelo perto de Saumur.

Tudo isso o futuro reservava para Kerguelen. Por ora, ele se dirigia ao encontro de sua desilusão no rumo sul. Cook, enquanto isso, a um dia de navegação do cabo e a cerca de 250 milhas a oeste de Kerguelen e da pequena frota por ele comandada, imprimia seu estilo no *Resolution*. A água teve de ser racionada e ele deu o exemplo, lavando-se e barbeando-se com água salgada. Os oficiais tinham direito a um pouco mais de 1 litro de água por dia para fazer chá. Sparrman e os Forster sofreram os males do enjôo, e o velho Forster se consolava com o inestimável "vinho tinto temperado com açúcar e pimentão".

O tempo estava horrível na rota dos navios para o Sul, os homens mudavam constantemente a posição das velas, o convés era sempre varrido pelas vagas e as juntas faziam muita água depois de todas as modificações estruturais efetuadas na Inglaterra. Cook mandou distribuir roupas pesadas de lã para a tripulação, que aliviaram um pouco o desconforto dos marujos. Forster queixava-se amargamente da umidade em sua cabine e rabiscava desaforos contra Gilbert em seu diário molhado, mas na verdade não estava em piores condições do que os demais tripulantes do *Resolution*.

No último dia de novembro notou-se repentinamente que no convés inferior havia água até os joelhos. Uma rápida inspeção do poço da bomba revelou que havia mais de 50 centímetros de água no porão. Após uma verificação mais detalhada viu-se que uma escotilha interna do depósito do contramestre, a sotavento, estava quebrada, deixando entrar água. Um dos marinheiros ofereceu-se para descer pelo lado de fora do casco, preso a uma corda, a fim de fechar a escotilha externa, "o que conseguiu depois de ser por três vezes atirado contra as correntes da proa". Imagina-se que Cook tenha mandado servir-lhe uma ração especial de conhaque espanhol.

O tempo "frio de rachar", como Cook laconicamente o descreveu, aliado aos ventos, dizimava os animais vivos — carneiros, cabras, porcos e galinhas. "Não se passa uma noite sem que morra algum, mas não são completamente perdidos, porque os comemos mesmo assim." Na parte final da viagem, uma das porcas teve uma ninhada, porém todos os filhotes pereceram no tempo inclemente. Sparrman, que era um *gourmet*, mencionou ao comandante que havia tomado leite de porca com chá e café quando passara pela China. Cook, aventureiro gastronômico, mandou ordenhar a porca. Foi uma das poucas ordens a que a tripulação desobedeceu: o animal estava com tamanho mau humor que ninguém se atreveu a tentar ordenhá-la.

Os ventos fortes faziam os navios derivar para leste, longe da suposta longitude do cabo Circuncisão. Em 10 de dezembro, perto da latitude 51ºS — quase equivalente à de Londres —, encontraram o primeiro iceberg. Faltavam apenas doze dias para a metade do verão meridional, mas navegavam quase sempre em meio a nevoeiro, com neve e chuvas de gelo e as temperaturas noturnas caindo abaixo de zero. Se definirmos a Antártica como a porção de mar e de terra que fica ao sul da Convergência, o *Resolution* e o *Adventure* já a haviam penetrado cinco dias antes, no dia em que Cook comentou que "estava um frio de rachar".

No dia seguinte, ainda novato em águas antárticas, o *Adventure* fez sinal de terra à vista, porém logo todos se desiludiram: era o segundo grande iceberg. Forster, admirado com seu tamanho, fez cálculos apressados em seu diário tentando estimar o volume de gelo em pés cúbicos.

Nos dias que se seguiram, os navios progrediam lentamente em meio à névoa, neve e chuva de gelo, com numerosos icebergs trazendo grande perigo à navegação. A água congelou na caixa de água potável do convés; as velas e os cabos ficaram cheios de pequenas estalactites de gelo e as catracas emperraram. Não era possível usar luvas para colher as velas, puxar os cabos e arriar os panos dos mastros e vergas. Os homens trabalhavam com as mãos nuas, o que provocava cortes e ferimentos nos dedos e nas palmas. Cook mandou distribuir uma dose extra de conhaque nas manhãs. Em 14 de dezembro, com 4 polegadas de neve no convés, atingiram o primeiro grande banco de gelo consolidado.

Estendendo-se ao longo do horizonte para Oeste e para o Sul, impedia o progresso em direção ao Ocidente em busca do cabo Circuncisão. Içaram um pouco de gelo para o convés e verificou-se que, derretido, produzia água fresca. Cook encontrara um método para obter água.

Poucos dias antes do Natal, tendo sido obrigados a velejar para o Leste por causa do gelo, rodearam a extremidade do gelo e seguiram rumo ao Sul. No dia de Natal, na latitude 57°50'S e longitude 29°32'L, sabendo que a tripulação vinha economizando a ração de álcool, Cook mandou arriar parte das velas, "para que uma ventania não me surpreenda com a tripulação bêbada". Oficiais, suboficiais e subalternos se aglomeraram na cabine de popa e os remanescentes foram para o paiol dos canhões.

Sparrman, vítima da nostalgia nórdica, sentiu falta das comemorações natalinas tradicionais suecas, e registrou que "a ceia consistiu na costumeira fatia de queijo e o mesmo tipo de biscoitos". A refeição do dia de Natal foi por ele aprovada, pois a cabine de popa adquiriu uma atmosfera "mais calorosa e alegre, produzida pelo ponche, cerveja preta, vinho do Porto e Madeira, Bordeaux, vinho do Cabo e outras bebidas".

Na proa, os marinheiros comemoravam à sua maneira — com "barulho e bebedeira selvagens", segundo George Forster, seguidos por lutas de boxe. Como o navio jogasse um pouco, os lutadores ficavam sentados em baús, com os torsos nus, trocando golpes na cabeça. Sparrman havia visto marinheiros ingleses na China, lutando de pé. Uma das regras, ponto de honra, era não atingir o adversário abaixo da cintura, visto constituir-se em um golpe desleal, ou um "golpe irlandês". Como observou Sparrman, "as regras de etiqueta deste país brutal não apenas não evitam atingir aquela região delicada como na verdade procuram fazê-lo de propósito". Mais tarde, no mesmo dia, o *Adventure* emparelhou com o companheiro e deu três salvas. Também eles haviam estado comemorando.

Os últimos dias do ano de 1772 foram empregados na navegação para o Oeste em meio aos icebergs, com o gelo consolidado ao norte dos navios, procurando a longitude do cabo Circuncisão. Em 3 de janeiro, a sudoeste do suposto cabo, Cook tomou uma decisão. A visibilidade era excelente — cerca de 70 milhas do topo do mastro —, mas não havia indício de terra ao norte. Já haviam despendido muito tempo procurando a falésia de Bouvet; Cook achava que o francês fora enganado, como eles próprios, pelos icebergs rodeados de gelo consolidado. Determinou novo rumo, deu as ordens e em condições de visibilidade decrescente, com neve e chuva de gelo, os dois navios se afastaram numa rota para o Leste. Assim teve início a busca de terras em latitudes meridionais mais elevadas entre a posição em que se encontravam e a Nova Zelândia.

Em 9 de janeiro de 1773, a 61°S, os navios embarcaram 24 toneladas de uma preciosa mercadoria — água fresca, em forma de gelo, o que equivalia, notou alguém, "a retirar água do oceano em cestas de vime". Enquanto os braços dos marinheiros se enregelavam cortando os pedaços da preciosa água para encher as cestas, Hodges registrava laboriosamente a cena em aquarela: o mar tranqüilo, as velas enroladas, o gelo sendo içado para bordo e um iceberg encavernado flutuando serenamente perto deles.

Cook alterou o rumo e infletiu para o Sul. Em 15 de janeiro, depois de "uma sucessão de cinco dias toleravelmente bons", com muita água fresca a bordo e as roupas dos marinheiros lavadas e secas, "coisa que não era pouco necessária", encontravam-se a 40°L e 150 milhas ao norte do Círculo Polar Antártico. Cruzaram-no em 17 de janeiro, pouco antes do meio-dia, sendo os primeiros homens da história conhecida a fazê-lo. Foram escoltados na passagem por revoadas de procelárias. Poucas horas mais tarde, navegando em águas relativamente limpas, alcançaram uma grande massa de gelo consolidado que lhes bloqueava o caminho para o Sul. Na latitude 67°15'S, Cook, relutante, deu ordem de virar para o nordeste, afastando-se da barreira impenetrável. Oitenta milhas ao sul, protegido pelo gelo e oculto na névoa, estava o litoral da Antártica.

O rumo nordeste deveria levá-los à posição descrita na descoberta de terra pelo *Gros Ventre* e pelo *Fortune*. A busca realizada durante os últimos dias de janeiro e o começo de fevereiro nada revelou. "Estivemos cruzando nestes últimos seis, sete dias a terra mencionada pelos franceses no cabo da Boa Esperança", escreveu o exasperado Clerke; "se o monsieur meu amigo encontrou alguma terra, deve ter se enganado muito quanto à sua latitude e longitude, pois vasculhamos minuciosamente o lugar que ele descreveu e suas proximidades e não encontramos o diabo da terra, nem mesmo uma polegada". Kerguelen de fato se enganara na longitude. A terra estava 480 milhas a leste do *Resolution* e do *Adventure*.

Os navios agora, nas fronteiras da Convergência Antártica, viam-se muito perturbados pelo nevoeiro. Em 8 de fevereiro, com a névoa se adensando rapidamente, os barcos perderam o contato, engolidos pela escuridão. Ziguezaguearam para diante e para trás, deram tiros, acenderam sinais luminosos, sem resultado. Depois de dois dias dessa brincadeira peculiar de cabra-cega, ambos os comandantes compreenderam que seria impossível restabelecer o contato. Não importava; o estreito Rainha Carlota, na Nova Zelândia, havia sido designado como ponto de encontro em tal eventualidade.

Antes de chegarem à Nova Zelândia, entretanto, a busca de terra nas altas latitudes meridionais tinha de prosseguir.

Os navios haviam passado dois meses navegando ao sul da Convergência antes de separar-se. Tanto Forster como Cook registraram as espécies de pássaros avistados, abatidos e às vezes consumidos. Os pingüins se mostraram mais resistentes em razão da armadura virtual de penas espessas. Um pingüim-de-jugular, cuja cabeça foi arrancada por um tiro, pesou 5 quilos. Durante o mês de janeiro Forster acertou um tiro na asa de um albatroz que pousara na água e o pássaro foi trazido vivo para o navio. Os marinheiros chamavam a essa espécie de pássaro quaker ("quakerbird"), devido a sua plumagem sóbria. Forster, entusiasmado, imaginou

Resolution *e o* Adventure *se abastecendo de água usando gelo a 61ºS. Aquarela por William* *dges, janeiro de 1773.* Cortesia da Biblioteca Estadual de Nova Gales do Sul.

que pertencesse a uma espécie nunca descrita e batizou-o *Diomedea palpebrata* — albatroz de penas acinzentadas como um manto, e um dos mais belos tanto voando como em pouso.

Quatro dias após a separação, o *Resolution*, navegando no rumo sudeste, passou por grandes quantidades de pingüins que nadavam cruzando a proa, aumentando a esperança de encontrar terra. Cook, porém, não tinha tanto entusiasmo quanto seus oficiais. Depois de ouvir a opinião deles quanto à possível localização, alguns preferindo o Norte e outros, o Leste, Cook observou, certamente com um sorriso irônico, que "era notável o fato de que ninguém opinou que a terra ficava para o Sul, o que serviu para convencer-me de que não tinham desejo de prosseguir nesse rumo. Eu, no entanto, estava decidido a aprofundar-me tanto quanto possível nessa direção sem perder demasiadamente a direção leste, embora deva confessar que eram poucas as esperanças de atingir terra, pois as ondas mais altas que durante algum tempo haviam vindo do Oeste passaram gradualmente a vir de sul-sudeste [...]".

Cook estava enganado ao imaginar que não houvesse terra próxima. A 45 milhas a nordeste estava a pequena e desolada ilha Heard, e as ilhas McDonald, ainda menores. Os pingüins eram "gentios" que se dirigiam a suas colônias. Cook, todavia, estava correto ao achar que não havia grandes massas de terra ao norte e a leste. Tendo passado ao sul da descoberta de Kerguelen, era claro que aquela terra se achava separada de algum possível continente austral.

Enquanto o *Resolution* seguia para o Sudeste, Furneaux e o *Adventure* rumavam para o Leste, passando entre as ilhas Heard e Kerguelen. Furneaux singrava em direção à Tasmânia, como Cook imaginara.

Por volta de 24 de fevereiro, o *Resolution* chegou a 61°52'S. Os ventos vinham de sul-sudeste, com o mar correndo na mesma direção. Em volta do navio, perceptíveis por entre a neve e a chuva gelada, havia sessenta ou setenta icebergs. A intenção de Cook era cruzar uma vez mais o Círculo Polar Antártico antes de dirigir-se ao ponto de encontro na Nova Zelândia. A estação já adiantada, o perigo dos icebergs e outros pedaços flutuantes de gelo — quase impossíveis de distinguir das ondas espumantes e perigosos como pedras — o convenceram a abandonar seus planos. A mudança, entretanto, não se devia à busca por latitudes mais temperadas, pois durante as três semanas seguintes o *Resolution* manteve um rumo próximo a 60ºS. O litoral da Antártica, quase paralelo ao rumo, se encontrava entre 250 e 300 milhas ao sul.

Durante aquelas três semanas, em meio a uma ventania, a porca pariu uma ninhada de nove leitões, e todos morreram de frio. Era a mesma porca que a tripulação receara ordenhar anteriormente. O tempo incitou Forster a redigir anotações em latim em seu diário. Da *Eneida* de Virgílio veio *Nimborum in patriam, loca faeta furentibus Austris.*[3] A morte dos porquinhos o motivou a anotar outros versos, agora extraídos das *Geórgicas* de Virgílio:

> *Ergo omni studio glaciem ventosque nivales,*
> *Quominis est illis curae mortalis egestas,*
> *Avertes.*[4]

Os tripulantes do *Resolution* concordaram entusiasticamente com esses versos, o que Forster acabou por lamentar. Durante o mês de março, dois cordeiros, um carneiro e cinco cabritos foram realojados de ambos os lados da cabine de Forster, a fim de protegê-los das intempéries de Virgílio e dos fortes ventos, com ape-

3. "Na terra de nuvens de tempestade, regiões repletas de ventos frenéticos."
4. "Portanto, quanto menos eles [os cabritos] precisarem de cuidados humanos, mais devem ser protegidos da geada e dos ventos de neve."

nas uma divisória cheia de frestas entre o naturalista e os animais. "Certa vez, erguendo-se à altura de minha cama, defecaram e urinaram de um lado, enquanto cinco cabritos faziam o mesmo do outro." É quase possível sentir pena de Forster.

Durante o período de navegação próxima à linha de 60ºS de latitude, Cook ficou atento às condições de sua tripulação. Como notou que tinham as roupas esfarrapadas, distribuiu-lhes agulhas, linha e botões. Como meninos de escola mal-educados, as mãos dos marinheiros eram inspecionadas e, se estivessem sujas, o culpado sofria castigo muito pior do que um açoite pedagógico com a vara de marmelo ou com o chicote naval: a ração de grogue ficava suspensa. Cook conhecia seus homens. Os sintomas de escorbuto, descritos por Forster como "gengivas decompostas, manchas lívidas, erupções, respiração difícil, membros contraídos e espuma esverdeada e gordurosa na urina" eram tratados com "extrato doce de malte" e "geléia de cenouras". Forster, que conhecia bem o chucrute, achava útil igualmente o prato alemão preparado com repolhos. Seus vizinhos, os carneiros, também davam sinais de escorbuto, sendo tratados com trigo e arroz fervidos. Um guarda-marinha e um contramestre consumiram um antiescorbútico sem saber: o gato do contramestre, bem treinado, capturava ratos e os trazia ao dono, recebendo como recompensa as patas e a cabeça do animal, enquanto o restante era limpo, assado e temperado para depois ser repartido entre os dois homens. Proporcionava uma agradável mudança em relação à carne salgada.

Em 17 de março Cook resolveu rumar para o Norte em direção à Austrália e à Nova Zelândia, com o objetivo de certificar-se de que a Terra de Van Diemen (Tasmânia) fazia parte da Nova Holanda (Austrália). Dois dias depois, os ventos dominantes de Noroeste impossibilitaram-no de atingir a Tasmânia e o *Resolution* derivou para a Nova Zelândia. Em algum momento entre 20 e 21 de março, cruzaram a Convergência no rumo Norte, deixando a Antártica. Cook registrou a diferença de temperatura. Haviam estado navegando na Antártica durante quinze semanas e os sacrifícios físicos e mentais se faziam notar. Como assinalou Wales, Forster já havia brigado com praticamente todos, por um pretexto ou outro.

A decisão de rumar para o Norte levou Cook a escrever no diário um parágrafo em que se desculpava. É um trecho revelador, porque mostra um Cook incaracterístico — um tanto preocupado com que um leitor potencial o considerasse pouco resoluto:

> Se o leitor deste diário deseja conhecer as razões que me levaram a tomar a decisão que acabo de mencionar, gostaria que considerasse o fato de que, após navegar durante quatro meses nessas elevadas latitudes, é natural que eu queira desfrutar um breve repouso em ancoradouro onde possa encontrar alívio para meus homens, que começam a disso muito necessitar e para o que não foi possível ainda dedicar muita atenção, tendo em vista que a viagem apenas começou.

Como comentou sucintamente o biógrafo de Cook, professor Beaglehole, era mais provável que o leitor se sentisse confundido pela necessidade de explicação.

Com o *Resolution* rumando para a Nova Zelândia, Cook acreditava que encontraria seu ancoradouro de reabastecimento no estreito de Dusky, localizado no ângulo sudoeste da ilha do Sul. Já o vira durante a viagem do *Endeavour*, embora não o tivesse investigado. Às dez horas da manhã de 25 de março, o vigia da gávea gritou que os picos da Nova Zelândia estavam à vista. De tarde, próximo à costa, o tempo ficou enevoado e o *Resolution* permaneceu ao largo durante a noite, com as velas recolhidas, num mar agitado por vagas vindas de sudeste.

No dia seguinte, o vento se ergueu e o movimento do mar os impeliu para a entrada da baía. Deve ter havido alguns momentos de ansiedade enquanto navegavam em direção à barra do fiorde, com as águas espumando em volta dos penhascos rochosos cobertos de vegetação, ilhas e ilhotas, com o encarregado da sonda anunciando em voz alta a profundidade. O prumo mediu 40 braças e em seguida a profundidade aumentou para 60. Cook registrou secamente que "já tínhamos avançado demais para regressar; portanto, fomos adiante, pensando em encontrar lugar onde ancorar, visto que nessa baía éramos todos novatos [...]".

Por volta das três horas da tarde, encontraram ancoradouro e finalmente o *Resolution* descansou, depois de 122 dias no mar e mais de 11 mil milhas, balançando suavemente preso ao cabo da âncora em águas de 50 braças de profundidade. Em poucos minutos os escaleres e os homens baixaram para procurar peixes, aves, focas e lenha para o fogão da cozinha. Cook foi em busca de melhor sítio para ancorar e ordenou a Pickersgill que seguisse na direção oposta, com idêntica missão.

Conseguiram peixe suficiente para alimentar a todos e Pickersgill relatou ter encontrado excelente porto, completamente protegido e próximo a uma fonte de água fresca, a apenas 2 milhas dali. Foi batizado com seu nome. No dia seguinte o *Resolution* deslocou-se para o porto, que era exatamente como o tenente o havia descrito. Em poucas horas o navio estava atracado às árvores pela popa e pela proa, com os cabos misturados aos galhos da floresta e com um tronco caído servindo de prancha para a terra. A 30 metros da popa corria um riacho de água doce; havia madeira para o fogo; a água e a terra forneceriam peixes, lagostas, carne de foca e aves para as panelas. Depois dos perigos e da monótona dieta do primeiro mergulho na Antártica, naquele lugar os tripulantes do *Resolution* podiam, como registrou Cook, "gozar tranqüilamente daquilo que na nossa situação se poderia chamar de os luxos da vida".

A não ser por um pequeno cais de madeira instalado pelo Departamento de Parques da Nova Zelândia, o porto Pickersgill permanece virtualmente intocado desde os tempos da visita do *Resolution*. A chuva ainda goteja das copas espessas das árvores, caindo sobre o chão coberto de arbustos, folhagens e musgo. O riacho que forneceu água fresca ainda murmura e serpenteia em direção à pequena baía. De todos os ancoradouros do mundo freqüentados pelo *Resolution*, é nesse que mais se podem sentir sua presença e as das sombras de Cook e seus oficiais e marinheiros. Além disso, pode-se também vê-la. Na encosta da colina acima do lugar da atracação há uma clareira na floresta. Ali, durante os últimos dias de março de 1773, as árvores foram derrubadas a fim de abrir espaço para os observatórios portáteis. Hoje, os troncos cortados jazem no chão úmido e conservam por entre os musgos as marcas dos machados dos marinheiros transformados em lenhadores. E não apenas dos marinheiros. Wales registrou alegremente que "antes do jantar eu já cortara e destruíra mais árvores e arbustos estranhos do que seria possível vender em Londres por 100 libras".

Não é necessário muita imaginação para ouvir na clareira o forte sotaque do astrônomo, assim como os risos e as vozes dos marinheiros ao prepararem uma forja para consertar objetos de metal e armar uma caldeira com a qual fariam cerveja de abeto (Sparrman, o *gourmet*, adicionou rum e açúcar mascavo à cerveja e achou ter conseguido algo com gosto semelhante ao do champanhe), o bater dos remos na água quando os escaleres levavam para bordo os peixes e lagostas capturados durante o dia, o estalido seco e a fumaça dos mosquetes e armas de caça disparados para matar focas, patos e saracuras em prol da ciência e da cozinha.

O *Resolution* passou seis semanas no estreito de Dusky antes de partir para o ponto de encontro no estreito Rainha Carlota, no ângulo nordeste da ilha do Sul. No fim da tarde de 13 de maio ancorou na Ship Cove, ao lado do *Adventure*. Furneaux chegou ao *Resolution* antes que o navio parasse de todo, e na cabine de popa fez o relato do que acontecera desde a separação em 8 de fevereiro. Como Cook imaginara, Furneaux havia seguido para a Tasmânia, porém num curso ao sul daquele que Tasman singrara em 1642. Ao desembarcar, concluíram — erroneamente — que a terra fazia parte da Austrália. Haviam chegado a Ship Cove em 7 de abril e ali permaneceram. Esse era o cerne do relato. Agora ali estavam eles, com as velas arriadas, preparados para um inverno confortável na angra protegida, aguardando a chegada do *Resolution*. Pobre Furneaux. Como no caso de Kerguelen, também é possível sentir pena dele. Aquele encontro em Ship Cove possuía todos os ingredientes de inumeráveis cenas de romances, peças e filmes. O pobre mestre-escola se deixa cair numa poltrona da sala dos professores depois de um dia inteiro de trabalho com jovens desordeiros; entra então em cena o diretor, cheio de energia, mandando que se levante e vá atuar como árbitro no jogo de futebol que os idiotas vão começar. Pior ainda, o diretor encontra alguns alunos com problemas de saúde. Com efeito, havia casos de escorbuto a bordo do *Adventure*.

Cook ordenou a Furneaux que preparasse o navio para lançar-se ao mar. Não iriam "passar o inverno inteiro indolentemente no porto"; iriam, sim, explorar as partes desconhecidas do Pacífico a leste e ao norte. Na madrugada seguinte, Cook desembarcou com um grupo de homens para recolher "salsa e legumes contra o escorbuto", determinando que fossem servidos duas vezes por dia. Depois fez uma anotação irritada em seu diário de que "tratei de fazer com que essa ordem fosse escrupulosamente cumprida, pelo menos no meu navio". Furneaux deixara a desejar no tratamento de seus homens.

Cook cometera um erro ao fundar-se na opinião de Furneaux de que a Tasmânia fazia parte da Austrália. Apesar disso, os resultados do primeiro estágio da procura da *terra australis incognita* eram conclusivos. Em conjunto, os dois navios que haviam varrido o oceano enterraram a teoria da possibilidade de existência de um continente localizado em latitude temperada entre o cabo da Boa Esperança e a Nova Zelândia. Qualquer terra que existisse teria certamente clima muito rigoroso e seria pequena — nada mais do que ilhotas. Haviam cruzado o Círculo Polar Antártico quase na metade do verão, e a simples idéia de passar o inverno em terras abaixo do Círculo faria qualquer um tiritar de frio.

Não conferir importância a essa primeira varredura tropical de Cook pelo Pacífico chega a ser quase um crime de lesa-majestade. Somente o trecho inicial da travessia do Pacífico Sul, de 7200 milhas, fazia parte da busca da *terra australis incognita.* Zarpando da Nova Zelândia em 7 de junho, os dois barcos mantiveram o rumo Leste durante seis semanas, atravessando 250 milhas de oceano solitário. Era um curso calculado para provar, ou não, de uma vez por todas, a veracidade das conjeturas de Dalrymple sobre um continente austral. O mar vazio forneceu a resposta. Havendo dissipado o nevoeiro da dúvida, Cook alterou o rumo, seguindo para o Norte.

Poucos dias mais tarde, o preguiçoso e sujo cozinheiro do *Adventure* morreu de escorbuto e Furneaux registrou mais vinte casos a bordo. A notícia confirmava os fundamentos dos métodos utilizados por Cook para o combate à doença e provocou uma anotação enraivecida em seu diário sobre a diferença entre os dois navios no que se referia à saúde. A falta de iniciativa — e de liderança — em colher verduras frescas enquanto o *Adventure* aguardava indolentemente em Rainha Carlota fora a causa evidente.

A travessia do Pacífico os levou através dos perigosos recifes e ilhotas do arquipélago de Tuamotu, a um quase-naufrágio num rochedo no Taiti, a encontros com velhos amigos dos tempos do *Endeavour* na baía de Matavai, à passagem pelas ilhas Cook, a Tongatapu (batizada com o nome de ilhas dos Amigos por Cook) e finalmente, carregados de porcos, frutas, presunto e galináceos (os marinheiros organizavam brigas de galo para divertir-se durante os quartos de vigia, porém sem grande sucesso), rumaram novamente para o Sul, na direção da Nova Zelândia e da Rainha Carlota, a fim de preparar-se para a segunda viagem de exploração das regiões polares.

Uma recepção violenta os aguardava ao largo da costa oriental da Nova Zelândia. Ventos com força de tempestade rasgaram velas, o *Resolution* perdeu um mastaréu do mastro do traquete, ambos os navios adernaram, com as vagas arrebentando nos conveses e infiltrando-se para baixo, transformando os alojamentos num caos de água e sujeira. Os marinheiros praguejavam dizendo palavrões da maneira habitual — catarse eficaz para lidar com velas fustigadas, polias desenfreadas, escotas, adriças, retinidas e talhas no máximo de tensão. Os três naturalistas, que nesses momentos eram supérfluos, ficavam deitados segurando as tábuas laterais de seus beliches inundados. Mais tarde escreveriam comentários puritanos sobre "as horríveis pragas e palavrões" bradados pelos marinheiros, que "sem nenhuma provocação que servisse de pretexto [...] xingavam todos os participantes da expedição nos termos mais variados". Não é preciso dizer que Forster encontrou uma citação adequada na *Eneida* de Virgílio: *Insequitur clamorque virum, stridorque rudentum.*[5]

Após uma semana de ventanias quase constantes perto do cabo Palliser ao largo da entrada para o estreito de Cook e a apenas 40 milhas do estreito Rainha Carlota, novamente o *Resolution* perdeu de vista o *Adventure*. Os três dias seguintes foram gastos ziguezagueando pelo estreito, mas bloqueados pelos ventos prevalecentes de noroeste. Durante algum tempo ancoraram na entrada do que hoje é o porto de Wellington, contudo, tendo o vento amainado, Cook rapidamente zarpou e em poucas horas chegou ao estreito Rainha Carlota, ancorando tranqüilamente em Ship Cove no dia 3 de setembro. O *Adventure* não estava lá.

Despreocupado de início, Cook começou os preparativos para a segunda entrada do *Resolution* na Antártica. Todas as velas foram retiradas para reparos; o cordame, os mastros e as engrenagens foram examinados; os conveses e as tábuas, por sua vez, foram recalafetados; em terra armaram-se tendas para abrigar os que reparavam as velas e os tonéis e para as oficinas do ferreiro; os barris de água foram limpos e enchidos; erigiu-se o observatório portátil; cortou-se lenha para os fogões e as forjas e inspecionaram-se as provisões. Nessa inspeção foram encontrados mais de 180 quilos de pão que não podia mais ser consumido devido ao bolor, e o pouco que pôde ser recuperado foi novamente assado em fornos no litoral.

Os maoris apareceram em suas canoas, trocaram peixes por tecidos e roubaram tudo o que não estava sendo vigiado — e um chefe mais atrevido tirou um lenço do bolso de Cook. Este, porém, que percebera o código moral do velho chefe, calmamente o retirou do manto dele. Isso provocou gargalhadas dos dois lados e um convite para jantar na cabine de popa do *Resolution*.

5. "Seguem-se os gritos dos homens e o ranger dos cabos."

Era necessário inspecionar a horta antes que partissem para o Pacífico Sul: os rabanetes e os nabos já tinham dado sementes; as ervilhas e os feijões haviam sido comidos pelos ratos; as batatas, escavadas pelos maoris; os repolhos, as cenouras, as cebolas e a salsa haviam crescido em boa quantidade. Para uma horta sem cuidados, os resultados eram surpreendentemente satisfatórios.

À medida que passavam os dias, com os naturalistas tratando de botânica, abatendo pássaros, fazendo anotações e desenhos, aumentava a preocupação de Cook com o *Adventure.* Havia pouco a fazer em termos de busca, a não ser levar um escaler à baía do Leste, subir uma colina acima do estreito onde Cook construíra um monumento de pedras em 1770 e observar as águas. Ainda assim não houve êxito. Essa tentativa foi levada a cabo em 15 de novembro. No dia 22 o *Resolution* estava pronto para lançar-se ao mar: as tendas foram desfeitas e o observatório, os fornos e as forjas, trazidos para bordo. Houve então um acontecimento sombrio, que Cook, Forster Sparrman e Wales debateriam na cabine de popa e ao qual dedicariam várias páginas de seus diários. As ilustrações dos mapas medievais que mostram antropófagos mastigando carne humana seriam revividas no convés superior do *Resolution.*

Regressando de uma ida à terra com Forster e Wales para colher legumes frescos, Cook encontrou uma cena de absoluta confusão no convés superior do *Resolution.* Sobre a amurada da popa estava a cabeça de um jovem maori que morrera pouco antes numa briga entre os nativos. Fora trazida a bordo por Pickersgill, o qual, juntamente com outros oficiais que haviam baixado à terra para passear, encontrara um grupo de nativos numa canoa. Um coração humano, atravessado por uma lança de madeira, decorava a proa da canoa. Em volta havia ossos humanos, entranhas e a cabeça. Pickersgill comprara a cabeça, pagando-a com dois pregos, e a trouxera para o navio. Ali havia outros nativos, muito interessados na cabeça. Cortaram um pedaço e o assaram na grelha — o cozinheiro sentiu-se enojado — e, segundo Clerke, um nativo a comeu "com grande apetite", chupando os dedos. Cook, ao chegar, deparou com essa cena extraordinária. Como não era homem de nutrir fantasias, havia muito que suspeitava de canibalismo entre os maoris. Agora era testemunha disso. Contendo sua repugnância, mandou que cortassem outra fatia, que novamente foi devorada com prazer. O efeito sobre os marinheiros boquiabertos foi tão variado quanto pode ser a diversidade entre os próprios homens. Alguns riam e diziam que os nativos haviam estado caçando e haviam matado um veado; outros vomitavam. Estranhamente, um nativo da ilha de Raiatea, perto do Taiti, que se esgueirara para dentro do *Resolution* dizendo-se "desejoso de conhecer Britânia", explodiu em lágrimas e correu para dentro da cabine de popa. Uma sombra espessa cobrira a figura do "nobre selvagem" de Rousseau.

No dia seguinte a esse espetáculo macabro, Cook redigiu um curto memorando em que fornecia a data da desaparição do *Adventure*, bem como as de chegada e de partida de Ship Cove e a rota que se propunha a seguir. Não havia sido possível estabelecer um ponto de encontro com Furneaux, uma vez que Cook não sabia a rota que o outro estaria seguindo. O papel foi fechado numa garrafa e enterrado sob uma grande árvore, na fonte de água potável. Na mais perfeita tradição dos contos escolares de aventura, as palavras OLHE EMBAIXO foram gravadas no tronco.

Partiram no dia seguinte e passaram dois dias pesquisando as costas do estreito e em vão disparando tiros de canhão em busca do *Adventure*. Em 27 de novembro, Cook resolveu zarpar do cabo Palliser e tomou o rumo Sudeste. Estava convencido de que nada de ruim acontecera ao outro navio; era mais provável que Furneaux tivesse sido levado por aqueles perniciosos ventos de noroeste e preferido rumar para o cabo Horn ou para o cabo da Boa Esperança.

Na verdade, os dois barcos estavam separados por apenas algumas milhas quando Cook partiu para o Sul. Durante aquela noite de 29 de outubro em que se separaram, o *Adventure*, menor e menos adaptado às intempéries do que o *Resolution*, com pouco lastro e água e tão frágil que, quando vinham rajadas fortes de vento, as velas tinham de ser amainadas, não conseguira rodear o cabo Palliser — apelidado pela tripulação de "cabo Dane-se" —, velejou 250 milhas ao longo da costa oriental da ilha do Norte, até a baía de Tolaga. Ali se abasteceu de lenha e água. Partiu em 16 de novembro e chegou à vista do cabo Palliser no dia 24, tentando passar aquele cabo anatematizado. Em 30 de novembro, o *Adventure* ancorou em Ship Cove e os marinheiros encontraram a mensagem. Talvez tenha sido melhor para Furneaux e sua tripulação, uma vez que não estavam em condições de acompanhar Cook nessa segunda e árdua travessia pelo gelo. Quando leram a mensagem, o *Resolution* já seguia para o Sul a cerca de 360 milhas de distância, jogando nos vagalhões que corriam de sudoeste sob o olhar curioso dos albatrozes.

Em 7 de dezembro, às oito horas da noite, o *Resolution* passou pelo ponto antípoda de Londres e todos beberam à saúde de seus amigos e familiares exatamente do lado oposto do globo. Os antípodas londrinos, como Wales notou, eram representados por pingüins, petréis, focas e albatrozes. Poucos dias depois, para grande satisfação de Sparrman, passaram pelos pontos antípodas correspondentes a partes da Suécia. No mesmo dia cruzaram a Convergência, penetrando na Antártica. As temperaturas do ar, que, ao norte da Convergência, haviam estado próximas dos 10° C, caíram abaixo de zero e, juntamente com o frio, vieram a neve e a chuva. Oddidy, o nativo do Pacífico, achou tudo muito estranho, inusitado e incompreensível, e falou da dificuldade que teria em descrever a seus compatriotas aquela chuva de bolas brancas. Em 12 de dezembro, a 61º15'S de latitude, apareceu o primeiro iceberg, 11,5º mais abaixo do que o primeiro do ano anterior. Oddidy estivera marcando com pedacinhos de madeira as ilhas pelas quais o navio *passara* desde a partida do Pacífico Sul, a fim de recordar-se delas, e marcou também esse primeiro iceberg. Em poucos dias desistiu de continuar a empreitada, deixando apenas uma marca para lembrar aquilo a que chamava de "essas ilhas brancas, más, inúteis".

Em 15 de dezembro, próximo a cruzar o Círculo Polar Antártico, uma das ilhas brancas, más e inúteis quase acabou com todos os tripulantes do *Resolution*. Até mesmo Cook, diarista fleugmático, pensou que havia chegado o fim.

Havia sido um dia frustrante, embora não se pudesse distinguir muito o dia e a noite nas proximidades do Círculo no meio do verão, e o gelo consolidado se tornava mais espesso à medida que prosseguiam para o Sul. Margeando o gelo, haviam sido obrigados a singrar para leste e depois para nordeste. De repente, viram-se cercados pelo gelo e tiveram de ziguezaguear de volta no rumo Sudeste, com o gelo ao sul e os icebergs ao norte. O vento rondou para oeste; ziguezaguearam novamente e dirigiram-se para o norte — a única direção possível — rumo ao grupo de icebergs.

A navegação se tornou uma espécie de lenta corrida de obstáculos, dominada pela névoa, por entre icebergs e placas de gelo. Uma situação que exigia pensamento analítico e capacidade de decisão de parte do oficial que estava de quarto. Num momento em que a tripulação jantava, o oficial cometeu um engano na estimativa da velocidade e deriva e procurou rodear um grande iceberg, colocando o *Resolution* numa posição insustentável, com o iceberg aproximando-se na direção do vento, sem espaço para cambar ou arribar. Todas as tentativas de orçar faziam o barco perder velocidade, o que fazia com que aumentasse sua deriva e se aproximassem mais daqueles penhascos brancos e nus. Todos os marinheiros foram chamados ao convés e olharam horrorizados para o perigo. Ali, nas palavras descritivas de Elliot, aguardaram "os acontecimentos com iminente expectativa de destruição. O capitão Cook ordenou que aprontassem os croques para afastar o navio da montanha de gelo se chegassem suficientemente perto, mas se isso acontecesse teríamos sido engolfados em um momento e nos afogaríamos; a primeira batida destruiria nossos mastros e a seguinte partiria o navio em pedaços, matando-nos a todos".

Por algum milagre, talvez ajudado pela energia concentrada de mais de cem vontades humanas, o *Resolution* deslizou em volta da extremidade do iceberg levado por uma vaga que refluía da parede de gelo. Foi esse refluxo que os salvou. "Diz o antigo provérbio", escreveu Cook com ironia, "que tanto faz errar por uma polegada ou por uma milha, mas na situação em que nos encontrávamos precisávamos de mais polegadas do que julgávamos em nossas expectativas [...]".

Na semana seguinte velejaram num rumo Leste por entre placas de gelo e icebergs. O mar fornecia água fresca, mas era de gelo já antigo e apodrecido, por isso se tornava necessário deixar escorrer até que derretesse. O gelo que se formava nas velas era retirado para também ser derretido. O navio foi limpo e fumigado, o sino tocava a cada frígida e infindável hora, o gelo caía com estrondo dos mastros sobre o convés, as velas se congelaram e tornaram-se rígidas como se fossem lençóis feitos de metal e os cabos se transformaram em arames, as engrenagens não se moviam, exigindo esforços titânicos para mudar as velas de posição. Os homens trabalhavam no convés tiritando em suas roupas de lã que cada vez pareciam mais finas. Durante todo o tempo, segundo um dos marinheiros, todos se mantiveram alegres nos alojamentos, curvados sobre seus grogues, sem que manifestassem nenhum sinal de doença, "a não ser antigas cicatrizes". O Natal se aproximava.

Enquanto isso, Forster registrava seus pensamentos amargos no diário. *Omnia pontus erat* ("Tudo era mar") — a citação favorita — descrevia seu triste destino. Sua cabine era fétida, fria e varrida pelos ventos (achava que os marinheiros estavam mais bem alojados do que ele), e tudo dentro dela era úmido, embolorado, mais parecendo um subterrâneo para mortos do que para vivos. Relutantemente admitiu que a cabine de Cook na popa era apenas um pouco melhor, com suas vidraças quebradas, cheia de velas molhadas sendo consertadas, o ar empestado pelos gases dos costureiros alimentados com pudim de ervilhas e repolho salgado. A carne salgada de bordo tinha dois anos de idade e absolutamente nenhum gosto; as ervilhas, as passas e os biscoitos estavam rançosos e aguados. Na parte superior a vida era igualmente penosa. Os conveses jamais ficavam secos, o sol raramente aparecia e o nevoeiro os envolvia sempre. Somente alguns pássaros e "alguma baleia solitária e eremita" poderia viver naquele verão miserável *sub Jove frigido* ("sob um céu frio").

Além da bílis e dos vermes que lhe corroíam a alma, havia a consciência de que nada descobrira de novo no Pacífico e na Nova Zelândia e de que Banks e Solander — o primeiro muito rico e o segundo muito competente em história natural — haviam àquela altura publicado suas descobertas da viagem do *Endeavour*, as quais seriam muito mais importantes do que as suas.

No dia em que o melancólico Forster catalogava suas diversas tristezas, o *Resolution* cruzou o Círculo Polar Antártico pela segunda vez, atingindo a latitude 67°31'S. Poucos dias mais tarde, com tempo tranqüilo e claro, num mar calmo como um espelho, viram-se rodeados por cerca de duzentos icebergs, todos maiores do que o navio. Era dia de Natal, motivo para comemorações. Na cabine de popa e na praça d'armas oficiais, suboficiais e fidalgos tomavam vinho, enquanto na proa os marinheiros jantavam ração dupla de bolo de ameixa bebendo o grogue que haviam economizado e fazendo brincadeiras a respeito da viagem, profetizando que sem dúvida morreriam felizes e contentes num desses vastos icebergs com um tonel cheio de rum salvo do naufrágio.

A bebedeira, excessos, piadas, palavrões e blasfêmias inevitavelmente ofendiam os Forster (Sparrman já estava se acostumando com os hábitos dos marinheiros). O naturalista fitava fixamente o horizonte e os icebergs que rodeavam o navio "como restos de um mundo destruído", pairando em seus ouvidos "palavrões, execrações, maldições e pragas", imaginando-se em algum ponto do inferno (um inferno frio, é bem verdade; mas Forster ouvira falar de um pároco islandês que representava o inferno para seus fiéis como um lugar frígido, e, ao lhe perguntarem a razão, respondeu que se o inferno fosse quente todos quereriam ir para lá).

No dia do Ano-Novo de 1774 o *Resolution* se encontrava a 400 milhas ao norte do ponto onde havia passado o Natal, rumando para o Norte, com as velas desdobradas e cheias, a proa bojuda cortando o mar, pois Cook pretendia eliminar — ou confirmar — a possibilidade de existência de terra em outra parte do oceano austral.

Forster recolheu-se a sua cabine sentindo-se enfermo, com as juntas doloridas. Passou um mês assim, tratado com essência de antimônio e infusão de cascas de plantas, quase sem sair. Isso lhe dava ampla oportunidade de reclamar da teimosia de homens como Cook, que seguiam seu curso contra todos os ditames da humanidade e da razão. Tais pessoas deveriam ser mandadas procurar passagens pelo noroeste ou pelo nordeste — mas ai da tripulação que estivesse sob seu comando! *Quicquid delirant reges plectuntur Achivi* ("Quaisquer que sejam os planos dos reis, os arqueus sofrem"). Na opinião de Forster, o *Resolution* deveria estar seguindo para o cabo Horn e depois para o da Boa Esperança.

Em 6 de janeiro, na latitude 52°S, Cook novamente alterou o curso, passando a navegar mais para leste. A mudança provocou uma distensão, um sentimento de alívio em todos os ocupantes do navio, dos tenentes aos marujos, que antegozavam os prazeres do cabo da Boa Esperança. Em 11 de janeiro, na latitude 47°51'S, a cerca de dois terços da distância entre a Nova Zelândia e o cabo Horn, Cook ordenou nova alteração de rumo: Sudeste. Imediatamente reinou a consternação a bordo, com muitos resmungos, murmúrios e conversas, com todas as esperanças destruídas. Mas as ondas causadas pela pedra atirada no lago de seus preconceitos logo amainaram.

A guinada para o Sul os levou a uma região de fortes ventos e mar encrespado; uma onda quebrou sobre o navio, inundando a cabine de popa até a clarabóia, trazendo a George Forster idéias de morte por afogamento, enquanto os conveses inferiores ficavam cobertos por uma lâmina de água em constante movimento. Forster, afligido pelas dores reumáticas nas pernas, permanecia deitado em seu beliche úmido escrevendo novas diatribes contra a viagem, contra Cook, a dieta de carne salgada, o pão embolorado, o frio, a umidade. Não estava vivendo, apenas vegetando — estiolando-se, desaparecendo.

Em 26 de janeiro o *Resolution* passou o Círculo Polar Antártico em direção ao Sul pela terceira vez. Quatro dias mais tarde, às quatro horas da manhã, o céu e as nuvens ao sul deram sinais inconfundíveis de reflexão do gelo — o clarão branco que aparece nas nuvens baixas devido ao reflexo da luz nas grandes massas de gelo. Às oito, encontraram a causa do reflexo: uma imensidão de gelo que lhes bloqueava o passo, composta por grandes pedaços de gelo ao longo de 1 milha, tão próximos que se tornavam impenetráveis, e, além deles, uma imensa extensão ininterrupta de gelo consolidado, na qual havia mais de cem icebergs. A não ser pelas vozes dos marinheiros, o único som vinha do canto rouco dos pingüins. Os tripulantes do *Resolution* não sabiam, mas a costa da Antártica estava a cerca de 90 milhas. Ainda que pudessem vê-la, não teriam possibilidades de chegar até ela. Cook tomou a única decisão possível e mandou que o *Resolution* desse meia-volta e permanecesse afastado da barreira de gelo. Mais tarde fez uma anotação em seu diário que deixa entrever um pouco da intimidade desse homem enigmático, mestre da discrição:

> Não direi que seja impossível navegar em meio a esse gelo, contudo tentar fazê-lo seria uma empresa extremamente perigosa, na qual creio que nenhum homem na minha situação poderia pensar. Quanto a mim, que tenho a ambição não apenas de chegar a mais longe do que qualquer outro homem jamais tenha estado antes de mim, mas também tão longe quanto creio a que um homem possa chegar, não me entristeci por haver encontrado essa interrupção, pois ela de certa forma nos poupou dos perigos e das dificuldades inseparáveis da navegação nas regiões polares meridionais. Como, portanto, não nos é possível avançar mais nem

> uma polegada em direção ao Sul, não seria necessária outra razão para que singremos novamente no rumo Norte, estando neste momento na latitude 71°10'S, longitude 106°54'O.

Cook levara os tripulantes do *Resolution* ao ponto mais ao sul onde quaisquer humanos jamais haviam estado. Daquele grupo seleto, dois reivindicaram haver chegado mais perto do pólo sul. Imediatamente antes que o *Resolution* se afastasse do gelo, o jovem guarda-marinha George Vancouver correu até a extremidade do pau da buja e, tirando o chapéu, agitou-o acima da cabeça, gritando *Ne plus ultra!*. Anders Sparrman, no entanto, de maneira menos dramática, afirmou que estivera mais próximo do pólo. A fim de evitar a aglomeração no convés quando o barco começara a manobra, Sparrman havia descido a sua cabine na popa para observar o gelo através de uma vigia. Ora, quando os navios de velas redondas passam pela linha do vento, ocorre um desvio para a popa, o que de fato lhe daria a primazia em relação ao pólo.

O *Resolution* rumou para o Norte, cruzou o Círculo Polar Antártico em 3 de fevereiro e três dias mais tarde, após longa meditação, Cook firmou seus planos para o restante do ano. Em seu diário está descrito o raciocínio que o levou a eles.

Cook estava agora convencido de que não encontraria um continente no setor do Pacífico que pesquisava — qualquer terra deveria estar muito mais ao sul dos pontos atingidos pelo *Resolution* e provavelmente seria inacessível devido ao gelo. Quanto a terras no setor do Atlântico Sul, fossem as de Dalrymple ou as de Bouvet, seria necessário um verão inteiro de exploração. Poderiam chegar ao cabo da Boa Esperança em abril daquele ano, porém isso significaria o fim da expedição para todos os efeitos. Ainda restavam muitas perguntas sem resposta no Pacífico Sul, e talvez houvesse ilhas extensas; Cook possuía uma tripulação saudável e um navio adequado: outra temporada no Pacífico seria certamente produtiva para a navegação, a geografia e a ciência. Portanto, os meses seguintes seriam empregados numa grande travessia desse oceano, na direção contrária aos ponteiros do relógio. Primeiro procurariam a terra que Juan Fernández dissera haver avistado em 1576, em algum ponto da latitude de 38° (não a ilha que foi chamada de Juan Fernández — essa era bem conhecida); depois a ilha de Páscoa, cuja posição nos mapas era incerta; em seguida o Taiti, a fim de saber se havia notícia do *Adventure*; dali para o Oeste de modo a perscrutar a posição de Austrialia del Espiritu Santo, terra descoberta por Pedro Fernández de Quiros em 1606 e redescoberta por Bougainville em 1768, porém descrita vagamente; por fim, no rumo sul para atingir uma latitude entre 60 e 50° Sul e ali aproveitar os ventos de oeste para chegar ao cabo Horn em novembro. Assim poderiam utilizar a melhor parte do verão para a exploração do setor meridional do Atlântico antes de dirigir-se ao cabo da Boa Esperança. Cook reconhecia que a empresa era ampla e que poderia haver muitos obstáculos no caminho.

Apresentado aos oficiais, o plano foi recebido com acenos de aprovação e satisfação cuidadosamente disfarçada diante da idéia dos trópicos e dos prazeres que sabiam que o Taiti proporcionaria.

Navegavam agora rapidamente em direção ao Norte, cobrindo em 24 horas (de meio-dia a meio-dia) 3° de latitude com vento de través e prodigiosas ondas vindas de sudoeste. Em 9 de fevereiro já haviam cruzado a Convergência e a neve se transformou em chuva.

Inesperadamente, surgiu um obstáculo ao plano. Cook, que parecia imune ao frio, ao calor ou às enfermidades, caiu perigosamente doente. Mais tarde deu pouca importância ao fato, dizendo que fora uma "cólica biliosa tão violenta que me obrigou a ficar de cama". O tratamento era composto de purgativos, lavagens intestinais, óleo de rícino, ipecacuanha, chá de camomila, emplastros mornos no estômago e, após 24 horas de violentos soluços, alguns opiatos. Até mesmo Forster temeu pela vida de Cook. James Patten, o competente médico do *Resolution*, cuidava do comandante dia e noite. Em uma semana o paciente reagiu ao tratamento desse "médico capaz e enfermeiro dedicado" — conforme a descrição feita pelo próprio doente. Quando ficou em condições de alimentar-se, um cachorro taitiano de propriedade dos Forster foi sacrificado a fim de fazer-se um caldo para o enfraquecido Cook. Ele próprio comentou ironicamente: "Assim, recebi nutrição e tratamento de uma fonte que na Europa daria nojo a muita gente, mas a verdade é que a necessidade não obedece a leis".

Cerca de oito meses depois que Cook tomou seu caldo de cachorro, o *Resolution* chegou ao conhecido ancoradouro no estreito Rainha Carlota. Tinham realizado a grande travessia do Pacífico: a terra de Juan Fernández nada mais era do que ficção geográfica e cartográfica; a ilha de Páscoa havia sido visitada, com suas estranhas estátuas de pedra, assim como as ilhas Marquesas, com seu povo de aspecto agradável; no Taiti não havia notícia do *Adventure* e Wales verificou o ritmo do relógio de Kendall; Oddidy regressou a Raiatea, onde desafiou a credulidade de seu povo insular com o relato de neve, granizo e icebergs. Fora o último a desembarcar, quando o *Resolution* zarpou. Na barra da baía teve direito a disparar os canhões em homenagem ao aniversário do rei Jorge III e em sinal de despedida aos ilhéus; embarcou na canoa segurando uma lembrança dada por Cook e explodiu em lágrimas. Por sua vez, Oddidy havia feito grande sucesso entre os marinheiros do *Resolution.* Dali rumaram para as ilhas dos Amigos, e depois para a terra de Quiros — arquipélago que foi rebatizado por Cook como Novas Hébridas —, que se revelou ser apenas um grupo de ilhas infestadas de doenças. Descobriram uma grande ilha (Nova Caledônia) com uma ilhota na extremidade sul, denominada ilha dos Pinheiros. A ilha era rodeada de recifes e bancos de areia capazes de fazer um marinheiro ficar de cabelos brancos da noite para o dia, mas deu alegria a Cook, por possuir bosques de grandes pinheiros — *Araucaria columnaris* — ideais para vergas, mastros e retrancas. Vistas do mar, essas árvores haviam sido confundidas com colunas de basalto por Forster e Sparrman, enquanto os marinheiros diziam ser árvores. Houve apostas — várias garrafas de vinho entre Cook e Forster — e a alegria foi grande, principalmente para Wales, quando os "filósofos" dogmáticos foram desmentidos em seu próprio terreno. A descoberta da ilha dos Pinheiros foi seguida pela da ilha Norfolk — outra grande fonte de magníficos pinheiros adequados para mastros.

No estreito Rainha Carlota, a primeira providência foi preparar a rede para pegar peixes frescos e em seguida examinar a garrafa que continha a mensagem de Cook. A garrafa desaparecera, mas quem a levara? A verificação do terreno em volta de Ship Cove mostrou árvores derrubadas por serras e machado e marcas de um observatório. Ali, talvez, estava a prova da estadia do *Adventure.*

Os dias seguintes foram de grande atividade para os tripulantes do *Resolution.* Armaram-se tendas, forjas e fornos em terra, as velas e a parte superior dos mastros foi retirada para reparos, o observatório foi novamente montado e o navio foi esfregado e limpo por dentro e por fora. O alcatrão e a resina para a calafetação das tábuas do convés haviam acabado muito tempo antes e substituíram-nos por uma mistura inventivamente composta de giz e gordura retirada das panelas da cozinha. Um carregamento de cascalho foi trazido para bordo a fim de servir de lastro e seis canhões foram colocados no porão. O *Resolution* se preparava para a passagem pelo cabo Horn.

Os maoris reapareceram e Cook ouviu diversas histórias de um naufrágio seguido de um massacre, todas confusas e contraditórias, sem que se pudesse dar-lhes muito crédito. Os Forster e Sparrman fizeram observações botânicas e as pesquisas de Wales detectaram um erro acumulado do relógio de Kendall num total de dezenove minutos e 31 segundos. Era, pensou Cook, prova suficiente da confiabilidade desse maravilhoso mecanismo artesanal.

O *Resolution* zarpou em 10 de novembro no rumo Leste, em direção ao cabo Horn, mas inicialmente derivou para sudeste com vistas a atravessar uma parte inexplorada do oceano. Dezesseis dias depois, convencido de que ali havia apenas mar vazio, Cook alterou o curso para a extremidade do estreito de Magalhães, do lado do Pacífico.

A travessia de 4500 milhas no rumo Leste, na altura do paralelo de 50º, tomou um mês de poucos incidentes, segundo Cook. Não sendo especialmente veloz, o *Resolution* percorreu satisfatória e regularmente a cada 24 horas uma distância de pouco mais de 100 milhas, tendo sido o melhor desempenho o percurso de 183 milhas. Enquanto o bojudo ex-carvoeiro singrava as águas numa esteira de espuma, havia evidenciado uma tendência a adernar nas grandes vagas do oceano austral — num arco de cerca de 80º conforme medido por um inclinômetro concebido por Wales —, e os costureiros trabalhavam constantemente nos reparos. Os dois anos de permanência no mar estavam cobrando seu preço.

Em 17 de dezembro partiram do ponto onde haviam aportado na América do Sul e seguiram a temível linha da costa oeste da Terra do Fogo. Ao divisá-la, Forster fez a citação latina adequada: *Pars mundi a rerum natura et densa mersa caligne* ("Uma parte do mundo amaldiçoada pela natureza e engolfada por densos nevoeiros"). Seria muito repetida nos meses seguintes. As grandes revoadas de procelárias, petréis, albatrozes e biguás suavizavam um pouco o cenário. O glutão suplantou o naturalista e os pássaros suscitaram idéias tantálicas de carne fresca, no lugar da interminável dieta salgada.

Quando faltavam cerca de 80 milhas para chegar ao cabo Horn, Cook resolveu "dar uma olhada em terra" e procurar madeira e água fresca. Uma angra tentadora cuja barra era guardada de um lado por altos rochedos — denominados York Minster [Catedral de York] por Cook, que nascera em Yorkshire — e por ilhotas do outro. Rumaram para a entrada, mas o vento amainou, ao contrário das expectativas. Dois escaleres foram postos no mar, para uma tentativa heróica porém infrutífera de rebocar o navio para que não batesse nas rochas nem fosse levado para a praia pelas ondas. De repente, surgiu uma leve brisa de sudoeste, dando duas escolhas a Cook: ou voltar ao mar, ou inspecionar a angra. A prudência indicava a primeira, mas a curiosidade era maior e naquela noite o navio ficou ancorado ao som das vagas que se quebravam com estrondo nas costas da Terra do Fogo. No dia seguinte, com o vento ainda leve mas suficiente para a navegação, o *Resolution* retirou-se para um ancoradouro mais seguro e mais próximo aos amplos recursos de água e lenha.

O tempo incaracteristicamente calmo fez com que George Forster (o qual, sem dúvida, tivera de suportar os relatos dos oficiais e marinheiros que recitavam os horrores do cabo Horn) escrevesse em seu diário um trecho pomposo sobre o clima dali, tão diferente do que fora levado a crer: "A destruição dos preconceitos vulgares muito serve à ciência e à humanidade em geral e jamais deixa de dar prazer a todos os que são sensíveis a seus benefícios".

Aproximava-se o terceiro Natal para os tripulantes do *Resolution*. Ao procurar terra, talvez estivesse na mente de Cook a idéia de um Natal com o navio fundeado, em vez de em meio a uma tempestade no cabo Horn. Os nomes com que o comandante batizou os acidentes geográficos ainda permanecem nos mapas: estreito do Natal, Catedral de York, angra da Aventura, bacia do Diabo, ilha Shag, porto Clerke, ponta Natividade, ilha dos Gansos. Esta última forneceu gansos em abundância — um para cada três homens — que foram servidos cozidos, assados e em forma de tortas na festa do Natal. Os oficiais e os fidalgos o regaram a vinho Madeira (que melhorara muito com a viagem) e os marinheiros, com aguardente. Foi um Natal memorável, de tal maneira que depois de dois dias de farra (como animais, segundo Forster) Cook mandou a maioria dos marinheiros baixar à terra a fim de recuperar-se ao ar fresco.

Os yaghans, habitantes mais meridionais do mundo, vieram remando em suas canoas, subindo a bordo em grupos. Talvez entre eles estivessem os avós de Fuegia Basket e York Minster (dois nativos da região que foram escolhidos para ser levados à Inglaterra num surto de zelo evangélico da parte de Fitz Roy, comandante do *Beagle*). Os tripulantes do *Resolution* consideraram esses nativos espécimes pouco impressionantes se comparados aos do Pacífico Sul. De baixa estatura, exalavam um odor abominável de óleo de foca rançoso. Era aconselhável ficar a barlavento, quando próximo a eles. As mulheres andavam nuas, a não ser por um pedaço de pele de lontra na cintura, mas eram tão pouco atraentes que espantavam até mesmo o mais ardente dos marinheiros. A roupa dos homens consistia em uma pele de foca sobre os ombros. Um tanto surpreso, por causa do frio, Forster fez comentários sobre o comprimento de seus testículos. Também o jovem Forster comentou ironicamente a filosofia prevalecente do "nobre selvagem" e seus partidários, "que ou não tiveram a oportunidade de contemplar todas as modificações da natureza humana, ou não compreenderam o que viram".

Em 28 de dezembro, abastecido de lenha e água e com a tripulação sóbria, o *Resolution* deixou o estreito do Natal. No dia seguinte, passaram o famoso cabo Horn, avançando rapidamente devido a uma agradável brisa de norte-noroeste e entraram no Atlântico Sul. Cook determinou o rumo para o estreito de Le Maire, que separa a Terra do Fogo da ilha Staten. Pretendiam procurar sinais da passagem do *Adventure* na baía de Bom Sucesso — onde o *Endeavour* ancorara em 1769 — no litoral da Terra do Fogo. Pickersgill baixou à terra em um escaler a fim de investigar o ancoradouro, enquanto o *Resolution* esperava ao largo, rodeado por prodigiosas quantidades de focas e baleias, estas últimas, segundo Clerke, "espirrando água para todos os pontos cardeais e freqüentemente empesteando toda a atmosfera com os eflúvios mais desagradáveis que se possam imaginar". Pickersgill regressou depois de ser " recebido cortesmente" por alguns nativos, mas não encontrou sinais do *Adventure.* Deixou pregado numa árvore bastante visível um cartão com os dizeres: "*Resolution* passou os estreitos em 31 de dezembro de 1744". Pickersgill informou que a baía estava tão cheia de focas e baleias que os remos batiam em suas costas. Içado o escaler, o *Resolution* partiu em meio a espessa bruma — segundo Cook, parecia que navegavam no escuro — em busca da extremidade leste da ilha Staten.

No dia seguinte, viram enorme quantidade de focas e pingüins — banha viva — numa ilhota próxima à costa norte. Cook não resistiu à tentação e procurou um lugar onde ancorar a fim de ter a oportunidade "de provar o que até agora somente vimos a distância". Encontrou ancoradouro a menos de 1 milha ao largo da ilhota, do qual era possível ouvir as focas berrando como gado. Os escaleres foram baixados e os homens desceram à terra, começando a matança. Os fuzileiros, com seus mosquetes e baionetas, eram talvez os mais bem armados; um cabo, porém, escolheu um método mais antigo e mais limpo, brandindo um tacape taitiano feito para partir crânios humanos. A maioria dos oficiais e fidalgos deixou que o trabalho mais sangrento fosse executado pelos fuzileiros, marinheiros e os jovens mais belicosos entre os guardas-marinhas; nessa terrível batalha, os mosquetes abateram pingüins, gansos, gaivotas, patos, procelárias e pelicanos (de uma nova espécie, para imensa alegria de Forster).

Em poucas horas os conveses do *Resolution* pareciam um matadouro. A banha foi transformada em óleo para uso do navio e a carne foi cortada em postas para as panelas e fornos da cozinha. Entretanto, quando chegou o momento de comer os leões-marinhos mais velhos e as focas-de-pêlo — as duas únicas espécies desses animais encontradas na ilhota —, eles se mostraram um tanto rançosos e somente os filhotes foram considerados palatáveis. Pássaros e pingüins foram cozidos para os marinheiros, cuja natureza conservadora, no entanto, logo se manifestou: poucos dias depois voltaram à dieta de carne de boi e de porco salgada.

Zarparam em 3 de janeiro de 1775. Cook entrava agora no último estádio de sua busca da *terra australis incognita*. Entre os mapas a bordo do *Resolution* havia uma edição de 1769 da *Carta do oceano entre a América do Sul e a África*, de Dalrymple, que mostrava uma grande extensão de terra, com ilhas costeiras e uma imensa baía de nome "golfo de San Sebastian". O ponto extremo ocidental desse golfo aparecia na latitude 57,5ºS e longitude 54,5ºO. Com certa ingenuidade do colérico escocês, a carta se baseava no mapa feito por Ortélio em 1587, baseado no de Oronce Finé, de 1531, por sua vez copiado por Mercator em 1569. Mercator dera ao golfo aquele nome. Dalrymple, no entanto, reforçara sua argumentação com a viagem do *Paramore* de Halley, em 1700, e com a de Antoine de la Roche, comerciante inglês que viajara de Lima para a Inglaterra em 1675. Esse navio havia derivado a grande distância a leste da ilha Staten e avistara uma ilha montanhosa e coberta de neve, passando duas semanas ancorado numa baía na extremidade sudeste; porém, ninguém da tripulação baixara à terra devido ao tempo, que se mostrou muito desfavorável. Quando as condições melhoraram, avistaram a sudeste o que parecia ser uma pequena ilha, distante cerca de 30 milhas. Depois, zarparam para o Norte.

Em 1756 uma ilha de "aspecto amedrontador" fora avistada pelo navio espanhol *León*, arrendado a comerciantes franceses. Esse barco também derivara para o leste da ilha Staten. No mapa de Dalrymple aparecia uma ilha separada do hipotético continente austral pelos estreitos De la Roche. A posição da ilha, segundo Dalrymple, era 54°31'S e 45°O. Cook, no entanto, notou prudentemente que um mapa francês de 1761, de D'Anville, colocava a ilha do *León* (chamada de Saint Pierre pelos franceses) na mesma latitude, porém a cerca de 10° mais a oeste. Desnecessário dizer que Cook não depositava muita confiança nas longitudes informadas pelos navios mercantes, tampouco nas latitudes. Tendo posto por terra a grandiosa teoria de Dalrymple sobre um continente austral no Pacífico, mantinha agora suas reservas quanto à sua existência no Atlântico Sul.

Um dia depois de haver zarpado da ilha Staten, o *Resolution* foi batido por uma terrível ventania que arrancou o mastaréu principal da vela de joanete, a verga da vela auxiliar de boreste e a vela auxiliar de vante. Para grande consternação de Forster, levou também três de suas preciosas camisas que estavam penduradas para secar. Em 6 de janeiro o *Resolution* passou pelo lugar onde deveria estar o promontório ocidental do continente de Dalrymple e Cook rumou para o Norte a fim de atingir a latitude da ilha De La Roche e do *León*. Na altura de 12 de janeiro já deveriam haver chegado à suposta ilha, e passaram a navegar para o Leste, na área onde estaria o continente de Dalrymple. Os vagalhões mortos vinham de leste-sudeste, indicação segura de que não haveria grande extensão de terra naquela direção. A temperatura do ar e a do mar caíram acentuadamente, pois sem que suspeitassem haviam cruzado a Convergência Antártica, entrando em águas polares. Desta vez não de norte para sul, e sim de oeste para leste, no ponto em que a Convergência se volta para o Norte.

Em 14 de janeiro, Thomas Willis, o guarda-marinha "travesso e beberrão" citado por Elliot, avistou algo que podia ser ou um grande iceberg ou terra. Em volta do navio voavam petréis, albatrozes, petréis-gigantes e petréis-da-neve — sinal seguro de gelo. As lunetas foram assestadas na direção do que Willis avistara, e fizeram-se apostas: dez contra um se fosse gelo, cinco contra um se fosse terra. Uma sondagem mediu 175 braças, com fundo de lama — sinal seguro de terra. E era terra mesmo. A aproximação, todavia, foi difícil. O tempo, que estivera calmo, se fez agitado: neve, chuva de gelo e um mar agitado combinado com vendavais violentos — um dos quais fez o *Resolution* adernar 42º, segundo a medição de Wales. Dois dias depois passavam pela ilha Willis, nome dado por Cook, e por outra ilha a que chamaram de ilha dos Pássaros[6] devido ao grande número de albatrozes, corvos-

6. A ilha dos Pássaros (Bird Island) abriga hoje em dia uma estação britânica de observação da Antártica.

marinhos, biguás, petréis-gigantes, petréis-azuis, além de pingüins.

Essas duas ilhas ficavam ao largo da extremidade noroeste de uma massa de terra montanhosa que se estendia para sudeste. Cook resolveu explorar o litoral norte. Em 17 de janeiro avistaram uma angra promissora e o *Resolution* parou, ficando à deriva, e baixou um escaler para terra, levando Cook, os Forster e Sparrman. Ao se aproximarem da angra, o comandante tomou a profundidade com uma linha de 34 braças, mas não alcançou o fundo do mar. Na entrada da baía havia uma grande geleira — Cook não sabia com que palavra descrevê-la e se limitou a registrar em seu diário de bordo como uma grande massa de gelo e neve cuja parte dianteira tinha a forma de uma enorme falésia de gelo, de grande altura. Da face do rochedo caíam com estrondo pedaços que se quebravam continuamente, como tiros de canhão. A tripulação do escaler assistia ao nascimento de pequenos icebergs, como se fossem bezerros.

Houve três desembarques na baía, onde os Forster encontraram três tipos de plantas — moitas de grama, pimpinela selvagem e uma espécie de musgo que crescia nas pedras. Não havia sinal de árvores ou de arbustos, "nem mesmo o suficiente para um palito". Quanto a animais, um jovem guarda-marinha matou com um tiro um elefante-marinho, e as praias estavam cheias de focas-de-pêlo. Mais pássaros foram abatidos em prol da ciência e da panela — albatrozes, biguás, gaivotas, pombos antárticos, pingüins e uma espécie de pato que era "de sabor muito delicado". Numa cerimônia ritual, a bandeira britânica foi desfraldada, houve salvas de mosquete e Cook tomou posse da nova terra, em nome de "Sua Majestade Britânica e seus Herdeiros, para sempre". A baía, com muita propriedade, recebeu o nome de baía da Posse. Carregado de carne fresca, o escaler regressou ao *Resolution*:

ao contrário dos marinheiros, o comandante sentia-se cansado da carne salgada e preferia carne de pingüim. O gosto, em sua opinião, era parecido com o de fígado de novilha, com a inestimável vantagem de ser fresca.

O *Resolution* prosseguiu na navegação ao longo da costa, enquanto Cook ia batizando os acidentes geográficos que surgiam: cabo Saunders, baía Cumberland, cabo Carlota, baía Real, estreito de Geórgia, ilha Cooper, baía Sandwich e, finalmente, cabo do Desapontamento. Este último foi assim batizado em 20 de janeiro, quando descobriram que aquela terra de aspecto ameaçador não era um continente, e sim apenas uma ilha, de cerca de 200 milhas de perímetro.

Por instigação de Forster, Cook batizou a ilha com o nome de Geórgia. Forster havia sugerido Geórgia do Sul e também propôs que se inscrevesse no mapa a inevitável citação latina, desta vez de Horácio: *Tua sectus orbis nomina ducet* ("Metade do mundo terá teu nome").

Não se sabe o que pensaria Jorge III se tivesse lido a anotação no diário de Forster. Segundo o irascível naturalista, se um capitão e seus oficiais e marinheiros fossem condenados por algum crime terrível, o castigo seria explorar essas regiões inóspitas, cruéis e horrendas; a idéia de nelas habitar enchia sua alma de horror e desespero. Cook provavelmente teria sorrido ironicamente ao ler tal comentário.

Durante a navegação ao longo do litoral da costa norte da ilha, Clerke avistara o topo de um monte em forma de pão-de-açúcar do outro lado do mar, a sudoeste. Passado o desapontamento após verificarem que a suposta massa continental era apenas uma ilha, o *Resolution* foi investigar aquela nova tentação. Depois de três dias de calmaria, tempestade, nevoeiro e chuva, o monte se mostrou em forma de um grupo de ilhotas rochosas, cujos únicos habitantes eram pássaros. Era a terra avistada por De la Roche e transformada em continente por Dalrymple.

Cook manteve o rumo Leste até chegar próximo à longitude de 30°L e dali, em 26 de janeiro, mudou o curso para o Sul. A 60°S, em meio a um nevoeiro tão espesso que não conseguiam ver a outra ponta do navio, Cook mandou virar para o Leste. Esse rumo em ziguezague não era arbitrário, nem resultado de indecisão no oceano austral. A primeira visão que tiveram da ilha Geórgia do Sul fora um iceberg. Não seria possível que Bouvet tivesse efetivamente avistado terra em seu cabo da Circuncisão? Até então, Cook suspeitara de que o suposto cabo fosse um iceberg. Iria até a latitude de 60° e dali rumaria num ângulo para Nordeste, em direção à terra de Bouvet. Num momento de franqueza, Cook confessou estar se sentindo "cansado destas altas latitudes meridionais, onde nada se encontra a não ser gelo e espessos nevoeiros".

Poucos dias mais tarde, ligeiramente ao norte dos 60°S, o nevoeiro se dissipou e um marinheiro holandês chamado Samuel Freezland avistou um pico elevado de rocha, de 300 metros de altura, que ficava próximo a uma costa montanhosa cujos cumes cobertos de neve perfuravam as nuvens. O pico foi batizado de Freezland e a costa, de cabo Bristol. Para o sul havia mais terra — a mais meridional até então avistada — e em homenagem à antiga viagem de Píteas para o norte e à terra lendária de Tule que aparecia com desconcertante ambigüidade nos mapas medievais, a terra recebeu o nome de "Tule do Sul". Algo que parecia uma baía enevoada entre a Tule do Sul e o cabo Bristol foi rebatizado como baía Forster.

Os dias seguintes foram frustrantes. Fustigados por gelo e névoa, os tripulantes do *Resolution* avistaram outras terras ao rumar para o Norte. Aproximar-se delas, porém, era impossível. O mar estava coberto de gelo; a costa — quando ficava visível em meio ao nevoeiro — não mostrava angras e as faces dos rochedos apresentavam um contorno implacável. O nevoeiro se dissipou o suficiente para comprovar que as terras passíveis de identificação eram de fato ilhas: a ilha Saunders e a ilha Candlemas.

No dia 3 de fevereiro, a segunda delas desapareceu em meio à névoa à popa. O nome coletivo dado à visão desolada dos dias seguintes foi ilhas Sandwich. Cook imaginou que fossem "ou um grupo de ilhas ou a ponta de um continente, pois acredito firmemente na existência de uma extensão de terra próxima ao pólo, que é a origem da maior parte do gelo espalhado por todo este vasto oceano austral". Quarenta e cinco anos mais tarde, a expedição russa comandada por Bellingshausen provou que estava correta a primeira suposição de Cook, de que a Terra de Sandwich constituía na verdade apenas um arco de ilhas de origem vulcânica espalhadas ao longo de 3° de latitude, habitadas principalmente por milhões de pingüins.

A ilha Candlemas acabou sendo a última porção de terra avistada até a atracação na Cidade do Cabo, sete semanas mais tarde. Durante aquelas semanas a neve caía tão pesadamente que o *Resolution* teve de ficar de proa para o vento, com as velas estendidas, com vistas a fazer com que se soltasse a camada acumulada de neve e gelo cujo peso punha em perigo tanto o velame como o próprio navio. A busca do cabo da Circuncisão não foi bem-sucedida e Cook voltou à idéia anterior, de que Bouvet teria tomado por terra o que na verdade devia ser um iceberg. O chucrute finalmente acabou e todos se lamentaram, porque, afinal de contas, ele transformara a carne salgada de três anos em algo um pouco mais comestível.

Perto do fim de fevereiro, havendo cruzado a rota de 1772, Cook finalmente dirigiu-se ao cabo da Boa Esperança. A viagem efetivamente terminara e Cook começou a ponderar sobre o que ocorrera.

> Eu havia terminado de fazer o circuito do oceano austral em uma latitude elevada e o atravessara de forma a não deixar espaço à possibilidade de existência de um continente, a menos que fosse próximo ao pólo e fora do alcance da navegação; visitando duas vezes o mar tropical Pacífico, não apenas me fora possível determinar a situação de algumas descobertas antigas, mas também fazer novas, e creio que resta muito pouco a fazer a esse respeito, mesmo naquelas regiões. Assim, sinto-me lisonjeado ao ver que o objetivo da viagem foi atingido em todos os aspectos; o hemisfério sul foi suficientemente explorado e terminou a busca de um continente austral, tarefa que por vezes atraiu a atenção de algumas potências marítimas ao longo de quase dois séculos, bem como dos geógrafos de todas as épocas. Não negarei que possa existir um continente ou uma grande extensão de terra próxima ao pólo; ao contrário, sou de opinião de que existe e é provável que tenhamos avistado parte dela. O frio excessivo, as muitas ilhas e os vastos blocos de gelo tendem a provar que deve haver terra ao sul e que essa terra deve estender-se mais para o norte na parte oposta ao Atlântico Sul e ao oceano Índico...

Cook também tinha opinião formada quanto à existência de terra ao sul de sua rota:

> Terras condenadas pela natureza à eterna frigidez e a jamais sentirem o calor dos raios do sol, cujo aspecto horrível e selvagem não tenho palavras para descrever: tais são as que descobrimos e as que podemos imaginar existirem mais ao sul, tendo em vista que podemos razoavelmente supor que as melhores serão as que ficam mais

> ao norte, e quem tiver decisão e perseverança para esclarecer esse ponto penetrando mais além do que eu atingi não me causará inveja pela honra da descoberta, mas atrevo-me a dizer que o mundo não se beneficiará dela.

Durante um breve momento Cook considerou a idéia de repetir a busca da terra de Kerguelen, mas logo a abandonou. As provisões estavam se estragando e Cook temia o escorbuto, a peste do mar, sem ter mais nada a bordo para combatê-la.

Ao fim da primeira semana de março, encontravam-se bastante ao norte da Convergência, começando a vestir roupas mais leves. Em 16 de março foram avistados dois navios a oeste, um deles com as cores da bandeira holandesa. Era indício de que entravam em águas mais freqüentadas. Como havia ordenado o Almirantado, Cook reuniu todos os diários, registros e mapas feitos pelos oficiais e suboficiais. Os baús dos marinheiros foram objeto de busca. O pobre Elliot recorda tristemente que "tudo foi entregue e selado pelo capitão Cook, de maneira que posso afirmar com segurança que, apesar de todos os meus sacrifícios, não tinha nada para mostrar no dia seguinte, como se não tivesse participado da viagem". (Elliot, porém, teria uma agradável surpresa. De volta à Inglaterra, foi convidado por Cook a tomar café da manhã. "Aceitei o convite e recebi meu mapa etc., com meu nome, *Mapa de Elliot e curso do navio,* escritos de próprio punho por ele, inscrição que venero até hoje e a qual, sempre que olho, me causa a mais profunda tristeza pela perda melancólica de tão grande homem.") Os Forster, Wales e Sparrman tiveram permissão de conservar seus diários, mas Cook lhes pediu que nada publicassem na Inglaterra sem licença do Almirantado, e eles deram suas palavras de honra de que assim procederiam.

Naquela tarde avistaram o litoral sul-africano. Dois dias depois, como a navegação fosse lenta, mandaram um escaler percorrer as 9 milhas até o barco holandês, que revelou ser um cargueiro da Companhia das Índias Orientais regressando de Bengala. O capitão deu ao *Resolution* um pouco de açúcar e *arrack*.* Alguns marinheiros ingleses engajados no navio holandês forneceram notícias perturbadoras a respeito do *Adventure*. Furneaux chegara ao Cabo doze meses antes e os boatos que corriam no cais eram de que a tripulação de um navio havia sido assassinada e devorada por nativos neozelandeses. Assim, os relatos circunstanciais que Cook ouvira na Nova Zelândia poderiam conter alguma verdade, contudo o comandante resolveu esperar até receber novas informações no Cabo. Sua experiência o fazia crer que os aborígines da Nova Zelândia não lhe pareciam piores do que outros homens; na verdade, os achara valentes e francos — mas provavalmente não receberiam um insulto sem buscar reparação.

No dia seguinte, Forster e Clerke visitaram outro navio da Companhia das Índias Orientais, desta vez inglês, o *True Briton*, que vinha da China e rumava para a Inglaterra, mas que não aportaria no Cabo. Isso deu a Cook a oportunidade de enviar uma carta ao secretário do Almirantado, a Forster a de romper sua promessa ao mandar um relato da viagem a Daines Barrington (Forster esperava tirar vantagens de seu conhecimento com Barrington, advogado inglês, antiquário e naturalista), e a Clerke e Forster a de deliciarem-se com codornas chinesas e ganso assado. Regressaram trazendo um maço de jornais antigos, cuja leitura proporcionou grande prazer, e um porco gordo, alguns gansos e chá, que deram imensa alegria ao paladar.

* Aguardente de arroz. (N. T.)

Na manhã de 22 de março, dois anos e quatro meses após haver zarpado, o *Resolution* ancorou na baía Table. Para os holandeses que estavam em terra, era 21 de março; o *Resolution* havia ganhado um dia navegando ao redor do mundo de Oeste para Leste. (Aliás, o *Resolution* e o *Adventure* foram os primeiros navios a dar a volta ao globo nessa direção.) No Cabo, Cook encontrou uma carta de Furneaux à sua espera.

A leitura foi triste. O comandante ficou sabendo que Furneaux encontrara a mensagem na garrafa em Ship Cove, na Nova Zelândia, mas passara alguns dias recozinhando o pão embolorado e embarcando lenha e água, como fizera Cook. Pronto para zarpar em 17 de dezembro, havia mandado um escaler com dez homens em busca de verduras frescas. Como não regressassem até a manhã seguinte, outro barco saiu em busca deles, sob o comando de James Burney (havia sido promovido a tenente e transferido do *Resolution* na Cidade do Cabo) com a tripulação e dez fuzileiros. Em Grass Cove (hoje baía Whareunga), encontraram o que restava do primeiro grupo: entranhas, carne humana assada em cestas, a cabeça do empregado negro de Furneaux, duas mãos decepadas, ambas identificáveis — uma por uma cicatriz (macabro presságio da identificação dos restos de Cook no Havaí), a outra por uma tatuagem. A evidência de canibalismo era tal que Burney, de volta à Inglaterra, somente se referia a Grass Cove num sussurro.

O *Adventure* zarpou em 22 de dezembro e o Natal deve ter sido melancólico. Furneaux seguira então para leste junto ao paralelo de 60°S (mais ao sul do que a travessia de Cook para o cabo Horn), tendo por companheiros naquele vasto oceano albatrozes, petréis, pingüins, baleias e focas. Estava bem ao sul do cabo Horn, próximo aos 61°S, quando entraram no Atlântico Sul. Mais algumas milhas para o sul e teria descoberto as ilhas Shetland 45 anos antes de William Smith no *Williams*. Na rota que singrava, teria certamente avistado a ilha Elefante e a Geórgia do Sul, se não fosse o espesso nevoeiro — passou 20 milhas ao norte da primeira e outras 20 ao norte da segunda. A busca do fugidio cabo da Circuncisão se mostrou infrutífera, e o *Adventure* aportou no cabo da Boa Esperança em 17 de março de 1774.

Pobre Furneaux; parece ter sido perseguido pela má sorte. A tripulação massacrada, seu navio incapaz de navegar em orça; com bom tempo, poderia ter ficado famoso na exploração da Antártica, e não simplesmente uma nota de rodapé, como se tornou. O *Adventure* chegou à Inglaterra em 14 de julho de 1774. A sorte de Furneaux não melhorou. Nomeado capitão do *Syren*, serviu na América do Norte até 1777, quando seu navio deu à terra e ele foi feito prisioneiro. Voltou à Inglaterra no outono de 1778 e definhou, com salários reduzidos à metade, até morrer prematuramente em Devon, três anos mais tarde, aos 46 anos de idade.

O *Resolution* passou cinco semanas no Cabo consertando os estragos provocados por 60 mil milhas de navegação: novas velas e cordame, calafetação do casco e no convés, reparos no leme. Para grande alívio dos companheiros de viagem, os Forster desembarcaram antes mesmo que o navio ancorasse e baixaram à terra num escaler de um navio mercante. Ali ficaram em quartos alugados (juntamente com Cook e Sparrman) e cuidaram de botânica até o *Resolution* ficar pronto para partir. Sparrman desembarcara definitivamente, a fim de prosseguir seus estudos no Cabo e entreter os amigos com as histórias da viagem — era o grande assunto da colônia holandesa — e com o fato notável de que fora ele a pessoa a chegar mais próximo ao pólo sul.

Cook também estava ocupado. Um navio mercante da Companhia das Índias, o *Ceres*, estava prestes a zarpar para a

Inglaterra e com ele foi despachado um pacote contendo os diários dos oficiais, esboços e pinturas de Hodges, esse "infatigável cavalheiro", mapas feitos por Cook e por "mr. Gilbert, meu mestre, cujos julgamento e dedicação não são superados por ninguém, neste e em qualquer outro ramo da profissão". Na mesma carta ao secretário do Almirantado, seguia o comentário de que "o relógio de mr. Kendall excedeu as expectativas de seu mais veemente advogado, e, tendo sido uma vez ou outra corrigido segundo as observações lunares, tornou-se nosso guia fiel através de todas as vicissitudes climáticas". O idoso John Harrison não poderia ter recebido melhores elogios — e o relógio ainda está funcionando no Museu Nacional Marítimo de Greenwich.

Menos agradável do que redigir parágrafos de louvor a seus homens e ao relógio de Kendall foi a leitura do relato da viagem do *Endeavour* feito pelo dr. Hawkesworth. Escrito na primeira pessoa, como se fosse de autoria de Cook, continha muitas informações errôneas: Banks e Cook haviam sido retratados como intercambiáveis, *faux pas* náuticos ocorriam com regularidade decepcionante e, para piorar as coisas, na introdução afirmava-se que Cook lera o manuscrito e o aprovara. Não era verdade, e Cook ficou mortificado.

Os encontros com Julien Marie Crozet, comandante de um navio mercante francês, lhe proporcionaram mais alegrias. Os dois homens eram da mesma idade e tiveram entendimento instantâneo, e quando finalmente se separaram haviam construído um mútuo sentimento de estima. Eram vinho da mesma cepa. Crozet havia sido imediato de Marion du Fresne em uma expedição francesa da qual Cook ouvira falar ao passar pelo cabo da Boa Esperança em 1772. Haviam descoberto ilhas a sudeste do Cabo — as ilhas Crozet — e redescoberto as que se tornariam a ilha do Príncipe Eduardo e a ilha Marion (assim chamada por

Cook em sua terceira viagem). Na Nova Zelândia, Marion du Fresne e alguns de seus homens haviam sido massacrados pelos maoris — outra vez os neozelandeses —, e Crozet assumira o comando da expedição. Mostrou a Cook um mapa das descobertas francesas, inclusive a de Kerguelen, e Cook notou que estava representada "na mesma posição onde a procuramos, de maneira que não consigo compreender como nós e o *Adventure* não a encontramos". Os franceses haviam se equivocado na longitude. Em sua terceira viagem, vinte meses depois, Cook colocaria as coisas em seus devidos lugares. O *Resolution* zarpou em 27 de abril em companhia do navio mercante *Dutton*, em direção a Santa Helena. "Confiando na qualidade do relógio de mr. Kendall", Cook estava decidido a rumar diretamente para a ilha: o comandante do outro navio, habituado a encontrá-la mediante a busca de sua latitude e depois segui-la, ficou desconfiado. Foi nesse momento que se criou a vinheta pitoresca descrita por Elliot, quando Cook alegremente "zombou deles, dizendo que, se quisessem, ele acertaria o centro da ilha com o pau da bujarrona".

Mas Santa Helena, que efetivamente apareceu na frente deles em 15 de maio, revelou-se embaraçosa para Cook. O livro de Hawkesworth também era conhecido naquela base insular da Companhia das Índias Orientais. Nele seus habitantes haviam lido que eram absurdamente cruéis para com seus escravos e que não existiam veículos de rodas na ilha. Num jantar oferecido aos oficiais do *Resolution* e do *Dutton* na casa do governador, a sra. Skottowe, esposa do governador John Skottowe,[7] questionou Cook impiedosamente sobre a questão dos veículos e dos escra-

7. Eis aqui uma conexão familiar para Cook. O pai do governador, membro das classes altas, havia empregado o pai de Cook como capataz de sua fazenda e também lhe pagava um pequeno adicional para que o jovem Cook freqüentasse a escola local, onde aprenderia aritmética, catecismo, bem como a ler e escrever.

vos. Acredito que essa voluntariosa senhora (que "dava mais trabalho aos oficiais da Marinha do que uma tempestade") possa ter mandado buscar um exemplar do livro ofensivo e o tenha lido para os convivas — com a prataria refletindo a luz das velas, o vermelho-rubi do vinho nas garrafas e copos e o brilho dos botões dos oficiais cujas faces enrubesciam pela bebida e pelo mal-estar — um trecho como o que segue, supostamente escrito por James Cook no Taiti:

> Dificilmente seria possível a alguém que conheça os esportes atléticos da antiguidade remota não notar a rude semelhança entre eles e as lutas corporais dos nativos de uma pequena ilha no meio do oceano Pacífico. Nossas leitoras recordarão o relato que sobre elas fez Fénelon em seu *As aventuras de Telêmaco*, onde, apesar dos acontecimento fictícios, os modos da época se acham fielmente transcritos de autores que se supõe havê-los referido fidedignamente.

É possível imaginar as sobrancelhas erguidas ao vê-la olhar significativamente para o desconcertado Cook. Mas o pior estava por vir. O embaraço não estava completo. Hospedado na casa do governador, o comandante viu pela janela de seu quarto uma reunião de todos os tipos de veículos de rodas. Sua única resposta a tudo isso foi acusar firmemente Hawkesworth e dar explicações aos ilhéus ao publicar o diário da viagem do *Resolution*. Acrescentou ainda uma menção cortês às "celebradas belezas de Santa Helena", pois "não poderia fazer justiça às mulheres de meu país que habitam essa ilha se não confirmasse essa conhecida fama".

Cook, porém, não era um puritano, ainda que se tenha se mantido alheio aos prazeres carnais facilmente disponíveis nas ilhas do Pacífico. A lembrança de sua Elizabeth talvez o tenha feito conservar a castidade, ou a consciência de que um comportamento escandaloso comprometeria sua eficácia como comandante. Não importa: diz-se que nos jantares de sábado no mar ele sempre propunha um brinde "a todas as mulheres bonitas".

Zarparam de Santa Helena no dia 21 de maio, com escalas na ilha da Ascensão, em Fernando de Noronha "para determinar sua longitude" e nos Açores, avistando a terra próxima a Plymouth no sábado, 29 de julho de 1775, e subindo em seguida o canal em direção a Portsmouth.

Às cinco horas da manhã de domingo, o efervescente Clerke já estava escrevendo uma carta a seu amigo Joseph Banks. Haviam passado Portland com boa brisa de noroeste e com a maré montante e esperavam ancorar em breve em Spithead na chegada da "expedição de caça a um continente". Clerke não pretendia descrever a viagem antes de encontrar Banks, mas a carta seria mandada "por nossos amigos fidalgos, que correrão para a cidade com todas as velas enfunadas". O pós-escrito retrata fielmente o estilo de Clerke: "Desculpe-me o papel, asseguro-lhe que é de borda dourada; mas as baratas urinaram em cima dele; estamos terrivelmente ocupados — sabe como é um navio de guerra. Meus respeitos e os melhores cumprimentos ao bom doutor [Solander]. Escreverei a ele logo que possível; aqui não se pode fazer nada agora".

Poucas horas mais tarde, o *Resolution* ancorou em Spithead. A última frase do diário de Cook a respeito dessa viagem extraordinária é: "Havendo estado ausente da Inglaterra durante três anos e dezoito dias, durante os quais perdi apenas quatro homens, e somente um por doença". A viagem acabara de vez com a idéia, que durava havia 2 mil anos, de um imenso continente austral habitado, redesenhara o mapa do Pacífico, lançara as bases da era da navegação científica que se aproximava e, com o trabalho de

Forster, dera os primeiros passos na tentativa de coletar dados sobre a história natural da Antártica.

Para Alexander Dalrymple, o regresso do *Resolution* acontecera no pior momento possível. O ano de 1775 assistiu à publicação de sua *Collection of voyages, chiefly in the Southern Atlantic ocean* [Coletânea de viagens, principalmente no oceano Atlântico Sul], onde ele sugeria a colonização da ilha descoberta por De la Roche e pelo *León*. Escravos trazidos das Índias Ocidentais cultivariam alimentos para os navios das Índias Orientais, seria estabelecida uma indústria de exploração das baleias e focas (uma idéia antecipada no tempo) e, finalmente, a ilha poderia ser usada como base para a exploração do continente austral, do qual o cabo da Circuncisão nada mais era do que um pequeno indício. A verdadeira ironia, no entanto, estava no futuro de Dalrymple. Ele havia sido convidado para participar da comissão que supervisionaria a gravação dos mapas e esboços da mais recente viagem de Cook ao hemisfério norte.

Também Forster estava destinado a ver destruídas suas esperanças. Durante a viagem nutrira a idéia de que lhe caberia redigir a narrativa oficial. A lição de Hawkesworth ainda estava viva na mente do Almirantado. Quem o faria seria o próprio Cook (com revisão do reverendo John Douglas, cônego de Windsor), o que provocou amarga e vitriólica correspondência de Forster. Seu comportamento intransigente em relação ao assunto chegou a incomodar seus amigos. Forster, contudo, viu uma oportunidade de frustrar seus pretensos inimigos — e também de ganhar dinheiro — fazendo com que George escrevesse um livro baseado nos diários do pai (o filho, na sua opinião, estava desobrigado da promessa de nada publicar antes que o relato oficial o fosse). *A voyage round the world* [Uma viagem ao redor do mundo], de George Forster, foi publicada em março de 1777 — seis semanas antes da

Voyage towards the south pole [Uma viagem em direção ao pólo sul], de Cook. Nessa ocasião, porém, o comandante já estava de volta ao Pacífico Sul. Durante a longa, interminável viagem, Forster fora atormentado pela lembrança de Banks e Solander. No seu regresso, seria ele quem receberia o aplauso público dispensado aos cavalheiros ingleses e ao naturalista sueco. Seu desapontamento seria doloroso, uma vez que as posições haviam se revertido. Cook passara a ser o ponto focal do interesse de todos.

O *Resolution* recebeu ordens de subir o Tâmisa até a margem Gallions, onde em um belo dia de agosto lorde Sandwich, sua companheira Martha Ray e um grupo de damas e cavalheiros percorreram o barco, agora famoso. Solander escreveu a Banks contando a beleza de um dia em que o primeiro lorde do Almirantado espalhava promoções como confete. Clerke tinha consigo alguns desenhos de pássaros feitos por um guarda-marinha para serem entregues a Banks; Anderson, o auxiliar do médico de bordo, havia colecionado bons espécimes botânicos; a bordo havia três cães taitianos, "os mais feios e estúpidos de toda a tribo canina"; Forster trouxera uma espécie de antílope sul-africano, um suricate, duas águias e diversas outras aves do Cabo, todas para serem presenteadas à rainha; Pickersgill fazia as senhoras desmaiarem e passarem mal mostrando-lhes a cabeça do maori preservada em aguardente, da qual alguns pedaços haviam sido cortados e comidos naquele mesmo convés superior. Um dia muito interessante. Todos no *Resolution* perguntavam por Banks.

Teria sido normal que Banks participasse daquele grupo com seu amigo Sandwich e com Solander. Porém, a expedição, que segundo o vaticínio dele não tinha "outra perspectiva a não ser problemas e desapontamentos", regressara triunfalmente, e isso lhe causava embaraço. Mesmo assim, como Banks era extremamente generoso e sensível para guardar maus sentimentos ou ciúme, em pouco tempo reparou seu desentendimento com Cook. O retrato de Cook, feito por Dance, foi encomendado por Banks e colocado em sua casa em Londres.

Cook partiu da Inglaterra pela última vez em julho de 1776, novamente comandando o *Resolution* e acompanhado, a partir do cabo da Boa Esperança, pelo *Discovery*, sob o comando do promovido Charles Clerke. A missão era buscar uma passagem do Pacífico ao Atlântico pelo noroeste ou pelo nordeste. A expedição passou toda uma estação no Ártico, antes de regressar ao sul, para o Havai, a fim de esperar o inverno passar. Ali os acontecimentos caminharam inexoravelmente para seu trágico final. O escaler do *Discovery* foi roubado e no dia 14 de fevereiro de 1779 Cook foi levado para terra num bote a remos com uma força de desembarque: um dos chefes locais seria mantido como refém até que o bote fosse devolvido. Numa súbita explosão de violência, ocorreu uma briga entre os nativos e a força de desembarque. Quatro marinheiros perderam as vidas e Cook, esfaqueado, morreu nas águas do Pacífico que tocavam as margens da baía de Kealakekua. Ele acabara de completar cinqüenta anos.

Mesmo doente, Clerke assumiu o comando da expedição. Uma de suas primeiras ordens foi que não houvesse medidas punitivas, nenhuma vingança contra os havaianos. A expedição partiu para o Ártico e Clerke morreu no mar, de tuberculose (doença contraída na prisão de King's Bench quando esse homem cordato, generoso e sincero esteve preso em garantia pelas dívidas de um irmão), e foi enterrado em Petropavlovsk, na península de Kamchatka, num túmulo rodeado por salgueiros plantados por seus marinheiros. Tinha 38 anos. Uma das últimas coisas que fez foi ditar — estava demasiadamente fraco para poder escrever — uma carta a seu grande amigo Joseph Banks. No parágrafo final lia-se:

> Agora, meu caro e honrado amigo, devo apresentar-lhe minha despedida final; que tenha muitos anos de felicidade neste mundo e finalmente consiga a fama que tua atividade infatigável tão generosamente merece. São esses os mais sinceros, calorosos e verdadeiros votos de seu devotado, afetuoso e moribundo servidor,
>
> Chas Clerke

A notícia da morte de Cook já ia a caminho da Inglaterra através dos desertos da Sibéria e da Rússia. Clerke enviara os diários de Cook, seus próprios registros e cartas ao Almirantado por meio da boa vontade e ajuda de Magnus von Behm, governador de Kamchatka. A notícia chegou à Inglaterra em janeiro de 1780, cerca de oito meses antes do regresso da expedição.

Para Elizabeth Cook, o golpe foi extremamente duro. Todos os anos, no aniversário da morte do marido, ela ficava recolhida a seu quarto, jejuava e lia a Bíblia que pertencera a ele. No dia em que a notícia da morte chegou ao Almirantado, Sandwich escreveu a Banks, dando-lhe ciência. No dia seguinte, as novas foram publicadas na *London Gazette*. Diz-se que o rei Jorge III chorou, e os elogios fúnebres foram incontáveis. Depois de Elizabeth, talvez os marinheiros tenham sido os que mais choraram pela morte de seu comandante, pois ele era um marujo antes de tudo. Recordando os nomes dos navios que comandara, os marinheiros devem ter compreendido que ali estava a síntese do caráter e da carreira de Cook: *Endeavour*, *Resolution*, *Adventure*, *Discovery* [Empenho, Resolução, Aventura, Descoberta].

Esse homem cético, no entanto, era maior do que todas essas verdades e virtudes. James Boswell, o mais assíduo anotador de conversas (teria sido maravilhoso se houvesse navegado com Cook), recorda uma anedota reveladora sobre a reação de Cook à observação feita por um notável juiz escocês. Este, ao reforçar sua argumentação sobre a relação entre os seres inferiores e a espécie humana, afirmou que Cook havia visto um país onde os homens eram como macacos. Cook respondeu que não era bem assim. "Eu não disse que eles eram como os macacos, e sim que suas fisionomias me fizeram recordar os macacos." Precisão na navegação, nos levantamentos hidrográficos, na geografia — e no pensamento.

A segunda e a terceira viagem de Cook deixaram um rastilho de pólvora que se dirigia ao Sul, no rumo da Antártica. O barril de explosivo na extremidade desse pavio aceso estourou quase quarenta anos após sua morte. A 400 milhas ao sul do cabo Horn, novas terras foram descobertas.

8. O continente descoberto

Em viagem de Montevidéu a Valparaíso, o navio Williams *descobriu nova terra ao largo do cabo Horn, na latitude 61° e longitude 55°. O fato é indubitável, e o navio foi novamente despachado pelo capitão Shirreff, da fragata* Andromache, *a fim de explorar a costa, o que o* Williams *fez ao longo de 200 milhas. O capitão desceu à terra e encontrou-a coberta de neve, com abundância de focas e baleias — mas sem nenhum habitante.*

New York Mercantile Advertiser, *março de 1820*

Num dia morno do verão de 1785, um senhor sobriamente vestido escrevia uma carta em sua residência de Londres. William Rotch, comerciante de óleo de baleia, proprietário de baleeiros, seguidor da religião quaker, um "Nantucketois", como sarcasticamente Jefferson o chamava, mandava notícias a seu irmão Francis no novíssimo país dos Estados Unidos da América. Rotch fora a Londres para apresentar ao governo britânico uma proposta inusitada. A guerra de Independência havia sido desastrosa para a indústria baleeira americana — Rotch calculava seus prejuízos em 60 mil dólares —, e a situação não melhorara com a paz. O mercado americano estava saturado, os preços haviam baixado e o antigo consumidor dos tempos coloniais, a Grã-Bretanha, estabelecera um imposto de importação sobre o óleo de baleia proveniente do exterior. A proposta de Rotch, extremamente audaciosa, se resumia a levar para a Grã-Bretanha toda a indústria baleeira de Nantucket — Milford Haven, no País de Gales, era considerado o local ideal — e, junto, a competência americana no que dizia respeito à caça de baleias para benefício do Estado britânico. O governo, naturalmente, teria de pagar por isso. A quantia proposta fazia o ministro responsável engasgar, mas a carta se referia a outros pontos além dos detalhes pertinentes à busca de financiamento.

Rotch havia acabado de ler o relato publicado por Cook sobre sua mais recente viagem ao Ártico. E o que atraiu sua atenção fora uma menção a peles. Aparentemente, os marinheiros ingleses haviam vendido peles de foca na China "pelo altíssimo preço de 100 dólares cada". Tanto quanto Rotch podia perceber, essas peles deveriam ser de lontras marinhas, às quais os chineses davam muito valor, e haviam sido compradas com bugigangas — pregos, botões etc. — aos nativos da costa noroeste da América do Norte. Era uma atividade da qual os baleeiros americanos poderiam colher lucros interessantes. A competição inglesa seria mínima. A Companhia Britânica das Índias Orientais detinha o monopólio do comércio com a China: exportava para lá mercadorias e especiarias, além de ópio contrabandeado da Índia, e trazia chá. A mesma idéia havia sido defendida nos Estados Unidos por John Ledyard, nascido em Groton, Connecticut, que viajara com Cook na qualidade de cabo-de-esquadra. Como resultado, um navio americano partira de Nova York em 1784 com um carregamento de ginseng e peles oriundas de entrepostos da parte oriental da América do Norte, regressando com chá, sedas, nanquim e porcelanas. Assim teve início o comércio americano com a China.

Francis Rotch passara a maior parte dos anos da guerra de Independência nas ilhas Falkland, no comando de uma frota baleeira americana ali baseada. Sabia existirem na região milhares de focas fornecedoras de peles. Em 1784 um navio zarpara em busca de peles de foca e de elefantes-marinhos; o barco regressou a Nova York com sua carga em 1786, negociando 13 mil peles de foca por 6500 dólares. As peles foram levadas a Nantucket e dali enviadas para a China, onde geraram 65 mil dólares de lucro. O comércio de peles de foca com a China iniciou-se a partir do hemisfério sul.

A notícia de lucros tão fabulosos espalhou-se rapidamente. Os volumes encadernados em couro contendo os relatos das viagens de Drake, Anson, Byron, Bougainville e Cook foram cuidadosamente estudados, em especial a *New voyage round the world*, de Dampier. Segundo ele, nas ilhas Juan Fernández "as focas nadam em espessos cardumes em volta da ilha [...] como se não tivessem outro lugar onde ficar; pois não há angra nem rochedo por meio dos quais se possa chegar à terra, estando todos repletos delas [...]". Durante as décadas seguintes, os caçadores de focas se espalharam das ilhas Falkland para as costas da Patagônia e Geórgia do Sul, atingindo o Pacífico e subindo o litoral do Chile. A principal incursão ocorreu nas ilhas Juan Fernández em 1797. Edmund Fanning, de Stonington, Connecticut, comandante do brigue *Betsey*, vendeu aos chineses 100 mil peles de focas, a maior parte das quais produto de caçadas em Juan Fernández. Quando o *Betsey* regressou, em 1799, as mercadorias chinesas renderam aos armadores do navio um lucro líquido de 52 300 dólares; desse valor, a oitava parte coube a Fanning, na qualidade de co-proprietário. Amasa Delano — caçador de foca e ancestral de Franklin Delano Roosevelt — calculou que mais de 3 milhões de peles de foca foram levadas das ilhas num período de sete anos. Por volta de 1807 as focas estavam virtualmente exterminadas. Outras ilhas, mais próximas da Convergência, seguiriam o mesmo caminho: Geórgia do Sul, Sandwich do Sul, Crozet, Marion, Príncipe Eduardo, Macquarie, Kerguelen. Até 1796, somente os chineses conheciam a técnica de peleteria, que consistia em retirar das peles de foca os pêlos mais duros e longos, conservando os mais macios da parte interna. Mais tarde, um peleteiro londrino, Thomas Chapman, descobriu um processo similar. O mercado se expandia.

Quando os caçadores descobriam uma ilha rica em focas-de-pêlo e a exploravam durante uma ou duas temporadas, diziam que as praias "haviam sido quase abandonadas pelos animais". O comentário se assemelha ao de um burocrata ou homem de negócios moderno que tentasse disfarçar uma verdade desagradável. Os caçadores sabiam perfeitamente que dispunham apenas de poucas temporadas de caça até que as focas "abandonassem" as praias — e tomaram precauções especiais para manter em segredo suas descobertas. "Na história do comércio de focas", declarou Jeremiah Reynolds diante da Câmara de Representantes dos Estados Unidos em 1836, "é bem sabido que o sigilo era considerado uma parte extremamente importante do capital dos caçadores."

Esse capital tinha aspectos bastante rudes. Um velho capitão de navio caçador de focas deu o seguinte conselho a um amigo prestes a partir para as ilhas Bounty, próximas à Nova Zelândia:

> Se chegar lá e encontrar uma grande quantidade de focas, trate de pegar tantas quantas for possível, sem correr o risco de não conseguir regressar a tempo. Eu deixaria nos rochedos todos os homens

> que considerasse indiscretos, voltaria ao porto mais conveniente, despacharia minhas peles, carregaria o que necessitasse e voltaria à ilha antes do fim da temporada, zarpando para Valparaíso sem tocar na Nova Zelândia, e com isso imagino que seria possível evitar companhia na temporada seguinte...

Quando comandou o barco caçador de focas *Catherine*, Henry Fanning, irmão de Edmund Fanning, utilizou um método mais sutil, que certamente proporcionaria imensa alegria aos corações dos meninos de todas as idades, por recordar a Colina da Luneta do livro *A ilha do tesouro* e as instruções para encontrar a fortuna enterrada. Deixando um grupo de caçadores na ilha do Príncipe Eduardo, Fanning partiu em busca das ilhas Crozet, redescobrindo-as e encontrando-as cobertas de focas. Voltando à ilha do Príncipe Eduardo, reembarcou seus homens, no entanto percebeu que outros caçadores americanos também ali estavam; por isso "esperou um ou dois dias para não despertar, nas mentes dos oficiais e marinheiros dos demais navios, suspeitas de que tivesse descoberto outras ilhas". Como fazer para transmitir aos outros barcos de sua companhia as informações referentes à posição das ilhas Crozet sem que os caçadores rivais percebessem o segredo? Para isso, usou um estratagema simples, já anteriormente combinado com seus sócios. Ergueu uma pilha de pedras no ponto mais a noroeste da ilha, deixando uma mensagem dentro de uma garrafa — porém não sob a pilha de pedras. A garrafa foi enterrada 9 metros a sudoeste da pilha e a 6 metros de profundidade. Os barcos da Companhia chegaram e encontraram a pilha desfeita e um grande buraco sob ela. Os caçadores rivais não haviam achado a garrafa enterrada a 9 metros de distância.

Na vida real, os caçadores desempenhavam o mesmo papel dos heróis juvenis, e encontravam tesouros em forma de praias repletas de focas em ilhas distantes. Como os piratas, eles partilhavam o tesouro. Não recebiam salários, e sim uma parte dos lucros. Muitas vezes a história juvenil de aventuras ia até os naufrágios e salvamentos — quando tinham sorte. Charles Goodridge, que navegara a bordo do cúter inglês *Princess of Wales*, naufragado nas ilhas Crozet, contou uma história semelhante à de *Robinson Crusoé*. Goodridge e seus companheiros passaram quase dois anos na ilha antes de serem resgatados:

> Os elefantes-marinhos nos serviam de alimento, abrigo, combustível, couro para sapatos e fios para coser. Usávamos o sangue desse animal para nos lavarmos e para retirar sujeira e gordura de nossas roupas. Era como sabão. Com a gordura dos elefantes-marinhos e um pedaço de fio de corda fazíamos lamparinas. Os dentes serviam para a construção de cachimbos, cujos tubos eram feitos de ossos das pernas de aves marinhas e o fumo era de grama seca. Os ossos desses animais eram utilizados para a feitura de raladores. Cozinhávamos os corações e as línguas. Freqüentemente comíamos os miolos crus, e eram doces como açúcar. Com as nadadeiras fervidas fazíamos uma espécie de gelatina que ficava saborosa se acrescentássemos ovos de pingüim, de pombas ou de fêmeas de peixes.

Os primeiros anos do século XIX forneceram grande quantidade de relatos semelhantes. Para muitos caçadores de focas, a vida era solitária, pobre, dura, brutal e curta, como diria Thomas Hobbes.

Mas o que dizer sobre as próprias focas, infelizes criaturas abaixo da Convergência, que foram levadas quase à extinção? A foca-de-pêlo da Antártica, *Arctocephallus gazella*, é um animal gregário cuja forma de acasalamento se presta à exploração, como o de todas as espécies de focas produtoras de peles. Passam metade de suas vidas no mar, e no fim de outubro e em novembro os machos jovens — a que os caçadores chamavam de "whigs" — se dirigem às costas rochosas e às praias protegidas que conhecem. No jargão dos zoólogos, são "altamente fiéis aos lugares". Ali os machos, de um 1,80 metro de comprimento, estabelecem seus territórios e esperam pelas fêmeas, menos corpulentas — elas são chamadas de "clapmatches" pelos caçadores —, que chegam duas ou três semanas mais tarde para dar à luz. Dominando seus espaços, os machos juntam cerca de meia dúzia de fêmeas em seus haréns. Após o nascimento dos filhotes, as fêmeas os amamentam durante aproximadamente uma semana e em seguida se acasalam. Começa então um ciclo de escapadas de uma semana para o mar e de regresso aos filhotes a fim de amamentá-los por três dias. Em abril termina a estação do acasalamento em terra e as praias ficam vazias. Esse relato sucinto da vida das focas-de-pêlo, quando em terra, sugere uma criatura bovina, lenta, plácida, mas na verdade uma praia cheia de focas é um recreio, repleto de pura energia, exuberância e vitalidade. As focas-de-pêlo são capazes de virar os membros traseiros para a frente e equilibrar-se sobre as grandes nadadeiras frontais; e é assim que se movem e galopam ao longo da praia, freqüentemente com mais rapidez do que um homem correndo. Os machos defendem seus territórios lutando; os mais jovens rondam a orla; os filhotes brincam juntos em pequenos grupos e as fêmeas correm para lá e para cá entre o mar e a costa.

Uma vez descoberta uma praia com focas, os caçadores trabalhavam até que não restasse nenhuma foca viva. O método de matança e esfolamento era brutal, rápido e eficaz: um golpe no nariz com um porrete e em seguida, nas palavras de Amasa Delano, "usam-se facas para cortá-las no tórax, de sob a mandíbula até a cauda, para em seguida matá-las com uma facada". Começava então a etapa seguinte, o esfolamento, a retirada da fina camada de gordura juntamente com um pouco da carne magra, para obter o óleo, e em seguida a limpeza final da pele, que era esticada no chão para secar, e finalmente o salgamento e o empilhamento, "à maneira do bacalhau salgado". Um caçador experimentado, calcula Delano, era capaz de matar e esfolar sessenta focas em uma hora.

Em contraste com o vigor de uma colônia de focas em fase de acasalamento, as praias de elefantes-marinhos mostram um pouco da passividade e langor do decantado serralho turco. Tanto o serralho como o pachá são impressionantes. O macho da espécie dos elefantes-marinhos meridionais, *Mirounga leonina*, pode chegar a pesar 4 toneladas e a medir 6 metros do nariz em forma de tromba aos membros traseiros. Seu harém, que chega a abrigar sessenta ou setenta concubinas temporárias, é composto de criaturas muito menores, que raramente ultrapassam 3,5 metros e pesam menos de 1 tonelada. Essas focas também demonstram "fidelidade aos lugares". As fêmeas, criaturas gregárias, vêm para a praia em setembro, onde se congregam em grandes grupos aos quais em breve se juntarão os machos em busca de companheiras. Os "beachmasters" [donos da praia], depois de reunirem seu harém, afastam qualquer outro macho que queira intrometer-se. Os filhotes nascem cerca de uma semana depois que as fêmeas emergem. Na altura de outubro, as praias estão repletas. Tanto os machos como as fêmeas não se alimentam fora do mar: as fêmeas durante aproximadamente trinta dias e os machos por até noventa dias. Nutrem-se de suas reservas de gordura, em camadas que podem chegar a mais de 12 centímetros. Derretida a gordura, os elefantes-marinhos produzem o óleo procurado pelos caçadores,

Escaler de caçadores de focas em terra para passar o inverno

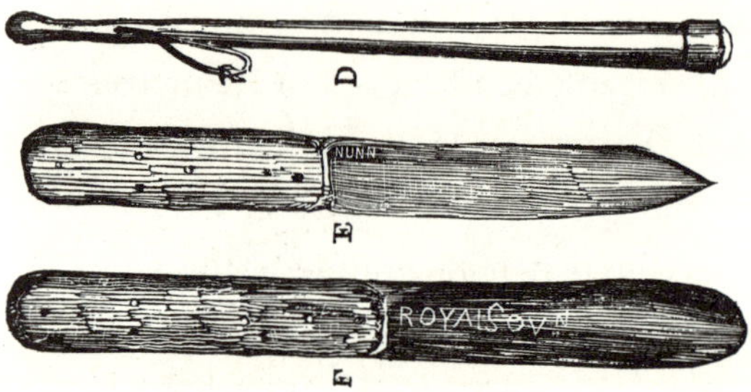

Porrete e facas de caçadores de focas

Uma bainha com instrumentos utilizados por caçadores de focas

Aparelho de cortar gordura de focas

bana de caçadores de focas

vestimenta de caçadores de focas náufragos

como a gordura das baleias. Segundo os caçadores, um barril de gordura produz um barril de óleo.

A matança desses animais era ainda mais sangrenta do que a das focas-de-pêlo. As fêmeas, os machos jovens e os filhotes recebiam um golpe de porrete no nariz trombudo e em seguida eram lanceados para que sangrassem. Os machos mais corpulentos, obrigados a erguer-se, eram baleados no céu da boca para depois serem lanceados. Os elefantes-marinhos possuem enorme quantidade de sangue. Quando a gordura era separada — eram necessários seis homens para virar um macho grande —, o animal ficava de molho em água durante um dia inteiro; depois disso era cortado em pedaços menores, que eram então fervidos em caldeirões como os das bruxas. Após esfriar, o óleo era vertido em tonéis, e sua qualidade era igual à do melhor óleo de baleia.

Pelos padrões modernos, esses atos são imperdoáveis. Mas no final do século XVIII e início do XIX, o óleo de elefante-marinho e o de baleia lubrificavam máquinas, iluminavam as ruas de vilas e cidades, bem como as lamparinas das casas. A sociedade dependia do óleo de baleia. Sem dúvida, as gerações futuras torcerão o nariz e balançarão as cabeças ao recordar a tola fascinação dos homens do século XX pelo motor de combustão interna e os plásticos à base de petróleo — uma sociedade refém dos óleos fósseis.

As ilhas Shetland do Sul ficam a cerca de 60 milhas da costa noroeste da península Antártica. Da ilha Elefante, a nordeste, à ilha Smith, a sudoeste, espalham-se por 250 milhas de inóspita falange de rochas, gelo e neve, proporcionando certa proteção à costa da península contra as vagas do oceano austral que surgem do oeste. Durante os meses de inverno, as ilhas ficam isoladas por uma camada de gelo consolidado.

Um barco que partisse da ilha Staten a uma velocidade tranqüila de 5 nós e tomasse o rumo Sul, derivando um pouco a oeste para compensar a corrente que puxa para o Leste no estreito de Drake, chegaria às ilhas em quatro dias. Não é uma travessia longa, mas pode ser tempestuosa. Quando a segunda década do século XIX chegava ao fim, essas ilhas ainda não haviam sido descobertas. Quase todas as demais ilhas abaixo da Convergência em cujas praias focas-de-pêlo ou elefantes-marinhos se acasalassem já eram conhecidas e os animais haviam sido explorados até quase o extermínio. As areias do tempo iam começar a esgotar-se para as focas das Shetland do Sul.

Brigue carvoeiro semelhante ao Williams. *Por E. J. Cooke, 1828.*

Durante o mês de fevereiro de 1819, a curiosidade de um albatroz em pleno vôo poderia ser despertada pela visão de um navio singrando para o Sul nas águas encapeladas do estreito de Drake. O navio, com o nome um tanto prosaico de *Williams*, pareceria mais adequado a servir de carvoeiro no mar do Norte. Com aparência bojuda, 25 metros de comprimento e 8 metros de boca, armado como brigue de dois mastros, fora construído em 1812 na cidade carvoeira de Blyth, em Northumberland. O mestre e co-proprietário, William Smith, era também de Northumberland e celebrara seu vigésimo oitavo aniversário quatro meses antes, na travessia da Inglaterra a Buenos Aires. Smith, um dos inúmeros comandantes da maior frota mercante do mundo, havia aprendido seu ofício nos barcos carvoeiros do mar do Norte, como James Cook, mas acrescentara a experiência de baleeiro na Groenlândia. Era também um navegador precavido, pois o *Williams* possuía um cronômetro.

Essa era sua quarta viagem à América do Sul levando carregamentos a um mercado muito lucrativo, embora o continente estivesse em constante inquietação, com as províncias coloniais engajadas em guerras de independência contra a Espanha. Smith conduzia seu navio em direção a Valparaíso pela rota do cabo Horn com uma carga mista de ferro fundido e forjado, algodão, sedas, chapéus, ferramentas, cutelaria, selas, instrumentos musicais, livros e vinhos. O tempo, entretanto, fazia o possível para retardar a entrega. Vendavais constantes vindos do oeste obrigaram-no a rumar para o Sul antes de dobrar o cabo, em busca de ventos mais amenos. Depois da experiência na Groenlândia, a idéia de encontrar gelo não mais o punha assustado.

Pouco depois da madrugada de 19 de fevereiro, com fortes ventos de sudoeste e freqüentes nevadas e chuvas geladas, avistaram terra adiante, a cerca de 6 milhas. Smith estimou a latitude em

62ºS e a longitude em 60ºO. Ventos fortes e visibilidade ruim não constituem boas condições para uma exploração e o comandante, prudentemente, rumou para o Norte e esperou que o tempo melhorasse. Não teve de aguardar muito. No dia seguinte, em melhores condições atmosféricas, regressou em direção à terra avistada e ao meio-dia o inestimável cronômetro mostrou que estava a 62º17'S e 60º12'O, com uma ponta de terra aparecendo ao sul e estendendo-se para oeste a cerca de 12 milhas de distância.

Smith batizou a terra com o nome de seu navio e hoje em dia a extremidade nordeste da ilha Livingston é chamada de ponta Williams. Logo os observadores da gávea avistavam as ondas que se quebravam na costa de aparência inóspita. Smith não era explorador — era comerciante e co-proprietário do navio. Sua preocupação principal era o comércio e tinha consciência da cláusula de sua apólice de seguro marítimo que mencionava algo como "desvio indevido". Em suma, se danificasse o navio e a carga numa exploração em vez de prosseguir viagem com a rapidez e segurança possíveis, a apólice de seguro seria nula e inválida. E assim, naquele dia claro e já agradável, evitando os bancos de gelo espalhados pelo mar, observando com olhos experientes de ex-baleeiro o grande número de cetáceos e focas que nadavam no mar em que flutuavam pedaços de gelo, Smith rumou a noroeste, em direção a Valparaíso.

Chegaram ao porto em 11 de março e Smith se apressou a relatar sua descoberta a William Shirreff, capitão da fragata *Andromache* e oficial experimentado da Marinha Real em missão de patrulha daquela vasta extensão da costa sul-americana. Devemos reconhecer que Shirreff era um homem atarefado. Naqueles tempos conturbados, sua responsabilidade era proteger os interesses e o bem-estar da numerosa colônia de comerciantes britânicos no Chile, e não partir em expedição para procurar uma terra quimérica escondida no gelo das latitudes meridionais. Nessa atmosfera política delicada, as atividades de outro ex-capitão da Marinha Real, Thomas Cochrane, décimo conde de Dundonald — conhecido simplesmente como "El Diablo" pelos espanhóis —, em nada facilitavam a vida de Shirreff. Cochrane, bucaneiro e marinheiro aguerrido, era agora vice-almirante da Marinha chilena e comandante-em-chefe de sua força naval de sete barcos. Mesmo naquele ambiente, o cérebro febril desse homem extraordinário arquitetava maneiras de libertar Napoleão Bonaparte, encerrado em Santa Helena como um gênio mau numa garrafa, para instalá-lo num trono sul-americano.

Shirreff tinha, contudo, o consolo de um jogo de críquete duas vezes por semana, seguido de jantar servido sob uma tenda. Depois de uma partida inaugural entre as equipes do *Andromache* e da fragata *Blossom*, havia sido fundado um clube de críquete, e o jogo era agora praticado num terreno adequado em Valparaíso. Cochrane constantemente bloqueava o porto de Callao com seu grupo de mercenários.

Smith deveria ter confundido um iceberg com terra, pensou o cético Shirreff. Nada disso, retorquiu Smith. Com a experiência que obtivera na Groenlândia, sabia distinguir perfeitamente icebergs de terra firme. Smith havia lançado sondas? Infelizmente, não. Os comerciantes britânicos se mostraram igualmente céticos. Mas as notícias se espalham com rapidez nas pequenas comunidades, e essa parca informação sobre uma possível descoberta de terras — e, mais importante, de grandes quantidades de baleias e focas — chegou aos ouvidos de Jeremy Robinson, um dos vários agentes empregados pelo Departamento de Estado dos Estados Unidos com a finalidade de monitorar os turbulentos acontecimentos da América do Sul e reportá-los a Washington. Mais tarde, no mesmo ano, Robinson utilizaria o que ouvira no cais.

Já era a metade de maio quando Smith juntou novo carregamento para o *Williams*, desta vez com destino a Montevidéu. Os ingleses do norte têm a reputação de serem obstinados, e logo ficou evidente que Smith correspondia às características do estereótipo. Ou teria sido o orgulho ferido pela atitude condescendente dos oficiais da Marinha Real e seu mal disfarçado desprezo pelos marinheiros mercantes? Quaisquer que tenham sido as razões, Smith resolveu descer às latitudes meridionais quando retornasse ao cabo Horn a fim de trazer provas positivas da existência de terra. A decisão talvez fosse temerária: já era a estação de inverno e a tentativa de Smith seria inusitada e original. Poucos comandantes arriscariam suas vidas e seus barcos numa tentativa deliberada de aventurar-se para o Sul durante os meses de inverno. A teimosia de Northumberland sobrepujara a cláusula do "desvio indevido".

O *Williams* tinha levado dezenove dias para navegar do local da descoberta até Valparaíso. O trajeto de volta tomou onze dias a mais. Fustigado por rajadas de ventos contrários, o brigue cruzou a Convergência rumo ao Sul e penetrou nas águas frígidas da Antártica. Em 15 de junho haviam chegado a 62º12'S, porém mais a oeste em relação ao ponto em que tinham avistado terra anteriormente. Naquele dia, com o mar calmo e uma brisa amena, o mar começou a congelar. O gelo tornou-se espesso rapidamente. Smith e seu navio estavam completamente despreparados para tais condições, e tomaram o rumo Norte. Com velas amainadas para evitar danos, o *Williams* esgueirou-se por entre os blocos de gelo e em uma hora encontrou águas limpas. A prudência venceu a obstinação e Smith se dirigiu a Montevidéu. Não tinha avistado terra.

Em Montevidéu o comandante verificou que o gelo causara danos de pouca monta ao *Willliams*, arrancando algumas chapas de cobre do casco. Percebeu também que a notícia de sua descoberta de fevereiro era objeto de comentários no cais. Um grupo de comerciantes americanos ofereceu-lhe grandes somas para que voltasse a navegar para o Sul. Não se tratava do fascínio da descoberta, e sim dos relatos sobre focas e baleias. Smith recusou.

Passaram-se quase três meses até conseguir novo carregamento para Valparaíso, mas no fim de setembro o *Williams* deixou para trás o rio da Prata em sua terceira viagem à volta do cabo Horn. Desta vez Smith estava resolvido a encontrar sua terra. Ao largo do cabo, o vento era favorável para a navegação a Valparaíso, mas Smith não se deixou envolver por aquele canto de sereia e rumou para o Sul. Em 15 de outubro, em tempo enevoado, avistou terra a 9 milhas de distância. Era uma ilha (a ilha da Desolação) a cerca de 6 milhas de sua descoberta anterior. Dirigiram-se para lá — desta vez fazendo sondagens — e encontraram uma profundidade de 40 braças com um fundo de areia preta fina. A noite se aproximava; Smith voltou para o norte com as velas amainadas e esperou amanhecer. A madrugada chegou serena e clara e o *Williams* se aproximou da terra. Com a melhora da visibilidade, puderam perceber que a terra se estendia para o nordeste. Passaram o longo dia costeando-a, fazendo esboços e tomando a profundidade. O objetivo era uma ponta "a que chamamos de promontório Norte [...] sondagens regulares de 35 a 21 braças, fundo de boa qualidade, areia e cascalho; com o tempo a nosso favor, descemos um barco e conseguimos chegar à terra [...]".

Desembarcaram no litoral do que hoje se chama baía Vênus, e naquela costa rochosa plantaram um marco de madeira com a bandeira britânica, deram três vivas e tomaram posse em nome do rei Jorge III. Smith notou que a terra era "muito elevada e coberta de neve, com abundância de focas, baleias, pingüins". Após o retorno do grupo que baixara à terra, o comandante mandou ancorar ao largo, para passar a noite. O desembarque ocorrera em 16 de outubro de 1819 — cinco dias após Smith completar 29 anos.

Até então, a Tule meridional de Cook fora a terra mais meridional encontrada no globo. A descoberta de Smith estava localizada pouco além de 2° mais ao sul e, embora de aparência inóspita, suas praias poderiam ser lucrativas com "as focas em abundância". Entretanto, o descobrimento ainda não terminara. Com a chegada da aurora e de um vento de leste, o *Williams* prosseguiu a navegação pela costa e Smith percebeu que passavam por uma série de ilhas, e não por um litoral contínuo. Regressando à ponta Williams e olhando pela luneta, o comandante acreditou avistar pinheiros, e o cenário lhe recordou a Noruega. Era apenas o reflexo de seus desejos, combinado com as ilusões de óptica da Antártica. No dia seguinte, de madrugada, avistaram terras muito altas, e o lugar recebeu o nome de cabo Smith (hoje ilha Smith). Com elevação de 2300 metros acima do nível do mar, trata-se efetivamente da maior altitude das ilhas Shetland do Sul.

Chegara, porém, o momento de retomar o curso para Valparaíso, assumir o manto de comandante de navio mercante, deixando de lado o de explorador, e entregar seu carregamento. Podia também relatar sua descoberta com certo grau de satisfação. Ninguém, nem mesmo o mais cético dos oficiais da Marinha Real, poderia duvidar da verdade e do valor evidente de suas descobertas.

O *Williams* chegou a Valparaíso em 24 de novembro e Smith não perdeu tempo em reportar suas descobertas à Marinha Real. Desta vez foi ouvido com maior atenção por parte de marinheiros e comerciantes. John Miers, engenheiro britânico que conhecia bem Smith, ficou especialmente curioso. (Miers havia sido convidado a ir para o Chile por Cochrane, que na ocasião se encontrava em viagem de reconhecimento a Valdívia, concessão espanhola, com a intenção bucaneira de tomar a baía fortificada e a cidade.) Homem erudito e inclinado aos estudos de história natural, Miers sentiu a emoção dos colecionadores, percebeu o potencial de caça de focas e também o possível uso da nova terra como refúgio e base no caso de a situação na América do Sul se tornar insustentável. Juntamente com um grupo de comerciantes britânicos, resolveu fretar o *Williams* para uma viagem ao Sul. A Marinha Real, contudo, intrometeu-se: Shirreff, cujas dúvidas se desvaneceram diante das provas de Smith, convenceu Miers e seus sócios a cancelar seus planos. A Marinha fretaria o *Williams* e embarcaria a tripulação do *Andromache* a fim de partir para o Sul tão prontamente quanto possível.

A decisão de Shirreff talvez não tenha sido um ato impulsivo. Numa carta datada de 15 de novembro de 1819 (nove dias antes do regresso do *Williams*), o agente americano Jeremy Robinson dava ao secretário de Estado, John Quincy Adams, informações sobre as primeiras descobertas de Smith. "Senhor", escreveu Robinson, "aproveito esta oportunidade para informá-lo de uma recente e importante descoberta de terra nos mares do Sul [...] o capitão Shirreff, comandante do *Andromache* e de outras forças navais britânicas nestes mares, despachará um navio brevemente a fim de fazer o levantamento dessa terra e realizar os devidos registros a respeito." A carta prossegue com a sugestão de que um navio do governo dos Estados Unidos fosse mandado a explorar as regiões meridionais, onde "novas fontes de riqueza, poder e bem-estar apareceriam e a própria ciência seria beneficiada". Adams recebeu outra carta sobre o mesmo assunto, enviada de seu agente em Buenos Aires, J. B. Prevost. Essa missiva não contém a retórica de Robinson e dá pouca importância ao valor da terra, porém Prevost percebe claramente que a descoberta proporcionaria "um novo campo de atividades para nossos compatriotas devido às focas e baleias que abundam em suas costas".

Em janeiro de 1820, mesmo mês da carta de Prevost, outra comunicação, desta vez de parte de Sir Thomas Hardy, comandante do posto da Marinha Real localizado no Brasil, foi remetida pela fragata *Creole*, que zarpara de Buenos Aires em direção à Inglaterra. A carta dava conhecimento ao Almirantado de que Hardy recebera notícia "por via particular" de uma ilha "descoberta na latitude 62°40'S, estendendo-se entre 60° e 63°40'O, pelo sr. Smith, comandante do navio mercante *Williams* [...] ele desembarcou [...] observou grande quantidades de focas [...] ao que fui informado, o capitão Shirreff mandou navios para que realizem o levantamento".

Isso, no entanto, nos adiantaria algumas semanas na narrativa. Com o fretamento do *Williams* à Marinha Real, Smith passou para segundo plano, havendo desempenhado seu papel e organizado três viagens. Uma nova figura entrou em cena, pois Shirreff, ao arrendar o *Williams* com Smith e sua tripulação, colocou a bordo um certo Edward Bransfield, mestre do *Andromache*, na qualidade de comandante-geral. Como muitos outros homens, Bransfield havia sido forçado a engajar-se na Marinha Real. Shirreff o considerava navegador competente e oficial qualificado.

Junto com Bransfield embarcaram três guardas-marinhas (um dos quais era capaz de fazer esboços de fauna e panoramas) e um médico. A tripulação da Marinha Real levava provisões para doze meses — para o caso de ficarem retidos pelo gelo —, além de quatro novilhos e outros animais vivos. As instruções recebidas por Bransfield eram para verificar se as Shetland do Sul eram efetivamente ilhas ou se faziam parte de um continente; medir latitudes e longitudes dos portos; observar, coletar e preservar todos os espécimes de ciências naturais; manter registros magnéticos e climáticos; observar o caráter dos habitantes, se houvesse, e finalmente tomar posse de todas as descobertas.

Com essas instruções guardadas em seu cofre, Bransfield mandou levantar ferros e zarpou de Valparaíso, ao som dos mugidos dos novilhos, em dezembro de 1819. Smith estava radiante. A recepção distante que tivera nove meses antes mudara de maneira satisfatória.

A travessia para o Sul ocorreu sem maiores incidentes a não ser algumas velas rasgadas e uma verga partida por causa de um vendaval súbito. Chegaram à terra em 16 de janeiro de 1820. A ilha Livingston, onde aportaram, tem a altitude de 1100 metros, e a baía na qual se abrigaram, a baía Barclay, está descrita no *Antarctic pilot* como "dificultada por rochedos e muito perigosa". Essa baía pouco convidativa foi logo abandonada e o rumo alterado de forma a navegarem para nordeste ao longo do litoral norte na ilha. Na altura de 22 de janeiro haviam passado pelo lugar do desembarque anterior de Smith, rodeado o promontório Norte, costeado o curto litoral leste da ilha e entrado em uma ampla baía na costa sul. Ali desembarcaram e Bransfield plantou um mastro com bandeira britânica, enterrou moedas do reino numa caixa de metal e reivindicou a soberania britânica sobre a ilha. A baía recebeu o nome de baía Jorge (hoje baía do Rei Jorge) e a ilha foi chamada de ilha do Rei Jorge.

Sem que Bransfield soubesse, uma bandeira britânica havia sido hasteada a cerca de 100 milhas a leste, na ilha Rugged, a soberania fora reivindicada para Jorge III e haviam sido feitos brindes de grogue à saúde do rei. Tudo isso ocorrera no dia de Natal de 1819 — quase um mês antes da cerimônia de Bransfield. Alguns comerciantes ingleses de Buenos Aires tinham fretado um brigue, o *Espirito Santo*, colocando a bordo marinheiros ingleses e um comandante, Joseph Herring — que publicaria um artigo sobre a empreitada na edição de julho de 1820 do *Imperial Magazine* —, a fim de procurar a terra descoberta por Smith. Ficaram na ilha durante 33 dias e mataram muitas focas. Quando Bransfield desembarcou e entrou na baía Barclay, o *Williams* se encontrava somente a 5 milhas daqueles navegadores.

No dia seguinte ao do hasteamento da bandeira por Bransfield, outro navegador aportou na ilha Rugged e ancorou em "fundo arenoso" próximo ao *Espirito Santo*. Era o brigue americano *Hersilia*, de 131 toneladas. Construído em Mystic, Connecticut, tinha o comprimento de 21 metros, 8,5 metros de boca e calado de 3 metros. Era sua viagem inaugural. Partira de Stonington em julho de 1819 sob o comando de um experiente caçador de focas, James Sheffield, que era também um de seus oito proprietários. O segundo imediato era Nathaniel Palmer, de vinte anos de idade, também oriundo de Stonington. Não nesta, mas em viagens posteriores, Palmer ganharia um lugar na hagiografia polar americana. Embora preparado para caçar focas, o *Hersilia* trazia mercadorias para o mercado sul-americano, como precaução para o caso de insucesso na caçada. Em algum momento de sua travessia para o Sul, possivelmente em Buenos Aires, Montevidéu ou nas ilhas Falkland, Sheffield teve notícia da descoberta de Smith. Com bom faro ianque, encontrou as ilhas e uma caçada abundante. Em apenas dezesseis dias de matança e esfolamento, os americanos zarparam com 8868 peles. Poderiam ter levado ainda mais, porém o sal havia se esgotado.

Enquanto os caçadores de focas tratavam de seus interesses, Bransfield partiu da baía do Rei Jorge com o *Williams* no dia 27 de janeiro rumo ao sudoeste, acompanhando a costa sul das ilhas. No mesmo dia, a 1400 milhas a leste e 420 milhas mais próximo ao pólo sul, dois navios militares russos cruzavam o Círculo Antártico e rumavam para o Sul sob flocos de neve, em um clima gélido e sombrio. O tempo clareou o suficiente para que os oficiais pudessem fazer observações solares e verificar que estavam na latitude 69º21'S. Segundo o comandante da expedição, adiante dos navios estendia-se "uma extensão contínua de gelo que corria de leste para o oeste em direção ao sul. Nosso curso nos levava diretamente a esse campo de gelo, que estava coberto por colinas geladas". Outro oficial deixou registrado que "encontramos gelo continental de altura excepcional e naquela tarde magnífica via-se do alto dos mastros que o gelo se estendia até perder de vista". O que os russos viam era a plataforma de gelo da orla dessa parte da Antártica. Na verdade, era a primeira visão da Antártica. Deixemos os russos mirando aquela estranha frente gelada — eles a veriam novamente — e regressemos ao *Williams*, que continuava navegando ao longo da costa meridional das Shetland do Sul.

Por volta de 29 de janeiro o *Williams* já percorrera 80 milhas do litoral dessas ilhas de aparência desolada, avistara terra (a ilha Deception) logo envolta em nevoeiro, voltando-se para o sul no estreito que hoje traz o nome de Bransfield. No dia seguinte, avistaram a ilha Tower, que se ergue a 300 metros, com outras terras por trás. Passando a oeste e depois ao sul dessa ilha, logo puderam ver melhor as cadeias de montanhas da península Antártica, que atingem pouco mais de 2 mil metros. Como registrou um dos guardas-marinhas em seu diário, era "a visão mais sombria que se possa imaginar, e a única alegria despertada pelo panorama era a idéia de que pudesse ser o continente austral tão longamente procurado". Bransfield o batizou de "Terra da Trindade parcialmente coberta de neve" e assim a registrou em seu mapa. O guarda-marinha estava correto: na verdade o que se via era parte da Antártica, alguns dias depois de os russos a terem avistado.

Afastavam-se agora para o nordeste, com a terra a boreste, navegando em águas cheias de recifes com o perigo adicional do espesso nevoeiro. Ao dissipar-se, viram uma costa coberta de icebergs e duas montanhas altas — o monte Jacquinot e o monte Bransfield, como hoje são conhecidos. Tatearam em direção ao Norte no nevoeiro, passando pela ilha que batizaram de O'Brien, viram terra a boreste — as ilhas Gibbs — e avistaram a ilha Elefante, e ao largo da costa norte desembarcaram em uma ilha a que chamaram de ilha das Focas, devido às "noventa belas peles" que levaram. No dia 4 de fevereiro, Bransfield desembarcou na costa leste da ilha Clarence "e plantou em um pequeno vale, ao pé de um precipício imenso, uma tábua com inscrição semelhante à que fora deixada na costa da baía do Rei Jorge". Bransfield marcou em seu mapa que a ilha Clarence, com um pico que se erguia a 1900 metros, era visível à distância de 100 milhas. (Setenta e três anos mais tarde, a bordo do *Balaena*, integrante de uma flotilha de quatro baleeiros escoceses em viagem exploratória, o dr. William Bruce registraria haver avistado essa ilha a 80 milhas de distância.)

O *Williams* tomou um rumo sul, entrando no mar de Weddell até ser detido pelo gelo consolidado. Estavam a 80 milhas ao sul e a 200 milhas a leste da posição em que haviam marcado a Terra da Trindade. Não sabiam que se encontravam diante do litoral leste da península Antártica. A viagem de volta foi tranqüila: passaram ao norte da ilha Elefante e regressaram ao litoral norte das Shetland do Sul. No dia 19 de março afastaram-se desse arquipélago que apresentava "um aspecto desolado e sinistro". Havia muito que o *Hersilia* e o *Espirito Santo* tinham zarpado rumo ao Norte.

O *Williams* chegou a Valparaíso em 15 de abril e recebeu baixa do serviço da Marinha Real. Bransfield, os três guardas-marinhas e o médico reembarcaram em seus navios. William Smith preparou o *Williams* para nova viagem rumo a sua descoberta, desta vez para caçar focas. Smith teve notícia de que Cochrane havia tomado as fortalezas que defendiam a baía de Valdívia e da rendição da cidade — ao custo de 26 baixas em suas forças mercenárias. Era uma façanha digna daquele velho corsário Francis Drake. Dizia-se, entretanto, que Cochrane falava em renunciar a seu posto devido a uma desavença financeira — o ex-capitão-de-fragata sempre discutia por causa de dinheiro — com o governo patriótico chileno de Bernardo O'Higgins.

O diário e o mapa de navegação de Bransfield foram remetidos ao Departamento de Hidrografia em Londres, onde imediatamente o diário se extraviou. Restaram apenas o mapa e o relato da viagem feito por um dos guardas-marinhas, publicado no *Literary Gazette* de novembro de 1821. Bransfield e sua tripulação haviam avistado o continente; sem que soubessem, seu navio havia sido o primeiro a navegar — ainda que curta distância — no mar de Weddell.

Poucas semanas após o regresso do *Williams* a Valparaíso, o *Hersilia*, em 21 de maio de 1820, chegava a Stonington com seu carregamento de peles de foca — vendidas a 22 146,49 dólares — e com a eletrizante notícia de um paraíso para os caçadores nas ilhas ao sul do cabo Horn. No mesmo dia, do outro lado do mundo, os dois navios russos que haviam avistado a plataforma de gelo da Antártica se encontravam diante de Sydney num cruzeiro pelo Pacífico, antes de regressar às águas abaixo da Convergência.

"O imperador Alexandre Pavlovich, de gloriosa memória, desejando colaborar para a extensão das áreas do conhecimento, ordenou o despacho de duas expedições, cada qual integrada por dois navios, para a exploração das latitudes elevadas dos oceanos Ártico e Antártico." Foram essas as altissonantes palavras do presidente da Comissão Científica da Oficialidade Naval Imperial na introdução da primeira edição da *Voyage of captain Bellingshausen to the Antarctic seas 1818-1821* [Viagens do capitão Bellingshausen pelos mares antárticos 1818-21]. Essa introdução impressionante destoa um pouco da data tardia de publicação, 1831: dois volumes e um atlas, com apenas seiscentos exemplares. A posteridade não tratou bem do comandante da expedição. Após analisar os diários, os relatórios e os mapas de Bellingshausen, o governo de São Petersburgo pouco interesse demonstrou pela Antártica. A Ásia Central era uma preocupação mais premente.[1] A narrativa de Bellingshausen permaneceu no idioma russo até 1902, quando foi traduzida para o alemão. A primeira tradução inglesa apareceu somente em 1945 nos volumes da Sociedade Hakluyt, editados por Frank Debenham. Até 1837 o roteiro de Bellingshausen não figurava em nenhum mapa britânico. Somente um punhado de geógrafos e marinheiros teve conhecimento de sua viagem. Nathaniel Palmer, que encontrou Bellingshausen nas Shetland do

1. Em 1817 o general Sir Robert Wilson publicou seu *Sketch of the military and political power of Russia* [Esquema do poder militar e político da Rússia]. Foi um sucesso que alcançou cinco edições. As credenciais de Wilson eram impecáveis. Observador oficial britânico junto aos exércitos russos, havia testemunhado o incêndio de Moscou em 1812 e enviado à Inglaterra as primeiras notícias da retirada de Napoleão. O livro de Wilson preveniu o público inglês sobre a alarmante expansão russa. Durante os dezesseis anos do reinado de Alexandre, o Império acrescentou 200 mil milhas quadradas de território e 13 milhões de súditos a seus domínios. O exército russo passara de 80 mil homens para 640 mil. Wilson advertiu que o apetite da Rússia por novos territórios e súditos não estava saciado. O prato principal seria a Índia britânica. Eram as primeiras salvas do Grande Jogo.

Sul em 1821, não foi capaz sequer de recordar seu nome. Cinqüenta e cinco anos mais tarde, Palmer recordava seu encontro com o "almirante Krustenstern" e a "fragata *Rostok*, além de outro barco cujo nome esqueci". Trata-se de um exemplo clássico da perda de memória na idade avançada.

H. R. Mill, em seu *The siege of the south pole* [O cerco ao pólo sul], de 1905, descreve a viagem de Bellingshausen como "magistral continuação da de Cook, suplementando-a em todos os aspectos sem competir com nenhum deles". Thaddeus Thaddevich Bellingshausen nascera em 1778 (um ano antes da morte de Cook) na ilha de Saaremaa, na Estônia. Os Bellingshausen eram alemães bálticos abastados (a casa da família, hoje asilo para doentes mentais, ainda existe). O jovem Bellingshausen entrou para a Marinha Imperial em 1789, passando a maior parte da carreira na frota do mar Negro. Durante três anos, no entanto, de 1803 a 1806, serviu como quinto oficial da primeira circunavegação da Marinha Imperial, sob o comando do almirante Krusenstern. Esse oficial russo servira na Marinha Real britânica e procurou fazer com que a Marinha russa a imitasse. Tanto ele como Bellingshausen eram fervorosos admiradores de James Cook — chegavam ao ponto da adoração. Para eles, tratava-se do *ne plus ultra* entre os marinheiros.

O imperador tinha dois motivos para determinar a dupla investigação do Ártico e do Antártico. Após a derrota de Napoleão, quando as tropas russas entraram em Paris em 1814 (diz-se que um legado russo à língua francesa é a palavra *bistro*, derivada de *bystro*, que significa "rápido" em russo), intensificou-se em Alexandre o sentimento do destino manifesto, tanto o seu como o da Rússia. O instável czar freqüentemente se perdia em manias religiosas, vendo-se como enviado por Deus para liderar as monarquias cristãs. A expressão concreta desse sentimento veio com a assinatura da "Santa Aliança" entre os soberanos da Rússia, Áustria e Prússia, em 1815. Com poucas exceções, outros monarcas europeus se juntaram a eles. Metternich, o cínico ministro austríaco, chamou o documento de "um solene vazio", enquanto Castlereagh, secretário do Exterior britânico, o desprezou como "peça de sublime misticismo e idiotice". À parte o sentido místico de destino, as razões mais práticas para a expedição eram o treinamento de um quadro de marinheiros para a Marinha Imperial e o descobrimento de terras para "o estabelecimento de comunicações marítimas permanentes ou de locais para reparos de navios".

O Império russo se estendia agora à América do Norte, do outro lado do estreito de Bering. As comunicações com a Rússia a oeste dos Urais eram longas, árduas, difíceis. O governo era obrigado a manter um sistema dispendioso de comunicação e transporte através das grandiosas extensões de floresta, estepe, pântanos, rios e planícies da Sibéria. As mercadorias tinham de ser reduzidas a dimensões transportáveis, e os cabos dos navios, cortados em comprimentos de 15 metros, com as pesadas âncoras transportadas em partes. As peles resultantes das caçadas representavam um custo exorbitante para o tesouro nacional. O transporte marítimo seria um meio muito mais fácil e barato, mas a Rússia, ao contrário da França, Grã-Bretanha, Holanda, Portugal e Espanha, não tinha possessões espalhadas pelos oceanos do globo. Talvez fosse possível encontrar uma no oceano austral.

Bellingshausen teve notícia de sua designação para comandar a expedição antártica durante o tempo em que servia no mar Negro. Um mês mais tarde recebia suas instruções em São Petersburgo, onde tomou conhecimento de que a expedição disporia de dois navios. Um era o *Vostok* (Oriente), de 40 metros de comprimento, 10 de boca e 3 de calado, construído no ano anterior em São Petersburgo com madeira de pinheiro não curtido. O tenente-comandante Ivan Zavodovski, bem conhecido de Bellingshausen, era seu comandante. O outro era o *Mirnyi* (Pacífico), de dimensões menores: 36 metros de comprimento e 9 de boca, sob o comando do tenente Mikhail Lazarev. O *Mirnyi* navegava mal e daria grande trabalho a Bellingshausen durante os dois anos seguintes. A tripulação total da expedição chegava a 190 homens, entre os quais um astrônomo, um artista e um sacerdote. Dois naturalistas alemães deveriam juntar-se à expedição em Copenhague, mas voltaram atrás no último momento, o que provocou comentários sarcásticos de Bellingshausen sobre a Academia Imperial de Ciências, dominada por alemães, que se recusara a designar naturalistas russos.

Com munificência nem sempre observada em governos autocráticos, a tripulação dos navios recebia oito vezes o soldo normal; os oficiais, o astrônomo e o artista tinham direito a uma gratificação de ração e todos os oficiais e marinheiros receberam adiantamento de um ano de seus soldos. Obejto de grande atenção, as provisões incluíam carne bovina salgada, carne de porco fresca e salgada, biscoitos de trigo e de centeio, chucrute, caldo de carne em forma de tabletes, sopas ralas, chá, melaço, açúcar, cacau, essência de abeto, cidra e vinagre. "Como a cerveja é a bebida mais saudável no mar, seria benéfico servi-la freqüentemente aos marinheiros", lia-se num trecho das instruções do Conselho do Almirantado Imperial.

É provável que Belligshausen tenha dado um suspiro de alívio quando, ao folhear as instruções determinadas pelo Conselho do Almirantado, do Departamento do Almirantado Imperial e do Ministério de Assuntos Navais, encontrou um parágrafo em que se lia que, "devido à premência de tempo, a Academia Imperial de Ciências não preparou instruções para os cientistas de bordo". Isso não importava, prosseguia sem remorsos o ministro dos Assuntos Navais: ele próprio forneceria algumas diretrizes sobre o tema. Experimentos geodésicos, astronômicos e pendulares para registros de gravidade, navegação, distâncias lunares, marés enchentes e vazantes, variações da bússola, pressões barométricas, condições atmosféricas, direção do vento em diferentes altitudes (usando pequenos balões), observações da água do mar e da salinidade em profundidades variadas, condições e formação do gelo, corantes e substâncias nativas. Os habitantes que encontrassem deveriam ser estudados quanto à cor, estatura e constituição, sem esquecer "sua anatomia interna, se for possível obter cadáveres para dissecação". Tampouco ficariam esquecidas a geologia, a mineralogia e a botânica. Os artistas deveriam desenhar "tudo o que possa ser observado na natureza, esperando-se de seus esforços o delineamento apurado de quaisquer coisas raras e dignas de nota". Finalmente, para o caso de que algo houvesse escapado à ampla rede lançada pelo ministro, Bellingshausen "não deve negligenciar oportunidades de fazer investigações, notas e observações sobre tudo o que puder auxiliar o progresso da ciência em geral, ou de seus ramos específicos".

Após seis semanas frenéticas, Bellingshausen zarpou de Kronstadt com seus dois navios em 4 de julho de 1819.[2] Tendo feito uma escala em Copenhague, o *Vostok* e o *Mirnyi* ancoraram em Spithead, próximo a Portsmouth, em 30 de julho. No dia seguinte os oficiais viajaram a Londres a fim de adquirir mapas, livros, telescópios, instrumentos de observação astronômica, sextantes, cronômetros e os alimentos enlatados do sr. Donkin, além de fazerem turismo, com visitas à catedral de São Paulo, à abadia

2. A Rússia utilizava ainda o antigo calendário juliano; no calendário gregoriano devem-se acrescentar doze dias.

de Westminster, à Torre de Londres, aos jardins de Vauxhall e aos teatros. Sir Joseph Banks, com 75 anos e atacado de gota, enfermo em sua cadeira de rodas — mas ainda presidente da Real Sociedade —, foi consultado, na esperança de encontrar naturalistas que substituíssem os pouco cordiais alemães. O tempo, porém, era curto demais. Os russos partiram de Portsmouth sem uma parte importante de sua equipe científica.

Seguindo o exemplo de Cook, Bellingshausen organizou um sistema de três turnos para toda a equipagem, dedicou atenção especial à limpeza dos homens e deu ordens para que as roupas de cama fossem trocadas duas vezes por semana e as redes, lavadas duas vezes por mês. Ao penetrarem no Atlântico, mandou que o médico examinasse os marinheiros para verificar se algum contraíra doenças venéreas. Para sua grande surpresa, os homens do *Vostok* se revelaram sãos. De acordo com os registros de Bellingshausen, "isso deve ser considerado muito curioso, pois há mais prostitutas na Inglaterra do que em qualquer outro lugar, especialmente nos portos principais".

Após uma escala em Tenerife para embarcar água, vinho e provisões frescas, seguiram para o Sul e cruzaram o equador em 18 de outubro. Bellingshausen era o único integrante da expedição que já passara anteriormente pela lendária linha. Colheram água do mar num balde e Bellingshausen borrifou os oficiais e cadetes "para apresentá-los, por assim dizer, às águas do hemisfério sul". Para os marinheiros, a apresentação foi mais drástica: o comissário, depois de borrifado pelo comandante, atirava um jarro inteiro de água em seus rostos. Mesmo assim, era uma cerimônia consideravelmente mais decorosa do que a violência praticada pelos marujos de Cook. Com efeito, a leitura da narrativa de Bellingshausen mostra que seus homens se comportavam com modéstia quase digna de freiras, em especial nos dias festivos, mas é possível que o comandante, pensando na sensibilidade de seus leitores, amenizasse as rudezas de seus marinheiros.

"Com exceção de Lazarev, Zavodovski e eu próprio, nenhum dos oficiais de ambos os navios jamais havia tido oportunidade de fazer observações astronômicas." A frase salta de uma página do relato de Bellingshausen e subitamente nos damos conta de que essa viagem tinha também como objetivo treinar um quadro de oficiais na embrionária Marinha russa. Cada um dos oficiais havia comprado um sextante em Londres ou em Portsmouth, e já na chegada ao Rio de Janeiro todos conheciam bem a navegação celeste, inclusive as distâncias lunares. A viagem, na verdade, se tornaria notável pela precisão da navegação e pela quantidade prodigiosa de observações realizadas com a finalidade de verificar a posição e o comportamento dos cronômetros.

Os russos passaram três semanas no Rio de Janeiro, cidade que, segundo Bellingshausen, tinha um aspecto desagradável de sujeira. Os topos de todos os morros estavam cobertos de mosteiros nos quais somente os religiosos tinham "o benefício de ar fresco e saudável e o prazer de belos panoramas vistos das alturas". Os mercados de escravos, com suas multidões de pobres africanos, incomodaram Bellingshausen. Doze anos mais tarde Charles Darwin compartilharia essa impressão, o que levou a uma discussão entre Darwin e o capitão FitzRoy, do *Beagle*.

O *Vostok* e o *Mirnyi* zarparam no dia 22 de novembro, carregados de novilhos, carneiros, quarenta porcos grandes, vinte leitões, patos, galinhas, rum, açúcar, limão, abóboras, cebolas, alho e vegetais. A última coisa a ser embarcada foram os fardos de feno para os bovinos e ovinos. Bellingshausen traçou o curso para a Geórgia do Sul, a cerca de 2 mil milhas no rumo Sul, que seria a primeira escala da viagem polar. Na tarde de 12 de dezembro, a 200 milhas de distância da ilha, a temperatura do ar subitamente caiu para 9 ºC. Haviam cruzado a Convergência. No dia seguinte caiu a primeira neve. Em 15 de dezembro, rodeados de petréis-azuis e petréis-da-neve, albatrozes, "pestrushki",[3] pingüins e baleias, avistaram a ilha Willis e a Geórgia do Sul.

Cook havia feito o levantamento da costa norte da Geórgia do Sul, e Bellingshausen faria o mesmo na costa sul. Enquanto percorriam o litoral, um barco pequeno com bandeira inglesa saiu de uma angra. Logo colocou-se à deriva, a sotavento do *Vostok*. A bordo havia três homens, um dos quais um russo que desertara de um navio de guerra russo em um porto inglês. O desertor explicou que faziam parte da tripulação de dois baleeiros britânicos ancorados em uma das baías. Estavam na ilha havia dois meses, matando elefantes-marinhos para retirar-lhes o óleo. Os caçadores de focas, informou o russo, acompanhavam a costa em seus pequenos barcos, encontravam uma angra com focas, desembarcavam e começavam o trabalho, abrigando-se no casco emborcado do barco e usando peles de pingüim e pedaços de gordura para fazer o fogo onde preparar a comida. Para grande alegria deles, Bellingshausen deu-lhes de presente grogue, açúcar e manteiga. Os caçadores voltaram então a sua ilha desolada.

Em 18 de dezembro, entre freqüentes chuvas geladas e nevascas, Belligshausen resolveu dar por terminado seu levantamento da ilha, que era "gelada e, por assim dizer, morta". Se fosse esperar a melhora do tempo, o resultado inevitável seria o encurtamento da viagem às latitudes superiores. Sua investigação seguinte seria a Terra de Sandwich, as ilhas Sandwich, descobertas por James Cook. Em 20 de dezembro passaram pelo primeiro iceberg — "que nos causou grande impressão". Dois dias mais tarde foi avistada uma ilha pequena e desconhecida, que foi batizada por Bellingshausen com o nome do terceiro-tenente do *Vostok* —

3. Pombas-do-cabo, ou petréis-"pintados".

Lyskov. No dia seguinte avistaram outra ilha, a que chamaram de ilha Visokoi ("alta"). Em breve viu-se uma terceira ilha, mais curiosa, pois dela "saía continuamente um vapor espesso e malcheiroso". Batizaram-na de ilha Zavodovski, e o que viam era o topo de um vulcão ativo.

No dia 24 de dezembro, Zavodovski desembarcou nessa ilha e encontrou enormes quantidades de pingüins chocando ovos. O grupo de desembarque subiu até a metade do vulcão, abrindo caminho entre os pingüins a cacetadas. O chão sob seus pés era quente, e foram obrigados a regressar devido à combinação do excremento morno dos pingüins com a fumaça da cratera. (Se o leitor der uma olhada em um mapa moderno da ilha, terá a nítida impressão de que nada mudou. A circunferência da ilha é de cerca de 9 milhas e o ponto mais elevado é o monte Asphyxia, a 550 metros. Os acidentes da costa têm nomes como ponta Ácida (Acrid), ponta do Mau Cheiro (Stench), ponta da Fumaça (Fume), ponta do Vapor (Reek), ponta Pungente (Pungente) e escarpa Malsã (Noxius). O autor desembarcou nessa ilha em 1983 e escalou uma ravina escavada pela neve derretida. O fundo da ravina estava cheio de cadáveres de filhotes de pingüim, que os pingüins adultos haviam empurrado para baixo.)

Naquela noite, com os odores pungentes da ilha entranhados nas roupas de alguns marinheiros, a tripulação do *Vostok* e a do *Mirnyi* comemoraram a véspera de Natal e "o aniversário da libertação da Rússia dos invasores franceses". A comida era tipicamente russa: sopa de repolho com repolho em conserva, carne de porco fresca e torta de arroz com carne moída. Para beber, cada homem recebeu meia caneca das grandes de cerveja, seguida de um copo de ponche de rum com limão e açúcar.

Quando Bellingshausen completou o levantamento da Terra de Sandwich, já era 5 de janeiro. A tarefa tinha sido realizada em condições deploráveis, com rajadas perpétuas de vento, neve, chuva e nevoeiro, em meio a blocos de gelo e icebergs. Quando o tempo clareava por alguns instantes, os oficiais se apressavam em efetuar suas observações visuais e verificar a posição das ilhas, enquanto o artista, Paul Mikhailov, fazia sofisticados desenhos dos severos rochedos com neve e gelo. Os desenhos ainda aparecem no *Antarctic pilot.* Esses diligentes esforços mostraram que a Terra de Sandwich — inclusive as descobertas feitas por eles — era apenas um conjunto de ilhas de origem vulcânica, sem nenhuma conexão com um continente austral.

Resolvido aquele ponto, os dois navios rumaram para Leste. Seguindo o exemplo de Cook, recolheram gelo para obter água fresca, pois o grande número de animais a bordo também necessitava da água. Os pingüins que pousavam nos blocos de gelo eram capturados e acabavam nas panelas dos cozinheiros, enquanto os homens faziam bonés com suas peles e usavam a gordura para lustrar as botas de couro. Alguns dos pássaros, capturados vivos, foram colocados nas gaiolas das galinhas e alimentados com carne de porco. Logo, morreram.

A oeste do ponto onde encontraria o meridiano de Greenwich, Bellingshausen derivou para o Sul. Em 15 de janeiro cruzaram o Círculo Antártico e no dia seguinte foram detidos pelo gelo "materik" (continental). Era bastante provável que estivessem diante da plataforma de gelo Finibul, como é chamada hoje em dia, na orla da costa antártica Princesa Marta. As orlas das plataformas de gelo avançam e recuam e possivelmente em 1820 a parte fronteira se encontrasse mais ao norte do que nos dias de hoje. As plataformas geladas podem ser consideradas parte integrante do continente — não tão evidentes quanto a Terra da Trindade avistada por Bransfield alguns dias depois, mas ainda assim tratava-se da Antártica.

Poucos dias mais tarde, num ponto a leste dali, o gelo "materik" os deteve novamente. Bellingshausen rumou para o Norte e em seguida para o Leste. Em 2 de fevereiro alterou o curso, seguindo para o Sul. Nevava copiosamente quando cruzaram o Círculo Antártico pela terceira vez. Em 5 de fevereiro alcançaram a latitude 69º07'S, próximo à longitude 15ºO. Diante de seu caminho erguia-se outra estranha frente de gelo: "Um continente de gelo, cuja orla é cortada perpendicularmente [...]; ilhas de gelo próximas a esse continente mostram claramente que se trata de peda-

stok e o Mirnyi *comandados por Bellingshausen. Esboço de Paul Mikhailov. Cortesia do* *tuto Scott de Pesquisa Polar.*

ços partidos dele, pois têm lados e superfícies semelhantes aos do continente". Assim escreveu Bellingshausen em uma carta ao ministro dos Assuntos Navais. Em seu relato, registrou: "Os lados eram perpendiculares e formavam pequenas ravinas, enquanto a superfície se elevava em direção ao Sul até uma distância tão longínqua que seus limites ficavam fora do alcance da vista, mesmo observando do topo do mastro". O que os russos viam era a plataforma de gelo na orla da costa da Princesa Astrid.

Bellingshausen tentou então navegar para o Sul próximo à longitude na qual Cook fizera a primeira passagem pelo Círculo Antártico, não para quebrar o recorde de Cook, e sim para comparar as condições do gelo 47 anos depois. O gelo consolidado os deteve 16 milhas ao norte do ponto mais meridional alcançado por Cook. Desde a partida do Rio de Janeiro, haviam estado treze semanas no mar. A fim de levantar o moral de seus homens naquelas condições desagradáveis de navegação, Bellingshausen fazia questão de comemorar estritamente todas as festividades russas. Isso significava bem-vindos acréscimos nas rações normais e doses extras de ponche, grogue e vinho, o que talvez compensasse o desconforto de ter de vestir os uniformes completos. O *Vostok* e o *Mirnyi* rumavam agora para Leste, abaixo da latitude de 60ºS, atravessando a parte inexplorada do oceano austral da qual Cook derivara para o norte com vistas a procurar a ilha Kerguelen. Na primeira semana de março, Bellingshausen achou que era tempo de deixar aquelas altas latitudes meridionais, onde a temperatura rondava os 14 ºC abaixo do ponto de congelamento e onde os borrifos a neve e a água congelavam até 2,5 centímetros de espessura nas velas, mastros, guinchos, casco e convés. Naquele "clima escuro e severo parece que os corações dos homens se tornam frios, da mesma forma que os objetos em torno, e os marinheiros ficam tristonhos, deprimidos, rudes e de certa forma indiferentes a tudo...".

Decidiu-se que os dois navios se separariam, com o *Mirnyi* tomando um rumo mais ao Norte em direção à Austrália, porém 150 milhas ao sul do curso de Furneaux e do *Adventure*. O *Vostok* manteria um rumo mais meridional. Entretanto, mesmo as latitudes mais baixas trouxeram pouco alívio. Durante uma semana o *Vostok* lutou com ventos de tempestade, com o velame arriado e redes de dormir estendidas nos brandais do mastro de mezena a fim de conseguir empuxe na popa e manter a proa mais próxima ao vento e ao mar, pois nenhuma vela seria suficientemente forte para agüentar aqueles ventos sem ser transformada em tiras.

No fim de março o *Vostok* entrou na baía de Sydney e ancorou ao largo da cidade. Fazia 131 dias que estavam no mar e o médico informou o capitão de que apenas dois homens mostravam sintomas de escorbuto. Os carneiros e os porcos estavam em condições bem piores; todos mostravam sintomas da doença. Lazarev chegou a Sydney com o *Mirnyi* uma semana mais tarde e viu que seus compatriotas haviam erguido tendas na praia e se encontravam à vontade, com uma das tendas servindo de banho turco: o vapor era produzido por balas de canhão aquecidas ao rubro sobre as quais se jogava água.

Depois de reparados, os navios partiram para um cruzeiro de quatro meses pelo Pacífico Sul. Primeiro foram à Nova Zelândia, onde comeram batatas que descendiam das plantadas por Cook no estreito Rainha Carlota. Fizeram uma escala no Taiti para calibrar os cronômetros na ponta Vênus. A ilha continuava a mesma, porém Cook e Banks não teriam reconhecido os habitantes. Catequistas da Sociedade Missionária de Londres haviam desembarcado em grandes grupos em 1797 e imediatamente trataram de destruir a cultura dos ilhéus com zelo puritano. Os pacatos nativos não resistiram aos guerreiros de Deus: acabaram-se as longas tranças e os vestidos típicos das mulheres. Os cabelos foram cortados rente e tecidos estampados europeus recobriam pudicamente os corpos femininos. Também se acabaram os antigos jogos, as danças e as diversões. O dia de descanso era sagrado para o Senhor. Embora as bebidas alcoólicas tivessem sido proibidas, os russos logo perceberam que as garrafas de grogue haviam substituído os pregos como unidade de moeda no comércio com os navios europeus. O rei Pomaré pediu a Bellingshausen que lhe escrevesse uma nota no idioma russo solicitando que o portador recebesse uma garrafa de rum. Talvez para passar a perna em mr. Nott, o missionário inglês, o afável Bellingshausen relata: "Escrevi que ele deveria receber três garrafas de rum e seis de vinho de Tenerife". O Jardim do Éden dos mares do Sul, a "Nova Citera" de Bougainville, havia se transformado em uma "Nova Jerusalém", na versão do protestantismo inglês de classe média baixa.

A viagem pelo Pacífico Sul terminou com o regresso a Sydney em 9 de setembro. Os mastros dos navios foram retirados e todos os que estavam com algum defeito foram substituídos; os cascos foram reforçados e construíram-se cercados para os porcos, pois Bellingshausen havia reparado que "esses animais necessitam de um lugar absolutamente tranqüilo, protegido da umidade e do frio".

O ministro russo no Rio de Janeiro havia enviado uma mensagem para Bellingshausen em Sydney, informando-o da descoberta das Shetland do Sul por Smith. Ali estavam novas ilhas para serem observadas pelos russos no estádio seguinte da viagem polar. A notícia não se limitou aos russos; chegara também aos caçadores de foca baseados em Sydney. O brigue *Lynx*, cujos proprietários eram daquela cidade, zarpou alguns dias depois dos russos a caminho dos novos viveiros de focas nas Shetland do Sul.

Os russos zarparam em 31 de outubro. A bordo levavam porcos e carneiros, além de 84 pássaros, inclusive cacatuas, papagaios, pombos, uma arara e um periquito. Todos faziam grande algazarra, assobiando e gritando, enquanto os papagaios diziam as palavras que sabiam em inglês. No convés saltitava um pequeno canguru que acabou se tornando o mascote dos marinheiros. O ruído da partida foi aumentado pela salva de canhões saudando a fortaleza e de lá se lançou outra salva em retribuição. Piper, o capitão do porto, disparou de sua casa, no promontório que dominava a baía, sua própria salva pessoal de despedida. Os russos haviam sido bem recebidos pela pequena cidade colonial e sentiam-se tristes ao partir. Diante deles, bem o sabiam, estavam meses de desconforto.

A fim de explorar águas intocadas por Cook, Bellingshausen rumou para a ilha Macquarie, a 1230 milhas ao sul de Sydney. Dali singrariam em mares desconhecidos. Após uma semana no mar, apareceu um vazamento próximo à proa do *Vostok*, tão grave que se podia ouvir a água entrando com força. Era impossível fazer reparos ali, mas regressar a Sydney significaria encurtar demasiadamente a estação já breve. Resolveram manter as velas reduzidas e poupar o navio. Usaram os canhões como lastro e os carpinteiros armaram vigas internas com suportes para reforçar o casco. Poucos dias depois, com ventos fortes e mar cruzado, o *Vostok* navegava em condições tão críticas que o ruído do ranger do casco, das vigas e das cavernas fez os oficiais saírem de suas cabines e reunirem-se no convés, molhados e assustados. Não era um início auspicioso para sua segunda incursão polar.

Macquarie, todavia, proporcionou agradável surpresa. Esperavam da ilha os mesmos bastiões cobertos de neve e gelo que haviam presenciado na Geórgia do Sul, pois ambas as ilhas ficavam na mesma latitude. Contudo, essa nova escala mostrou-se de um belo verde, livre do gelo e da neve. É verdade que o tempo continuou chuvoso e com vento, mas era o que se podia esperar de um rochedo montanhoso no oceano austral.

Vieram caçadores de focas recebê-los e, depois de serem presenteados com manteiga, grogue e biscoitos, apressaram-se a ajudar aqueles estranhos visitantes. Os russos ficaram sabendo que havia dois grupos de caçadores trabalhando na ilha, um com treze homens e o outro com 27. Alguns já estavam lá havia nove meses — um deles passara seis anos sem sair dali —, todos caçando elefantes-marinhos para retirar-lhes o óleo. As focas-de-pêlo haviam sido totalmente exterminadas. Os russos visitaram os toscos alojamentos dos caçadores, onde tinham de entrar conduzidos pela mão, devido à escuridão, e cujas janelas eram feitas com vesícula de foca; o combustível para o fogo era a gordura dos animais. Bebendo seus canecos de grogue, os caçadores contaram aos russos suas condições de vida: a matança das focas, o corte da gordura, o derretimento para extrair o óleo nos caldeirões. O produto era levado para Sydney e para a Inglaterra. Como fonte de alimentação tinham os pingüins e seus ovos — na temporada —, bem como nadadeiras de elefante-marinho, aves e um repolho antiescorbútico. Os caçadores picavam os talos e as raízes e com eles faziam sopa. Bellingshausen, percebendo a importância daquela qualidade de repolho, mandou embarcar grandes quantidades para fazer *shtshi*, a sopa russa de repolho. Mais tarde, durante a viagem, desejaria ter ordenado que embarcassem mais.

Em 20 de novembro, havendo presenteado os caçadores com mais rum e provisões, os russos se despediram e contemplaram Macquarie desaparecer na névoa à popa. Passar-se-iam dois meses até que avistassem terra novamente. Essas semanas foram repletas de tempestades, perigos, desconforto e colisões quase desastrosas com icebergs ocultos pelo nevoeiro, ao ladearem o gelo consolidado que jazia ao sul. As bombas do *Vostok* funcionavam permanentemente, arrojando água no convés. Uma das ironias dessa viagem é o fato de que, se Bellingshausen tivesse regressado a Sydney para fazer os reparos necessários em seu barco, a passagem tardia pelas águas ao sul de Macquarie não encontraria o gelo consolidado impedindo a entrada do mar de Ross. Somente vinte anos mais tarde James Clark Ross, com o *Erebus* e o *Terror*, daria com a entrada, porém dois meses após o término da estação. Assim são os acasos das descobertas.

Com o gelo consolidado ao sul, os russos singraram para leste, abaixo da latitude de 60ºS e próximos ao Círculo Antártico, evitando o roteiro de Cook tanto quanto possível. Havia uma armadura de 5 centímetros de gelo nos mastros, vergas e velas, que tinha de ser quebrada com martelos e porretes. Os dias festivos eram observados com o ritual adequado. A festa de são Nicolau, que era o protetor da Rússia e padroeiro dos marinheiros, no dia 6 de dezembro, foi comemorada com sopa de repolho de Macquarie, carne de porco fresca, repolho em conserva, suco de limão, vinho e cerveja de abeto. O aniversário do czar, em 12 de dezembro, com orações de ação de graças e salva de 21 tiros. O dia de Natal, com novas orações de ação de graças pela libertação do país da invasão de Napoleão. O Ano-Novo de 1821, com uma caneca de ponche quente, e depois do jantar Bellingshausen mandou que cada homem tomasse um grande copo de café com rum em vez de creme. "Essa nova bebida", registrou o comandante, "agradou muito aos homens e o dia passou com grande alegria até a noite."

Durante aquela primeira semana do Ano-Novo os russos haviam praticamente abandonado a esperança de avistar terra na imensidão gelada. De repente, em 10 de janeiro, sem nenhum sinal precursor, como algas, por exemplo — havia, no entanto, alguns trinta-réis e skuas esvoaçando em torno do navio —, viram terra, de aparência negra à luz dos raios de sol vindos de detrás das nuvens. Bellingshausen registrou o momento: "As palavras não são suficientes para descrever o júbilo de nossas fisionomias ao grito de 'Terra! Terra!'. Nossa alegria não era surpreendente após a monótona viagem, em meio aos constantes perigos do gelo, neve, chuva e nevoeiro". No dia seguinte conseguiram chegar a 14 milhas do litoral, até que o gelo consolidado os deteve. Porém, para grande desapontamento geral, a terra revelou-se apenas uma pequena ilha, e não parte de um continente. Não importava: Bellingshausen deu ordem de servir um copo de ponche quente a todos os marinheiros, que beberam à saúde do czar. Os oficiais se ocuparam dos levantamentos e das medidas da altitude da ilha, que variava entre 1335 e 1205 metros — o *Antarctic pilot* registra 1750 metros —, e de sua posição mediante a observação celeste: 68°57'S e 90°46'O, muito próxima de sua verdadeira localização. Bellingshausen chamou-a ilha de Pedro I, em honra do "fundador da frota do Império russo [...]".[4]

Uma semana mais tarde, ainda abaixo do Círculo Antártico, avistaram novamente terra num dia claro e frio de extraordinária beleza. Um promontório se estendia para o norte e terminava em uma grande elevação montanhosa. Outra cadeia de montanhas corria para o sudoeste. O gelo consolidado impedia a aproximação a menos de 40 milhas. Bellingshausen batizou a terra descoberta de ilha Alexandre — trata-se de uma vasta ilha separada do continente por um estreito coberto de gelo.

Bellingshausen então tomou um rumo na direção das Shetland do Sul. Na manhã de 24 de janeiro um brado soou, vindo da gávea: "Terra à vista acima das nuvens!". Atravessando as nuvens viam-se os picos da ilha Smith, com 2100 metros de altitude. Os russos rumaram para o nordeste, seguindo o litoral sul das ilhas e fazendo o levantamento à medida que percorriam a

4. O primeiro desembarque na ilha somente ocorreu em 1929, quando caçadores de baleia noruegueses do *Norvegia* fizeram um levantamento rudimentar.

costa. As ilhas receberam nomes russos, a maior parte deles recordando vitórias em batalhas contra o detestado Napoleão: Borodino (ilha Smith), Pequena Yaroslavetz (ilha Snow), Smolensk (ilha Livingston), Beresina (ilha Greenwich), Polotsk (ilha Roberts), Leipzig (ilha Nelson) e Waterloo (ilha do Rei Jorge). Nesta última, os russos desembarcaram próximo ao promontório Norte de William Smith e trouxeram de volta algumas rochas, musgos, algas, três focas vivas e alguns pingüins. Em 29 de janeiro já se encontravam ao largo da costa norte da ilha Elefante. As condições de navegabilidade pioraram: em meio a ventanias e nevascas que cegavam, a ilha desapareceu de suas vistas. Pareceria um final adequado para a última porção de terra por eles avistada na Antártica.

Nessa altura da viagem, Bellingshausen se preocupava com as condições estruturais do *Vostok* e a saúde dos marinheiros. Fora necessário bombear água durante todo o trajeto até as Shetland do Sul e as catorze semanas passadas na umidade e no frio deixaram marcas em todos os rostos. Era tempo de seguir para o norte em direção ao Rio de Janeiro, a fim de proceder aos reparos muito necessários nos navios e nos homens. Em 1º de fevereiro, a 56º35'S, encontraram o último dos icebergs, até ali constantes companheiros. Em 8 de fevereiro, em condições mais amenas e já bastante ao norte da Convergência, abriram todas as escotilhas para arejar os conveses inferiores.

Muitas das aves embarcadas em Sydney haviam morrido, mas os sobreviventes mais tenazes foram trazidos para o convés, onde "organizaram um coro de muitas vozes". Um periquito saiu voando diante do *Vostok* e caiu no mar. Com presença de espírito, os marinheiros lançaram uma vara ao mar, à qual a ave se agarrou, aterrorizada. De volta a bordo, passaram-se várias horas até que soltasse a vara. Em 27 de fevereiro o *Vostok* e o *Mirnyi* ancoraram na baía de Guanabara. Zarparam a 23 de maio e, após uma escala em Lisboa, deram salvas em saudação às fortalezas de Kronstadt em 24 de julho de 1821. Haviam estado 751 dias fora do porto e navegado 57 073 milhas — sem perder um só homem com escorbuto. Fora uma viagem capaz de rivalizar com a de Cook. Os resultados, porém, haviam sido muito diversos. Os relatórios da expedição caíram no buraco negro da burocracia russa: os esforços de Bellingshausen poderiam perfeitamente não ter ocorrido. A mente febril de Alexandre I parecia mais preocupada com sociedades secretas, colônias militares e repressão de descontentamentos. A Ásia Central, e não a Antártica, tornar-se-ia o centro dos interesses de São Petersburgo.

Como todas as boas aventuras, essa também não tivera incidentes catastróficos. Um acontecimento de menor monta, ainda que de interesse para esta narrativa, ocorrera durante os dias em que faziam o levantamento das Shetland do Sul. Em 25 de janeiro de 1821, os russos avistaram oito barcos de caçadores de focas, americanos e ingleses, ancorados próximo à costa. Poucas horas mais tarde, entre as ilhas Deception e Livingston, encontraram um "pequeno barco americano caçador de focas". Era o *Hero*, de Nathaniel Palmer, proveniente de Stonington. Deixemos a Bellingshausen o relato:

> Arriei as velas, despachei um escaler e esperei o capitão do barco americano. O prumo não tocava o fundo a 115 braças. Pouco depois, o sr. Palmer chegou a nosso bote e nos informou que havia estado ali durante quatro meses, caçando focas em parceria com três navios americanos. Ocupavam-se em matar e esfolar focas, cuja população diminuía visivelmente. Havia pelo menos dezoito barcos nas proximidades, em pontos diferentes, e não era incomum que surgissem discussões entre os caçadores, sem que no

entanto tivesse havido lutas até então. O sr. Palmer nos disse que o supramencionado capitão Smith, descobridor da Nova Shetland, se encontrava no brigue *Williams* e conseguira matar nada menos do que 60 mil focas, enquanto toda a frota matara 80 mil. Como havia outros caçadores em volta das ilhas Shetland do Sul, assim como na Geórgia do Sul e nas Macquarie, o número desses animais marinhos diminuirá rapidamente. Os elefantes-marinhos, dos quais também havia grandes quantidades, já migraram dessas costas para pontos mais distantes... O sr. Palmer voltou a seu navio e nós prosseguimos a navegação ao longo do litoral.

O comentário de Bellingshausen sobre o destino das focas-de-pêlo se mostraria correto. Aquela fora a segunda — e a mais sangrenta — das temporadas de caça nas Shetland do Sul. Nela, os caçadores de Stonington tiveram papel de destaque.

O *Atlantic coast pilot*, publicado pela Departamento de Levantamento Costeiro dos Estados Unidos em 1878, assim falava de Stonington:

> A vila de Stonington tem certa importância, especialmente no verão, pois se encontra nas proximidades dos hotéis de Watch Hill e é também o ponto terminal da linha de vapores entre Nova York e Stonington, caminho preferido para Boston durante essa estação. Acima da vila, o litoral leste do porto é composto de terras baixas e planas, quase inteiramente limpas, onde há muitas casas belas, rodeadas de jardins ornamentais.

Esse trecho lembra mais um folheto de propaganda da Câmara de Comércio local do que instruções para navegantes. A não ser no que toca à "linha de vapores", a descrição do *Pilot* ainda hoje se ajusta a essa agradável cidadezinha de Connecticut. Durante os meses de verão, como em outras vilas do litoral, as hordas de turistas a invadem: o ruído das bolas de tênis do Iate Clube se mistura ao dos motores que puxam os cabos de aço dos iates ancorados e dos motores de popa dos barcos e ao mais ameno tilintar dos cubos de gelo na infindável ronda de encontros sociais do verão. O turista pacato que caminhe pelas ruas agradáveis, bordejadas de árvores, talvez sinta certo orgulho patriótico ao ver os canhões usados para expulsar os vasos de guerra britânicos comandados pelo comodoro Sir Thomas Hardy durante o mês de agosto de 1814. Se o patriotismo estiver misturado a preocupações ambientais, o mesmo turista, contemplando as adoráveis construções do Greek Revival e de edifícios federais, talvez sinta um ataque de raiva ao perceber que essas edificações resultaram de fortunas que se fizeram com a caça às focas. Tais preocupações eram inteiramente alheias aos habitantes de Stonington em 1820.

A notícia da descoberta de Smith apareceu nas colunas marítimas dos jornais ingleses durante o final de março e o início de abril de 1820. Seu potencial como novo terreno de caçada de focas causou frêmitos em todos os cais de portos.

Somente cinco navios de caçadores de foca haviam zarpado de portos americanos durante o ano de 1819. Os antigos lugares de caça às focas-de-pêlo pareciam estar esgotados, as viagens eram longas e os lucros eram pequenos. O regresso do *Hersilia* a Stonington com um carregamento de peles recolhidas em poucos dias — e vendidas com fartos ganhos — transformou as ondas de excitação em maré estrondosa. Dizia-se que a tripulação do *Hersilia* avistara 300 mil focas de uma só vez. Ali havia, realmente, ricas perspectivas.

Edmund Fanning, velho caçador de focas dos tempos em que esse tipo de empreendimento teve início, tratou de organizar uma frota para zarpar de Stonington. Sob o comando de Benjamin Pendleton, o brigue *Frederick* partira de Stonington poucos dias antes do regresso do *Hersilia* com a intenção de caçar focas, mas sua companheira, a escuna *Free Gift*, comandada por Thomas Dunbar, ainda permanecia no porto. Tudo foi organizado com rapidez. O *Free Gift*, que deveria encontrar o *Frederick*, levaria as notícias e as instruções de navegação do *Hersilia* para chegar às Shetland do Sul. Três outros navios os seguiriam para operar conjuntamente. Com sua parte do lucro na venda das peles de foca, o jovem Nathaniel Palmer tornou-se co-proprietário da escuna *Express* e também da chalupa *Hero*, da qual era o comandante. Construída em Groton, essa chalupa de convés corrido, que media apenas 14 metros de comprimento mas tinha a exagerada boca de quase 5 metros, procuraria novas praias freqüentadas por focas e transferiria as peles do litoral para os navios maiores, ancorados em uma angra protegida. O último barco da flotilha era o *Hersilia*. Essa não era, entretanto, a única frota aparelhada em Stonington: o *Clothier*, o *Ermeline*, o *Catherine* e o pequeno *Spark*, que desempenhava a mesma função do *Hero*, preparavam-se igualmente para a viagem rumo ao Sul.

Mais de cinqüenta pessoas possuíam títulos de propriedade dos nove barcos de Stonington. Os nomes sonoros evocam biblicamente a Nova Inglaterra: Elisha Faxon, Jedediah Randall, Peleg Denison, Enoch Burrows, Nathan Smith, Asa Lee, Ephriam Williams, Zebenton Hancox, Jeremiah Holmes, Cyrus Williams, Jedediah Perkins, Nathan Sanborn, Nathaniel Palmer, Isaac Williams. Tais nomes nos levam a imaginar que todos eles devem ter sido cuidadosamente inscritos a tinta na página de guarda da volumosa Bíblia da família no dia do batismo de cada um.

Enquanto os suprimentos eram embarcados nos navios de Stonington, atividade frenética semelhante ocorria em Nova York, Boston, Salem, Nantucket, New Bedford e Fairhaven. Tonéis de pão para viagens marítimas, barris de carne bovina e suína salgada, bacalhau seco, feijão-branco, ervilhas, melaço, açúcar, mostarda, vinagre, fubá de milho, batatas, maçãs secas, farinha de trigo, arroz, café, chá, rum, gim, vinho de Tenerife, velas, pavios, madeirame, cravos, pregos, tinta, folhas de cobre, remos sobressalentes, âncoras, alcatrão, cabos para arpão, linhas de pesca, anzóis, armas de fogo, munição, porretes de matar focas, facas de esfolar e de picar, pedras de amolar, caldeirões, conchas, tudo era embarcado e estocado nos porões.

Em Nova York, James Byers, comerciante, armador e conhecedor do negócio de focas, preparava uma frota de quatro navios. Em outra frente, tratava de convencer o governo americano a despachar um navio de guerra para tomar posse das ilhas e proteger os caçadores americanos que estivessem dispostos — pelo menos seus homens estavam — a fundar um estabelecimento permanente nas ilhas. A posse era essencial, "pois as novas ilhas ou o continente poderão tornar-se tão lucrativos para nosso país quanto o comércio do golfo de Nootka é para a Inglaterra. Estejam certos de que este assunto merece exame atento de parte do governo". Esse é um dos trechos de uma série de cartas enviadas ao general Daniel Parker, adjunto e inspetor-geral do Exército dos Estados Unidos. Parker remeteu as cartas ao secretário de Estado John Quincy Adams, que tinha consciência aguda dos argumentos utilizados em nome dos interesses mercantis, pesqueiros e baleeiros. Adams, por sua vez, transmitiu ao presidente James Monroe as cartas e os relatórios recebidos dos agentes americanos na América do Sul.

Na missiva que introduzia os documentos, recomendava que se tomassem medidas primeiro com o envio de uma fragata para tomar posse e considerou que a idéia do estabelecimento permanente era "um excelente expediente para proteger o verdadeiro objetivo — caçar focas e baleias [...]". Londres certamente ficaria muito aborrecida: "Atualmente eles têm tanto que fazer com coroações e adultérios, liturgia, orações e sopranos italianas, Bergamis e Pergamis, altas traições e pequenas perfídias, angústias, penalidades e miseráveis que aproveitarão a primeira oportunidade que tiverem para esquecer todas essas coisas; e se puderem transformar em questão de honra nacional um simples desembarque [...], em algo que não é mais do que um rochedo ou iceberg, como deve ser essa descoberta, e especialmente, se puderem levantar uma questão contra nós, não deixarão de fazê-lo".[5] Mesmo assim, a idéia de pregar uma peça em lorde Castlereagh, seu homólogo em Londres, não deixava de atrair Adams. Era uma perspectiva realmente "bastante fascinante".

Um tanto confuso em matéria de geografia — como outros presidentes —, Monroe foi de opinião de que "a descoberta de grande extensão de terra no Pacífico é um acontecimento importante e existem fortes razões em favor de sua sugestão de que pro-

5. Essas observações sobre "coroações e adultérios etc.", que evidentemente divertiam Adams, se referem às atribulações da monarquia e do governo britânico. A rainha Carolina, esposa separada do rei Jorge IV, vivia no exterior desde 1813, e, ao que se dizia, tinha muitos amantes, inclusive o mordomo, um italiano chamado Bartolomeo Bergami. Regressara em 1820 para reivindicar seus direitos de rainha por ocasião do falecimento de Jorge III. O povo de Londres tomara facilmente seu partido, pois estava sempre disposto a atormentar o desprezado Jorge, o qual convencera seus ministros a instaurar um processo de adultério contra ela na Câmara dos Lordes. Segundo uma lei do século XIV, o adultério cometido por uma rainha consorte podia ser equiparado a alta traição. Testemunhas italianas depuseram ante os olhos arregalados dos nobres, houve distúrbios nas ruas, com distribuição de panfletos, apresentação de petições e declamação de versos em apoio à Carolina. Foi o maior — e mais divertido — escândalo do ano. Temerosos de uma revolução, os ministros do rei desistiram do processo. A lei que considera alta traição o adultério cometido por um consorte do monarca ainda existe.

curemos ocupá-la". Dependia agora do secretário de Estado encontrar uma fragata e "fortalecer nosso poderio ao longo do litoral americano", como pensou de repente, com prudência, o presidente.

Byers, enquanto isso, redobrava os esforços para persuadir o governo dos Estados Unidos. Seus navios haviam zarpado e estavam preparados para construir cabanas; seus homens, instruídos a se instalarem na ilha, tinham recebido ordens para chegar aos viveiros de focas até 1º de outubro. "Alguns acreditam que só poderemos atingir essa latitude elevada em 1º de dezembro, mas eu sei o que estou dizendo." Byers, astuto comerciante de Nova York, não sabia o que estava dizendo. Nada conhecia das condições abaixo da Convergência. Na verdade, seus navios somente chegaram aos viveiros em dezembro. Em setembro, no entanto, Byers ainda lutava de seu canto em Nova York: "Se o governo britânico mandar navios armados, penso que não se aproximarão das latitudes elevadas antes de dezembro. Nós, ianques, não tememos os climas frios, como se sabe. Não tenho a menor dúvida de que os britânicos procurarão expulsar nossos navios das ilhas. Não mediante hostilidade aberta nem violência, mas por meio de conduta agressiva e ameaças. Os navios partiram daqui armados com segurança contra piratas ou quaisquer outros tipos de ladrões, e nos defenderemos com audácia contra John Bull". Pobre Byers: nesse momento já era tarde demais. A Marinha não tinha navios disponíveis... perigos de um litoral inexplorado em latitudes elevadas... temores de escaramuças com os ingleses... era mais importante trazer de volta aos Estados Unidos os amotinados das Índias Ocidentais etc. etc. Essas eram as alegações contidas nas prudentes respostas vindas do Departamento da Marinha.

Quando Byers capitulou, derrotado em seus esforços para fazer com que o governo dos Estados Unidos agisse, seus navios se encontravam espalhados pelo Atlântico — alguns nas Falkland, outros ainda se dirigindo para lá. Essas ilhas seriam o trampolim para as Shetland do Sul. Em outubro, os caçadores americanos de focas, com os navios ancorados, divertiam-se caçando gansos, procurando ovos, contando casos, preparando-se para a curta travessia para o Sul. Lá estavam também caçadores ingleses com intenções semelhantes.

A carta com a qual o comodoro Sir Thomas Hardy informou o Almirantado, em janeiro de 1820, acerca da descoberta das ilhas Shetland do Sul por William Smith, chegou a Spithead no sábado, 29 de abril; foi recebida no Almirantado no domingo, protocolada pelo secretário e enviada ao capitão Thomas Hurd, o diretor de hidrografia, na segunda-feira; a notícia se tornou pública na terça, por meio do vespertino londrino *Courier*. Os jornais do interior em breve reproduziam o mesmo artigo, cuja última frase era uma isca importante: "Nas vizinhanças foi encontrada grande abundância de focas e baleias". Poucos meses mais tarde, o *Courier* trazia novas notícias da descoberta: 15 mil peles de foca haviam sido colhidas num curto período de tempo e vendidas em Buenos Aires. Para os comerciantes de peles de foca — o negócio de esfolamento, como chamavam —, relatos de 15 mil peles obtidas em pouco tempo eram de grande interesse. (O total de peles oriundas do Sul introduzidas na Inglaterra em 1819 fora de 13 mil.)

O efeito dessas notícias e boatos nos portos resultou em atividade idêntica à que se via nos portos marítimos da Nova Inglaterra. Aparelhavam-se navios, contratavam-se tripulações, nomeavam-se comandantes. Durante o verão e o início do outono de

1820, os navios caçadores de focas de ambos os países rumavam para o Sul, alguns em flotilhas, outros sozinhos, através das rotas solitárias do Atlântico Norte e do Atlântico Sul. Para muitos, a travessia compreendia uma escala nas ilhas de Cabo Verde, a fim de embarcar sal e água salobra, e em seguida a viagem até as Falkland para carregar mais água, aves, ovos e carne de gado selvagem. Finalmente, uma escala final na ilha Staten em busca de madeira e água.

O *Hero* e o *Express* chegaram às Falkland em 16 de outubro e lá encontraram outros navios americanos e dois barcos de caçadores de focas britânicos: James Weddell a bordo do *Jane* e George Powell no *Eliza*. Palmer, Weddell e Powel teriam papel importante na exploração da Antártica. Os homens de Stonington partiram das Falkland no fim de outubro. Após uma escala na ilha Staten para carregar lenha e água, bem como para fazer alguns reparos — o *Hero* e o *Express* haviam colidido durante a curta travessia —, zarparam para os viveiros de focas das Shetland do Sul.

Quatro dias mais tarde, Palmer "procurava terra ansiosamente. Havia muitos pingüins, baleias e gaivotas em volta de nós". No dia seguinte avistaram a ilha Smith, porém estavam muito a oeste e levaram dois dias para chegar à angra onde o *Hersilia* costumava fundear, na ilha Rugged. Ali encontraram o *Hersilia*, que chegara às ilhas doze dias antes, enquanto o *Frederick* e o *Free Gift* ancoravam a 2 milhas dali, em New Plymouth. O *Antartic pilot* não continha muitos elogios a New Plymouth: aberta às rajadas de ventos de noroeste e com fundo pouco propício a âncoras, apresentava apenas uma vantagem — para os caçadores de focas, é claro. A praia próxima, comprida e rochosa, era muito procurada pelas focas para acasalamento. Em 13 de novembro, cinco navios da flotilha de Stonington se encontravam ancorados na angra, em condições precárias, e desembarcavam lenha, barris, lona e caibros com os quais construiriam abrigos rudimentares. As focas "ainda não tinham aparecido". Mas quando chegaram os grupos de caçadores já as esperavam.

Tais como as focas macho, os caçadores estabeleciam seus territórios e expulsavam os intrusos e os retardatários. As peles representavam dinheiro, e caçadores de outros navios significavam menos peles para seus próprios barcos. As forças do mercado agiam ali da maneira mais selvagem. Um caçador britânico do navio *Hetty* registrou a expulsão de seus homens por compatriotas que brandiam porretes e facas. Uma das praias próximas a New Plymouth tem o sinistro nome de praia do Assalto (Robbery). Noutro incidente, versão de um filme de caubói em ambiente polar, um grupo de marinheiros oriundos da Nova Inglaterra se reúne à luz da lamparina de óleo na apertada cabine de um barco ancorado na angra Yankee para planejar uma expedição de punição ao acampamento dos britânicos e recuperar peles roubadas. Os americanos haviam sido expulsos da praias do litoral norte da ilha Livingston, considerada território britânico pelos ingleses. Reviviam-se as animosidades de duas guerras. Os comandantes dos navios ianques procuraram reunir 120 homens para uma quadrilha de assalto. O registro de bordo do *Huntress* relata: "Terão de desembarcar, e as informações que temos indicam que os ingleses não têm mais do que oitenta homens lá". A expedição partiu, mas voltou de mãos abanando. O registro do *Huntress* não especifica o porquê, mas há uma pista no diário de bordo do *Huron*. Um barco havia sido lançado para dirigir-se à terra, porém logo regressou. Um grupo composto por sessenta a 75 caçadores ingleses aguardava os expedicionários, "todos armados com armas de fogo, pistolas e espadas, e tinham atitude hostil [...]". Os caçadores se ajudavam mutuamente em caso de desastre e naufrágios — na temporada de 1820-1 perderam-se cinco barcos —, mas não queriam saber de cooperação no que se referia a partilhar focas.

O extermínio das focas das Shetland do Sul durante esses poucos meses é assustador. James Weddell estimou em 320 mil o número de peles levadas da ilha em duas estações, além de 940 toneladas de óleo de elefante-marinho. Como a matança era indiscriminada, ele calculou também que mais de 100 mil filhotes morreram devido à morte de suas mães. Como método de preservação, propôs o estabelecimento de um limite de 100 mil focas a cada temporada. Esperança vã, pois seria impossível implementar qualquer programa conservacionista. Como disse um caçador inglês, as focas, afinal de contas, estavam sendo mortas "simplesmente por causa de suas peles e de nossa vaidade". Mais de 200 mil peles de foca chegaram ao mercado londrino depois da temporada 1820-1, trazidas por menos da metade da frota de caçadores. O total de focas mortas pode ter chegado a meio milhão, segundo cálculos conservadores. Um século mais tarde, L. Harrison Matthews, estudioso de baleias na Geórgia do Sul, escreveu ao partir para expedições em busca de elefantes-marinhos, juntamente com noruegueses: "A matança de focas degrada e torna brutais aqueles que a praticam...".

Em contraste com esse quadro perverso de cobiça e brutalidade estão a competência marítima e a coragem dos caçadores, especialmente os que tripulavam as pequenas chalupas que traziam as peles das praias de mar aberto aos barcos principais fundeados nas angras protegidas. Esses homens singravam águas perigosas e inexploradas, preparando seus próprios roteiros e mapas rudimentares à medida que se esgueiravam entre as ilhas e através dos estreitos. O *Antarctic pilot* traz hoje em dia advertências sinistras e nomes arrepiantes dados a essas águas perigosas: passagem O Pescoço-ou-Nada ("Neck-or-Nothing"), na qual um barco, se tivesse sua amarra partida numa ventania do leste, podia ser arrastado para o alto-mar; Portões do Inferno ("Hell Gates"), onde muitas "vidas e barcos se perderam"; Pedra do Redemoinho ("Turmoil Rock"), perto do recife do Caos ("Chaos Reef"), que era preciso evitar; cabo Perigo (Cape Danger), na ilha da Desolação, com uma angra próxima na baía Blythe, na qual se podiam apanhar peixes com anzóis e iscas de carne de pingüim. No entanto, o marinheiro desavisado podia ser facilmente apanhado. O tempo claro indica a aproximação de ventanias do leste, assim como o ajuntamento de grandes revoadas de pombas-do-cabo na baía. O marinheiro prudente deve soltar suas amarras e procurar abrigo em outro lugar. Ali as vozes autênticas dos caçadores ressoam através dos anos.

Uma dessas vozes é a de Robert Fildes, do barco caçador *Cora*, oriundo de Liverpool. O *Antarctic pilot* ainda traz a descrição feita por ele a respeito das correntes de marés no litoral norte das ilhas. "Relatos posteriores", diz o *Pilot* reverentemente, "não aperfeiçoaram essa descrição inicial." Com suas marés rápidas, algumas como redemoinhos, passando por estreitos rochosos e cheios de recifes, ventanias súbitas, nevoeiro e gelo, as Shetland do Sul não eram lugar para os fracos — e continuam sendo assim.

Dois dias após a reunião dos barcos de Stonington em New Plymouth, Palmer foi mandado por Pendleton para procurar novos viveiros de focas com o *Hero* e, se possível, um ancoradouro mais adequado. Um trecho do registro de bordo de Palmer em 15 de novembro diz: "Zarpei no rumo da ilha Deception". A ilha Deception fica a cerca de 20 milhas de New Plymouth (era a terra avistada por Bransfield e "perdida em denso nevoeiro"). A questão é descobrir como Palmer sabia que seu nome era Deception. Teria sido informado por Pendleton, que por sua vez ficara sabendo através de outros marinheiros, ou teria Palmer, utilizando anotações, feito o registro em seu diário mais tarde, na calma de um ancoradouro, dando à ilha seu verdadeiro nome? Essa pergunta — como tantas outras relativas às atividades dos caçadores de focas — jamais será respondida.

A ilha é atípica e tem uma história movimentada. Com cerca de 8 milhas de diâmetro, trata-se do topo de um cone vulcânico desmoronado — uma caldeira — cujas paredes se fenderam em parte. Uma entrada estreita dá acesso à cratera cheia de água do mar para quem vem do lado do oceano, e essa entrada é de difícil localização. Daí o nome Deception [Engano]. Fica a cerca de 60 milhas da península Antártica e nos raros dias claros um observador postado na orla da caldeira é capaz de avistar a espinha dorsal montanhosa da península. Os caçadores de focas se habituaram a usar seu ancoradouro protegido, assim como os caçadores de baleias um século mais tarde — nas praias ainda há destroços de maquinaria e tanques de óleo —, e foi a partir dali que Sir Hubert Wilkins realizou o primeiro vôo antártico, em 1928.

Hoje em dia a ilha Deception serve de escala aos navios de cruzeiro e os turistas mergulham nas águas cálidas da enseada do Pêndulo — prática que, para muitos deles, por alguma razão misteriosa, é o ponto alto do cruzeiro pela Antártica. As águas quentes recordam que Deception não está morta: as grandes erupções mais recentes, em 1967, 1969 e 1970, destruíram bases científicas chilenas e britânicas.

Palmer encontrou a entrada da ilha Deception, chamada Fole de Netuno, e chegou a um bom ancoradouro 1 milha adentro da baía. Dali "fui à terra e colhi alguns ovos". Após explorar a cratera e achá-la "excelente porto, abrigado de todos os ventos", o *Hero* atravessou novamente o Fole de Netuno e rumou para o Sul. Dez horas depois, em agradável navegação com vento de sudoeste, o *Hero* se aproximou de terra (provavelmente a ilha Trindade), com o mar rodeado de icebergs. À meia-noite ficou à deriva, esperando a madrugada. Às quatro e meia da manhã, a vela principal foi içada e o navio começou um curso cauteloso, esgueirando-se entre os icebergs. Logo encontraram um estreito onde "achamos prudente não entrar, pois estava literalmente coberto de gelo, com a costa inacessível". Sem que Palmer soubesse, havia navegado poucas milhas a oeste da rota seguida por Bransfield em janeiro. É provável que a costa inacessível fosse um trecho ocidental da Terra da Trindade de Bransfield. Evidentemente, nada havia a fazer naquele mar gelado e Palmer afastou-se para o norte. Não realizou nenhuma medição, apenas estimou que a boca do estreito estaria na latitude de 63º45'S, próxima à entrada do hoje conhecido estreito de Orléans. O rumo norte os levou de volta à ilha Livingston, onde passaram a noite à deriva, somente com a bujarrona içada. De manhã bem cedo, seguiram o rumo norte-nordeste ao longo do litoral e encontraram uma passagem, o estreito McFarlane, e dois ancoradouros excelentes, a ilha Half Moon e o porto Yankee na ilha Greenwich. Em 21 de novembro Palmer regressou a New Plymouth. O tempo, que estivera bom, tornou-se sinistro, com freqüentes quedas de granizo. Palmer, porém, trouxera a boa nova de algumas "boas praias de focas" e dos dois ótimos ancoradouros que encontrara. O granizo prenunciava tempo ainda pior, o que logo ocorreu. O *Frederick* começou a recolher suas âncoras, e Pendleton tomou a decisão de partir para o novo ancoradouro, com todos, segundo o registro de Palmer, "ansiosos à espera de uma oportunidade para fundear, pois o leito do mar não apresentava boas condições". O tempo melhorou e em 24 de novembro os cinco navios da flotilha de

Stonington ancoravam no porto Yankee. Ali permaneceram até o fim da estação.

A curta viagem exploratória de Palmer registra a segunda vez em que a península Antártica foi avistada, embora não apareça no livro de bordo nenhuma menção a que fosse um continente. É bem possível, e mesmo provável, que outros caçadores tenham visto a costa antes de Palmer. Não se conhece, entretanto, registro ou diário sobrevivente, e tudo o que se sabe é por ouvir dizer. O registro de Palmer permaneceu, assim, como o do primeiro desembarque no continente.

John Davis, do *Huron*, navio oriundo de New Haven, e Christopher Burdick, da escuna *Huntress*, de Nantucket, se encontraram em novembro de 1820 nas Falkland, a encruzilhada dos caçadores de focas, baleeiros e corsários. Burdick partira de Nantucket em agosto, a caminho das Shetland do Sul. Na ilha West Point encontrou "dois navios e seus escaleres, um de New Haven, dirigindo-se para leste, e outro procedente de Salem, que já vinha navegando havia dois anos, com carregamento de óleo e algumas peles". A descoberta das Shetland do Sul era novidade para Davis, que partira de New Haven em março, e a informação era tentadora. Os dois comandantes entraram em acordo para trabalhar juntos nos novos viveiros. Davis também possuía o inestimável benefício de um pequeno escaler com mastreação de escuna, o *Cecilia*, que havia sido trazido desmontado a bordo e, remontado, estava ancorado nas proximidades. Os três navios partiram em 22 de novembro. As Shetland do Sul foram avistadas em 30 de novembro, mas o tempo chuvoso, com neve e nevoeiro, além da falta de mapas, tornava perigosa a aproximação. Três dias depois, tendo melhorado o tempo, chegaram a menos de 1 milha da costa desolada. De repente, caiu novamente um denso nevoeiro. O pequeno *Cecilia* podia então mostrar seu valor, e os marinheiros da Nova Inglaterra, sua destreza. Os barcos maiores permaneceram ao largo e o *Cecilia* desapareceu na névoa em busca de um ancoradouro adequado. Foram dias de ansiedade para os marinheiros do *Huntress* e do *Huron*, enquanto esperavam na cerração. O *Cecilia* foi avistado de novo somente em 7 de dezembro, mas o escaler trazia notícia de um ancoradouro — o porto Yankee — no qual havia quatro barcos oriundos de Stonington. Com o *Cecilia* mostrando o caminho, os três recém-chegados fundearam junto a seus compatriotas em 8 de dezembro. Nas duas semanas em que os barcos de Stonington haviam estado no porto Yankee, o *Hero* embarcara mais de 12 mil peles de qualidade.

Davis e Burdick não pretendiam perder tempo. No dia seguinte, o *Cecilia* partiu com homens, barracas, lona, madeira, porretes e facas. Todos deveriam desembarcar em locais promissores, contudo era difícil encontrar praias vazias. Havia naquele momento sessenta navios e mil homens na ilha. Em um mês, fazendo quatro cruzeiros, o *Cecilia* colhera apenas 5 mil peles. No mesmo período o *Hero* obteve 35 mil delas.

Era hora de partir com o *Cecilia* em busca de praias virgens. Durante a última semana de janeiro, Davis resolveu "partir à procura de novas terras, pois as focas daqui acabaram". Em 30 de janeiro, após embarcar as peles trazidas pelos três grupos que haviam ficado na ilha Livingston, Davis seguiu com o *Cecilia* em direção à ilha Smith, que se mostrou decepcionante; ali encontraram um grupo de dezessete caçadores e duas baleeiras do navio *Lynx*, de Sydney. Davis prosseguiu para a ilha Low, a cerca de 20 milhas a sudeste, o que se revelou mais satisfatório. Não havia outros caçadores e em quatro dias conseguiram embarcar mil peles. Para o sudeste havia outra ilha, a ilha Hoseason, e às sete horas da noite de 6 de fevereiro o *Cecilia* partiu em sua direção. Passou adiante, pois avistaram uma faixa de terra maior e mais tentadora. Às dez da manhã seguinte, o *Cecilia* se aproximou. A baleeira foi arriada e a tripulação rumou para terra. Uma hora depois, regressavam "sem encontrar sinais de focas". Como o tempo estivesse claro, Davis mediu a latitude ao meio-dia e calculou 64º01'S. Em seguida a escuna penetrou em uma ampla baía de "terras elevadas e inteiramente cobertas de neve".

O vento rondou para a direção nordeste e começou a levantar-se. À tarde já soprava uma ventania que espalhava uma neve espessa e pegajosa. Era preciso colher os panos. Com a vela-mestra rizada e a vela do traquete reduzida, com a saia da vela recolhida, a pequena escuna regressou ao porto Yankee, a cerca de 110 milhas dali. Na última anotação no registro daquele dia se lê: "Creio que esta terra meridional é um continente". O palpite de Davis era inspirado — e correto. O *Cecilia* entrara na baía Hughes e, em menos de uma hora, a tripulação do bote havia sido a primeira a caminhar pela costa da Antártica. O litoral é hoje conhecido como costa Davis. Não se conhecem os nomes dos homens que saltaram à terra. Em 9 de fevereiro o barco singrava entre as ilhas Deception e Livingston, onde, poucos dias antes, Palmer e Bellingshausen haviam se encontrado. Em 10 de fevereiro o *Cecilia* ancorava no porto Yankee. A bordo havia 1670 peles.

A temporada e as focas estavam acabando. Um por um, os navios começaram a zarpar das ilhas — alguns, com apenas meia carga, passariam o inverno nas Falkland e outros, completamente carregados, rumariam para a Nova Inglaterra e para Londres. Os homens de Stonington levavam 88 mil peles. No fim de março, as praias ensangüentadas ficaram desertas, a não ser pelos abutres das ilhas, os petréis-gigantes — os "fedorentos" —, que disputavam os milhares de carcaças; mas não inteiramente desertas de seres humanos: na ilha do Rei Jorge, um oficial e dez homens do *Lord Melville*, de Londres, passariam um desconfortável inverno em virtude de seu navio ter sido impelido para o alto-mar e ainda não ter regressado. Foram recolhidos no verão seguinte.

No verão subseqüente, o da temporada 1821-2, somente quarenta caçadores retornaram às Shetland do Sul. Era o golpe final contra as focas-de-pêlo, que foram virtualmente exterminadas das ilhas. Os homens de Stonington haviam obtido bons lucros com seu primeiro ataque e, ainda que estivesse evidente que outra estação de caça não produziria os mesmos gordos resultados, Edmund Fanning e seu filho William, juntamente com Pendleton, organizaram uma flotilha de seis barcos — um a mais do que no ano anterior. Palmer comandava um barco maior, a chalupa *James Monroe*, estando o *Hero* desta vez sob o comando de Harris Pendleton. Segundo as instruções recebidas, ambos os barcos deveriam "agir como auxiliares, ou escaleres, para os navios desta companhia". Em 6 de novembro, a frota ancorava na ilha Deception. O porto Yankee estava tomado pelo gelo. A temporada foi magra. Em 27 de janeiro, desapontado, William Fanning escrevia a seu pai a bordo do *Alabama Packet*, em Deception, informando-o de que a flotilha conseguira somente cerca de mil peles de foca e 1100 barris de óleo. O *Express*, o *Free Gift* e o *James Monroe* em breve regressariam a Stonington. O *Frederick*, o *Alabama Packet* e o *Hero* tentariam a sorte na costa do Chile, em busca de peles de leão-marinho. O *Hero* foi posteriormente vendido em Coquimbo, no Chile, e os homens de Stonington voltaram à Nova Inglaterra com 47 mil peles de leão-marinho, de qualidade inferior.

Antes de voltar a Stonington, porém, Palmer levara o *James Monroe* até a ilha Elefante, em um de seus primeiros cruzeiros exploratórios em busca de viveiros. Ali encontrara, em 30 de novembro, um pequeno barco inglês, o *Dove*, construído para pescaria no mar do Norte e comandado por George Powell. Powell era londrino e tinha a mesma idade de Palmer; essa era sua terceira viagem como comandante de um caçador de focas. Na verdade, conhecera Palmer nas Falkland no ano anterior — ele no *Eliza* e Palmer no *Hero*. Powell era um homem instruído e tinha grande interesse por descobrimentos e ciências naturais, o que não era comum nos caçadores de focas. Mantinha um registro meteorológico, tomava a temperatura das águas do mar, anotava as variações magnéticas e levava de volta amostras de solo para apreciação da Real Sociedade. Levava também um cronômetro.

O inglês sugeriu a Palmer navegarem juntos num cruzeiro exploratório para o leste. Depois de passar ao norte da ilha Elefante e em seguida pelo sul da ilha Clarence, os dois navios prosseguiram para o leste num mar agitado, com ventos fortes e o costumeiro e interminável nevoeiro. A névoa foi aumentando e os dois navios, atormentados pelo gelo e receosos de não avistarem alguma terra que por acaso aparecesse, deixaram-se ficar à deriva no mar cinzento e oscilante, esperando que a visibilidade melhorasse. Enquanto aguardavam, o *Dove* passou 120 galões de água fresca aos americanos, cuja água escasseava. No outro dia, à tarde, o nevoeiro começou a dissipar-se e em breve as duas chalupas singravam suavemente rumo ao Leste. De súbito, o sol apareceu e Powell determinou a posição em 60º10'S e 49º07'O. No dia seguinte, de manhã, após passar ao largo de um banco de gelo consolidado, o vigia da gávea do *Dove* avistou terra. O *James Monroe* estava a cerca de 4 milhas à popa, e Powell arriou as velas para que os americanos se aproximassem. Palmer "duvidou de que se tratasse de terra", registrou Powell, "mas disse que de todo modo me seguiria".

Era terra mesmo. Powell, no entanto, registrou apenas "três rochedos em espiral bastante inacessíveis, sem o menor sinal de vegetação". O sol estava alto e o horizonte, desanuviado, enquanto o cronômetro marcava os segundos. Powell fez observações referentes à longitude e à latitude, marcando as ilhas a 46º52'O e 60º32'S. Deu-lhes o nome de ilhas Inacessíveis. Mais ao longe, para o leste, havia outras terras. Segundo Powell, contudo, tiveram "grande dificuldade em aproximar-se, devido à enorme quantidade de gelo que flutuava em todas as direções". Na tarde de 7 de dezembro, Powell desembarcava na nova descoberta, reivindicando-a para o rei Jorge IV e batizando-a de ilha Coroação, além de deixar uma garrafa com uma nota sobre a descoberta. Os americanos não desembarcaram, dizendo a Powell que "não valeria a pena, pois não viam nenhum sinal de existência de focas". Os dois barcos percorreram o litoral norte do que se revelava um grupo de ilhas, enquanto Powell realizava um levantamento rudimentar. Encontraram um ancoradouro na extremidade leste da ilha Coroação e mandaram baleeiras em busca de focas, passando depois às outras ilhas e também realizando levantamentos. Powell começou a rabiscar em sua carta o que hoje é conhecido como Órcadas do Sul.

Powell dá a entender que Palmer tinha pouco interesse pela cartografia e que desdenhava aquelas ilhas destituídas de focas-de-pêlo — havia apenas algumas focas-leopardo. Após a data de 11 de dezembro de 1822, o *James Monroe* desaparece da narrativa de Powell. O inglês navegou para o sul de sua descoberta, mas foi detido pelo gelo consolidado a 63º20'S. Pouco abastecido de provisões, o *Dove* regressou à baía Clothier nas Shetland do Sul, enquanto Palmer retornava à ilha Deception.

O comandante do *Dove* entrou no Tâmisa em agosto de 1822. Em novembro, qualquer interessado podia comprar, na firma londrina de mapas R. H. Lauries, a *Chart of South Shetland, including Coronation Island* [Carta das Shetland do Sul, incluindo a ilha Coroação] e as *Notes on South Shetland & C., printed to accompany the chart of these newly discovered lands, which has been constructed from the exploration of the sloop* Dove [Notas sobre as ilhas Shetland do Sul, impressas para acompanhar a carta dessas mais novas terras descobertas, elaboradas a partir da exploração da chalupa *Dove*]. Foi um dos primeiros mapas daquela parte da Antártica, acompanhado de instruções de navegação.

Sabemos o destino das focas-de-pêlo. Mas o que aconteceu aos homens cujas rotas se cruzaram na Antártica durante aqueles poucos meses? William Smith morreu na miséria em um asilo para indigentes, esquecido e obscuro. O *Williams* durou 35 anos mais do que ele, funcionando como transportador de carvão no mar do Norte até ser desmantelado em 1882. Bransfield e Bellingshausen, os dois oficiais da Marinha, faleceram no mesmo ano de 1852: o primeiro em situação confortável, deixando à viúva uma pensão anual de 50 libras; o russo, como almirante e governador de Kronstadt. John Davis ficou esquecido até a década de 1950, quando seu registro de bordo reapareceu e ele entrou para a história da Antártica. George Powell, esse original comandante de navio caçador de focas, foi morto por nativos na ilha de Vavau, no Pacífico Sul, menos de três anos após ter descoberto as Órcades do Sul. Nathaniel Palmer realizou mais uma viagem às Shetland do Sul, caótica e de objetivos pouco definidos, para encontrar focas e fazer explorações. Foi custeada com recursos privados e perturbada por motins; além disso, foi infrutífera, porque nada conseguiu descobrir e pouco obteve no que se refere a focas. Sua principal realização coube ao dr. James Eights, de Albany, que fazia parte da expedição na qualidade de naturalista. Tanto Eights como os cinco estudos que publicou após a viagem caíram no esquecimento, embora ele possa ser considerado o primeiro cientista antártico, com sua descoberta de madeira fóssil e descrições da "aranha-do-mar", de dez pernas. Também precedeu em seis anos Charles Darwin na apresentação da hipótese de transporte de pedras por icebergs.

Tenho na memória duas imagens de Palmer. Uma é um retrato que foi pintado quando ele era jovem, a outra, uma fotografia tirada em idade madura. A pintura mostra um rapaz de fisionomia simpática, vestido de maneira formal, com uma sombra de sorriso no canto dos lábios. A fotografia é de um homem mais idoso, sentado, com o braço apoiado numa mesa e a mão segurando um par de luvas. O casaco está apertado na barriga protuberante. O rosto é hirsuto, e em lugar da fisionomia aberta há um toque de dureza. Ali está o próspero homem de negócios, armador, comandante, projetista de veleiros velozes, membro do Iate Clube de Nova York, proprietário de iate. Estranhamente, prefiro o mais jovem: o caçador de focas que levou seu pequeno *Hero* abaixo da Convergência e que começou a velejar ainda criança, a bordo dos barcos que furavam o bloqueio durante a guerra de 1812, com gente que, ao que se dizia, "era capaz de navegar de Hell Gates a Providence com os olhos fechados, só pelo faro".

A figura de Palmer é envolvida por um redemoinho extremado e pouco edificante de controvérsia sobre quem teria sido o primeiro a avistar a Antártica. Os adeptos de Palmer reivindicam para ele a honra. Lembrados gentilmente de que Bransfield, a bordo do *Williams*, avistara a península Antártica dez meses antes da época em que afirmam que o fez o jovem caçador de focas, os partidários de Palmer mencionam gravemente o sinistro fato de que o registro de Bransfield desapareceu em circunstâncias estranhas — esquecendo-se, convenientemente, da carta e dos relatos publicados nas revistas da época. Os russos contra-atacam com um xeque-mate, asseverando que o vencedor do jogo foi Bellingshausen, que avistou a plataforma de gelo Finibul poucos dias antes que Bransfield visse a Terra da Trindade. O jogo é tão estéril e infrutífero quanto a calota polar, mas os habitantes de Stonington não pensam assim. Para eles, não há a menor dúvida de que Nathaniel Palmer, seu herói local, merece a coroa de louros. Qualquer outra opinião, até mesmo a verdade, seria considerada um golpe contra seu orgulho cívico e nacional. Nesse jogo, os perdedores são somente as focas.

9. Weddell e Brisbane navegam para o Sul

MAR DE WEDDELL: grande mar coberto de gelo que penetra na Antártica entre a península Palmer e a Terra de Coats, centrado em aproximadamente 73ºS e 45ºO. Esse mar foi descoberto em 1823 por James Weddell, comandante da Marinha Real, que lhe deu o nome de mar de Jorge IV. O nome atual, em honra a seu descobridor, foi proposto pelo dr. Karl Fricker em 1900 e tem sido universalmente aceito. Nome não adotado: mar de Jorge IV.

United States board on geographic names
[Comitê Americano de Nomes Geográficos],
Gazetteer n. 14, *1956*

Uma olhada rápida no mapa da Antártica mostra dois mares que penetram no continente e levam a orla marítima até 700 milhas do pólo sul. Trata-se do mar de Weddell e do mar de Ross. Outra olhada, agora na lista das focas que rondam as águas ao redor da Antártica, e encontraremos as focas-de-weddell e as focas-de-ross.

Tanto as focas como os mares receberam os nomes de dois marujos do século XIX que exploraram as águas do oceano austral. Ambos eram de ascendência escocesa e serviram na Marinha Real. E aqui terminam as semelhanças.

James Clark Ross era oficial da Marinha do topo de seus cabelos romanticamente revoltos até a ponta de suas botas bem lustradas. Dizia-se que era o homem mais bonito da Marinha Real (nesse perfil existe certa dose de amor-próprio), o *beau idéal* dos sonhos de todas as moças vitorianas quanto a um capitão da Marinha. Além da fama que ganhou na Antártica, Ross era membro do seleto clube dos exploradores do oceano austral, todos pertencentes à Marinha, do qual faziam parte o inglês James Cook, o russo Thaddeus Bellingshausen, o francês Dumont d'Urville e o americano Charles Wilkes. Desse panteão de notáveis exploradores polares, James Weddell provavelmente se sentiria mais à vontade na companhia de Cook. O navegador inglês morrera, porém, oito anos antes do nascimento de Weddell, em 1787, e o marujo que teria maior afinidade com Weddell seria William Scoresby.

Contemporâneo de Weddell, nascido no Yorkshire, Scoresby viajara pela primeira vez para a Antártica a bordo do navio baleeiro de seu pai com a tenra idade de dez anos, quando viveu a experiência de ter sido detido pelo gelo consolidado do Ártico. Aos 21 anos tinha seu próprio comando — bem a propósito, o do navio *Resolution* — e, ao contrário do que se dizia nos portos a respeito de gente tão jovem, trouxe trinta baleias para o ancoradouro de Whitby. Durante a década seguinte, Scoresby mostrou-se um dos comandantes de baleeiros mais bem-sucedidos do Ártico. Entretanto, ele era muito mais do que apenas excelente baleeiro e marujo. Possuidor de mente curiosa, observadora e analítica — aguçada por cursos de inverno na Universidade de Edimburgo, uma vez que os verões eram dedicados à caça de baleias —, transformou os mares árticos e arredores em seu estúdio. Sob seu ardoroso escrutínio, estavam os flocos de neve (chegou a fabricar lentes de gelo e, com o auxílio dos raios solares, incendiava madeira, explodia pólvora e acendia os cachimbos de seus admirados companheiros de caça às baleias), a meteorologia, o magnetismo, a hidrologia e os fenômenos atmosféricos polares. Em 1815, um trabalho seu sobre formação do gelo polar foi lido na Sociedade Werneriana. Era o primeiro ensaio sobre o tema e continha sugestões e recomendações para chegar ao pólo norte por sobre o gelo consolidado. Scoresby propunha trenós leves e flexíveis que poderiam tornar-se anfíbios mediante uma cobertura de peles impermeáveis. Os trenós poderiam ser puxados por renas ou cães — Scoresby preferia estes últimos —, e os condutores deveriam aprender as especialidades com os esquimós. A viagem de trenó deveria começar nos primeiros meses do ano, antes do fim de abril e da vinda da neve fofa do verão, "pois esse tipo de neve diminuiria a velocidade e aumentaria a fadiga do animal". Todos esses conselhos eram prudentes, e todos foram completamente ignorados pela Marinha Real em sua tentativa de chegar à passagem do noroeste e ao pólo norte no século XIX. Em 1820 Scoresby publicou seu clássico *An account of the Arctic regions* [Um relato sobre as regiões árticas], livro destinado a lançar a pedra fundamental da ciência ártica.

É possível que Weddell e Scoresby tenham se conhecido — ambos eram membros da Real Sociedade de Edimburgo —, mas, ainda que tal encontro não tenha se dado, Weddell conhecia bem os trabalhos de Scoresby, pois a eles se refere com freqüência em seu próprio *A voyage towards the South Pole... containing an exa-*

mination of the Antarctic sea [Uma viagem em direção ao pólo sul... contendo uma análise do mar antártico], publicado em 1827.

Os pais de Weddell, ao contrário dos de Scoresby, não tinham nenhuma relação com o mar. O pai, tapeceiro de profissão, havia vindo de Dalserf, na Escócia, para Londres. A mãe, Sarah Pease, pertencia à Sociedade dos Amigos e vinha de uma conhecida família quaker (Edward Pease apoiara George Stephenson na construção de uma estrada de ferro pioneira entre Stockton e Darlington e trabalhou na Sociedade para a Paz e na Sociedade Antiescravidão). Essa combinação de presbiterianismo escocês com quakers ingleses poderia ter produzido uma mentalidade inflexível e fechada. Certamente se deve à mãe de Weddell que isso não tenha ocorrido, pois nela se juntavam todos os aspectos sensatos, bondosos e atraentes dos quakers. Weddell nutria grande afeição por ela. O pai morreu quando James mal saíra das fraldas e Sarah Weddell ficou pobre com dignidade. Os escrúpulos dos quakers quanto à participação em guerras certamente foram vencidos, tendo em vista que Charles, o filho mais velho, engajou-se na Marinha Real. O jovem James se juntou a ele a bordo da chalupa *Swan*, de catorze peças de artilharia, engajando-se ainda menino, aos nove anos. Numa era em que a adolescência é estendida constantemente, admira-nos verificar que crianças fossem atiradas com tanto descaso ao mundo rude das responsabilidades adultas. Mesmo assim, o menino sobreviveu, embora a experiência deva ter sido assustadora: o *Swan* era comandado por um oficial tirânico cuja noção de disciplina se baseava no chicote. Com tal comandante, não é de estranhar que o menino tenha sido dispensado a pedido após seis meses de serviço.

Até 1818 a vida de Weddell ficou limitada e circunscrita pelos vinte anos da guerra entre a Grã-Bretanha e a França revolucionária e napoleônica. Mesmo depois daqueles meses infelizes na

Marinha de Guerra, Weddell continuou devotado ao mar — primeiro na Marinha Mercante, onde chegou a ser primeiro imediato, e, depois, engajando-se surpreendentemente como voluntário na Marinha Real quando se encontrava na Jamaica, como marinheiro habilitado.

Pareceria que Weddell fizera uma escolha consciente, seguindo os passos de Cook. Conta-se, entretanto, que fora obrigado a entrar para a Marinha de Guerra por causa de uma briga em que agredira seu comandante. Numa Marinha Mercante, em que as disputas eram resolvidas com os punhos ou com as malaguetas, a anedota é bastante plausível. Não importa; em seis meses o simples marinheiro era promovido a suboficial e em dezembro de 1810 Weddell já era mestre em exercício.

Ao contrário das sagas de batalhas navais do gênero napoleônico, repletas de expedições audaciosas, veleiros velozes, troar de canhões, fumaça de pólvora e sangue, a única ação militar de Weddell ocorreu em 1813 quando o brigue *Hope*, do qual era mestre, capturou o corsário americano de nome patriótico *True Blooded Yankee*, no canal da Mancha.

Dois anos depois, nas primeiras horas de 19 de junho, à luz fria do luar que banhava os campos da Bélgica, enquanto os aproveitadores vagavam como lobos entre os 10 mil cavalos e 40 mil soldados mortos e moribundos, Napoleão Bonaparte aquecia as mãos numa pequena fogueira e contemplava a desintegração total de seu exército. O imperador da França — ou Tirano Corso, conforme a nacionalidade do observador — havia lutado e perdido em sua última batalha.

Não se sabe o momento em que James Weddell tomou conhecimento do que havia ocorrido em Waterloo. Naquele mês de junho de 1815, ele era mestre do *Espoir* e fazia a travessia das Índias Ocidentais para Halifax, na Nova Escócia. Durante quase seis anos havia servido em uma Marinha que possuía mais de mil navios, guarnecidos por 130 mil homens. Com a longa guerra enfim terminada, a Marinha foi rapidamente reduzida a cem navios e a 23 mil homens. Entre os não atingidos por essa drástica redução, estavam os oficiais comissionados, que permaneceram intocados, devido a interesses políticos, poder e privilégio. A Marinha se viu na absurda situação de possuir um oficial para cada três marinheiros engajados.

Para Weddell, com pouco mais de trinta anos, vigoroso, inteligente e ambicioso, havia obviamente pouco futuro numa hierarquia em que a possibilidade de obter um comando se reduzira a praticamente zero e a promoção era demasiado lenta, com os graus superiores da escala hierárquica entupidos de capitães, comodoros e almirantes idosos. Era uma Marinha em que as promoções ocorriam por antiguidade e o antigo brinde de "guerra sangrenta e promoção rápida" tinha muito de verdade macabra. Contudo, a guerra sangrenta terminara. A escolha era óbvia e a Marinha perdeu um mestre muito competente, um experimentado comandante de homens e um navegador que conhecia bem os novos cronômetros e possuía aptidão especial para o método mais antigo das distâncias lunares. Quem lucrou foi a Marinha Mercante, e Weddell obteve seu próprio comando numa viagem de ida e volta às Índias Ocidentais.

Numa época em que as novidades procedentes do exterior viajavam com a mesma velocidade dos navios, as tavernas dos portos e os departamentos de correspondência das firmas funcionavam como agência informal de notícias. Ali se juntavam os marinheiros, oficiais e comandantes; ali os boatos circulavam entre nuvens de fumaça de tabaco, canecas de *ale* e copos de rum ou conhaque. Os boatos da descoberta de terra ao sul do cabo Horn por William Smith circulavam nos cais de Valparaíso e

Retrato de James Weddell. Cortesia da Real Sociedade Escocesa de Geografia.

Montevidéu durante os primeiros meses de 1819. Weddell pode tê-los ouvido nas Índias Ocidentais antes que chegassem ao conhecimento público nos jornais dos Estados Unidos e da Grã-Bretanha. Mesmo que os rumores fossem falsos, simples mexerico de taverna, as focas das ilhas Falkland, da Geórgia do Sul e do litoral da Patagônia eram verdadeiras — e as novas fábricas exigiam óleo para lubrificação e iluminação, enquanto a população crescente demandava mais couro, feltro e peles.

Qualquer que tenha sido a razão, no final de 1819 Weddell cruzava o equador rumo ao Sul com novo comando e pensando em uma nova empreitada. Seu navio era o brigue *Jane*, de dois mastros, construído nos Estados Unidos, com 23 metros de comprimento e 6 de boca, equipado para caçar focas-de-pêlo, elefantes-marinhos e baleias. Tomado como despojo de guerra em 1812, o *Jane* tinha cerca de trinta anos de idade, mas possuía a vantagem de ter dimensões ideais para a caça de focas. Os armadores eram novatos no comércio de focas, entretanto conheciam bem o mundo naval: um era James Strachan, da companhia de estaleiros Strachan & Gavin, de Leith, e o outro era James Mitchell, corretor de seguros de Londres.

A primeira viagem de Weddell a bordo do *Jane* demonstra sua inclinação para a exploração juntamente com sua prudência como navegador. Em 1762, numa viagem de Lima a Cádiz, o navio espanhol *Aurora* avistara o que se supunha serem ilhas a leste do cabo Horn, a 53ºS e 48ºO. Novos relatos semelhantes chegavam aos poucos às autoridades espanholas, que em 1794 mandaram a corveta *Atrevida* investigar o que vinha a ser de fato a porção de terra avistada. A posição foi confirmada e as ilhas Aurora começaram a aparecer devidamente nos mapas espanhóis. Weddell, no entanto, duvidava. Evidentemente havia a possibilidade de que as ilhas existissem, e nesse caso poderiam ser viveiros de focas. Weddell organizou com cuidado a busca. O *Jane* levava cronômetros, o que não era usual num navio caçador de focas comum (a maioria dos proprietários e comandantes desses barcos eram avaros em relação à navegação: as estimativas e as observações de latitude eram consideradas suficientes); a exatidão dos cronômetros de Weddell havia sido verificada no porto de Saint John na ilha Staten a cerca de 500 milhas a oeste da posição das ilhas Aurora, tal como marcado nos mapas. Com os cronômetros verificados, o *Jane*, carregado de lenha e água, zarpou da ilha Staten em 27 de janeiro de 1820. Uma busca exaustiva e completa não revelou nenhuma ilha e Weddell rumou para as Falkland para evidente alívio de sua tripulação, ansiosa por caçar focas, que significavam dinheiro.

Como navegador cuidadoso e profissional, Weddell foi "levado a considerar por que aqueles oficiais espanhóis haviam cometido erro tão crasso". O mais estranho era que os navios enviados a tal missão estavam equipados com cronômetros e tinham zarpado das Falkland (a cerca de três dias de navegação das supostas ilhas Aurora), numa viagem cujo único objetivo fora determinar a verdade num amontoado de conjeturas. Por trás de Weddell avultava a sombra do exemplar James Cook, que também deploraria o engano dos oficiais do *Atrevida*. Se tivessem avistado ilhas, as únicas possíveis seriam as falésias rudes dos rochedos Shag, 210 milhas mais a leste do que as alegadas ilhas Aurora; se esse fosse o caso, os erros de navegação seriam imperdoáveis. Colocando o assunto em termos mais caridosos, era possível que os oficiais tivessem confundido icebergs com terra firme, "sendo pouco acostumados a atravessar mares frios e tempestuosos obstruídos com gelo".

Sem que Weddell soubesse, outro caçador de focas estivera procurando as ilhas Aurora poucas semanas antes do *Jane*. Era o brigue americano *Hersilia*, de Stonington, Connecticut, comandado pelo capitão James Sheffield, com William Fanning como oficial supervisor da carga; segundo Edmund Fanning, pai do supervisor, ambos possuíam "talentos náuticos e são lunáticos competentes". O *Hersilia* trazia um mapa espanhol que mostrava a posição das ilhas Aurora próxima do ponto por onde a rota dos americanos os levaria. A descrição de Sheffield, no entanto, indica que, assim como os espanhóis, os americanos estavam completamente equivocados em sua determinação de longitude, visto que o relato sugere a aparência dos rochedos Shag. Esses píncaros rochosos não possuem ancoradouros nem focas. Desapontados, os americanos fizeram meia-volta e dirigiram-se para a ilha Staten. Ora, como Sheffield partira de Stonington em julho de 1819, nada sabia das descobertas de William Smith ao sul do cabo Horn; porém, em algum ponto de sua travessia para o Sul, talvez em Buenos Aires (pois transportava carregamento para o mercado sul-americano) ou nas ilhas Falkland, teve notícia do descobrimento da nova terra rica em focas. O *Hersilia* rumou para o sul na direção da ilha Staten em 11 de janeiro de 1820, convertendo-se no primeiro — e único — navio americano a chegar ao paraíso da caça de focas nas Shetland do Sul.

Se fosse possível determinar um único mês de um ano específico como significativo para a historiografia da Antártica, esse mês de janeiro de 1820 seria um candidato importante. Qualquer observador extraterrestre interessado que esquadrinhasse o litoral antártico veria dois ou três navios caçadores de focas nas Shetland do Sul: o *Williams* — agora fretado pela Marinha Real —, que efetuava o levantamento das ilhas e avistava a península Antártica, e mais a leste os russos *Vostok* e *Mirnyi* singrando a menos de 30 milhas do continente.

Weddell e sua tripulação, inocentemente desconhecedores de toda essa atividade meridional, rumaram para as Falkland, onde passaram o inverno. Durante três décadas essas ilhas haviam abrigado caçadores de focas e de baleias americanos, ingleses e franceses. Os portos protegidos, plenos de água doce, eram abundantes; havia peles e óleo para os mercados nas terras de origem e ovos de pingüim e de albatroz, peixe e gansos para consumo próprio; na ilha oriental havia gado que fornecia couro, sebo, carne fresca e salgada. Para o cúmulo da felicidade dos caçadores de focas — tendo em vista que essa gente pouca importância dava às amenidades dos regulamentos burocráticos governamentais —, havia uma década que as ilhas estavam livres de autoridades intrometidas. A única desvantagem era a falta de madeira para lenha, mas em seu lugar poderiam ser empregadas turfa e grama seca para a cozinha.

Recordando os tempos em que fora mestre da Marinha Real, Weddell passou os meses de inverno coligindo informações sobre ancoradouros seguros, fontes de abastecimento de água, riscos, perigos e regime de marés na região das ilhas. Durante esses meses, no hemisfério norte, os caçadores de focas ingleses e americanos preparavam furiosamente seus barcos para o primeiro ataque maciço aos viveiros das Shetland do Sul. Agora a notícia era de domínio público, e a vantagem seria de quem chegasse primeiro. Alguns navios fizeram escalas nas ilhas Falkland indo na direção sul (inclusive a pequena chalupa *Hero* de Stonington, sob o comando do jovem Nathaniel Palmer) e, em novembro, o *Jane* zarpou de seu refúgio de inverno dirigindo-se ao Sul a fim de recolher seu quinhão de peles.

Em janeiro de 1821, com os porões cheios, Weddell partiu para a longa viagem de regresso à Inglaterra. Levava consigo a notícia do naufrágio de quatro caçadores de focas: o *Clothier*, americano, e os britânicos *Hannah*, *Lady Troubridge* e *Ann*. Também fazia as vezes de carteiro, pois levava correspondência dos marinheiros e oficiais de outros barcos. Uma delas, de um oficial do brigue *George*, de 27 metros, exprimia os sentimentos de todos:

> Partimos das Falkland em 25 de novembro e chegamos a este detestável lugar em 1º de dezembro; digo detestável porque estou certo de que foi a última coisa que Deus Todo-Poderoso criou [...] pois a neve jamais deixa este lugar, mesmo agora, em pleno verão [...] o tempo é tão frio quanto o que temos no Natal. Estamos constantemente molhados, afogados pelo sangue e gordura de focas. As focas não são tão abundantes como disseram antes de partir-

> mos de Liverpool, e por isso temos de nos contentar com uma quantidade moderada. Temos agora a bordo 9500 mil peles e ainda alimento esperanças de que possamos obter umas 2 mil por semana [...].

O *George* regressou a Londres com 18 mil peles.

A viagem do *Jane* também resultou em excelente lucro — suficiente para que Weddell e Strachan adquirissem um navio menor com a finalidade de servir de companheiro para o *Jane.* Era o *Beaufoy*, um cúter de convés corrido, com velas latinas, proa vertical e longo gurupés. Sem perda de tempo, os dois navios foram equipados e provisionados para outra viagem de caçada de focas no oceano austral, inclusive com cabos de aço para substituir os de cânhamo. Três meses após ter chegado a Londres da primeira viagem, Weddell partiu com o *Jane*, acompanhado pelo *Beaufoy* sob o comando de Michael McLeod, ganhando o canal da Mancha. Em agosto de 1821, eles se encontravam na ilha da Madeira estocando provisões e o vinho da ilha, depois em Cabo Verde embarcando sal. Poucas semanas mais tarde faziam uma última escala na ilha Nova (New Island), nas Falkland, onde se viram em companhia do brigue americano *Charity*, cujo proprietário e comandante era Charles H. Barnard.

À luz suave das lamparinas de óleo da cabine, com o frasco de vinho Madeira circulando, Weddell ouviu o relato de Barnard. "Devorei ansiosamente" a narrativa, diz ele, à qual dedicou quatro páginas em seu livro *A voyage towards the South Pole.* Esse trecho tem esta breve introdução: "A ilha Nova é notável por ter sido durante dois anos a residência solitária de um certo capitão Barnard, americano, cujo navio fora roubado no ano de 1814 pela tripulação de um barco inglês que por sua vez naufragara na costa sul dessas ilhas, ao vir de Port Jackson. Encontrei o capitão Barnard em 1821 no lugar de seu exílio, e naturalmente a conversa tomou esse rumo [...]".

Barnard narrou suas experiências em um livro publicado oito anos após sua conversa com Weddell. Ao contrário dos títulos concisos de hoje em dia, o livro se chama *A narrative of the sufferings and adventures of capt. Charles H. Barnard, in a voyage round the world, during the years 1812, 1813, 1814, 1815 & 1816; embracing an account of the seizure of his vessel at the Falkland Islands, by an English crew whom he had rescued from the horrors of a shipwreck; and of their abandoning him on an uninhabited island, where he resided for nearly two years* [Uma narrativa dos sofrimentos e das aventuras do capitão Charles H. Barnard, em uma viagem ao redor do mundo, durante os anos de 1812, 1813, 1814, 1815 & 1816, englobando um relato da captura de seu navio nas ilhas Falkland por uma tripulação por ele salva dos horrores de um naufrágio e seu abandono em uma ilha inabitada na qual viveu por quase dois anos]. É um relato extremamente satisfatório de traição, cupidez e enganos de parte dos ingleses, os quais constituem um elenco de personagens que poderiam ter perfeitamente saído de *Moll Flanders, The beggar's opera, Tom Jones* ou da *School for scandal* (inclusive um cavaleiro andante calvo, senhoras de escassa virtude, capitães néscios, soldados bêbados e crianças indefesas). Esse relato picaresco está entremeado com uma história de sobrevivência à maneira de Robinson Crusoé, com a satisfação adicional de que a pequena casa de pedra construída por Barnard na ilha Nova ainda continua de pé na entrada de uma pequena angra arenosa e constitui uma das mais antigas edificações existentes nas ilhas Falkland.

Talvez Barnard tenha escrito sua narrativa a instâncias de Weddell, pois ele é mencionado como sendo "meu amigo especial". Foi uma amizade cimentada pelos laços comuns de uma herança quaker, admiração mútua pelas qualidades navais de um e do outro e por uma parceria informal de trabalho.

O *Jane*, o *Beaufoy* e o *Charity* zarparam para as Shetland do Sul, aonde chegaram no final de outubro. Era a terceira temporada de caça às focas na ilha e era cada vez mais difícil encontrálas. Quase mil homens e 45 barcos americanos e ingleses agora exploravam as praias. Procurando deseperadamente novos viveiros, os navios menores das flotilhas eram despachados em expedições de busca. Um deles era o *Beaufoy*, que três dias antes do Natal de 1821 entrou no porto Yankee e fundeou junto aos barcos americanos já ancorados. A bordo havia três capitães: McLeod, Weddell e Barnard, que regressavam de uma viagem de reconhecimento à ilha Elefante. Em 11 de dezembro, quando se encontrava a 240 milhas a leste dessa ilha, o *Beaufoy* avistara terra mais além, a leste. Sem que os tripulantes do navio soubessem, essa terra — as ilhas Órcadas do Sul — havia sido descoberta em 7 de dezembro pelo inglês George Powell, no diminuto *Dove*, e por Nathaniel Palmer, a bordo do *James Monroe*, com os dois navios viajando juntos em expedição exploratória similar à empreendida pelo *Beaufoy*.

Ali nas Shetland do Sul ocorreu um pequeno incidente que ilustra graficamente a perpetuidade do mito das sereias e tritões e da capacidade mágica das focas de tomar forma humana. Essa faculdade está incorporada na antiga canção originária de Órcadas, na Escócia, "The grey selchie of sule skerry", com um verso que diz: "I am a man upon the land, I am a selchie in the sea" [Sou homem em terra, sou um tubarão no mar]. Qualquer irlandês ou escocês da época conheceria a canção, ou outras semelhantes, além das lendas relativas às focas. Pois não era verdade que os McCodrum das ilhas do Oeste e os Kenealy da Irlanda descendiam de focas?

Um dos marinheiros de Weddell, provavelmente irlandês ou escocês, fora deixado sozinho numa costa de ilha a fim de cuidar das peles de focas enquanto seus companheiros exploravam outra praia. Adormecera, mas fora acordado por um som que lembrava gritos humanos. Após uma busca que nada revelou, o marujo voltou a sua vigília solitária. O barulho continuava e desta vez o homem procurou sua origem mais cuidadosamente para o caso de alguma tripulação de bote estar em perigo, pedindo socorro. Os gritos aumentaram e agora tinham certa musicalidade. Weddell continua o relato:

> Procurando em volta, o homem viu alguma coisa sobre um rochedo, a cerca de 11 metros da praia, que o assustou. O rosto e os ombros pareciam humanos, e de cor avermelhada; sobre os ombros caíam longos cabelos verdes; a cauda lembrava a das focas, mas não era possível ver bem as extremidades dos braços. A criatura continuou a emitir um som musical enquanto olhava em volta durante dois minutos e, ao ver o homem, desapareceu em um instante. Ao encontrar seu oficial, o homem contou-lhe imediatamente essa estranha aparição, cuja veracidade evidentemente foi objeto de dúvidas; mas a fim de conferir credibilidade a seu testemunho (pois era católico), traçou uma cruz na areia, que beijou em forma de juramento quanto à sinceridade de sua afirmação.

Weddell, extremamente entretido com esse relato, mandou chamar o marinheiro visionário. Na cabine do *Jane*, o homem repetiu a história e o juramento sobre sua veracidade. A conclusão de Weddell foi de que o marujo dizia a verdade, ou que — e aí a mente pragmática e cética do quaker se opõe aos nevoeiros celtas — "deveria ter sido produzida por uma imaginação perturbada". Este escritor, porém, já encontrou uma foca coberta de algas (longos cabelos verdes?) deitada numa praia nas Shetland do Sul, e os sons que emitia poderiam passar por notas musicais, com uma pitada de perturbação da imaginação. Era uma foca-de-weddell, que produz sons subaquáticos seja para localização pelo eco, seja para comunicação. A fantasia nos leva a imaginar que a foca do relato de Weddell (que ele considerava não possuir características especiais) fosse provavelmente o tipo de foca que iria receber seu nome: *Leptonychotes weddelli.*

As focas escasseavam agora nas Shetland do Sul, e em fevereiro de 1822 o *Jane* se encontrava nas recém-descobertas Órcadas do Sul. Ali Weddell poderia satisfazer duas ambições: uma de peles e outra de seu gosto pelos trabalhos de levantamento. Esta última atividade não poderia ser profunda porque a temporada chegava ao fim e ele não possuía um segundo barco, tendo em vista que o *Beaufoy* havia seguido para a Geórgia do Sul, onde outros caçadores buscavam tirar das praias o pouco que tinham ainda a oferecer. Ali o *Jane* reencontrou o *Beaufoy* e ambos regressaram à Inglaterra en fins de março. Em julho descarregavam a carga mista de peles e óleo para o mercado londrino.

Os dois meses seguintes foram de grande atividade para Weddell. A segunda viagem rendera pequeno lucro e os sócios resolveram empreender uma terceira incursão pelo Sul. E assim, enquanto os ferreiros e carpinteiros reparavam com seus martelos e massas as frestas dos dois navios, Weddell tratava de encomendar e verificar os conhecidos instrumentos de seu trabalho: barris e tampas para estocar óleo; lanças, porrete, arpões (para o caso de aparecer alguma baleia), facas de esfolar, descarnar e cortar gordura; pedras de amolar e de afiar, machados, serras e os grandes caldeirões fabricados pela excelente firma Johnson & Son, Wapping Docks, Londres. Para os dois navios, que tinham de ser completamente auto-suficientes, havia peças de lona, facas sobressalentes, cabos, sebo, alcatrão de Estocolmo, agulhas e linha, luvas de costura, cola de sapateiro, linha de pesca, bigornas, foles, barras de ferro, martelos, pregos de ferro e de cobre, tábuas sobressalentes para os escaleres, remos sobressalentes, couro para os mancais dos remos, carvão, velas, pavios e óleo de lamparina, pólvora, cartuchos e balas para os canhões, espingardas de caça e pequenos canhões.

Caros a Weddell, e sinal de sua eficiência profissional, eram os três cronômetros: um de oito dias, fabricado por James Murray, outro de dois dias, de Murray & Strachan, e um terceiro de um dia, também de James Murray. Todos tinham de ser calibrados e verificados. Era ainda necessário proceder à verificação das bússolas, barômetros e termômetros, à aquisição dos mapas mais recentes e à compilação das últimas notícias vindas do Sul.

Estoque de papel, livros de registro de bordo, diários, tinta e talvez as novas penas de aço que estavam em moda e começavam a substituir as antigas penas de ganso que precisavam ser constantemente afiadas — também era preciso levar todo esse material. Para o trabalho de traçar as cartas de navegação, havia os novos lápis inventados pelo francês Nicholas-Jacques Conté e pelo austríaco Josef Hardtmuth. Tais como as penas de ave, tinham de ser apontados, mas a mistura de grafite e argila encerrada no corpo de madeira era excelente para desenhar e escrever, e podia ser apagada.

Mais tarde, Weddell se arrependeria por "não ter me munido de instrumentos que me permitiriam estender minhas observações", pois não esperava atingir latitudes tão elevadas. Isso não importava, porém; podia consolar-se pensando que os que possuía eram "os de melhor feitura".

Era igualmente necessário considerar as provisões de víveres. Talvez os sócios tivessem debatido a idéia de experimentar as novas carnes e legumes enlatados de Donkin & Hall, que despertavam atenção nos círculos marítimos depois da ampla publicidade e da recepção triunfal dada ao tenente Edward Parry e aos navios da Marinha Real *Hecla* e *Griper* ao regressarem do Ártico canadense. A expedição havia passado o inverno na ilha Melville, a 74°47'N, e Parry elogiara abundantemente os produtos de Donkin & Hall. Enquanto o *Jane* e o *Beaufoy* eram aparelhados para a viagem com destino ao Sul, o intrépido Parry pesquisava o Ártico com o *Hecla* e o *Fury* em busca da fugidia passagem pelo noroeste, levando mais provisões de Donkin & Hall. Certamente, porém, o debate não terá sido longo: a comida enlatada era dispendiosa e somente os departamentos governamentais, mais pródigos, preocupados com o prestígio nacional, poderiam se dar a tamanho luxo. A caça às focas era um negócio que oscilava perigosamente entre lucros e perdas. As preocupações dominantes eram os fatos econômicos, que tinham de ser analisados friamente, e não o prestígio da nação. Weddell, marinheiro pragmático e competente, também estaria familiarizado com a natureza conservadora de sua tripulação, acostumada a broas de ameixa, carne suína e bovina salgada e pudim de ervilhas. Os marujos consideravam qualquer novidade estratagema dos armadores para escamotear-lhes seus direitos. Assim, os barris de provisões foram embarcados: carnes salgadas de porco e de vaca, queijo duro, ervilhas secas, centeio, farinha de trigo, aveia e rum.

Em meados de setembro, dois meses após seu regresso, ambos os navios de Weddell, já aparelhados, esperavam entre os milhares de barcos encostados nos cais e fundeados nas águas do rio Tâmisa, que descrevia um grande arco em U rodeando a costa da ilha que tem o curioso nome de ilha dos Cachorros. Os dois navios caçadores estavam carregados, provisionados, lastreados e com a tripulação embarcada. Weddell inicia o relato dessa terceira viagem com um toque digno de Robert Louis Stevenson:

> Nossa aventura se destinava a recolher peles de focas e nossos barcos eram o brigue *Jane*, de Leith, com 160 toneladas, e o cúter *Beaufoy*, de Londres, com 65 toneladas, ambos aparelhados da forma costumeira e com provisões para dois anos. O primeiro, cuja tripulação continha 22 oficiais e marinheiros, estava sob meu comando; o segundo, com tripulação de treze homens, era comandado por Matthew Brisbane.

Bem, Matthew Brisbane é um nome novo nesta narrativa. Esse escocês de 35 anos substituíra o conterrâneo Michael McLeod no comando do *Beaufoy*. Brisbane vinha de uma família de marujos e se revelaria comandante intrépido, diligente e extremamente competente. Os dois homens mantinham excelentes relações entre si e Brisbane foi sempre elogiado por Weddell. O comandante do *Beaufoy*, entretanto, era uma dessas pessoas perseguidas pela má sorte, e em seu futuro o aguardavam três naufrágios e uma morte brutal, por assassinato, nas ilhas Falkland.

O verão havia sido agradável em 1822, sétimo aniversário da batalha de Waterloo. A colheita fora temporã e o abastecimento de raízes era abundante, ainda esperando ser transportado; as frutas, maduras e generosas: as maçãs envergavam os galhos, e o lúpulo, essencial para a fabricação de cerveja, mostrou-se de excelente qualidade. Até mesmo as uvas cultivadas ao ar livre haviam saído tão boas quanto as obtidas em estufa.

Esse verão idílico contrastava fortemente com os anos tempestuosos decorridos desde que Weddell deixara a Marinha Real.

Durante aquele tempo, 300 mil soldados e marinheiros haviam sido desmobilizados, engrossando as fileiras dos indigentes e desempregados. Num país cuja população dobrava a cada trinta anos, essa situação parecia destinada a produzir anarquia na economia, que oscilava perenemente entre a euforia e a depressão. A constatação catastrófica do reverendo Thomas Malthus de que a população crescia mais rápido do que seus meios de subsistência parecia assustadoramente verdadeira. Motins, tumulto, descontentamento e fome eram o destino da maioria desses homens, destituída de direitos políticos. A Igreja, a aristocracia, os senhores rurais e os novos-ricos proprietários de indústrias observavam temerosos as cinzas da Revolução Francesa atéia — que se acreditava extintas havia muito — serem sopradas pelos radicais demagogos para que se transformassem novamente em chamas.

Em meio a toda essa turbulência, a Grã-Bretanha aumentava sua riqueza com rapidez impressionante, baseada no rei Algodão e no rei Carvão. Para os marinheiros do *Jane* e do *Beaufoy*, ambas as indústrias constituíam a razão de ser da utilidade de seu ofício de marujos e caçadores de focas. A volumosa importação de algodão cru e a exportação de bens acabados exigiam navios e marinheiros, assim como a movimentação do carvão ao longo da costa e sua exportação para o exterior. O carvão movia os teares a vapor das tecelagens do Norte e era transformado em coque para a fusão do ferro, com o qual se construíam novas máquinas. Tais máquinas e os teares para o algodão e a lã precisavam de óleo de baleia e de foca para a lubrificação e para o processamento dos tecidos. As tecelagens e manufaturas necessitavam de iluminação a óleo, bem como as ruas das cidades e vilas que se expandiam. Uma preocupação importante, entretanto, e aparentemente insolúvel para os comerciantes que importavam óleo, era a crescente utilização do gás de carvão para a iluminação urbana. O número de gasômetros construídos em todas as principais cidades e em Londres aumentou de um para 47 em apenas dez anos. A única forma de resistência encontrada pelos apreensivos comerciantes de óleo era promover o uso de gás produzido a partir do óleo. Quanto às peles de focas, sempre havia demanda, fosse em forma de produtos de peleteria, fosse para ser empregada na indústria de couros.

Além disso, o país se apoiava, simbolicamente, em algo monstruoso, imenso, embora débil e apodrecido. Menos de dois anos antes, o duque de Bedford havia se convencido de que a monarquia estava destinada a desmoronar. O príncipe regente, obeso e sibarítico, afinal exigira a herança de seu pai cego, louco e idoso, e reinava agora com o título de Jorge IV — "o quarto dos idiotas opressores chamados Jorge", no dizer de Byron. Por trás da volumosa figura de Sua Majestade, apareciam os duques seus irmãos: alguns cômicos, outros sinistros, outros estúpidos, contudo todos aparentemente destituídos de qualquer centelha de bom senso. "São as piores pedras amarradas ao pescoço de qualquer governo que se possa imaginar", sentenciou o irado duque de Wellington. A opinião do poeta Shelley, posta de forma um pouco mais elegante em versos, era igualmente eloqüente:

Príncipes, escória de sua obtusa raça, que passam flutuando
Pelo desprezo do público — lodo de uma primavera lodosa —
Governantes que não enxergam, não sentem e nada percebem,
*Mas que, como sanguessugas, se agarram a um país em declínio.**

* Princes, the dregs of their dull race, who flow/ Through public scorn — mud from a muddy spring —/ Rulers who neither see nor feel nor know/ But leech-like their failing country cling.

Tal rei era detestado e desprezado na capital de seu reino, onde suas aparições públicas eram saudadas com vaias, assobios, gritos e pedradas. (O populacho londrino jamais se mostrou respeitador de pessoas.) No entanto, as visitas do soberano a Dublin, Hanôver e Edimburgo foram recebidas com adoração, proporcionando alívio e bálsamo ao ego real. Com efeito, na visita a Edimburgo, organizada por Sir Walter Scott naquele verão de 1822, o rei desfilou montado pela Princess Street, vestindo a roupa típica da Escócia e ouvindo os aplausos dos leais súditos daquelas terras. Isso deve ter-lhe despertado pensamentos profundos sobre seus desrespeitosos súditos londrinos. Tanto que encomendou a Sir David Wilkie seu próprio retrato, vestindo o *tartan*, o saiote, a bolsa e o boné característicos das Terras Altas. As indústrias escocesas de turismo e de tecidos e a mitologia da Escócia se aproveitaram sobremaneira desse fato.

Entre os tripulantes do *Jane* e do *Beaufoy*, porém, certamente ninguém se aproximara da família real mais do que para observar nas vitrines das lojas com risos sarcásticos as caricaturas cruéis e coloridas de James Gillray, Thomas Rowlandson e George Cruikshank, que ridicularizavam as tolices mais egrégias da monarquia. Também distante da tripulação seria o mundo suave de Jane Austen, o mundo da alta burguesia e dos fidalgos, cujas desavenças eram resolvidas com conversas e com decoro e onde os mais recentes produtos da pena de Scott, Keats, Shelley e Byron eram aguardados com a respiração suspensa. Os heróis dos marinheiros embarcados no *Jane* e no *Beaufoy* eram John Gully, Tom Cribb, Jem Belcher e Tom Spring, todos lutadores, cujo decano era o invencível Tom Cribb, agora afastado, ocupando-se da gerência de um *pub* de Londres, que poderia ser freqüentado pelos marinheiros para tomar canecas de cerveja ou de ponche quente e conversar com o grande homem em pessoa.

Essa era a Inglaterra, lugar em que as discussões entre as pessoas simples eram resolvidas com os punhos e onde o esporte mais popular para os espectadores — depois das corridas de cavalos — eram as lutas de socos. Quando se anunciava uma luta, milhares de pessoas acorriam, a cavalo ou a pé, ao ponto designado. Os patrocinadores eram jovens aristocratas e os espectadores representavam um corte geológico das camadas da sociedade inglesa. De certa forma, essas multidões constituíam a reunião democrática do país. Outros esportes, entre os quais o críquete, atraíam espectadores, e sem sombra de dúvida alguns fariam nossos contemporâneos recuarem horrorizados: caçada de texugos e de ratos, lutas de cães e de galos, touradas. Era uma época mais rude e as pessoas tinham estômagos mais fortes.

Deixando para trás esses divertimentos, o *Jane* e o *Beaufoy* zarparam numa sexta-feira, 13 de setembro — dia de mau agouro aos olhos dos marinheiros supersticiosos —, com vento ameno e maré favorável, descendo o rio Tâmisa até Downs, em Dover. Assim se chama a faixa de água ao longo da costa sudeste entre o promontório Norte e o promontório Sul, além da qual o traiçoeiro banco de areia Goodwin oferece certa proteção aos navios. Ali os práticos que navegavam o Tâmisa eram embarcados ou desembarcados e os navios se congregavam em grande número, aguardando um vento favorável que os levasse pelo canal da Mancha. Se a espera fosse longa, o ancoradouro se enchia de centenas de embarcações, numa floresta flutuante de mastros. O vento favorável chegava e a floresta desaparecia em nuvens de lona.

O *Jane* e o *Beaufoy* passaram mais de uma semana ancorados no Downs, mas os supersticiosos se sentiam vingados. Outro barco, mal conduzido, abalroou a proa do *Jane*, desmantelando o gurupés, o pau da bujarrona e a verga da cevadeira e rasgando a bujarrona enfunada. Ali no Downs esse tipo de acidente fazia a alegria dos lúgares que partiam da praia de Deal e passavam como aves esvoaçando por entre os navios ancorados trazendo suprimentos, provisões, passageiros, tripulação, comandantes e pilotos. Em condições tempestuosas proporcionavam um serviço perigoso, porém lucrativo, de salvamento e resgate. Eram também o flagelo do serviço de coleta de impostos, pois eram velozes com seus três mastros, capazes de fazer salvamentos, contrabando, praticagem e pescaria, nessa ordem. O transporte de passageiros entre os navios e a terra era igualmente executado por botes pequenos, com uma única vela de lúgar, e os ainda menores escaleres leves, de quatro remos. Até mesmo esses abutres do contrabando davam dores de cabeça aos fiscais de impostos, de cujos barcos os rápidos escaleres zombavam ao fugir contra o vento com toda a facilidade.

Weddell não menciona ter sido levado à praia num desses botes abertos. Um ano mais tarde, porém, o radical William Cobbett, escritor de vigorosa prosa, com cuja pena fazia o equivalente ao que Gillray e Rowlandson de sua parte promoviam nas artes visuais, descreveu a localidade de Deal. Para ele, a vila era "um lugar execrável. Está cheia de gente de aparência imunda [...]. Felizmente, atravessei-a rápido, deixando as tavernas e os bares ocupados pelos marujos mercantes e militares cuja vizinhança sempre detestei". Não é preciso acrescentar que Cobbett era um fidalgo do interior que não possuía nem uma gota de água salgada nas veias e considerava os portos marítimos excrescências alienígenas em volta de uma terra que deveria ser dedicada ao cultivo de trigo, centeio e lúpulo, bem como à criação de vacas e porcos.

Se Weddell entrasse numa dessas tavernas condenadas por Cobbett, sem dúvida conversaria com alguns colegas marinheiros e o assunto poderia derivar para os novos barcos movidos a vapor — alguns com cascos de ferro — que começavam a aparecer nos rios e canais. Mesmo enquanto conversavam, pode ser que alguma barca a vapor, com suas rodas de pás e aquela ridícula chaminé soltando fumaça, já estivesse cruzando o canal da Mancha entre Dover e Calais. Para os conservadores, esses acontecimentos eram desconcertantes, ou talvez algo passageiro, que não teria continuidade; para os que enxergavam mais adiante, representavam um novo futuro para o comércio marítimo e uma mudança nas táticas de guerra no mar.

Em 17 de setembro, os ventos mudaram para nordeste e as embarcações reunidas no Downs, inclusive o *Jane* e o *Beaufoy*, levantaram ferros e, aproveitando o vento favorável, entraram no canal em direção ao Atlântico. Na entrada do canal, os dois barcos se separaram: o *Jane* rumou para Madeira e o *Beaufoy*, para as ilhas de Cabo Verde. O primeiro passou apenas um dia em Madeira, embarcando os tonéis do vinho da ilha. O agente de Weddell era John Blandy. (Cem anos mais tarde, Sir Ernest Shackleton, viajando no *Quest* para sua última incursão exploratória no oceano austral, usou a mesma firma para o mesmo propósito.) Em 14 de outubro, o *Jane* se reuniu ao *Beaufoy* em Bonavista, nas ilhas de Cabo Verde, e ambos os navios começaram a carregar 36 toneladas de sal para o curtume das peles de foca.

Weddell, que observava meticulosamente os fenômenos naturais do oceano austral, voltou sua atenção, com olhos irônicos, para o comportamento de seus semelhantes. Em Bonavista, teve a oportunidade de jantar diversas vezes com o bispo das ilhas, prelado possuidor, segundo Weddell, de "paciência, maneiras suaves e rígida disciplina sacerdotal". Mas a disciplina sacerdotal, notou Weddell, não se estendia a seu séquito de padres, pois, longe dos olhos severos do prelado, eram "como os leigos, desejosos da companhia de senhoras e atentos a seus atrativos".

Após embarcar o sal e alguns animais domésticos magricelas, o *Jane* e o *Beaufoy* zarparam em 20 de outubro. Depois de um dia de navegação, notaram um vazamento na popa do *Jane*. Com o navio à deriva, toda a carga que podia ser deslocada foi empilhada na proa, a fim de fazer com que a popa se erguesse para fora da água, e nessa posição pouco digna a parte posterior foi reparada provisoriamente e seguiu-se a tediosa tarefa de fazer tudo voltar a seus lugares de modo a que o *Jane* pudesse enfim navegar. O incidente iria atrasar Weddell, agora obrigado a encontrar ancoradouro em Falkland ou na costa da América do Sul, onde pudesse mandar providenciar um reparo definitivo.

Em 7 de novembro os dois navios cruzaram o equador e uma semana mais tarde, ao largo da costa do Brasil, viram uma escuna portuguesa. Weddell conhecia os navios negreiros e, aproximando-se da embarcação, obrigou-a a arriar as velas. Colocando seus navios de ambos os lados, à distância de um tiro de canhão, Weddell abordou o navio negreiro, com seus oficiais e uma pequena companhia de marinheiros. Havia 250 escravos a bordo, que seriam vendidos na Bahia. Os homens estavam amontoados no porão como peixes em um barril, e as mulheres e as crianças, acorrentadas no convés. Weddell, com sua formação quaker, ficou horrorizado e frustrado. A escravidão havia sido abolida na Grã-Bretanha havia catorze anos, mas persistia nas Américas. Weddell sabia, porém, que se fizesse algo contra o navio — seus oficiais o instavam a tomá-lo como butim — estaria sujeito a ser acusado de prática de pirataria. Com relutância voltou a seu navio, deixando que o negreiro prosseguisse rumo à Bahia com sua carga humana.

O principal problema para Weddell no momento era o conserto definitivo do vazamento, de forma a suportar os mares revoltos do oceano austral. As ilhas Falkland estavam muito distantes e o comandante resolveu procurar uma baía protegida na costa da Patagônia onde executar os reparos. As praias desse litoral ermo e desolado também forneceriam focas. Em 10 de dezembro alcançaram a península Valdes, mas a entrada do porto Valdes não lhes dava calado e tinha uma forte correntada. Weddell tomou a decisão de buscar algum porto de refúgio mais ao sul. Em 19 de dezembro, o *Jane* e o *Beaufoy* ancoraram na baía do porto de Santa Elena, bem protegida. Brisbane ficou somente um dia e em seguida partiu com o *Beaufoy* ao longo da costa da baía de Saint George, em busca de focas. Os dois capitães combinaram encontrar-se a cerca de 200 milhas mais ao sul, na ilha Pingüim, ao largo do litoral da Patagônia.

Sozinho agora, *o Jane* foi erguido pela popa e o leme foi retirado. Com a parte posterior livre de qualquer obstrução, o carpinteiro e seus homens começaram o trabalho de reparar o casco. Enquanto se executava a tarefa, Weddell usou seus dotes de especialista em levantamentos e traçou um mapa da baía. Qualquer porto de refúgio naquele litoral ventoso e ermo era valioso e aquele possuía fontes de água doce a meia milha da costa e carne fresca em forma de lebres e guanacos. Abatido, um desses animais, semelhantes aos veados, forneceu 55 quilos de carne. Concluídos os reparos, o dia de Natal foi passado na baía, com banquete de guanaco, que tinha gosto de carneiro bem alimentado. No dia seguinte, zarparam.

No dia de Ano-Novo de 1823, os dois navios se juntaram novamente, singrando para o Sul entre Falkland e o litoral da Patagônia. A estação ia adiantada, e era tarde demais para pensar em encontrar abundância de focas nas Shetland do Sul. Ambos os comandantes sabiam perfeitamente que após quatro temporadas de matança intensiva as praias estariam desertas. A alternativa era procurar novos viveiros. Primeiro, no entanto, havia as praias das Órcadas do Sul, descobertas por Powell e Palmer e que Weddell visitara rapidamente no ano anterior. Depois disso, Weddell resolveu procurar focas em áreas nunca antes investigadas — no Sul, se possível; porém, homem prático que era, sabia que tudo dependia das condições do gelo.

Antes de tudo, porém, havia um assunto a ser investigado bem perto do local onde navegavam. Em 1819, um certo capitão Bristow havia reportado áreas rasas com ondas a meio caminho entre Falkland e a costa da Patagônia, na posição 50°55'S e 65°07'O. Outro baleeiro, o capitão Robert Poole, do *Aigle*, informara a respeito da existência de baixios próximo à posição referida por Bristow. Ali estava uma oportunidade para que Weddell verificasse um possível perigo para os navegantes. A busca, efetuada visualmente a partir da gávea, mostrou-se infrutífera. Weddell, com certa irritação, registrou: "Se tivesse sido marcada corretamente, eu a teria encontrado". Mas o recife Aigle ainda possui vida precária nos mapas do Almirantado, onde está assinalado com a indicação ED, de "Existence Doubtful" [existência duvidosa].

Já não era possível perder mais tempo na travessia para as Órcadas do Sul, que poderia ser um trajeto tempestuoso. Em 6 de janeiro, com temperaturas frígidas, os dois navios foram alcançados por ventos fortíssimos combinados com um mar perigoso e irregular. Passando por sobre o convés, as vagas levaram dois escaleres e pedaços da amurada do *Jane*. De repente, como acontece com as coisas do mar, o vento cessou por completo, com os navios ainda sendo jogados brutalmente pelas ondas. Poucos dias mais tarde passaram a Convergência Antártica e a temperatura na superfície passou de 9,5 °C para 0,5 °C. Havia icebergs à vista e as pombas-do-cabo, insolentes pássaros do oceano austral, brincavam ao redor do *Jane* e do *Beaufoy*.

Em 12 de janeiro avistaram os primeiros picos das Órcadas do Sul. No entanto, como os ventos variassem muito de direção e o mar estivesse agitado, levaram mais dois dias para aproximar-se da terra. Weddell achou aquelas ilhas ermas e desoladas, com seus altos picos escarpados como pontas de terras submersas, mais imponentes do que as Shetland do Sul. O nevoeiro agora aparecia com freqüência preocupante, e o panorama visto por entre a névoa úmida e cambiante, embora grandioso, revelava poucas focas. Em 15 de janeiro somente meia dúzia de focas foi trazida para o *Jane*. Não eram focas-de-pêlo, e sim de uma espécie diferente, estranha para Weddell, que as chamou de "leopardos-do-mar", no que cometeu um equívoco. Eram animais suficientemente curiosos para que ele os mandasse esfolar e preservar com cuidado as peles, junto com os crânios, separadas das peles das focas-de-pêlo.[1]

1. Dois anos depois, tendo o *Jane* e o *Beaufoy* regressado em segurança de suas viagens, Weddell enviou essas peles ao professor Robert Jameson, titular da cátedra de história natural da Universidade de Edimburgo. Jameson estava habituado a receber presentes vindos de regiões polares. Poucos anos antes ganhara de William Scoresby um urso polar vivo, o que lhe trouxera problemas para alojar e alimentar o animal. Scoresby dedicara ao surpreso mestre seu *Account of the arctic regions*, pois dele recebera estímulo e conselhos para seu trabalho de baleeiro e cientista. O que inspirara Scoresby não conseguiu inspirar Charles Darwin, que, quando jovem, assistira às conferências de Jameson sobre geologia e zoologia e as achou tão insípidas que resolveu jamais ler um livro sobre geologia nem estudar essa ciência. No entanto, mudou de idéia em Cambridge, quando se encontrou sob a tutela do notável geólogo Adam Sedgewick, e mais tarde descreveu a geologia como a "nobre ciência".

Após análise minuciosa da pele, dentes e crânio do espécime recebido de Weddell, o professor Jameson a considerou uma nova espécie de foca. O naturalista francês R. P. Leeson, que estudou a descrição feita por Jameson e um desenho feito por Weddell, deu à foca o nome do homem que a havia trazido das Órcadas do Sul

Hoje em dia, a pele daquela foca abatida nas Órcadas do Sul, descrita por Jameson e destinada a tornar-se o espécime típico da *Leptonychotes weddelli*, repousa no porão do Museu Real Escocês de Edimburgo, envolta em plástico. O crânio, esmagado pelo porrete do caçador, está numa caixa de papelão. A pele propriamente dita está em condições muito boas e mostra orifícios de agulha que sugerem que o espécime, em algum momento, foi empalhado e exibido.

Os escaleres do *Jane* e do *Beaufoy* fizeram-se ao mar para examinar mais de perto as costas das Órcadas do Sul — mas uma praia de 50 milhas de extensão forneceu apenas uma foca-de-pêlo. Os dois navios ficaram entre as ilhas Saddle e Laurie (a que Weddell chamara de ilha de Melville), na extremidade leste das Órcadas. Weddell verificara corretamente a posição da ilha Saddle quanto à latitude e à longitude, e resolveu seguir para Oeste, com o duplo objetivo de ampliar a busca das fugidias focas e determinar a posição do ponto mais oriental do arquipélago. Nenhuma foca foi encontrada, mas o cabo estava posicionado e os navios retomaram o rumo Leste com a intenção de, agora, detectar o ponto mais ocidental daquele grupo de ilhas. Em 22 de janeiro, estavam ao largo do cabo Dundas, aonde dois barcos foram mandados com o propósito de procurar focas enquanto Weddell se ocupava do sextante e dos cronômetros.

À tarde os barcos voltaram com doze focas, porém somente duas eram de pêlo. As Órcadas do Sul se mostravam altamente decepcionantes. Alguns oficiais, no entanto, ao escalarem um monte, haviam avistado uma cordilheira à distância, a sudeste. Ambos os navios partiram naquela noite com vento favorável na direção dos picos convidativos.

O sol nasce cedo nessas latitudes e, quando a penumbra cedeu ao brilho do sol, a decepcionada tripulação viu que a terra se transformava em uma comprida linha de imensos icebergs. Weddell comentou laconicamente que haviam sido "desenganados". Os barcos se esgueiraram na direção sul, atravessando a linha de icebergs, e chegaram a águas mais limpas. Como havia vento vindo do norte, Weddell resolveu manter o curso para o Sul. O progresso, contudo, era lento, com nevoeiro e neve freqüentes, o que os obrigava a suspender a navegação durante a noite de modo a evitar colisões danosas contra blocos de gelo. O *Beaufoy* se mantinha a barlavento do *Jane*, como um cão fiel. O nevoeiro trazia perigos imaginários e o nervoso segundo imediato chamou Weddell com um grito, informando-o de que havia ondas fortes a sotavento. Weddell correu da cabine para o convés e ordenou que o *Jane* guinasse, mas o perigo se dissipou juntamente com o nevoeiro, uma vez que não havia sinal de ondas. Weddell achou que o segundo imediato poderia ter se assustado com baleias emergindo para respirar.

Em 27 de janeiro, atingiram a posição de 64°58'S — bem ao sul das Shetland. Ali Weddell tomou uma decisão da qual se arrependeria mais tarde. Na ocasião lhe pareceu a atitude mais sensata a tomar, decorrente de reflexão cuidadosa. O raciocínio era o seguinte: a temporada de verão estava adiantada e para ele, naquele momento, parecia prudente não incursionar mais profundamente para o sul, e sim procurar terra entre as Órcadas do Sul e a Terra de Sandwich de Cook, enquanto as noites ainda eram relativamente curtas, pois a escuridão, aliada ao nevoeiro, tornava a navegação em mar gelado muito mais perigosa.

Tomada a decisão, os navios rumaram para o Norte. Nessa travessia estiveram quase sempre rodeados de icebergs; porém, já os conheciam tão bem que os dois pequenos navios se esgueiravam com certa indiferença por entre eles, como anões diante de ilhas flutuantes. Todavia, a cautela, a vigilância e os olhos constantemente observando o mar são palavras de ordem na navegação em mares cobertos de gelo. Certa noite o *Jane* arriou de forma abrupta as velas, quando o vigia percebeu algo semelhante a uma rocha que perigosamente se encontrava em seu rumo. O prumo de chumbo não encontrou fundo, mas os dois navios, como mandava a prudência, permaneceram parados até que o imediato descobriu que a rocha era o cadáver inchado de uma baleia. "Tais objetos", registrou Weddell secamente, "vistos à noite com imperfeição, com freqüência causam alarme."

Em 1º de fevereiro se encontravam na latitude 58º50'S e a meio caminho entre as Órcadas e a Terra de Sandwich (ilhas Sandwich do Sul), sem terra à vista nem nenhuma indicação de terra. Ali Weddell mudou o rumo para sudeste, esquadrinhando o mar em uma busca infrutífera. O comandante ofereceu 10 libras — cerca de nove meses de salário de um bom marujo na Marinha Real — ao primeiro homem que avistasse um litoral, reproduzindo oferta de recompensa semelhante feita por Colombo. (O vigia da *Pinta* não recebeu o prêmio; Colombo o embolsou, afirmando calmamente que ele próprio havia avistado a terra na noite anterior.)

A recompensa de 10 libras ocasionou a perda de muitas esperanças quando o *Jane* e o *Beaufoy* alteraram o rumo a fim de investigar o grito triunfal — embora prematuro — de "Terra!" dado pelo vigia. Em 4 de fevereiro, a Terra de Sandwich de Cook estava a poucas centenas de milhas e a busca convencera Weddell de que não haveria novas descobertas naquela porção do oceano austral. Se houvesse terra, deveria estar mais para o sul, e era para lá que Weddell pretendia seguir. Conversou com Brisbane sobre o assunto e percebeu que aquele homem imperturbável estava tão ansioso quanto ele para navegar no rumo sul, ainda que as condições fossem precárias e eles soubessem que esse caminho não tinha nada a lhes oferecer a não ser aumentar suas provações.

Os tripulantes do *Jane* e do *Beaufoy* haviam passado semanas em meio ao frio e úmido desconforto. Os conveses dos navios ficavam constantemente molhados devido ao denso nevoeiro, chuva, neve, geada, borrifos e mares a 2 ºC. A temperatura do ar oscilava perto do ponto de congelamento. Os homens evidentemente sofriam com essas desagradáveis condições e Weddell mandou levar o fogão para a coberta, de modo que o calor lhes secasse as roupas. Para aquecer e lubrificar o interior dos marinheiros, eram fornecidos três cálices de rum por dia. Os alimentos, no entanto, foram racionados a 600 gramas diários de carne salgada, com um fornecimento semanal de 2,2 quilos de pão, 2 pintas de farinha, 3 de ervilhas secas e 2 de centeio. Weddell achava que essas rações constituíam o mínimo necessário para o trabalho em clima frio, mas a incerteza quanto à duração da viagem recomendava economia estrita.

Quando Weddell mudou o rumo para o Norte, em 27 de janeiro, passou a seguir aproximadamente o meridiano de 40ºO. Nessa segunda tentativa, eles estavam bem próximos da linha de 30ºO de longitude. Em 10 de fevereiro, na latitude 66ºS, a frustrante busca pareceu ter sido recompensada. À luz tênue da madrugada, o imediato avistou terra ao sul, de coloração escura e em forma de pão-de-açúcar. Weddell, olhando pela luneta, concordou. O vento cortante soprava do sul e os dois navios tiveram de orçar violentamente a fim de aproximar-se da tantalizante face do penhasco. O resto do turno da manhã passou lentamente, marcado pelo tanger do sino de bordo a cada meia hora. Perto do meio-dia, os instrumentos sagrados, cronômetro e sextante, foram trazidos para o convés para a realização da cerimônia hierática da observação da Lua, seguida pelo soar do sino no começo de mais um dia náutico. Enquanto essas atividades tomavam lugar, a face do rochedo se aproximava e a excitação no convés se tornou febril.

Decorrida metade do quarto de serviço da tarde, enquanto as quatro badaladas do sino se dissolviam no ar, com toda a tripulação no convés, a costa rochosa da ilha se mantinha visível a um quarto de milha de distância. Antes do soar de mais uma hora já

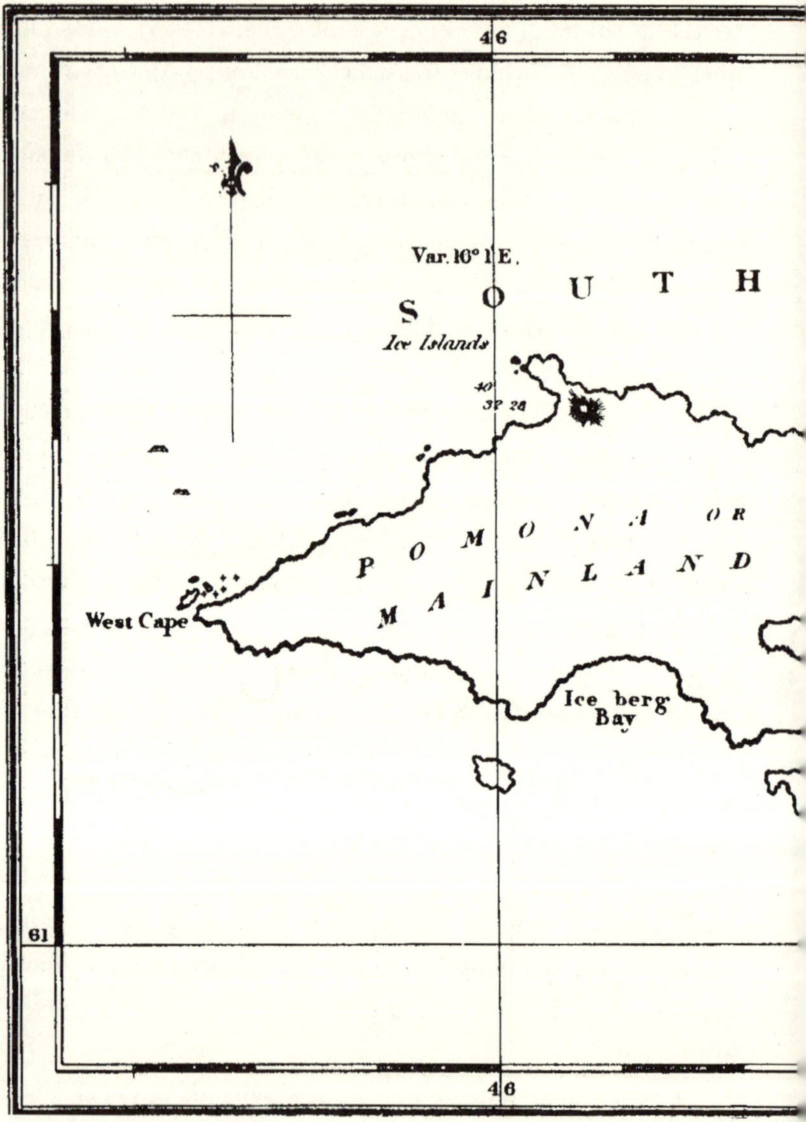

Mapa das Órcadas do Sul. De A voyage towards the South Pole [Uma viagem em direção ao pólo sul], *Londres, 1827.*

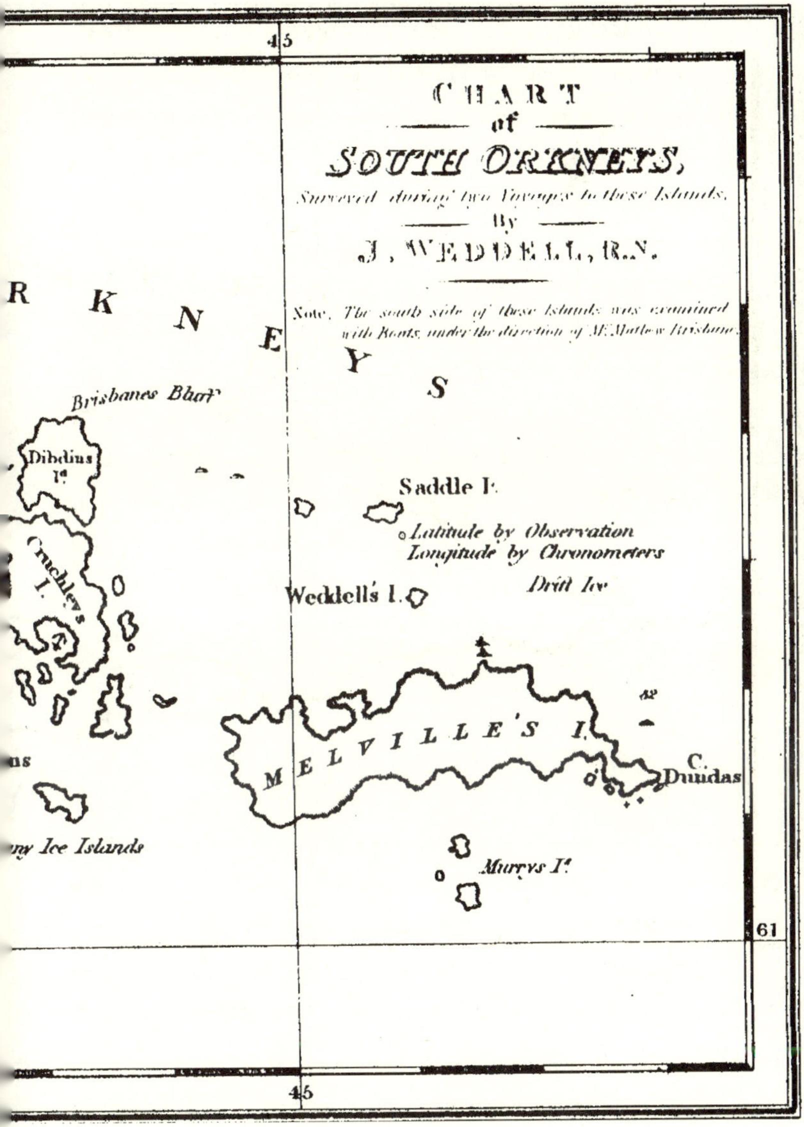

45
CHART
of
SOUTH ORKNEYS,
Surveyed during two Voyages to these Islands.
By
J. WEDDELL, R.N.
Note. The south side of these Islands was examined with Boats, under the direction of Mr. Mathew Brisbane.
R K N E Y S
Dibdins I.
Saddle I.
Latitude by Observation
Longitude by Chronometers
Drift Ice
Weddell's I.
MELVILLE'S I.
C. Dundas
Murrys I.
61
45

haviam percorrido metade dessa distância. A face da ilha se transformara em um iceberg cujo costado norte estava incrustado de terra escura, pedras e rochas. Foi mais um golpe duro nas esperanças da tripulação, que em nada mais resultou senão em baixar o moral que já era precário.

Igualmente desconsolado, Weddell buscou alívio na esperança de que o iceberg incrustado de rochas tivesse sido desgarrado de alguma terra, e que essa terra estivesse próxima. Com o vento vindo do sul, teria sido fácil tomar a decisão de inverter o curso e rumar para latitudes mais setentrionais. Weddell, no entanto, manteve a orça e o rumo sudoeste. Por quase uma semana lutaram contra o vento dominante do sul. Durante um frustrante período de 24 horas progrediram somente 16 milhas na direção sul. Não apenas o vento estava desfavorável: naquele mesmo dia tiveram de esgueirar-se por entre um exército de 66 icebergs.

Repentinamente, em 16 de fevereiro, a sorte mudou. Era como se uma das caprichosas deidades da Antártica de súbito se apiedasse: os marujos do *Jane* e do *Beaufoy* provaram seu valor e, tendo vencido as muralhas da mágica cidadela de icebergs, sentiram-se finalmente livres num mar excepcional. O vento mudou para oeste e parecia quase morno; o mar ficou tranqüilo, viam-se poucos icebergs, pássaros esvoaçavam em torno dos navios e a superfície lisa do mar somente era quebrada por baleias que emergiam de vez em quando. Nessas condições idílicas, o *Beaufoy* deixou a posição costumeira a barlavento do *Jane* e afastou-se, a fim de aumentar o campo de visão.

A posição ao meio-dia de 17 de fevereiro foi marcada a 71°34'S e 30°12'O. Era o ponto mais meridional do mundo jamais atingido por navios e seres humanos. Em 1774 Cook chegara a 71°10'S, a bordo do *Resolution*. Agora, o pequeno *Jane* e o ainda menor *Beaufoy* se juntavam à reduzida elite dos barcos de exploração polar. As condições ideais de navegação duraram até o dia seguinte. Deixemos que Weddell nos relate:

> No fim do dia havia muitas baleias em volta do navio e o mar estava literalmente coberto de pássaros da espécie dos petréis-azuis. NÃO SE VIA UMA SÓ PARTÍCULA DE GELO DE QUALQUER NATUREZA. A noite estava tranqüila e serena, e, se não fosse a idéia de que provavelmente teríamos obstáculos a vencer quando rumássemos para o Norte, através do gelo, nossa situação poderia ser considerada invejável. O vento foi leve durante a noite, vindo do leste, e navegávamos com todas as velas.

Essas condições benignas e inusitadas continuaram. No dia seguinte, o carpinteiro reparou um dos escaleres, enquanto a tripulação trabalhava com luvas de costureiro e agulhas, cera, linhas, marretas, linha de pesca, sebo e alcatrão, consertando mastros, vergas e velas, atividades caras a imediatos e contramestres em todo o mundo.

Em 20 de fevereiro, o vento desviou para o sul e refrescou. Mais além, a sudeste, o horizonte ficou carregado de nuvens escuras e revoadas de pássaros. Os dois navios rumaram em direção a esses fenômenos, quase contra o vento. Pouco antes do meio-dia, o céu clareou e à claridade diurna ambos os barcos brilhavam como jóias, com seus conveses e velame úmidos de borrifos. O horizonte estava limpo de nuvens em toda a volta e seus únicos companheiros de viagem eram três icebergs, um dos quais atulhado de pingüins. A observação tomada ao meio-dia mostrou que estavam a 74°15'S e 34°16'O. Não havia indicação de

O Jane *e o* Beaufoy *na posição 68ºS, fevereiro de 1823.*

terra ao sul, de onde provinha aquele vento frio, desfavorável porém refrescante.

Foi a direção do vento que obrigou Weddell a tomar uma decisão. Durante os dias anteriores, estivera na posição de um jogador que calculasse seus riscos, pressionado pelo tempo a fazer uma aposta decisiva. Se ganhasse, a recompensa seria um misterioso pacote que poderia conter novos viveiros de focas, um lucro passageiro, a fama como explorador, ou ainda — macabro gracejo final — nenhum desses itens. Se perdesse, isso significaria provavelmente sua própria morte, bem como a de seus homens. Em todas suas incursões profundas para o sul, Cook fora detido pelo gelo. Weddell, a 185 milhas mais ao sul do que Cook — só que um mês mais tarde —, tinha diante de si um mar aberto. O vento do sul, contudo, transformara drasticamente os riscos. Era possível rumar para sudeste ou para sudoeste, mas não para o sul. Poderia haver terra em qualquer direção. No entanto, mesmo que encontrassem terra e focas, a temporada chegava ao fim e atrás deles havia mais de mil milhas de mar ponteado de pedaços de gelo, nevoeiros e noites cada vez mais longas. Se fossem apanhados pelo gelo, as possibilidades de sobrevivência eram praticamente nulas. A situação de Weddell era semelhante à de Ernest Shackleton, que 86 anos mais tarde caminhou até chegar a 97 milhas do pólo sul. Shackleton sabia que poderia alcançar o pólo com seus companheiros; mas também sabia que não haveria possibilidade de regressar em segurança ao acampamento de inverno no cabo Royds. Assim, decidiu voltar. Com relutância, Weddell chegou à mesma conclusão. Um marinheiro prudente é melhor do que um marinheiro morto. E tal como Shackleton, numa pequena cerimônia no ponto mais ao sul que alcançara, na terrível solidão do planalto polar, Weddell celebrou no mar brilhante a que chamou de mar de Jorge IV.

Weddell fez um sinal para que o *Beaufoy* se afastasse e rumasse para noroeste. Reuniu a tripulação, informou-os de sua decisão e, sabendo que os homens ficariam amargamente desapontados — pois a viagem era de caça a focas e o que receberiam dependia do carregamento —, animou-os assinalando que haviam penetrado mais ao sul do que qualquer outro marujo já o fizera, inclusive o grande capitão James Cook. A fim de marcar a ocasião e mostrar coragem, mandou hastear a bandeira e disparar o canhão; distribuiu uma ração extra de rum e a tripulação deu três hurras.

Naquela tarde, enquanto o *Jane* e o *Beaufoy* seguiam para o Norte com todas as velas enfunadas, Weddell meditava sobre sua decisão de rumar para o Norte em 27 de janeiro. Aqueles dias perdidos poderiam ter sido utilizados de maneira mais útil nas latitudes mais elevadas, penetrando ainda mais profundamente no Sul — quem sabe até mesmo no próprio pólo sul. Talvez Weddell se consolasse se soubesse que o litoral antártico da Terra de Coat estava a dois dias de navegação a sudeste e a plataforma de gelo Filchner, a três dias ao sul de sua posição naquele meio-dia de 20 de fevereiro.

A costa e a plataforma esperariam até os primeiros anos do século XX para que fossem descobertas pela Expedição Antártica Nacional Escocesa comandada por W. S. Bruce, a bordo do *Scotia*, e pela expedição alemã do dr. Wilhelm Filchner, a bordo do *Deutschland*. Ambos os navios tinham máquinas auxiliares e ambos possuíam proteção contra o gelo, mas o *Scotia* escapou por pouco de ficar bloqueado e o *Deutschland* ficou preso no gelo durante nove meses. Menos sorte tiveram o navio expedicionário sueco *Antarctic*, do dr. Otto Nordenskjold, e o *Endurance*, de Sir Ernest Shackleton: ambos foram bloqueados, retidos, esmagados e afundados pelo gelo consolidado do mar de Weddell.

Mais próximo à época de Weddell, três expedições navais nacionais fracassariam até mesmo na tentativa de penetrar na orla externa do gelo endurecido do mar de Weddell. Em 1838, Dumont d'Urville e seus dois navios franceses, o *Astrolabe* e o *Zélée*, chegaram apenas a 63°23'S. O comandante francês desdenhara Weddell, com desprezo gaulês, considerando-o "um simples caçador de focas" e mentiroso. Mas essa fora a primeira experiência de D'Urville no gelo; seu temperamento sempre fora mais afinado com o ambiente civilizado do Mediterrâneo e ele se sentia pouco à vontade em meio aos elementos crus e básicos que a Antártica oferecia.[2]

A tentativa seguinte de avançar mais ao sul do que Weddell seria realizada pelos americanos nos navios muito mal equipados da Expedição de Exploração Polar dos Estados Unidos, liderada pelo tenente Charles Wilkes. Como no caso de D'Urville, as instruções de Wilkes eram de seguir "o roteiro de Weddell tão de perto quanto seja praticável, com o objetivo de chegar a uma latitude sul mais elevada". Perto do final de fevereiro de 1839, demasiadamente tarde naquela temporada, Wilkes zarpou da Terra do Fogo e rumou para o mar de Weddell no *Porpoise* e no *Sea Gull*. Dois outros navios, o *Peacock* e o *Flying Fish*, partiram no mesmo

2. Foi no Mediterrâneo que o jovem D'Urville, servindo como *enseigne* a bordo do *Chevrette*, atingiu certa fama. Na ilha de Melos, percebeu a extraordinária graça e beleza de uma estátua escondida no estábulo de um camponês grego. A escultura de mármore era de uma mulher seminua segurando uma maçã na mão esquerda erguida; do braço direito, caía um manto dobrado sobre os quadris até os pés. D'Urville compreendeu imediatamente que a estátua representava Vênus, no julgamento de Páris. Os acontecimentos se sucedem com a brevidade melodramática de um filme mudo:
O camponês ignorante se dispõe a vender a estátua.
O capitão se recusa a embarcá-la.
O *Chevrette* zarpa para Constantinopla.
D'Urville descreve a estátua ao embaixador francês.
Um navio francês é enviado a Melos a fim de comprar a estátua para a França.
Um padre aproveitador é agora o proprietário da peça.
O ambicioso sacerdote vende a estátua aos franceses, mas a preço bem mais elevado.
Bandidos gregos atacam os marinheiros franceses que a transportam para o navio.
A estátua perde os braços na luta.
A estátua é instalada no Louvre.
D'Urville é condecorado com a Legião de Honra.
Isso explica por que a Vênus de Milo não tem braços.

dia e se dirigiram mais para o oeste, seguindo as ordens do Departamento da Marinha dos Estados Unidos de "ampliar o rumo para o sul e para oeste até o *ne plus ultra* de Cook, ou seja, a longitude 105ºO". Mais uma vez, Cook e Weddell eram postos na condição de padrão desse jogo chauvinista de prestígio nacional no que diz respeito ao país que chegaria mais próximo ao pólo sul numa navegação.

Wilkes fracassou miseravelmente no mar de Weddell, chegando apenas à extremidade da península Antártica e às Shetland do Sul. As condições do gelo e do tempo foram consideradas terríveis. O vestuário dos marinheiros era totalmente inadequado para as severas condições do lugar e Wilkes sugeriu sombriamente que a culpa era dos fornecedores e dos inspetores do governo, "cujos nomes hesito mencionar em público. Na minha opinião, o engodo deve ser atribuído a ambos". Pior ainda — e aqui a culpa cabe mesmo a Wilkes —, ambos os navios estavam superlotados (o *Vincennes* e o *Relief* haviam ficado na Terra do Fogo) e os homens mostravam sinais de escorbuto, o que é surpreendente numa navegação tão curta. A tentativa de superar Weddell foi abandonada e os navios mandados para quebrar o recorde de Cook tiveram o mesmo destino.

Ainda assim, expedições americanas e francesas recuperariam os prejuízos ao orgulho nacional em 1840, com descobertas do lado oposto do continente antártico.

A terceira expedição naval nacional, esta britânica, foi comandada pelo capitão James Clark Ross em seus dois navios, o *Erebus* e o *Terror*. Ross tinha sobre as expedições americana e francesa não apenas a vantagem da qualidade dos navios e de seu aparelhamento, mas também o fato de que suas incursões na Antártica eram subsidiárias da principal área de atividade no Pacífico. A expedição inglesa foi organizada com o único objetivo de realizar estudos magnéticos nas altas latitudes meridionais e localizar o pólo magnético. As frases iniciais das instruções do Almirantado a Ross, com suas cadências acadêmicas, contêm a essência do propósito da viagem:

> Considerando haver chegado a nosso conhecimento que a ciência do magnetismo pode ser essencialmente aperfeiçoada mediante uma extensa série de observações efetuadas nas latitudes meridionais elevadas, e pela comparação dessas observações com outras, feitas em certas estações fixas, e considerando que a navegação prática terminará por beneficiar-se de todos os melhoramentos daquela ciência; nós, tendo esse objetivo em mente, houvemos por bem fazer com que os navios de Sua Majestade *Erebus* e *Terror* fossem preparados em todos os aspectos para uma viagem a fim de executar cabalmente os propósitos acima mencionados.

As instruções prosseguem nesse tom solene e comedido. Após realizar observações magnéticas em Santa Helena, no cabo da Boa Esperança e na ilha Kerguelen, Ross deveria seguir para a Terra de Van Diemen (Tasmânia), onde outro observatório magnético seria estabelecido. O vice-governador, Sir John Franklin, havia sido instruído a preparar instrumentos e Ross deveria erguer o observatório na posição mais vantajosa, lá deixando um oficial e assistentes encarregados e "tomando as providências para sua alimentação e alojamento que pareçam mais convenientes e que não contradigam os Regulamentos Navais". Em seguida, as instruções se tornam mais precisas:

> No verão seguinte, com as provisões refeitas e a tripulação descansada, Vossa Senhoria se dirigirá diretamente para o Sul, a fim de determinar a posição do pólo magnético e mesmo chegar até ele se possível, o que se espera seja um dos resultados notáveis e dignos de crédito desta expedição.

A tentativa de Ross de atingir pelo mar o pólo sul magnético — façanha impossível, uma vez que está localizado em terra — foi recompensada por ter conseguido navegar próximo ao meridiano de 180º e entrado no mar que leva seu nome. Ross passou o ponto mais meridional de Weddell em 23 de janeiro de 1841 e comemorou, como haviam feito as tripulações do *Jane* e do *Beaufoy*, com uma dose extra de grogue. Sendo uma noite de sábado, o grogue foi tomado com o brinde favorito dos marinheiros, às "namoradas e esposas"; e certamente, como sempre acontece quando não há senhoras presentes, o brinde terá sido seguido pelas palavras murmuradas: "Que elas nunca se encontrem!". Poucos dias mais tarde, os navios chegaram à impenetrável plataforma gelada a que Ross chamou de barreira de gelo — hoje a plataforma de gelo Ross —, no ponto mais meridional de 78º04'S.

Após esperar durante o inverno na Tasmânia e em Sydney, Ross passou o segundo verão antártico no mar de Ross e em seguida se dirigiu para as ilhas Falkland, onde passaria o terceiro verão. Seu último embate com o gelo antártico ocorreu em janeiro de 1843. Foi uma luta tremenda contra o gelo consolidado no mar de Weddell, que fez com que somente em março pudesse atingir o ponto mais meridional, a 71º30'S. Ross não chegou a saber que o cabo Norvegia, na costa oriental do mar de Weddell, estava a apenas 50 milhas de distância. O cabo somente seria descoberto em 1930, numa missão aérea de Riiser-Larsen ao pilotar um hidroavião do pequeno navio baleeiro norueguês *Norvegia*.

Lutando interminavelmente contra o gelo consolidado, Ross não teve outra alternativa senão concluir que "Weddell foi beneficiado por uma estação favorável atípica, e devemos nos alegrar que naquele momento um marinheiro audaz e valente estivesse em condições de aproveitar a oportunidade". Essa avaliação da viagem de Weddell foi mais generosa e correta do que os comentários maliciosos de D'Urville e a arrogância patriótica do jovem tenente Reynolds, a bordo de um dos navios da Expedição de Exploração Polar dos Estados Unidos. Em seu segundo round de luta contra os mares polares, os americanos haviam zarpado de Sydney em 26 de dezembro de 1839, chegando a 65º25'S sem avistar gelo. "Passaríamos os 70º", escreveu o emocionado tenente, "eclipsando Cook e indo mais além do que o farsante Weddell." As sombras de muitas gerações de caçadores de focas olhariam para esse jovem arrogante e sacudiriam as cabeças, admiradas. A fim de colocar tais comentários em seu devido contexto, deve-se dizer que Reynolds vira seu primeiro iceberg somente alguns dias antes.

Uma avaliação fiel da façanha de Weddell tem de ser feita à luz das condições do gelo no mar que leva seu nome. Uma olhada no mapa da Antártica mostra a península Antártica que se ergue como um polegar aleijado a partir do punho cerrado do continente. Junto à orla do continente os ventos prevalecentes sopram no sentido contrário ao dos ponteiros do relógio, transportando o gelo do mar, o gelo da plataforma e os icebergs em direção ao interior do mar de Weddell. Ali, a península detém o gelo e as porções sudoeste e oeste desse mar se tornam praticamente intransponíveis para os navios. As placas de gelo se superpõem e formam cristas de pressão, corcovas acima da superfície e cristas abaixo da superfície. O único alívio para essa pressão monstruosa é a derivação lenta do gelo em direção ao norte, contra a barreira imóvel da península, até que o gelo termina por penetrar nas águas do oceano austral, na ponta da península. Ali, na extremidade, as correntes são dominadas pelos ventos prevalecentes do oeste, e o gelo vai correndo em direção ao leste como uma coluna de fumaça saindo de uma chaminé. Essa coluna de gelo se constitui numa barreira muito eficaz contra qualquer navio que pretenda penetrar no mar de Weddell próximo à península.

A PARTE POLAR DO HEMISFÉRIO NORTE.
EXIBINDO UMA PERSPECTIVA COMPARATIVA COM O HEMISFÉRIO SUL.

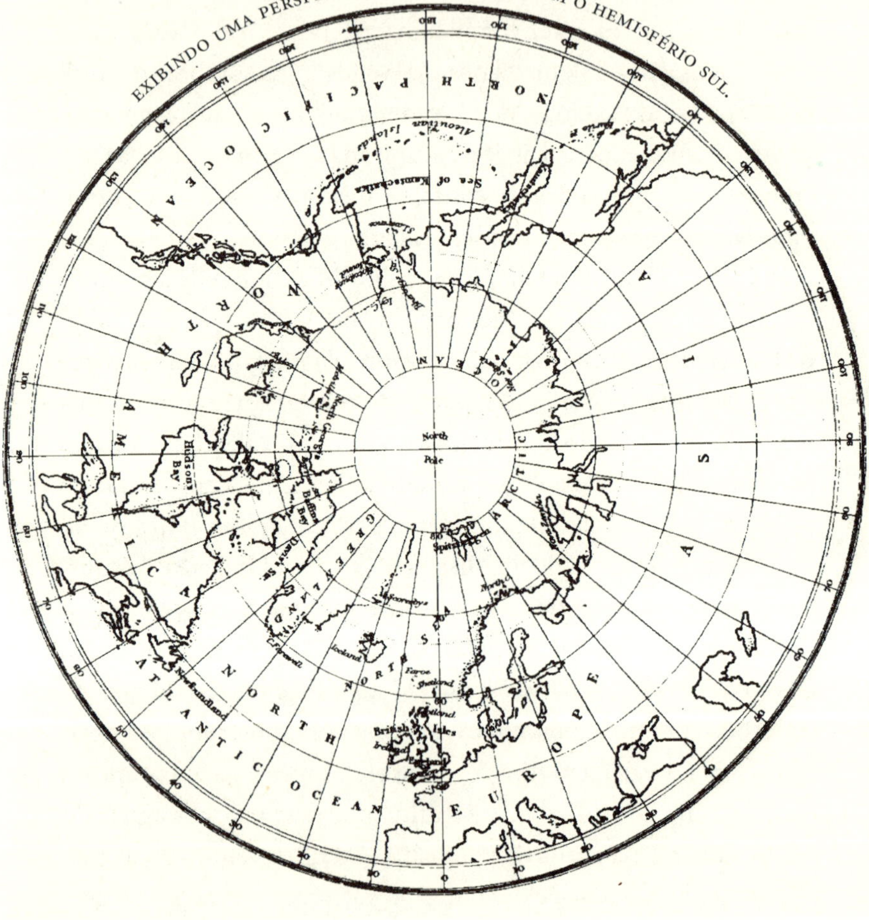

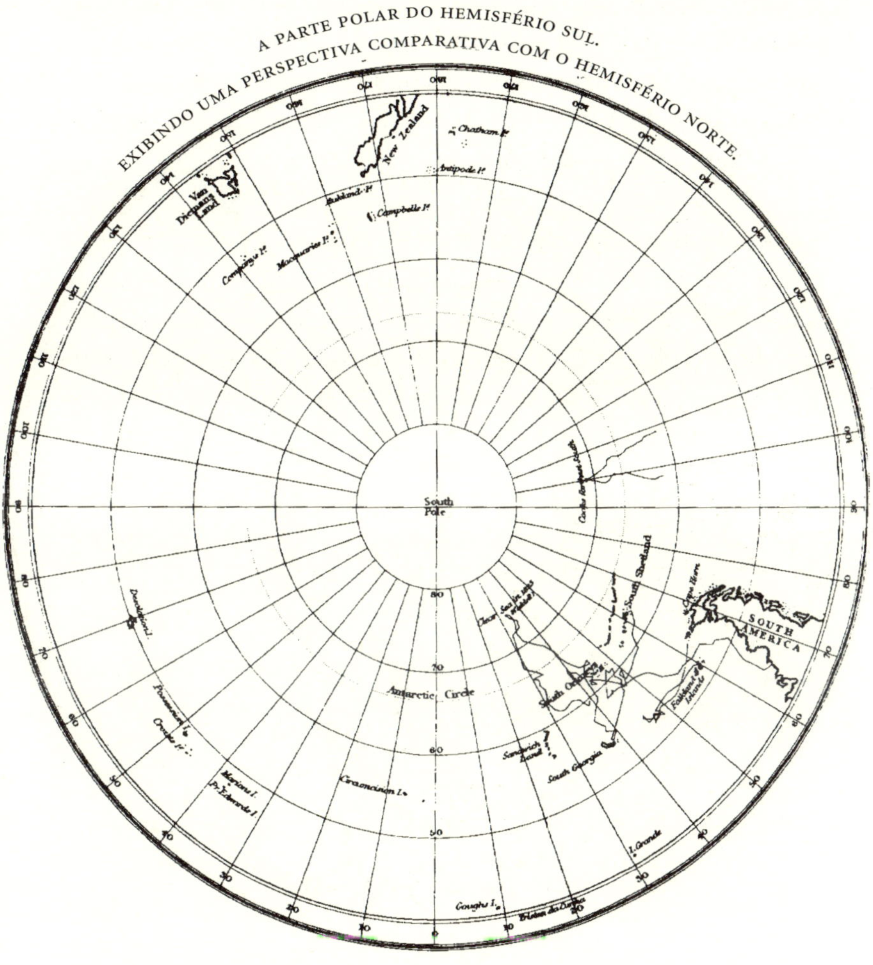

Parte polar do hemisfério norte e parte polar do hemisfério sul. De A voyage towards the South Pole, *de Weddell, Londres, 1827.*

A quebra do gelo do inverno começa na parte leste do mar de Weddell. Mesmo no inverno, porém, polínias — extensões de mar aberto — aparecem ao longo da costa leste, à medida que o mar se separa do gelo em virtude dos fortes ventos de leste. Uma dessas polínias, maior do que o normal, chegou mesmo a aparecer em imagens de satélite na década de 1970: um imenso lago livre do gelo, com uma superfície de cerca de 116 mil milhas quadradas, rodeado de gelo consolidado.

Os caçadores de focas das Shetland do Sul logo aprenderam que as condições do gelo variavam enormemente entre um verão e outro. Uma estação com pouco gelo era seguida por outra com condições perigosas. A avaliação de Ross de que Weddell havia sido favorecido por uma estação atipicamente livre de gelo é correta. Em resumo, a sorte sorriu para Weddell durante aquele verão de 1823.

10. Weddell e os fueguinos

Não há razão para crer que a população de fueguinos esteja diminuindo; portanto, devemos supor que gozem de suficiente grau de felicidade, de qualquer espécie que seja, a fim de que considerem a vida digna de ser vivida. A Natureza, que torna onipotentes os hábitos e hereditários seus efeitos, adaptou os fueguinos a seu clima e à produção de seu miserável país.

Charles Darwin, The voyage of the *Beagle* [A viagem do *Beagle*], *1839*

Após aquela profunda penetração no mar de Weddell em fevereiro de 1823, a terra mais próxima na qual James Weddell poderia fazer repousar seus homens e abastecer de provisões seus navios ficava a 1200 milhas ao norte. Assim, os dois barcos aproaram à Geórgia do Sul, ilha desabitada mas onde havia muitos ancoradouros e cuja fauna era abundante. A travessia foi relativamente tranqüila, se é que se pode considerar tranqüila a navegação em meio a nevoeiro, gelo e noites cada vez mais longas, além de freqüentes ventanias. Durante a noite de 5 de março, em densa névoa, os dois navios perderam contato entre si. A separação preocupou Weddell, não apenas por causa do pequeno *Beaufoy*, mas também por seu próprio *Jane*, que dois dias mais tarde atravessava, a mais de 10 nós, uma zona de icebergs e gelo partido com vento forte de sudoeste. O imediato, no alto do cesto de traquete, gritava ao timoneiro alterações de rumo ao divisar os blocos de gelo abaixo, na superfície do mar agitado. Eram mares frígidos, com ondas que passavam por sobre o convés, levando tudo o que nele se encontrasse. Entretanto, Weddell estava decidido a aproveitar ao máximo os ventos favoráveis daquela tempestade e o *Jane* não reduziu a velocidade durante dias e noites, enquanto todos os vigias ficavam de olhos postos no mar, observando-o a fim de evitar o gelo.

Na manhã de 9 de março, o vento amainou e variou para noroeste. A observação do meio-dia mostrou que estavam a cerca de 100 milhas da ilha Geórgia do Sul, posição que, para alívio de Weddell, já era bastante setentrional para reduzir a possibilidade de encontrar mais gelo. Em vez disso, o nevoeiro e a constante mudança dos ventos é que passaram a atormentá-los. Porém, para grande alegria geral, às oito horas da manhã de 12 de março, com tempo firme e vento crescente, avistaram um velame conhecido a noroeste. Em uma hora se juntavam ao *Beaufoy*; saudaram-se aos gritos e ficaram sabendo que tudo estava bem com Brisbane e sua tripulação. Uma hora mais tarde avistavam os picos da Geórgia do Sul. O alívio de Weddell é visível neste trecho de sua *Voyage towards the South Pole:*

> Em que pese a sombria aparência daquela terra, todos nós, acredito, em ambos os barcos, enchemo-nos de regozijo ao vê-la, e às

três da tarde os dois navios lançaram âncoras na baía Adventure [porto Undine] em uma profundidade de 7 braças, num fundo de argila resistente.

Consideramos nossa chegada um acontecimento feliz, embora a terra não fosse das mais indulgentes. Nossos marinheiros haviam sofrido muito devido aos nevoeiros frios e úmidos durante os dois meses em que estivéramos navegando pelo sul, e, como havíamos estado viajando por quase cinco meses, temíamos o aparecimento do escorbuto (aquela doença que ocasiona fatalidades nas viagens longas). Nossos navios também tinham sido muito castigados pelos elementos e necessitavam de reparos; por isso, tomando em conta nossas necessidades prementes, aquela ilha, ainda que inóspita, podia nos proporcionar grande alívio.

Ali nossos marinheiros se alimentaram abundantemente de verduras que, apesar de amargas, são saudáveis e constituem excelente antiescorbútico: no tocante à carne, obtivemos albatrozes de cerca de um ano de idade, cuja carne é doce mas não suficientemente firme quando comparada à de qualquer ave doméstica.

Começamos imediatamente com afinco nossas fainas de terra e procuramos na ilha animais para nosso abastecimento, embora fôssemos freqüentemente interrompidos pelos fortes ventos agora prevalecentes, visto que estávamos perto do equinócio de outono neste hemisfério.

Seguindo as pegadas de Cook, Weddell utilizava os recursos naturais da ilha, ainda que parecessem estranhos, para combater o escorbuto. As verduras a que se refere são provavelmente do gênero *sanguisorba*,que crescem na ilha e os quais ele deve ter reconhecido. Com efeito, segundo o herborista do século XVII Nicholas Culpeper, "sabe-se que alguns talos e folhas desse vegetal postos num copo de vinho, especialmente o clarete, animam o espírito, refrescam e alegram o coração e afastam a melancolia". Quanto à fauna, quase um século depois, em 1916, e a cerca de 20 milhas do lugar onde os homens de Weddell se banqueteavam com os filhotes de albatroz, outro grupo se congregaria em torno de uma fogueira, observando com apetite impaciente um caldeirão fumegante. Um deles registraria mais tarde em seu diário alguns comentários sobre o conteúdo daquele caldeirão: "Toda a tripulação juntou touceiras de grama seca para forrar o chão da caverna, o chefe e o comandante armaram velas na entrada e o fogo está crepitando para secar nossas roupas. Nunca tivemos tanto conforto como nas últimas cinco semanas. Almoçamos três filhotes de albatroz e um mais velho. Com 1 pinta [0,568 litro] de molho o sabor é melhor do que todos os molhos de frango que já provei".

Os outros homens, que evidentemente concordavam com as opiniões epicuristas do diarista, com os estômagos confortavelmente satisfeitos, conversavam depois do almoço sobre a maneira de levantar dinheiro para organizar uma nova expedição, levando consigo centenas desses filhotes de albatroz para vendê-los a outros epicuristas, *gourmets*, *gourmands* e glutões da Europa e de Nova York, a 50 libras cada um. O diarista era Harry McNiece e os dois empreendedores gastronômicos — o chefe e o comandante — eram respectivamente Sir Ernest Shackleton e o capitão Frank Worsley. Com três outros homens, haviam acabado de desembarcar na Geórgia do Sul após sua épica viagem de 700 milhas no inverno, vindos da ilha Elefante no *James Caird*, de apenas 6 metros.

Em seu livro *Voyage towards the South Pole*, Weddell pede desculpas aos leitores pelas descrições da fauna e flora da Geórgia do Sul, receando ser tedioso e fornecer observações de pouco valor. O receio era infundado. Todos os livros publicados sobre a ilha e sua fauna e flora contêm referências a Weddell. Na verdade, Robert

Cushman Murphy, primeiro curador de pássaros oceânicos no Museu Americano de História Natural e autor do clássico *Oceanic birds of South America* [Pássaros oceânicos da América do Sul], faz-lhe belos elogios. Murphy passou o verão de 1912-3 na baía de Isles, próximo a uma grande colônia de pingüins-rei, e no relato que fez sobre esse período, intitulado *Logbook for Grace* [Diário de bordo para Grace], afirma que a descrição que Weddell faz da história do ciclo de vida dos pingüins não poderia ser melhor e que ele próprio, Murphy, não mudaria uma só palavra.

Weddell ficara evidentemente encantado por esses pássaros solenes, elegantes e dignos: "Em orgulho, esses pássaros não têm rival nem mesmo nos pavões, aos quais certamente são inferiores na beleza da plumagem [...]; seu modo de olhar para baixo com freqüência, a fim de contemplar a perfeição do brilho exterior das penas da frente e dos lados, e de retirar qualquer mancha que possa conspurcá-los, é verdadeiramente divertido para qualquer observador". Descreve também os pingüins comuns, menores e infantis, com seu hábito lamentavelmente cleptomaníaco de roubar pedras dos ninhos de seus vizinhos; trata do aristocrático albatroz-errante, com sua envergadura de 3,5 metros, seu elaborado ritual de acasalamento e a capacidade de "defender-se durante meia hora contra um cachorro persistente" utilizando o poderoso bico; fala ainda do plebeu petrel-gigante, a que os marinheiros costumam chamar de "nelley", ou "stinker", de aparência desajeitada e hábitos alimentares grosseiros — pois "é bem sabido" que uma revoada de seiscentos desses vorazes pássaros "devora 10 toneladas de gordura de elefante-marinho num período de seis a oito horas". Até mesmo o mais rude caçador de focas considerava impossível comer a carne desses abutres do oceano austral. Quanto às focas-de-pêlo e aos elefantes-marinhos, Weddell estimava que trinta anos de caçada haviam sido suficientes para abastecer o mercado londrino com 20 mil toneladas de óleo desse último mamífero e que os caçadores de focas americanos e ingleses haviam conseguido cerca de 1 milhão e meio de peles de foca.

Durante mais de um mês o *Jane* e o *Beaufoy* permaneceram fundeados no porto Undine. Os homens procuravam focas nas praias, arrastando suas baleeiras pela meia milha coberta de capim do alagado que separa o porto Undine, na costa sul da ilha, de Elsehul, no litoral norte. Hoje em dia, as praias de Elsehul ficam tão apinhadas de focas-de-pêlo durante a temporada de acasalamento que atravessá-la não só é perigoso — o macho é violentamente agressivo e sua velocidade é supreendente — mas virtualmente impossível. As focas-de-pêlo têm grande mobilidade na terra, e talvez para escapar da superlotação das praias costumam ser encontradas nos alagadiços daquela estreita faixa entre Undine e Elsehul, por onde passavam os homens de Weddell e todos os outros caçadores.

Certo dia, enquanto os homens continuavam à procura de focas, Weddell levou seus cronômetros, um sextante e uma vasilha de mercúrio ao topo de um monte próximo a esse caminho. A paixão pelo trabalho de levantamento com precisão se manifestava novamente. O dia, raro na Geórgia do Sul, era de praticamente nenhum vento nem nuvens e as montanhas cobertas de neve brilhavam em conjunção com o mar como um amontoado de pedras preciosas à luz do sol. Eram as condições ideais para tomar a altura do sol a partir de uma plataforma estável, em vez de um convés movediço, com a vasilha de mercúrio servindo de horizonte artificial.

Uma vez dispostos os instrumentos, Weddell se admirou ao notar que a superfície do mercúrio se agitava e remexia por causa de alguma força invisível. Sua suposição foi de que a terra estivesse sendo sacudida por tremores infinitesimais. A observação da altura teve de ser abandonada. Dois anos antes dessa estranha experiência, Weddell havia passado a 180 metros da ilha Bridgeman, nas Shetland do Sul, e observara a ocorrência de um fenômeno singular. A ilha é pequena, em forma de tronco de pirâmide que se ergue a quase 300 metros, e é virtualmente livre de neve. Ao navegar nas proximidades, Weddell percebeu que saía fumaça de fissuras na escarpa. Isso, mais as observações de tremores de terra na Geórgia do Sul, além da semelhança entre as rochas das Shetland do Sul, da Geórgia do Sul e da Terra do Fogo, fez com que Weddell suspeitasse — e foi o primeiro a fazê-lo — de um parentesco geológico entre a América do Sul e as ilhas da Antártica.

Em 17 de abril o *Jane* e o *Beaufoy* zarparam da Geórgia de Sul em direção às Falkland. O trajeto de 900 milhas durou três semanas. Ventos irregulares de proa os perseguiram, obrigando a tripulação a navegar quase contra o vento, como os iates de competição. Por pouco o *Jane* não perdeu um mastro, quando estais e brandais se romperam no mar agitado e irregular; Weddell, no entanto, marinheiro prudente que era, havia trazido estais e brandais sobressalentes justamente para eventualidades dessa natureza. Durante uma tempestade, os mares revoltos arrancaram o gurupés do *Beaufoy*, mas o *Jane* trazia uma peça para substituição. Em 11 de maio os dois navios, batidos e sofridos, ancoraram na ilha Nova. Poucos dias depois fundeavam no mais protegido porto Quaker, na ilha Swan — hoje conhecida como ilha Weddell. Ali os mastros principais do *Jane* foram retirados e todos se recolheram para o inverno. O *Beaufoy*, menor e mais ágil, ficou pronto para caçar focas. Para Weddell, era uma boa oportunidade de obter mais informações sobre ancoradouros, correntes, marés e perigos existentes nas ilhas. Era mais fácil conseguir informações do que carga. Seria necessário passar outra temporada no Sul a fim de encher os porões tristemente vazios. Em 7 de outubro, o

Jane e o *Beaufoy* partiram das Falkland e rumaram para as Shetland do Sul, com os dois navios "preparados, porém com parcos recursos, para uma navegação pelo Sul", lamentou-se Weddell.

Uma semana depois, a apenas 100 milhas do cabo Horn, avistaram o primeiro iceberg. Era um acontecimento aziago. Na manhã de 16 de outubro passaram perto de um iceberg tabular de 2 milhas de comprimento e naquela mesma noite se esgueiraram como fantasmas por entre outros sete. Weddell ficou surpreso por encontrar icebergs naquela região tão ao norte, mas o pior ainda viria do sul, além do horizonte. A 95 milhas das Shetland do Sul, em meio a denso nevoeiro, encontraram gelo consolidado impenetrável. Acreditando que fosse apenas um pequeno banco local, o *Jane* e o *Beaufoy* navegaram com o vento leste, acompanhando a orla do gelo ao longo de 20 milhas. Por toda aquela distância o gelo apresentou sua frente implacável, levemente oscilante ao empuxo das vagas. Ao cair da noite, voltaram para o norte, afastando-se daquela barreira sinistra e sinuosa para esperar a luz do dia.

Encontrar gelo naquele ponto tão ao norte naquela época do ano era algo inusitado. William Smith, descobridor das Shetland do Sul, havia navegado bem mais ao sul no meio do inverno de 1819. Aquilo era muito desconcertante. Weddell parecia agora um comandante do Exército que procurasse um ponto fraco ao longo do perímetro defensivo de gelo que guardava a cidadela das Shetland do Sul. A madrugada úmida e cinzenta de 17 de outubro os encontrou navegando para o sul em outra investigação das massas de gelo agrupadas em defesa das ilhas. Primeiro, Weddell tentou uma manobra pelos flancos. Havia reparado uma forte corrente para leste e raciocinou que o gelo estaria mais espesso no flanco esquerdo. Fez sinais para o *Beaufoy* e os dois navios seguiram o rumo Oeste, acompanhando a linha do gelo. Essa tática inicial fracassou, pois o gelo não apresentava sinais de fraqueza lateral. Felizmente para a tripulação do *Jane* e do *Beaufoy*, os marinheiros não tinham meios de saber que aquele movimento era apenas o primeiro em uma longa batalha contra o gelo, que duraria um mês.

Seria uma campanha marcada por todos os elementos clássicos dos encontros entre navegantes e gelo firme. Aberturas no gelo os atraíam para o sul e o gelo ia se fechando atrás deles em movimento de pinça, deixando-os indefesos numa lagoa cada vez menor, da qual só conseguiriam escapar investindo para o norte na parte mais débil do cordão que se cerrava em torno deles. Ventos severos de tempestade se juntavam ao gelo. "Fiquei contente", registrou Weddell, "ao ver que o *Beaufoy* estava preparado para o pior, e, devido à vantagem que os navios de seu tipo levam sobre os de velas redondas, em face da distribuição das velas no sentido longitudinal, com relativamente pouco peso alto, parecia deslizar com mais facilidade do que nós. Nossa vela principal estava rasgada pelos ventos, o que nos obrigava a não desfraldá-la por completo, reduzindo-a ao tamanho de um simples guardanapo." O mar violento varria os conveses, levando consigo um dos escaleres baleeiros e deixando em seu lugar gelo que se acumulava rapidamente. Weddell achou que a capa de gelo que cobria o casco e o convés ajudaria a reforçar a estrutura dos navios contra o constante bater do mar. A desvantagem, contudo, era que o barco se tornava cada vez mais vagaroso sob o peso do gelo. Para piorar a situação, a engrenagem do leme do *Jane* congelou, transformando-o numa casca batida pelo mar.

As condições dos homens eram agora assustadoras. Congelavam no convés e abaixo do convés. Após doze meses de uso, as roupas estavam finas como papel e muitos possuíam somente os trapos úmidos com que se vestiam. Weddell distribuiu novas mudas de roupa, mandou cortar cobertores para a confecção de meias e lona velha para casacos; o couro de sapatos velhos servia para consertar botas. Weddell elogiava seus companheiros: "Nunca vi, durante minha experiência no mar, tanta paciência e firmeza quanto a demonstrada por esses marinheiros. Jamais houve sugestão covarde de procurar climas melhores; ao contrário, todos prosseguiram em estrita obediência e decisão de não se importar com as dificuldades".

Durante esse terrível mês, a experiência mais apavorante foi com um iceberg. Encontrando um ponto fraco na barreira de gelo, o *Jane* e o *Beaufoy* penetraram 8 milhas por entre os pedaços de gelo, até que não puderam mover-se. O *Jane* ia na frente, uma vez que, por ser mais pesado, conseguia forçar a passagem através do gelo flutuante, e o *Beaufoy* navegava em meio ao gelo solto deslocado por seu companheiro. À sua volta, no mar congelado, havia cerca de quarenta icebergs. Nada, porém, é estático nesse mar aparentemente congelado, e alguns deles se moviam para o oeste sob o ímpeto de uma corrente submarina, enquanto o vento levava para o leste o gelo consolidado que retinha os dois navios. Os marinheiros observavam horrorizados um dos icebergs se aproximando através do gelo e se movendo diretamente para cima deles, em rumo de colisão. Com cerca de 55 metros de altura, essa brutal massa de gelo apresentava uma saliência fendida suficientemente grande para engolir os dois navios. Todos a bordo percebiam claramente qual seria o fim daquilo tudo. Primeiro, os mastros seriam cortados e em seguida a saliência enfraquecida se partiria, despejando toneladas de gelo sobre os conveses. Seus esforços desesperados foram inúteis para desviar os navios do caminho do iceberg e evitar a morte que se aproximava a passos largos. A sorte mudou somente quando a massa brilhante dessa espada de Dâmocles congelada já começava a cobrir o convés do *Jane*. Um pedaço de gelo flutuante manteve o navio fora do contato com o costado do iceberg, de maneira que os mastros não tocaram a saliência. Em poucos minutos os dois barcos foram levados ao longo do costado da enorme massa de gelo e entraram nas águas livres que haviam sido geradas em sua esteira.

Quatro dias mais tarde, após lutar para voltar ao norte, entraram em águas tranqüilas, mas não sem prejuízos. A batalha de um mês contra o gelo exigira seu preço. Os danos principais eram tábuas do casco partidas, balaustradas e amuradas arrancadas e o talhamar avariado. Foram afortunados por ainda estarem flutuando.

Extenuado pelas preocupações, com os homens exaustos e desanimados e os navios danificados, Weddell reconheceu a derrota e fez sinais ao *Beaufoy* rumando para noroeste em direção ao cabo Horn. Podiam avistar as Shetland do Sul à popa; haviam conseguido chegar a 20 milhas de distância, porém o gelo consolidado triunfara, vencera a guerra.

Em 23 de novembro o *Jane* e o *Beaufoy* fundearam no pequeno porto protegido de Wigwam Cove, a cerca de 10 milhas ao norte do cabo Horn. Em poucas horas, botes e homens já desembarcavam a fim de apanhar lenha e água, enquanto Weddell inspecionava os navios juntamente com o carpinteiro, fazendo uma lista dos danos causados pelo gelo. Permaneceriam três meses na Terra do Fogo, passando de ancoradouro em ancoradouro em busca de focas. Durante um longo período o *Jane* esteve atracado em Indian Cove, com a popa afundada, enquanto o carpinteiro trabalhava nas tábuas da proa. Durante o mês de dezembro Brisbane realizou uma travessia infrutífera pelo estreito de Drake no *Beaufoy*, em mais uma tentativa de alcançar as Shetland do Sul. As ilhas ainda estavam bloqueadas pelo gelo. Após exibir condições excelentes no verão anterior, o gelo voltara vingativo nesse verão de 1823-4.

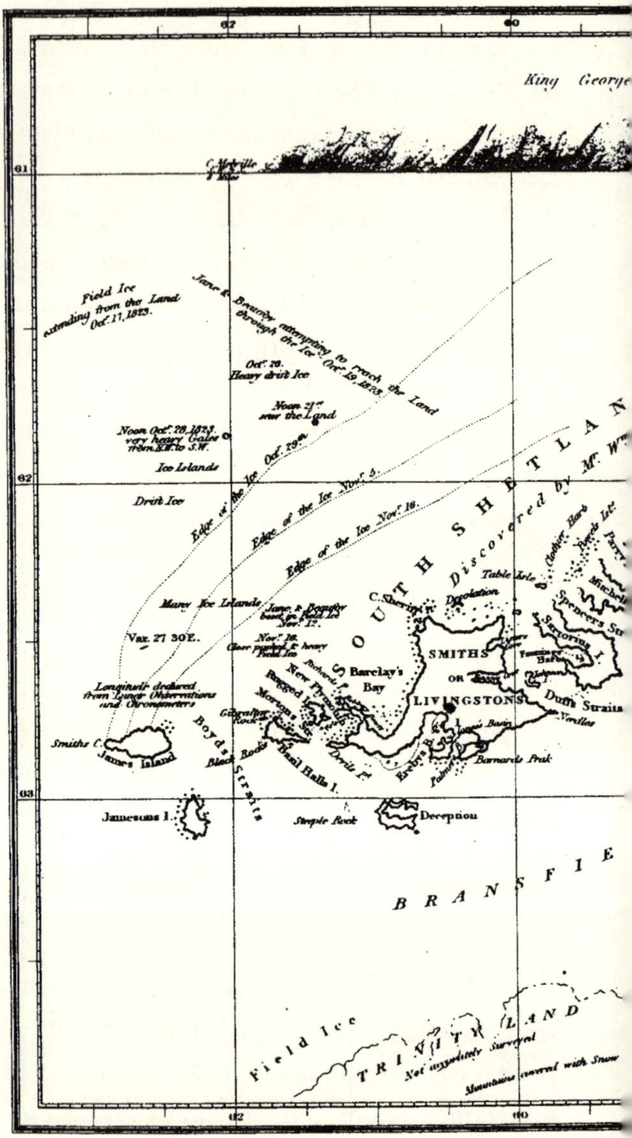

Mapa das Shetland do Sul. De A voyage towards the South Pole. *Londres, 1827.*

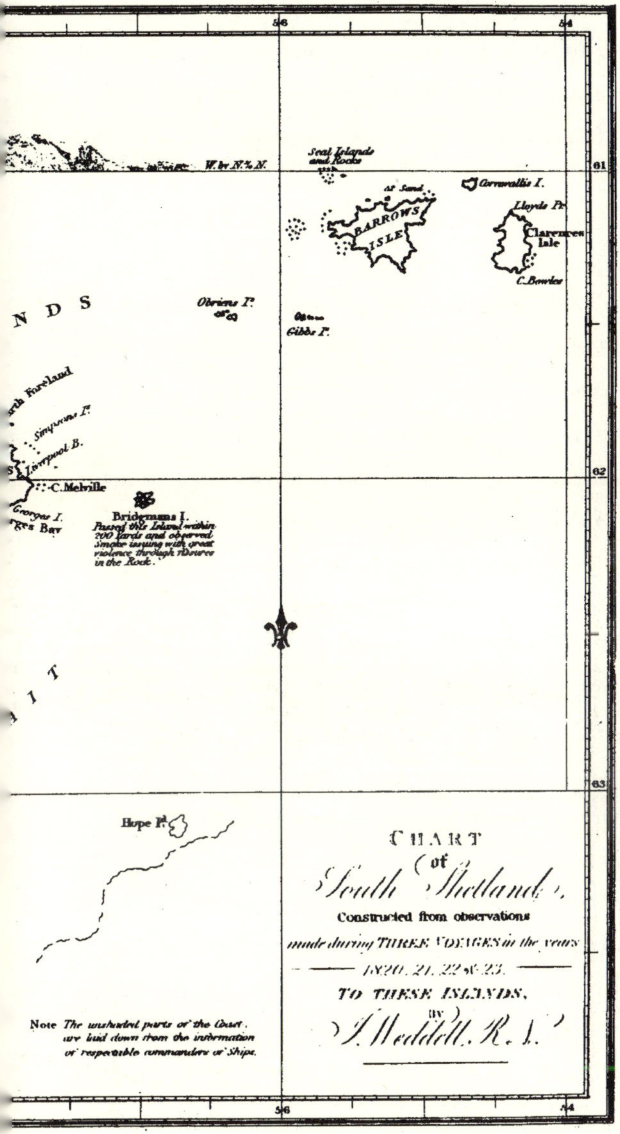
56
54
61
62
63
Seal Islands and Rocks
Cornwallis I.
Lloyds Pt
BARROWS ISLE
Clarences Isle
C. Bowles
Obriens Is
Gibbs Is
C. Melville
Bridgemans I.
Passed this Island within 200 Yards and observed Smoke issuing with great violence through fissures in the Rock.
Hope Id
Note The unshaded parts of the Coast are laid down from the information of respectable commanders of Ships.
CHART of South Shetland, Constructed from observations made during THREE VOYAGES in the years 1820, 21, 22 & 23. TO THESE ISLANDS, BY J. Weddell, R.N.

Weddell dedica à Terra do Fogo um capítulo inteiro de seu registro de bordo, além de extenso apêndice sobre o tempo no cabo Horn. O detalhamento desse capítulo mostra sua fascinação pelos nativos daquela terra sombria e inóspita:

> Viagem à Terra do Fogo — O cabo Horn — Os nativos, visita, maneiras etc. — Castigo de um ladrão, e seus bons resultados — Cães nativos — Hábitos, comportamento etc. dos fueguinos — Ilhas de São Francisco — Mudança de ancoradouro — Outras tribos — Canoa — Estado da sociedade etc. — Ilhas de Diego Ramirez — Linguagem dos fueguinos e curiosas analogias hebraicas — Música e seus efeitos — Novas roupas de argila — Colares, cestas e laços — Chegada do *Beaufoy* — Aldeia fueguina — Os navios se separam — Aspecto da terra — Efeito do clima no caráter dos fueguinos.

Essa antropologia incipiente poderia ser motivada pela astuta avaliação do apetite de seus leitores por relatos de selvagens nus vivendo em praias rudes e desoladas na parte mais distante do mundo. Isso proporcionaria leitura emocionante, pelo contraste oferecido com o conforto de um lar no pacato e agradável interior da Inglaterra.

Seus comentários, porém, mostram generoso interesse por esses povos primitivos que viviam uma vida aquática nômade em canoas toscas e abrigos ainda mais toscos. É verdade que, como os ilhéus do Pacífico encontrados por Cook, suas opiniões a respeito da inviolabilidade da propriedade eram lamentáveis — totalmente opostas às das sociedades européias. Com astúcia surpreendente, os nativos surripiavam alfinetes, canecas, aros de ferro e peles de foca do *Jane* e do *Beaufoy*. Um desses ladrões era tão competente que Weddell, cuja paciência já estava se esgotando, mandou amarrá-lo ao mastro e dar-lhe uma chibatada. Os roubos diminuíram em evidência e aumentaram em mistério.

Além da cleptomania, os nativos possuíam dotes extraordinários de mímica. Weddell conta, divertido, um incidente a bordo do *Beaufoy* que ilustra a esperteza com que os roubos eram praticados e a habilidade de imitação dos fueguinos.

> Um marinheiro ofereceu a um fueguino uma vasilha cheia de café, que ele tomou, passando a usar de toda a sua habilidade para roubar a vasilha. O marinheiro, no entanto, lembrando-se depois de algum tempo que a caneca não fora devolvida, solicitou-a, mas, fossem quais fossem as expressões que usasse, o fueguino se limitava a imitá-las. Finalmente, exasperado ao ver seus pedidos sendo repetidos, e colocando-se em atitude ameaçadora, o marinheiro bradou, zangado: "Seu tratante cor de cobre, onde está minha caneca?". O fueguino, adotando a mesma atitude, com os olhos fixos no marinheiro, repetiu: "Seu tratante cor de cobre, onde está minha caneca?". A imitação foi tão perfeita que todos riram, menos o marinheiro, que tratou de revistar o nativo, encontrando a caneca sob seu braço. Teria castigado o imitador por esse roubo audacioso, mas Brisbane interveio, mandou-o para sua canoa e proibiu seu ingresso a bordo novamente.

Lidar com nativos que inocentemente desobedeciam ao oitavo mandamento era uma coisa. Outra, porém, era lidar com nativos que desconheciam o primeiro mandamento — "Não terás outro Deus senão eu". A herança quaker de Weddell o coloca decididamente nas fileiras do movimento evangelista no século XIX — aquela forma de proselitismo cristão influente e com origem na classe média e raízes nas seitas não-conformistas, mais preocupada com a salvação das almas do que com o cerimonial dos altos círculos da Igreja. Mas para salvar almas é necessário estabelecer alguma comunicação verbal, e durante os três meses em que esteve em contato com os fueguinos Weddell tentou estudar um pouco sua linguagem. Achou-a próxima ao hebraico e isso "certamente será tema de interesse para os filólogos". Trechos da Bíblia foram lidos para eles. "Não que esperássemos que compreendessem o que estava sendo lido", explica Weddell, "mas era adequado mostrar-lhes a Bíblia, e lê-la, juntamente com gestos que significavam morte, ressurreição e súplicas aos céus." Infelizmente, a única reação dos pagãos cor de cobre era imitar as palavras e os gestos de Weddell. Um deles encostou a Bíblia ao ouvido, "acreditando que falasse", e outro — reaparecendo aquele lamentável hábito — tentou levar o Livro para sua canoa. Weddell acrescenta, desconsolado, que, "se pudessem usá-la adequadamente, eu a teria dado de presente". Três meses depois, teve de reconhecer que "eles nada têm que se assemelhe a alguma forma de culto". Eram sem dúvida almas prontas para serem salvas. Vale a pena repetir as conclusões evangelistas de Weddell, certamente nascidas de motivações benevolentes e paternalistas:

> Pela honra da natureza humana, de bom grado eu elevaria esse povo negligenciado a um patamar um pouco mais alto daquele a que chegou na escala da avaliação intelectual; mas devo reconhecer que suas condições são as mais baixas da humanidade. Nesta altura da história do mundo, parece quase incrível, e certamente degradante, que exista um povo tão dócil em ignorância quase primitiva...
>
> Os princípios filantrópicos que essa gente demonstra uns em relação aos outros e seu comportamento inofensivo para com os desconhecidos certamente os qualificam para que se possa dizer em seu favor que, embora estejam muito distantes da vida civilizada, devido sobretudo às circunstâncias locais, são os mais gentis

> e dóceis entre todos os selvagens que conhecemos e sem dúvida poderiam, portanto, ser instruídos naquelas artes que elevam o homem acima dos animais.

Nesses dois parágrafos, Weddell está preparando seus leitores para o final do capítulo e sua conclusão — "povo tão dócil em ignorância quase primitiva" e instrução dos nativos "naquelas artes que elevam o homem acima dos animais" são apenas a trombeta do arauto que anuncia a chegada dos cavalos guerreiros dos evangelistas. Nos dois parágrafos finais Weddell desvela os canhões e conclama à batalha:

> Resta-me somente recomendar à parte filantrópica do mundo esse povo, no qual tive intenso interesse, pois constitui um campo virgem para seus esforços de aperfeiçoamento da condição de seus semelhantes.
>
> A caridade verdadeiramente humana e religiosa é mais bem empregada com aqueles que mais necessitam de nossa ajuda e que estejam desejosos de recebê-la; e sem dúvida esse é o caso dos fueguinos, os quais, de todas as tribos incivilizadas que conhecemos, parecem ser os mais destituídos de todas as coisas que tendem a desenvolver a mente humana.

Nove anos depois que os marinheiros do *Jane* e do *Beaufoy* se entretiveram com os fueguinos, mantendo ao mesmo tempo os olhos bem abertos sobre eles, e das sessões de leitura da Bíblia por Weddell, outro navio ancoraria na areia e lodo de Wigwam Cove. Apertados a bordo do brigue *H.M.S. Beagle*, de 30 metros de comprimento e dez peças de artilharia, sob o comando do capitão Robert FitzRoy, da Marinha Real, havia mais de setenta homens notavelmente diferentes uns dos outros. No porão, um conjunto de objetos bizarros raramente encontráveis a bordo de um navio de guerra britânico.

O *Beagle* zarpara da Inglaterra em dezembro de 1831, e agora, um ano depois, cumpria um dos objetivos de sua viagem. FitzRoy e o *Beagle* não eram novatos na Terra do Fogo, pois em 1828, aos 23 anos, o oficial chegara ao comando do navio após o suicídio do comandante, o capitão Pringle Stokes, e tratara de fazer o levantamento do tremendo labirinto de ilhas e canais da extremidade da América do Sul. FitzRoy passara dois anos nos canais fueguinos e mostrara sua competência como comandante e como geógrafo. Para um homem tão jovem, era uma façanha notável. FitzRoy, contudo, tinha a autoconfiança e a segurança de aristocrata descendente da relação entre o rei Carlos II e sua amante Barbara Villiers (a amorosa e deliciosa lady Castlemaine do sonho erótico de Samuel Pepy, "que penso ter sido o melhor que já sonhei").

Juntamente com aquela atitude aristocrática que beirava as raias da arrogância, estavam as crenças religiosas fundamentalistas e evangelistas de FitzRoy, que tinham origem na firme certeza da verdade literal da Bíblia.

FitzRoy lera o livro de Weddell e ouvira o chamado para tirar os fueguinos de seu estado selvagem. Por iniciativa própria, tomou a decisão de levar quatro jovens fueguinos à Inglaterra, onde receberiam instrução cristã e depois regressariam a sua terra natal a fim de espalhar o Evangelho. Numa carta escrita no mar, a bordo do *Beagle* em 12 de setembro de 1830, FitzRoy justificou essa decisão a seu oficial superior, o capitão Philip Parker King. Eis o parágrafo final dessa missiva:

> Se o governo de Sua Majestade não mostrar diretivas em contrário, farei com que essas pessoas tenham instrução adequada e den-

> tro de dois ou três anos as farei regressar, ou as levarei, a sua terra, com a maior quantidade que possa reunir de artigos que lhes sejam úteis e que sejam capazes de melhorar as condições de seus conterrâneos, os quais estão apenas ligeiramente acima dos animais em estado bruto.

A resposta do Almirantado — King havia remetido a carta a seus superiores — afirmava que "os lordes não interferirão na supervisão e nas intenções benévolas nutridas pelo capitão FitzRoy para com essas quatro pessoas, e sim lhes proporcionarão todas as facilidades para sua manutenção e educação na Inglaterra, fazendo-as depois regressar a sua terra".

Ali, portanto, em Wigwam Cove, havia três nativos que regressavam (um deles morrera na Inglaterra, vítima de varíola) acompanhados de um jovem e inexperiente missionário e de alguns objetos extremamente inadequados doados por organizações caritativas bem-intencionadas porém ingênuas. Estocados no *Beagle* havia cálices para vinho, bandejas para chá, terrinas de sopa, cômodas de mogno, roupa de cama branca, chapéus de pele de castor, pratos, xícaras, pires e penicos — o que suscitava comentários divertidos dos marinheiros. Algumas semanas mais tarde, em outro ancoradouro, um jovem de rosto agradável e nariz arrebitado rabiscou em seu diário alguns comentários cáusticos sobre o desembarque desses objetos estranhos na costa da Terra do Fogo. Em sua opinião, isso demonstrava idiotice e negligência reprováveis. O diarista, três anos mais jovem do que FitzRoy, era o naturalista civil a bordo do *Beagle* — por cujo privilégio desembolsara 500 libras — que fazia as refeições na mesa do comandante, uma vez que provinha de um meio social adequado. Em resumo, desempenhava ao mesmo tempo o papel de naturalista e de companheiro social. Durante os cinco anos dessa viagem seminal, Charles Darwin executaria ambos os papéis com extremas agudeza e competência.

Entretanto, os nativos "dóceis" e "gentis" de Weddell não eram os mesmos de Darwin. "Retardados", "infelizes", "abjetos", "horrendos", "imundos", "gordurosos" — esses eram os adjetivos empregados por Darwin. Para o religioso emergente, que acabava de deixar a atmosfera da Cambridge anglicana, onde se bebia xerez, a chocante diferença entre o homem civilizado e o selvagem era quase incompreensível. O hiato era maior do que a distância entre animais domésticos e selvagens. Darwin não pôde senão concluir que a natureza havia "adequado" os fueguinos ao clima e "à produção desta terra infeliz". Durante o resto de sua vida conservaria na lembrança os fueguinos e aquilo que em sua opinião era seu estado quase animal. Poucos meses depois do regresso da viagem de cinco anos do *Beagle*, Darwin iniciaria seu primeiro livro sobre "transmutação".

Vinte e dois anos mais tarde, John Murray publicaria, ao preço de 15 xelins, *The origin of species by means of natural selection or the preservation of favoured races in the struggle for life* [A origem das espécies por meio da seleção natural ou a preservação de raças favorecidas na luta pela vida], de Charles Darwin. Impressa em grosso papel cor de creme e encadernada em pano verde, a primeira edição de 1250 exemplares foi imediatamente vendida. Desde 1859 o livro jamais deixou de ser impresso e a idéia que contém ainda constitui uma espinha na garganta dos fundamentalistas e partidários da criação segundo a doutrina cristã.

Sigmund Freud sugeriu que a ciência desferiu dois grandes golpes contra nossa ingênua auto-estima. O primeiro, ao perceber que a Terra não é o centro do universo, e sim um simples grão de poeira em meio a um sistema de extraordinária magnitude; o segundo, ao despir-nos de nossa vaidade de termos sido especialmente criados pela providência divina, relegando-nos a descendentes do mundo animal.

Na introdução da *Origem das espécies*, Darwin reconhece dever muito aos cinco anos passados a bordo do *Beagle*. Sem aqueles anos, é difícil imaginar que o livro que revolucionou nossa visão do mundo dos seres viventes teria sido escrito — pelo menos por Darwin. O jovem que seu pai verberava por não dar importância "a nada mais a não ser atirar com armas de fogo, caçar ratos e cães e [destinado a ser] uma vergonha para si próprio e sua família", e mais tarde colecionador de besouros candidato às ordens religiosas em Cambridge, teria terminado por transformar-se no reverendo Charles Darwin, com renda própria e paróquia estabelecida em algum condado. A história natural e a afirmação dos objetivos divinos na criação eram um passatempo dos sacerdotes no início do século XIX, e Darwin poderia ter se tornado a contraparte vitoriana de Gilbert White, suave cura da igreja paroquial de Santa Maria em Selborne, autor da *Natural history of Selborne* [A história natural de Selborne] — outro livro que jamais deixou de ser impresso desde sua publicação em 1789.

Atribuir a mecanismos darwinistas os acontecimentos históricos, sociais e políticos é entrar em um campo filosófico minado. Tanto os comunistas quanto os fascistas e os capitalistas adotaram o "darwinismo social" para promover seus dogmas materialistas, orientados para o poder. Karl Marx, em carta a Engels, afirma que o livro de Darwin "contém a base de nossa opinião, tal como existe na história natural" — ainda que esteja exposta "no rude estilo inglês". Os militaristas alemães consideravam a guerra "uma necessidade biológica". E para o economista e sociólogo americano William Sumner, os barões-ladrões Rockefeller, Morgan e Carnegie provavam que "os milionários são um produto da seleção natural". Mesmo assim — e com muita cautela — fica a tentação de utilizar o mecanismo darwinista do efeito cumulativo das pequenas mudanças e sugerir que, desde o momento em que na cabine do *Beagle* o capitão Pringle Stokes ergueu a pistola e se suicidou, os 31 anos seguintes devem ser vistos como a história de uma série de acontecimentos não-aleatórios, cujo efeito cumulativo levou à publicação da *Origem das espécies*. Um desses acontecimentos foi o despertar dos zelos evangélicos de FitzRoy devido a sua interpretação do apelo de Weddell à "parte filantrópica do mundo" para que "a caridade verdadeiramente humana e religiosa seja mais bem empregada com aqueles que mais necessitam de nossa ajuda". Isto é, com os fueguinos. Se os habitantes da Terra do Fogo não tivessem sido levados à Inglaterra, a segunda viagem do *Beagle* não teria ocorrido. Assim, o "simples caçador de focas" de Dumont d'Urville desempenhou um pequeno papel na alteração da opinião que a espécie humana tinha a respeito de si própria.

Durante a primeira semana de 1824 os comandantes do *Jane* e do *Beaufoy* se reuniram e estabeleceram um plano para encher os porões de carga. Brisbane e seus homens permaneceriam na Terra do Fogo até 20 de janeiro e depois partiriam para as Falkland e para a Geórgia do Sul. Weddell rumaria para o Leste, ao longo do litoral da Terra do Fogo e da Patagônia antes de fazer a travessia até as Falkland. Na última semana de março os dois navios se reencontrariam ao largo da ponta Lobos, na costa da Patagônia, e navegariam juntos de volta ao mercado londrino.

A viagem de Weddell até as Falkland transcorreu sem incidentes. As praias forneceram focas-de-pêlo e em alto-mar encontraram bons cardumes de baleias-piloto, que constituíram uma bem-vinda bonança para Weddell e seus companheiros, não somente devido à boa qualidade do óleo obtido a partir da gordura, mas também pelo óleo de teor ainda mais fino que se encontra nos tecidos adiposos da volumosa cabeça do animal — e que alcançava altos preços e era utilizado na lubrificação de instrumentos de precisão.

O desapontamento resultante da impossibilidade de desembarcar na baía de Bom Sucesso talvez tenha sido compensado quando uma forte corrente levou o *Jane* ao estreito de Le Maire, antes que pudesse fundear. Os nativos haviam aparecido na praia, "gritando a plenos pulmões, convidando-nos a desembarcar", mas infelizmente não foi possível. A parte evangélica de Weddell ansiava por encontrar essa tribo, pois fora naquela baía que James Cook passara cinco dias com o *Endeavour* em 1769. Ali os dois empregados negros do jovem Joseph Banks haviam morrido em virtude dos efeitos cumulativos do rum e da friagem, ao serem apanhados por uma tempestade de neve. Quanto aos fueguinos, Weddell considerou que "teria sido interessante poder verificar se do relacionamento com Cook teriam retirado alguma melhoria permanente, embora sua estada entre eles houvesse sido demasiadamente curta para que produzisse resultados importantes".

O *Jane* continuou para o norte até o rio Santa Cruz, caçando baleias nas águas litorâneas e focas nas praias. Na tranqüilidade do ancoradouro da foz do rio converteram a gordura em óleo e o armazenaram nos tonéis, rearrumando o porão para a viagem de regresso à Inglaterra. Também fizeram uma tentativa malsucedida de matar guanacos — os animais eram tímidos demais para se aproximarem do alcance dos mosquetes. Weddell mandou seus homens apanharem as amoras azuladas, "as quais, quando maduras, têm gosto agradável e são altamente benéficas como antiescorbútico, e disso nos aproveitamos comendo grandes quantidades".

Zarparam daquelas paragens agradáveis em 17 de fevereiro, e em 2 de março já estavam ancorados nas Falkland, na já conhecida Ship Cove, na ilha Nova. Ali carregaram água e turfa para o fogo da cozinha. Em 12 de março, após passarem pela ilha West Point, fundearam em Port Egmont, perto do lugar onde se erguera a antiga colônia inglesa de 1765. Dela só restavam as ruínas. Poucos dias mais tarde, Weddell surpreendeu-se ao ver dois navios de guerra rodearem o promontório e entrarem cautelosamente na baía. Uma das baleeiras estava arriada junto ao *Jane* e Weddell embarcou rapidamente com alguns marinheiros para ir ao encontro dos visitantes.

Eram o *Asia*, navio espanhol de 70 peças, e o *Achilles*, de 20. Weddell abordou o *Asia*, onde foi "recebido com polidez" e mostrou o ancoradouro mais seguro aos espanhóis. Estes preferiram ignorar o conselho e por isso, como registrou Weddell, "criaram grandes problemas para si próprios", quando no dia seguinte um vento forte de noroeste soprou e arrastou os dois navios, mesmo ancorados.

Os oficiais do *Asia* disseram que haviam partido de Lima com destino à Espanha. Weddell, no entanto, suspeitou que se tratasse de um subterfúgio, visto que pareciam ansiosos por obter informações a respeito da navegação ao largo do cabo Horn e através do estreito de Le Maire. Essas suspeitas se confirmaram quando sua tripulação lhe disse que os próprios marinheiros do *Asia* lhes contaram que haviam partido de Cádiz fazia apenas dez semanas.

A dissimulação dos oficiais espanhóis poderia ser devida a suas suspeitas constantes de que todos os marinheiros ingleses eram da mesma cepa do terrível corsário Drake. Um deles, lorde Cochrane, chamado "El Diablo", havia construído sua reputação em ataques ao litoral e à esquadra militar e mercante espanholas durante as guerras napoleônicas. Nos últimos anos, como almirante da pequena frota chilena e auxiliado por marujos mercenários americanos e ingleses na luta do Chile pela independência, El Diablo havia capturado Valdívia com audácia, temeridade e competência semelhantes às de Drake, além de aterrorizar os espanhóis residentes, bloquear a fragata *Esmeralda*, com extraordinárias arrogância e coragem, impedindo-a de atracar no porto de Callao, e causar incontáveis problemas, com entusiamo juvenil, pelas costas do Chile e do Peru. Não admira que os espanhóis usassem de tamanha cautela.

Enquanto isso, Weddell, recordando seus tempos de mestre da Marinha Real, observava a equipagem, as condições e o moral dos dois navios: "Pareciam eficientes em todos os aspectos, e, embora não fossem muito ágeis em seus movimentos, como é a prática de nossa Marinha, eram infatigáveis e seguros em suas operações". Ótimos elogios, vindos de um consumado marujo. Weddell também teve a satisfação de mostrar aos oficiais espanhóis que os mapas deles estavam incorretos quanto à existência das ilhas Aurora.

Em 19 de março, com o tempo firme e o vento favorável para o encontro com o *Beaufoy* no litoral da Patagônia, o *Jane* despediu-se dos navios espanhóis e zarpou de Port Egmont. A travessia para o cabo Lobos foi tempestuosa, com ventos uivantes do sul e mares que arrebataram dois escaleres. O *Beaufoy* não apareceu e Weddell foi levado a concluir — e esperar — que seu pequeno companheiro havia sido impelido para o norte pelos ventos e estivesse agora a caminho de Londres. O *Jane* foi também levado para o norte e ao largo do rio da Prata verificou-se um vazamento, o que o forçou a parar em Montevidéu.

Ali naquela cidade devastada pela guerra, onde "muitas ruas estão de tal forma destruídas que é impossível passar", e "todo o conjunto apresenta neste momento as ruínas acumuladas de diversos anos, agitados por lutas perpétuas, civis e externas", Weddell se encontrou com Sir Murray Maxwell, comodoro da guarnição sul-americana e comandante do *H.M.S. Briton.* Maxwell tinha ouvido falar da chegada de navios de guerra às Falkland e desconfiava de algum engodo de parte dos velhos inimigos gauleses. Weddell conseguiu dissipar seus temores afirmando que eram espanhóis, o que eliminou a suspeita de que fossem "franceses disfarçados de espanhóis, pois seria possível alguma *finesse* desse gênero".

A oportuna informação foi recompensada com a cessão de carpinteiros do *Briton*; o *Jane* foi reparado em três semanas e Weddell entrou numa ronda social de jantares com comerciantes ingleses que comemoravam o aniversário do rei Jorge IV, inclusive um improvável jantar com portugueses e espanhóis locais, que acabou se transformando em discussão entre as duas facções rivais. Tudo isso era muito diferente da relação com os fueguinos.

Weddell também observou os habitantes de Montevidéu, como havia feito com os fueguinos. Entre os diversos moradores daquela cidade perturbada por guerras, fundada pelos portugueses porém tomada pelos espanhóis, verificou que "os ricos, como seria de esperar, vivem com conforto e possuem autoridade", enquanto "a classe trabalhadora não é muito notável por sua atividade, preferindo a indolência e a embriaguez". Weddell achou as mulheres de baixa estatura, bonitas e "lascivas". Os forasteiros gaúchos, os caubóis dos pampas, "não estão entre os mais honestos e talvez tenham cometido maior número de assassinatos do que outros quaisquer". Era um comentário que teria uma relação triste com Matthew Brisbane.

Em 4 de maio, o *Jane*, reparado por cortesia da Marinha Real, desceu o rio da Prata com vento favorável para iniciar o último trecho da longa viagem. A travessia decorreu sem incidentes e em 59 dias chegavam ao largo de Falmouth, adiante do paquete de Montevidéu que zarpara dois dias antes do *Jane*, de dimensões menores.

Em 9 de julho o *Jane* subia o Tâmisa em direção a Gravesend: finalmente haviam retornado, após uma viagem de quase dois anos. Ali, entre os navios congregados, Weddell ficou sabendo que o *Beaufoy* também estava são e salvo, tendo chegado em 20 de junho.

A primeira preocupação de Weddell foi concretizar e legitimar o feito do *Jane* e do *Beaufoy* ao atingirem a latitude sul mais elevada até então. Três graus mais ao sul do que o exemplar James Cook certamente despertariam a atenção em certos círculos da Marinha de Guerra. Esse recorde, afinal de contas, havia sido alcançado com dois navios comuns de caça às focas, e não por uma expedição naval bem equipada. Weddell fez com que seu principal oficial e dois marinheiros prestassem juramento ante o comissário das alfândegas de Sua Majestade a respeito da veracidade do relato contido nos registros de bordo.

Weddell estava com 37 anos, dos quais cinco haviam sido passados no oceano austral, e seus diários pessoais continham material muito mais farto do que os registros sucintos do diário de bordo. Sua mente investigadora havia coletado informações sobre angras e ancoradouros, marés e correntes, variações magnéticas, condições do gelo, fauna e flora. Passara muitos meses nas imediações do cabo Horn e seu conhecimento das condições de navegação, tempo e segurança dos ancoradouros que se achavam próximo a esse promontório lendário e assustador não tinha rival. Para complementar as informações escritas, havia esboços dos trabalhos de levantamento das angras, ancoradouros e ilhas. Weddell pretendia incorporar tudo isso em uma carta oficial que remeteria aos comissários da Marinha de Sua Majestade, mas seus amigos e sócios James Strachan e James Mitchell convenceram-no a publicar um livro sobre suas viagens. A simples publicação daria maior credibilidade ao recorde de penetração ao Sul. O motivo principal, porém, aparece no parágrafo final do livro.

> A pesquisa paciente e diligente é sempre necessária com vistas a obter conhecimento correto das partes da ciência de que tratei nas páginas precedentes; se com minha aventura particular me foi possível contribuir para o progresso da hidrografia, creio que fiz apenas o que qualquer homem procuraria fazer quando, em busca de riqueza, possui também interesse suficiente pela causa da ciência e não perde oportunidade de reunir informações para o benefício da humanidade.

Dois meses após seu regresso Weddell já havia enviado os mapas ao Almirantado e um ano depois sua *A voyage towards the South Pole* foi publicada, com uma segunda edição em 1827. Trata-se de mais do que uma simples narrativa das viagens, pois ainda contém um anexo com "Observações sobre a navegação ao redor do cabo Horn" e "Observações para a determinação da longitude mediante o uso de cronômetros", mapas de ancoradouros e angras e esboços que mostram vistas das elevações de terreno e dos pontos de desembarque. Em suma, é um compêndio de instruções para navegação em parte do oceano austral.

Embora Weddell tenha participado do massacre das focas-de-pêlo e dos elefantes-marinhos nas Shetland do Sul, sua natureza regrada percebeu a tolice que representava a matança em massa decorrente da cobiça. Em seu livro, advogava métodos de conservação em caso de descoberta de novos viveiros de focas. É uma das mais antigas propostas de conservação aplicáveis ao oceano austral.[1]

> A quantidade de focas abatidas nessas ilhas pelos navios de diferentes procedências, durante os anos de 1821 e 1822, pode ser estimada em 320 mil e a quantidade de óleo de elefante-marinho, em 940 toneladas. Esse valioso animal, a foca-de-pêlo, poderia ter sido poupado de forma a render anualmente 100 mil peles, mediante uma lei semelhante à que determina um tamanho específico para a malha das redes dos pescadores. Esse resultado decorreria da prática de não matar as mães até que os filhotes pudessem viver na água e, ainda assim, somente aquelas que parecessem mais idosas, juntamente com certa proporção dos machos, cuja quantidade diminuiria de maneira lenta e progressiva. Esse sistema é praticado no rio da Prata. A ilha de Lobos, na foz desse rio, contém certa quantidade de focas, sob a administração do governador de Montevidéu, com restrições aos caçadores, que somente podem matá-las em determinados períodos, com o propósito de evitar que os animais sejam exterminados. O sistema de extermínio, no entanto, foi praticado nas Shetland, pois qualquer foca que chegasse à praia era indiscriminadamente abatida e esfolada; dessa forma, ao fim do segundo ano, os animais se tornaram quase extintos; os filhotes que perdiam as mães com apenas três ou quatro dias de idade naturalmente morriam todos, os quais, de acordo com um cálculo mais conservador, seriam mais de 100 mil.

1. Em 1788, outro mestre da Marinha Real, John Leard, havia proposto métodos semelhantes de conservação para a costa da Patagônia, a Geórgia do Sul e as Falkland.

Enquanto Weddell trabalhava com seus mapas e livros, Matthew Brisbane e o *Beaufoy* se aparelhavam para nova viagem ao Sul. Dois meses após o regresso da viagem em companhia do *Jane*, o *Beaufoy* desceu o Tâmisa, desta vez sozinho, rumo à Patagônia, às ilhas Falkland e à Terra do Fogo. Os fueguinos ainda fascinavam Weddell, que deu ordens específicas a Brisbane para que o *Beaufoy* revisitasse os nativos que haviam encontrado em 1823 e verificasse — novamente a preocupação evangélica — se haviam retirado algum benefício de seu contato com os marinheiros naquela ocasião. Brisbane retornou à Inglaterra em 14 de abril de 1826 e Weddell acrescentou à segunda edição do livro um breve relato da viagem, tratando especialmente dos fueguinos.

Segundo Brisbane, embora já tivessem se passado dois anos, os nativos reconheceram o *Beaufoy*, o próprio Brisbane e outros marinheiros. Não admira que o comandante tivesse sido reconhecido, tendo em vista que maravilhara os fueguinos na viagem anterior com sua capacidade de abater caça com a funda utilizada pelos nativos e feita de couro de foca ou de lontra. Os selvagens exibiram medalhas que Weddell lhes dera na viagem anterior e que foram prontamente escondidas, "talvez por temor de que as pedíssemos de volta". Infelizmente, os furtos ainda eram executados com a destreza costumeira. Mas as relações amistosas permaneciam e "os doentes solicitavam regularmente nossa assistência, inclusive as mulheres, que traziam seus filhos enfermos".

Weddell concluiu que os nativos haviam efetivamente sido beneficiados pelo contato com "as artes e a inteligência que possuímos" e que "a disposição humana dos fueguinos merece nossa atenção". Trata-se de novo apelo de um coração evangelizador. Os selvagens, no entanto, ainda mostravam sinais de sua leviandade. Weddell deixara um caldeirão de ferro em Indian Cove na esperança de que os fueguinos obtivessem óleo a partir da gordura "das baleias mortas que de vez em quando dão à praia". O caldeirão havia sido simplesmente amassado com golpes de pedras, numa tentativa infrutífera de quebrá-lo.

O outro beneficiário da viagem do *Beaufoy* foi o professor Jameson, de Edimburgo, que recebeu a pele e o crânio de um puma sul-americano morto por Brisbane na costa da Patagônia. Logo antes de sua morte, o animal matara o buldogue de estimação do *Beaufoy*.

Um mês após o regresso de Brisbane, dois navios da Marinha Real, o *H.M.S. Adventure*, sob o comando do capitão Philip Parker King, e o *H.M.S. Beagle*, comandado pelo capitão Pringle Stokes, partiram da baía de Plymouth com destino à América do Sul, para a grandiosa tarefa de realizar um levantamento acurado do litoral do continente, desde o rio da Prata, no Atlântico, até a ilha Chiloé, no Pacífico — inclusive o labirinto de ilhas e canais da Terra do Fogo. Um mês mais tarde, em Londres, Matthew Brisbane foi nomeado comandante do *Prince of Saxe Coburg*, escuna de 20 metros de propriedade de John Pirie, aparelhado para uma viagem de caça às focas nas Shetland do Sul. Brisbane não sabia que ele próprio, com sua escuna e tripulação, estavam destinados a encontrar o *Beagle* nas costas ermas da Terra do Fogo.

No mesmo ano em que Brisbane assumiu o comando de seu novo barco, Weddell ofereceu seus serviços ao Almirantado com uma proposta de expedição às altas latitudes meridionais, mediante um comissionamento ou auxílio financeiro para ajudar a pagar as despesas de dois barcos aparelhados sob seu comando.

A proposta de Weddell não teve boa receptividade por parte de John Barrow, o influente, dissimulado, frio e calculista segundo-secretário do Almirantado (equivalente ao secretário permanente de nossos dias). Esse funcionário público poderoso e traiçoeiro (fora ele quem sugerira isolar Napoleão em Santa Helena) reinou no Almirantado durante quarenta anos e, tendo feito apenas uma curta viagem de caça a baleias nos mares da Groenlândia quando jovem, sem jamais ter visto um iceberg, envolvera-se no manto de Sábio do Ártico. A inspiração para as tentativas infrutíferas da Marinha Real de atacar o gelo consolidado do Ártico havia partido dele, e durante sua longa permanência no cargo recusou-se firmemente a reconhecer a vasta experiência de homens como William Scoresby e James Weddell. Para Barrow, protetor ciumento da Marinha Real, era direito e dever inalienável daquela força a exploração e o descobrimento, que não eram práticas para simples baleeiros e caçadores de focas, ainda que experimentados.

A recusa do Almirantado e as incertezas do comércio de focas levaram Weddell e o *Jane* — do qual era ainda co-proprietário — aos aspectos mais corriqueiros da vida dos marinheiros mercantes, em viagens ao Mediterrâneo, Madeira e América do Sul.

Em 1829 foram finalmente cortados os laços financeiros e emocionais que ligavam James Weddell a seu pequeno navio. O fiel *Jane*, já envelhecido e comprometido por todos aqueles anos em que passou enfrentando o gelo, conseguiu chegar ao distrito de Horta, nos Açores, durante uma viagem de Buenos Aires a Gibraltar, a ponto de afundar e fazendo tanta água que as bombas tinham de trabalhar constantemente. Os porões foram rapidamente descarregados e, depois de uma vistoria, o *Jane* foi condenado. As desventuras de Weddell prosseguiram, porém, pois o navio em que embarcou para regressar à Inglaterra prontamente naufragou na ilha de Pico, nas proximidades, e ele por pouco não morreu afogado. A perda do *Jane* representou grave prejuízo financeiro e Weddell foi obrigado a aceitar emprego assalariado como comandante de navio mercante. Em setembro de 1830 zarpava da Inglaterra como comandante do *Eliza*, rumo ao rio Swan, na costa oeste da Austrália.

Poucas semanas antes dessa partida, dois barcos caçadores de focas pertencentes aos irmãos Enderby e comandados por John Biscoe, o *Tula* e o *Lively*, zarparam de Londres rumo às águas da Antártica. Em maio de 1831, às margens do rio Derwent, na Tasmânia, Weddell e a tripulação do *Eliza* ajudavam a atracar o *Tula* e a transportar ao hospital os marinheiros de Biscoe, enfraquecidos pelo escorbuto. Cinco meses mais tarde, um grupo de homens, com Weddell entre eles, tomou o café da manhã a bordo do *Tula*, antes que Biscoe partisse novamente em busca de focas na Antártica. Os dois homens tinham muito em comum. Ambos eram extremamente competentes como marinheiros e navegadores, ambos haviam servido como mestres na Marinha Real e ambos haviam realizado viagens importantes pelas elevadas latitudes meridionais. Teria sido interessante participar daquela refeição matinal.

O *Eliza* zarpou para a Inglaterra em janeiro de 1832 e seis meses mais tarde entrava com a maré Tâmisa acima, na direção de Londres. Foi a última viagem de Weddell. Ao falecer, em 9 de setembro de 1834, aos 47 anos, morava numa hospedaria em Londres e era sustentado por uma certa srta. Rosanna Johnstone. Como muitos outros caçadores de focas e baleias, morreu pobre. Suas viagens ao Sul e seu livro haviam lhe trazido certa fama, e sua morte foi noticiada em jornais e periódicos, inclusive o *Times* e o *Edinburgh Evening Courant*, por ser membro da Real Sociedade de Edimburgo.

Em algum lugar do ângulo noroeste do adro da igreja de Saint Clement Danes, em Londres, repousam os restos mortais de James Weddell, membro da Real Sociedade de Edimburgo. O tempo e as intempéries apagaram qualquer inscrição que houvesse na pedra ou lápide que marcava o lugar para onde seu caixão foi carregado por amigos e colegas marinheiros. Seu verdadeiro monumento é o mar que leva seu nome — o nome de mar do Rei Jorge IV não teve aceitação — e a denominação da segunda foca mais abundante na Antártica.

A vida de Matthew Brisbane, após as viagens que realizou no *Beaufoy*, assemelha-se a inúmeras histórias juvenis de aventuras — permeadas de naufrágios, salvamentos e contínuas peripécias.

Depois de zarpar da Inglaterra em 1826, o *Prince of Saxe Coburg*, perseguido e danificado pelo gelo ao largo das Shetland do Sul, buscou refúgio na Terra do Fogo. Numa tempestade, qualquer porto é uma bênção para os marinheiros, e foi à baía de nome sinistro, a baía da Fúria (Fury Bay), na ilha do mesmo nome, ancoradouro inóspito e perigoso, na costa malévola que se estende a noroeste do cabo Horn, que Brisbane foi obrigado a recorrer. Poucos anos mais tarde, Charles Darwin descreveria esse trecho da costa como "suficiente para fazer com que um leigo sonhasse durante uma semana com naufrágios, perigos e morte". O comentário é pertinente, porque o fundo dessa baía não é adequado para as âncoras, e a escuna de Brisbane foi impelida para terra pelos violentos "williwaws"[2] que fustigam os ancoradouros fueguinos. Três dos escaleres do navio se salvaram do naufrágio, juntamente com a maior parte das provisões. Com as velas foram improvisadas tendas, e os náufragos — alguns se tornando amotinados — trataram de reconhecer sua situação precária. Com o consentimento de Brisbane, sete marujos partiram em uma das baleeiras tentando alcançar a foz do rio Negro, a cerca de 500

2. Rajadas súbitas que podem chegar a 100 nós.

milhas ao sul de Buenos Aires e o reduto mais próximo de civilização. Tal viagem, num barco aberto e por entre as centenas de milhas de passagens não mapeadas que constituem o labirinto dos canais fueguinos, seguida de uma travessia de 100 milhas ao longo da desolada costa da Patagônia, pareceria temerária e destinada ao fracasso. Contudo, contra todos os obstáculos e expectativas, os homens sobreviveram e chegaram ao rio Negro e mais tarde a Buenos Aires.

Os outros dois barcos foram despachados por Brisbane em expedições exploratórias pelos canais, na esperança de avistar algum navio. O comandante permaneceu na praia da baía da Fúria com alguns homens, tratando de construir um pequeno barco com os destroços da escuna. Em 3 de março de 1827, três meses após o naufrágio, um dos barcos enviados, já a 100 milhas da baía da Fúria, avistou o *Beagle* no estreito de Magalhães. O capitão Stokes navegou mais profundamente pelo estreito e depois mandou dois barcos de dez remos para resgatar o grupo e a carga de peles de foca.

Brisbane regressou à Inglaterra, e John Pirie, que não o responsabilizou pela perda do *Prince of Saxe Coburg*, nomeou-o comandante do *Hope*, escuna também de sua propriedade e igualmente aparelhada para a caça de focas. Em 23 de abril de 1829 o *Hope* encalhou na Geórgia do Sul. Novamente os destroços foram usados para construir uma pequena chalupa improvisada na qual Brisbane, com outros dois marinheiros, navegou 1500 milhas, atravessando o Atlântico Sul em direção a Montevidéu. Um ano depois, Brisbane naufragou novamente na extremidade oriental da Terra do Fogo. Mais uma vez os destroços do navio naufragados foram empregados na construção de um barco, que partiu para as Falkland. Poucos meses depois desse terceiro naufrágio, Brisbane se encontrou pela segunda vez com o *Beagle*, agora sob o comando de FitzRoy, que regressava à Inglaterra transportando os fueguinos. Brisbane trabalhava em terra, nas ilhas Falkland, com Louis Vernet, procurando organizar uma colônia de produção de carne bovina e peixes que pudesse fornecer seus produtos à América do Sul e aos navios de passagem. Brisbane era encarregado da parte pesqueira. FitzRoy jantou em terra em companhia de Vernet e esposa, Brisbane e outros, no ambiente doméstico de uma casa de pedra que dispunha de boa biblioteca com títulos em espanhol, alemão e inglês e conversação animada no jantar seguido de música e danças. FitzRoy achou tudo muito agradável e "um tanto estranho, visto que nas ilhas Falkland esperávamos encontrar somente alguns caçadores de focas".

Essa cena doméstica íntima não duraria muito. Em 1831 o pequeno povoado na baía de Berkeley foi totalmente destruído pela corveta americana *Lexington* em represália pelo confisco, por parte de Vernet, do barco caçador de focas americano *Harriet*, acusado de caçar sem autorização. Alguns dos principais colonos, entre eles Brisbane, foram levados à força para bordo do *Lexington* e postos a ferros, com Brisbane sendo objeto de afrontas específicas. Após essa demonstração de *schrecklichkeit* os colonos foram levados a Montevidéu e postos em liberdade. O governo americano justificou essa ação afirmando que "os Estados Unidos vêm utilizando essas ilhas como campos de pesca há cinqüenta anos".

A ação do *Lexington* provocou uma série de acontecimentos em cadeia que acabaram por fazer parte da historiografia das ilhas Falkland: os assassinatos em Port Louis.

Em março de 1833 o *Beagle* rumou mais uma vez para o povoado de Port Louis, na baía de Berkeley. FitzRoy era novamente o comandante e com ele viajava o naturalista Charles Darwin. Ambos se horrorizaram com o que viram, especialmente FitzRoy.

Tinha agradáveis lembranças dali, após aquele jantar civilizado com o casal Vernet e Brisbane. As casas baixas de pedra e os jardins bem cuidados haviam desaparecido. Só restavam ruínas de paredes e algumas cabanas cobertas de sapê com repolhos e batatas lutando pela existência numa terra erma. Os habitantes eram poucos e furtivos. A bandeira inglesa balouçava sobre aquele povoado tristonho, mas sem uma autoridade para sustentá-la. Os britânicos, preocupados com a possibilidade de que os Estados Unidos ocupassem a ilha como uma base naval a fim de proteger os caçadores de focas americanos, haviam reafirmado suas reivindicações em relação a ela, e, na expressão sarcástica de Darwin, "deixaram uma bandeira inútil para proteger aquilo que não tiveram coragem de defender".

Brisbane regressou a esse cenário caótico e anárquico, onde agora predominavam índios e gaúchos ex-condenados abatendo gado para vendê-lo aos caçadores de focas, com o propósito de tentar salvar pelo menos parte dos investimentos e propriedades de Vernet, que ainda estava na América do Sul. Era o terceiro encontro entre o *Beagle* e Brisbane.

Cinco meses mais tarde, Brisbane e quatro outros colonos foram assassinados por uma quadrilha de índios e gaúchos violentos. Thomas Helsby, que fora levado a Port Louis por Brisbane para atuar como escrivão e que por pouco escapara de ser morto pelos gaúchos, descreveu a cena da morte de Brisbane: "Mandaram que eu entrasse na casa do capitão Brisbane e logo vi seu corpo estendido no chão; parecia ter procurado sacar as pistolas antes de cair, e havia um sorriso de desprezo ou desdém bem marcado em sua fisionomia. Arrastaram seu cadáver com um cavalo até uma distância considerável e saquearam a casa".

É uma cena bastante semelhante à do famoso quadro vitoriano que mostra o general Gordon, com um sorriso desdenhoso no rosto, de pé no topo da escadaria da residência em Cartum, enfrentando as hordas de vociferantes daroês agitando cimitarras e lanças antes de ser morto e decapitado, com o macabro troféu apresentado ao Mahdi. Esse quadro canonizou Gordon e marca a apoteose do confortável ideal vitoriano do inglês solitário imolado diante da barbárie primitiva.

O *Beagle* regressou a Port Louis em março de 1834. FitzRoy, que se afeiçoara muito a Brisbane, sentiu profundamente a notícia da morte do amigo e de como ela se dera.

> A 200 jardas [180 metros] de distância da casa onde ele morou encontrei, para meu horror, os pés do pobre Brisbane que saíam do chão. Sua cova era tão rasa que os cães haviam remexido seus restos mortais, alimentando-se do cadáver. Tal foi o destino de um homem honesto, diligente e absolutamente fiel: um homem que não temia os perigos e desprezava as dificuldades. Foi assassinado por vilões, por defender a propriedade de seu amigo; mutilado por eles a fim de satisfazer um ódio brutal; puxado por um laço amarrado a um cavalo, longe da casa, e abandonado para ser devorado por cães.

Outros homens da Marinha Real renderam sua própria homenagem a Brisbane quando o capitão James Clark Ross passou o inverno de 1842 nas ilhas Falkland com seus dois navios *Erebus* e *Terror*. O corpo mal enterrado de Brisbane foi exumado e sepultado decentemente, com uma inscrição em madeira:

À MEMÓRIA

DE

MATTHEW BRISBANE

barbaramente assassinado

em 26 de agosto de 1833

No comando do cúter *Beaufoy*
foi o zeloso e competente companheiro
do capitão James Weddell durante
sua viagem pioneira mais além do
paralelo 74 graus de latitude Sul, em fevereiro
de 1823

Seus restos mortais foram removidos
para este lugar pelas tripulações dos
navios de Sua Majestade *Erebus* e
Terror em 25 de agosto de 1842

Weddell provavelmente ficou sabendo da trágica morte de seu velho amigo e companheiro de navegações alguns meses antes de seu próprio falecimento. Os dois homens haviam compartilhado muitas aventuras e atravessado grandes sofrimentos, unidos não pela rígida disciplina naval, mas pelos laços menos estreitos — e mais fortes — do respeito mútuo. Ambos provinham de meio semelhante e haviam conservado sua humanidade em uma profissão brutalizante. Brisbane era um explorador desembaraçado e é fácil imaginá-lo à vontade em quaisquer fronteiras do século XIX — nas Américas, na Austrália, Nova Zelândia, África ou Ásia. Weddell possuía personalidade diferente da do pioneiro Brisbane. Seu temperamento era mais complexo e sutil: um cientista e evangelista de espírito investigador e aventureiro, que encontrava sua válvula de escape na exploração. Sua preocupação evidente com os fueguinos contrastava com a de Charles Darwin — homem bondoso e suave, mas que mal podia conter sua aversão. Talvez por proceder de um mundo mais duro e rude do que o de Darwin, Weddell possuísse uma tolerância inata.

A tábua que marcava o túmulo de Brisbane está agora no museu de Port Stanley, com a tumba assinalada por uma lápide de pedra, mais durável. Cinco anos após os funerais de Weddell, Sir John Barrow — que ascendera à nobreza em 1835 — presenteou a Real Sociedade Geográfica com um retrato do navegador. Foi um gesto de generosidade em homenagem a um explorador não oficial.

Quanto às focas-de-pêlo sacrificadas em quantidades tão prodigiosas pelos porretes e facas dos caçadores, regressaram às costas da Geórgia do Sul e hoje estima-se que sua população seja da ordem aproximada de 1,5 milhão. Os fueguinos se mostraram menos resistentes. Adaptados à vida num ambiente rude e impiedoso que provocou a morte de muitos europeus, sua existência frágil foi prejudicada com a chegada de colonos que traziam consigo doenças ocidentais e métodos mais sinistros de genocídio. Como povo e como cultura, podem ser considerados extintos.

11. John Biscoe: a terceira circunavegação

E coragem para jamais submeter-se ou ceder: e o que mais não poderá ser vencido?

John Milton, Paradise lost [O paraíso perdido]

O *R.R.S. John Biscoe,* construído em 1956, era um navio de aparência despretensiosa, com um perfil ornado de ameias e inflexível como o de uma fortaleza, do qual emergia uma cerca de mastros, guinchos, trilhos, guindastes e antenas. Suas linhas puras eram tão extraordinárias que pareciam talhadas a martelo por um arquiteto naval hemiplégico, vesgo e demente. Como Navio Real de Pesquisa, passou a maior parte de seus 35 anos entre os icebergs e gelo firme da Antártica levando suprimentos para as bases científicas britânicas e executando missões de pesquisa biológica e oceanográfica. Era possível atulhar seus 67 metros com sessenta pessoas, entre as quais 26 cientistas e pessoal de apoio. Escondida entre a parafernália científica havia uma coberta de rancho onde se podia tomar cerveja de barril na atmosfera robusta e fumacenta de um *pub* de Glasgow. Alguns conveses acima, na praça-d'armas* clara e arejada, de cujas anteparas pendiam quadros e fotografias, podia-se sorver um gim rosado, de pé diante da lareira ou confortavelmente instalado em poltronas estofadas de chintz um tanto desbotado. Como uma confortável hospedaria inglesa, o *John Biscoe* tinha um bar com balcão e outro com mesas e cadeiras. Os navios americanos tendem a usar plásticos, fórmica, vinil e aço inoxidável, materiais cuja limpeza pode ser efetuada com um jato de mangueira. Os americanos levam seus banheiros consigo quando viajam; os ingleses levam seus *pubs*.

Robert Graves definiu a palavra árabe *baraka* como o sentimento muçulmano de bem-estar que se apega aos prédios ou objetos após vários anos de uso afetuoso por pessoas de coração nobre. O *R.R.S. John Biscoe* possuía *baraka* em abundância.

Esse pequeno e nobre navio fora batizado em honra de John Biscoe, mestre da Marinha Real, marinheiro mercante, caçador de focas e descobridor da Terra de Enderby, na Antártica. Não há retratos de Biscoe nas anteparas do navio que leva seu nome, nem ele olha fixamente de telas pintadas a óleo, com molduras douradas, para membros de sociedades eruditas. Não existem retratos seus e pouco se sabe de sua vida, exceto no que diz respeito aos três anos durante os quais, quando estava com cerca de 35 anos de idade, comandou uma expedição de dois pequenos barcos para a terceira circunavegação da Antártica. Dez anos depois dessa viagem, pobre e doente, Biscoe morreu no mar. O *R.R.S. John Biscoe* é, portanto, homenagem bastante justa.

Ao descer o Tâmisa em 1830 com seus dois pequenos navios, o *Tula* e o *Lively*, aproveitando a maré favorável, John Biscoe

* Nos navios de guerra, compartimento destinado às refeições dos oficiais. (N. T.)

seguia a esteira de James Cook e Thaddeus Bellingshausen. No entanto, ao contrário das expedições desses dois navegantes, esse não era um empreendimento oficial, com navios e homens da Marinha de Guerra, e sim um empreendimento comercial de pequenas dimensões em busca de focas, com suprimentos para dois anos ao custo de 6147 libras a cargo da companhia baleeira inglesa Enderby Brothers.

Herman Melville imortalizou essa companhia, como uma mosca aprisionada em âmbar, em seu *Moby Dick*. Em busca da grande baleia-branca, o capitão Ahab e o *Pequod* encontram outro navio baleeiro nos viveiros dos cetáceos. Trata-se do navio inglês *Samuel Enderby*, cujo comandante também perdera um membro para a baleia-branca — e que tinha um braço de marfim para combinar com a perna de marfim de Ahab. "Antes que o navio inglês desapareça da vista", escreveu Melville, "registremos que provinha de Londres e foi batizado em homenagem ao falecido Samuel Enderby, comerciante daquela cidade e fundador da famosa firma baleeira Enderby & Sons; estabelecimento que em minha pouco valiosa opinião de caçador de baleias não fica muito atrás das casas reais unidas dos Tudor e dos Bourbon, do ponto de vista do interesse histórico real."

O fundador, Samuel Enderby, morrera em 1797, deixando um negócio próspero e ativo, além de um escudo e armas de família como símbolos de sua riqueza e posição na sociedade. O escudo se descreve assim: "azurado, em que se vê um mastaréu em uma pala com um conjunto de velas de joanete e uma flâmula entre duas tainhas de seis pontos unidos a um leão rampante, e com marcas em desenho ondulado de um arpoador no ato de arremessar ou golpear". A caça às baleias se consagrava como ocupação respeitável, e recebia assim a bênção do Colégio de Heráldica.

Na altura de 1830, a companhia, gerida pelos netos de Samuel Enderby, Charles, Henry e George, se encontrava em decadência, como a indústria baleeira inglesa em geral. O gás de carvão, e não o óleo de baleia, iluminava agora as ruas e fábricas (a Companhia de Iluminação a Gás & Coque fora fundada em 1809 a fim de comercializar o gás de carvão em Londres); o óleo de semente de colza era utilizado para a fabricação de têxteis, porém, mais importante, a competição dos baleeiros australianos com os americanos se mostrava pujante.

Samuel Enderby iniciara na firma uma tradição que seus filhos e netos mantiveram. Todos os mestres dos baleeiros de Enderby tinham ordens de trazer de volta espécimes de história natural coletados em suas viagens — e os netos ampliaram a atividade, incluindo a exploração geográfica. Era uma política perigosa para um negócio em crise. Mas Charles e George eram membros fundadores da Real Sociedade de Geografia, e quando o primeiro se dirigiu ao *Tula* para despedir-se de Biscoe e entregar-lhe as diretrizes finais da viagem, em 10 de julho de 1830, estas continham a instrução específica de "procurar realizar descobertas nas latitudes meridionais elevadas".

Biscoe estava acostumado a receber ordens. Nascido em 1794, engajara-se na Marinha Real como voluntário aos dezessete anos, servira na América do Norte e nas Índias Ocidentais como guarda-marinha e mestre substituto e deixara o serviço militar aos 21, com o término das guerras napoleônicas. Tendo sido treinado para o mar, voltou-se para a Marinha Mercante, como mais um membro daquele grupo de marujos que servira na Marinha Real durante suas intermináveis guerras e que com o advento da paz foram licenciados com meio soldo ou desmobilizados.

Durante aqueles poucos anos na Marinha de Guerra, Biscoe despertara a atenção de um de seus comandantes. O capitão

Moberly, do *Moselle*, recomendou-o para promoção com as seguintes palavras: "Trata-se de jovem ativo, consegue encontrar a posição estimada, é atento e tem tudo para ser um bom oficial". Os Enderby devem ter tido boas referências a seu respeito, pois Biscoe nada conhecia de caça às focas ou às baleias.

Biscoe comandava um par de navios: o *Tula* e o *Lively*, com tripulação de 27 homens e dois rapazinhos. Ambos os barcos eram pequenos; o primeiro pesava 157 toneladas, tinha 23 metros de comprimento e velame de bergantim. Tinha a proa bojuda e a popa quadrada, e a única concessão à beleza era uma figura de proa em forma de mulher sob o gurupés. Biscoe fez um esboço do *Tula* em seu diário. O barco aparece com o traquete e a mezena içados, num mar encapelado. Sob o desenho, escreveu com sua letra: "*Tula* preparando-se para enfrentar um iceberg".

O *Lively* era ainda menor. Construído para servir de barco de praticagem em Cowes, porto de iates na ilha de Wight, com apenas 16 metros de comprimento, armado em cúter, com um único mastro. Sua vantagem era ter pequeno calado, de apenas 2,4 metros, útil para navegar próximo à terra. O oceano austral não era desconhecido do pequenino *Lively*. Acabara de regressar de uma viagem de caça às focas na ilha Kerguelen em companhia do cúter *Sprightly*, de 22 metros, também de propriedade de Enderby, e lá resgatara um grupo de caçadores ingleses que haviam naufragado e ficado perdidos naquele lugar ermo durante dois anos.

Em comparação com o aprovisionamento, a vestimenta e o equipamento das expedições de Cook e de Bellingshausen, o material de Biscoe era lamentavelmente espartano e parco. A companhia fornecia três cronômetros, porém o mestre tinha de levar seus próprios mapas, segundo o costume. Biscoe não conhecia a viagem de Bellingshausen, mas deve ter tido informações sobre o livro e os mapas de Weddell e também sobre as cartas das Shetland do

Sul e das Órcadas do Sul, de George Powell. Mesmo com essas informações, seria uma viagem rumo ao desconhecido. Quanto à tripulação, tinham de levar suas próprias roupas; com efeito, ao saber do destino da viagem, um capitão mercante generoso e de bons sentimentos presenteou cada marinheiro com um par de botas

A caça às baleias, especialmente no Sul, era considerada ocupação de segunda classe na escala de valores dos marinheiros britânicos — e a caça às focas tinha ainda pior reputação. Para caçar baleias, pelo menos, era necessária certa habilidade, e havia

O cúter Lively.

uma hierarquia baseada nisso. A caça às focas era simples ofício de açougueiros e a maior parte dos caçadores passava seu tempo em terra, durante a temporada de caça, em condições piores do que as de qualquer alojamento de baleeiros. Quem quer que se engajasse numa viagem daquelas ou estaria desesperado, ou seria um temerário, ou então possuiria apetite suicida por dificuldades e aventuras.

A terminologia náutica e a nomenclatura dos veleiros podem constituir uma espécie de irritante corrida de obstáculos para o leigo terrestre — e terreno fértil para a trivialidade de um marujo pedante. Stephen Leacock, em um de seus *Nonsense Novels* [Romances nonsense], fez uma paródia da história dos veleiros com tais hilaridade e sarcasmo que transformou todos os relatos marítimos em algo como "Soaked in seaweed: or, upset in the ocean" ["Ensopado de algas, ou aborrecido no oceano"]. Mesmo correndo o risco de imitar Leacock, que falava de homens em mastros fixados com pregos, de gurupés colocados nos flancos dos barcos, deve-se mencionar que, embora classificado como bergantim, o *Tula* também podia ser considerado um "brigue hermafrodita" — vela redonda no mastro de proa e vela latina no mastro principal. Esse nome sem graça e a conotação bissexual em nada ajudavam as qualidades de navegabilidade do *Tula*. Biscoe, para sua tristeza, em breve faria essa constatação.

Depois de descer o Tâmisa, o comandante foi ao encontro de seus pequenos navios baleeiros em Deal, no canal da Mancha, zarpando finalmente em 21 de julho de 1830. O destino eram as ilhas de Cabo Verde, onde carregariam provisões e água. O avanço era exasperantemente lento; levaram um mês para chegar à ilha, a uma velocidade irregular de 3 nós. O *Tula* se mostrou de difícil maneabilidade em ventos leves e nas calmarias seus movimentos eram diabólicos, pois tendia a jogar em espasmos rápidos, o que fatigava a tripulação e prejudicava o velame. Passaram duas semanas em Cabo Verde, efetuando os carregamentos necessários e armando velas extras no mastro principal, a fim de aliviar a tensão dos panos já existentes na ingênua esperança de evitar a retirada do mastro. A escala seguinte seriam as ilhas Falkland, atravessando mais de 6 mil milhas além do equador até os confins do Atlântico Sul.

No fundo dos mares do mundo estendem-se os invisíveis equivalentes oceânicos de cadeias de montanhas, desfiladeiros, vales, pântanos e rios de correnteza rápida. Tudo isso pode ajudar ou dificultar a passagem de um navio pelo oceano aparentemente plano. As zonas de ventos dominantes (alísios) são evitadas ou procuradas, segundo o rumo a ser seguido. As áreas de calmaria e ventos fracos e variáveis (calmarias equatoriais) correspondem aos alagadiços para o viajante terrestre. Finalmente, os oceanos do mundo possuem correntes que podem ser vantajosas ou prejudiciais para os navios.

Ao longo dos séculos, os marinheiros reuniram com sacrifício conhecimentos consideráveis sobre esse invisível panorama marinho. Para sua travessia até as ilhas de Cabo Verde, Biscoe utilizara — com sua melhor habilidade — os ventos de nordeste e a corrente das Canárias, que leva para o Sul. Dali em diante, no caminho das Falkland, seria obrigado a cruzar o pântano das calmarias equatoriais: ausência de vento, rajadas súbitas, borrascas e ventos variáveis junto à linha do equador, entre os ventos alísios de nordeste e sudeste. A recalcitrante e inadequada maneabilidade do *Tula* em tais condições fazia prever uma travessia lenta e desconfortável por esse perverso trecho de oceano.

O ponto ideal para cruzar a zona de calmarias fica mais ou menos entre 24 e 29 graus Oeste, onde a faixa de ventos leves e de calmarias é mais estreita. Devido ao tempo e às dificuldades de navegação do *Tula*, Biscoe foi obrigado a cruzar a 17ºO. A viagem foi novamente lenta até que avistaram as Falkland em 8 de novembro, ancorando três dias mais tarde em Port Louis, no estreito de Berkeley. A travessia durara mais de dois meses.

Port Louis fica na entrada do estreito de Berkeley e a angra de Carenage é perfeitamente protegida, rodeada por colinas suaves e sem árvores. Mesmo nesse ambiente, os ventos podem constituir problema, e nas Falkland os ventos locais costumam ser consideravelmente fortes. Biscoe teve dificuldades para carregar água para bordo em conseqüência das ventanias, mas ainda assim recomendou o estreito de Berkeley, registrando com aprovação: "É fácil encontrar peixes, novilhos e água fresca, bem como uma variedade de ervas antiescorbúticas que podem ser usadas como legumes; a entrada da baía é limpa, o ancoradouro é conveniente e a água tem profundidade suficiente próximo à praia. Seria fácil estabelecer aqui um estaleiro para reparos, o que traria grandes benefícios públicos e privados".[1]

Na viagem até as Falkland o mestre do *Lively* fora um certo sr. Smith. Nas ilhas, por motivos desconhecidos, o homem desertou. Talvez não considerasse aconselhável navegar pelas altas latitudes meridionais com o diminuto *Lively*. Foi substituído por um sr. Avery. Nos meses seguintes este também teria dúvidas a respeito de sua decisão.

Os dois navios zarparam do estreito de Berkeley em 27 de novembro. Começavam agora a parte principal da viagem: navegar pelas regiões inóspitas das latitudes elevadas numa aventura ao mesmo tempo comercial e de exploração. Para muitos dos

1. Nada restou daquele antigo povoado, exceto as fundações dos prédios e o contorno de um quebra-mar. O estreito, que antes atraía caçadores de baleias e de focas, voltou à atividade como ancoradouro para uma frota multinacional de pesqueiros que trabalha nas águas em torno das ilhas.

marinheiros, as colinas verdes que contemplavam enquanto o *Tula* e *Lively* deslizavam pela baía seria a última visão de terra livre de gelo.

As instruções recebidas por Biscoe o orientavam a que procurasse as ilhas Aurora — aquelas ilhas míticas em vão pesquisadas por Weddell — e em seguida se dirigisse à Terra de Sandwich de Cook. Tal como Weddell, Biscoe não encontrou as ilhas, declarando-as simples produto de má informação cartográfica. "Daqui em diante", registrou ele, "devem ser consideradas inexistentes, ou procuradas em outra posição." Rumou então para o Leste, passando ao norte da Geórgia do Sul. Não havia razão para desembarcar ali — as focas já haviam sido praticamente exterminadas na ilha. Em 10 de dezembro encontraram os primeiros icebergs.

A introdução à Antártica foi típica: no dia seguinte foram envolvidos pelo nevoeiro. Os marinheiros temem e abominam nevoeiros em quaisquer condições, porém mais vigorosamente quando navegam por entre icebergs e placas de gelo. Para aumentar as preocupações de Biscoe, os dois navios se desgarraram. Os temores aumentaram porque, segundo a carta, se encontravam na região das ilhas setentrionais do arquipélago de Sandwich do Sul. Ao passarem por cima de uma placa de gelo, que produziu um barulho horrendo ao arrastar-se sob as tábuas do casco, o temor aumentou ainda mais. Numa última e diabólica mostra de infortúnio, o barômetro, a peça mais importante para indicar aos marinheiros as mudanças do tempo, "estourou por si só".

Em 14 de dezembro, para alívio de Biscoe — diminuindo a "grande ansiedade mútua" —, o *Lively* foi avistado e os dois barcos prosseguiram para o Sul. Logo se tornou evidente para Biscoe que a carta que possuía não era precisa, e em 17 de dezembro, calculando que as ilhas deveriam estar a oeste, alterou o curso e começou a lutar contra os ventos dominantes de oeste. Dois dias depois, com visibilidade ruim, notou a "aparência de terra" a oeste-sudoeste. Em 21 de dezembro sua decisão de navegar no rumo oeste se mostrou correta. "A terra", registrou Biscoe, "tem aparência aterrorizante, pois nada mais é do que simples rocha, de 6 a 7 milhas de comprimento [...], coberta de gelo e neve com tal proporção que mal se podia distinguir a rocha, com neve e nuvens imediatamente acima; e, como não havia nada que parecesse um ancoradouro, mesmo a 5 ou 6 milhas de distância, a opinião da maioria a bordo foi de que nada resultaria da concordância com minhas próprias idéias a respeito; afastei-me então para o sul, na esperança de encontrar melhores oportunidades em outro lugar."

Os dias finais do ano de 1830 se mostraram decepcionantes. O cúter e os escaleres foram utilizados para aproximar-se e examinar as escarpadas costas das ilhas, porém sempre regressavam com respostas negativas. Não havia lugar para desembarque, nem focas, nem elefantes-marinhos. Os pingüins pareciam ser as únicas criaturas adaptadas a essas ilhas de aparência severa: "nada se via no litoral, a não ser pingüins em grande abundância".

No dia de Natal encontravam-se a sudoeste das ilhas, pois haviam sido obrigados a desviar a rota devido ao vento e ao gelo consolidado que se deslocava. Embora os ventos de oeste estivessem fortes, o único consolo provinha da calmaria do mar. Isso, acreditavam, era um indício encorajador, pois poderia ser sinal de grande massa de terra a oeste. Estavam enganados; a tranqüilidade era decorrente, provavelmente, do efeito de uma grande zona de gelo consolidado a barlavento a abrandar o mar. Qualquer benefício, porém, era recebido com gratidão. "Independentemente dos pequenos bancos de gelo consolidado", registrou Biscoe, "toda a região estava coberta de placas de gelo, algumas de grande espessura, de forma que, se um dos navios com elas se chocasse, certamente abriria um rombo no casco; por isso, entre os dias 26 e 29, até antes do meio-dia, foi-nos impossível manter o rumo por mais que alguns minutos de cada vez [...] e nunca tivemos menos do que cinqüenta a cem ilhotas de gelo a nosso redor."

Biscoe revelava agora o espírito tenaz e decidido que o caracterizaria durante os meses seguintes: resolveu forçar o caminho até as ilhas e continuar a busca de focas. Em 30 de dezembro se encontravam em meio às ilhas e as baleeiras fizeram outra pesquisa infrutífera, procurando por esses animais. A falta de focas e de pontos de desembarque fez com que, no dia de Ano-Novo, o comandante resolvesse deixar aquelas ilhas enevoadas, ermas e inóspitas, seguindo para sudeste em busca de novas terras. Resolveu também manter-se tão próximo à orla do gelo consolidado quanto possível, na esperança de poder avançar mais para o sul.

Uma semana depois, encontravam-se em uma vasta baía de gelo. Da gávea, Biscoe reparou que, "para o sul, o gelo tem aparência tão lisa e firme que pareceria possível caminhar sobre ele". A visibilidade era ampla à luz brilhante, se comparada às sombrias névoas das Sandwich do Sul, e Biscoe se convenceu de que "qualquer terra de altitude significativa deveria ser visível a 80 ou 90 milhas". A esterilidade do panorama, o céu azul e a extensão do gelo liso e branco eram realçados pela notável ausência de vida. Normalmente, os navios eram acompanhados por procelárias e pingüins que nadavam como golfinhos. Agora, nada havia. Com ou sem animais, Biscoe registrou, com evidente alívio, que "o mar se conserva muito calmo".

Entre 7 e 16 de janeiro — este último foi um dia memorável: 58 icebergs à vista, a temperatura da água a 1 °C, a temperatura do ar a 7 °C à sombra e 25 °C ao sol, "com um correspondente sentimento de cálida satisfação entre os membros da tripulação" —, o rumo, ditado pelos ventos e pelo gelo, foi praticamente em linha reta para o Leste. No dia seguinte rodearam um ângulo da sólida plataforma de gelo e com vento de oeste se esgueiraram entre as placas, na direção sudeste. Na altura de 21 de janeiro, o mar ficou limpo e no dia 22 cruzaram o Círculo Antártico. Assim são os caprichos do gelo consolidado.

Entretanto, as águas livres de gelo e os ventos favoráveis não durariam muito. Os pássaros marinhos regressaram, e o gelo consolidado também; pior do que isso, os ventos se fixaram na direção leste, justamente o oposto aos desejos e às esperanças dos navegantes. Em 28 de janeiro, a 10°43'L, chegaram ao ponto máximo meridional, 69°S. Não era possível progredir mais nessa direção devido ao gelo consolidado. Invisível e desconhecida para Biscoe, a apenas 60 milhas de distância, jazia a orla da banquisa diante do que hoje é a costa Princesa Astrid — um litoral que seria descoberto um século mais tarde por uma expedição baleeira norueguesa.

Durante os dois meses seguintes ambos os barcos continuaram a luta, e não apenas contra o gelo. Aqueles terríveis ventos de leste que tinham chegado em forma de desagradável surpresa para Biscoe lhe traziam "uma navegação extenuante, que me incomoda muito, com calmarias freqüentes, de vez em quando uma rajada forte do sudeste, em geral com vagalhões de través durante algum tempo, antes e depois, além do tempo enevoado". E esse não era o único problema. O cúter também era motivo de preocupação para o comandante. Seu nome era adequado: o *Lively* [Agitado] se perdia constantemente no nevoeiro e nas constantes mudanças de rumo a que o gelo consolidado os obrigava. Em certo momento o exasperado Biscoe teve de amarrar o cúter errante ao *Tula*, como se fosse um cachorrinho: "À meia-noite o nevoeiro ficou tão espesso que, embora minha voz chegasse ao *Lively*, não era possível vê-lo, e como estávamos completamente rodeados por pedaços de gelo e tivéssemos de usar os remos, mandei amarrar um cabo para impedir que nos separássemos, mesmo com tempo calmo e mar tranqüilo".

Mesmo com essa atividade constante, a mente curiosa de Biscoe refletia sobre a constituição daquela imensa área de gelo consolidado, com milhares de icebergs. Na latitude de 68ºS observara o gelo marinho se formando durante a noite, até uma espessura de 1,27 centímetro — isso no verão. Biscoe se perguntava que tipo de formação haveria em pleno inverno. Os icebergs eram outra questão. Ele sabia que Weddell observara um iceberg tão incrustado de terra preta que inicialmente imaginara que se tratasse de terra firme. Sabia também que a maioria dos navegadores acreditava que os icebergs se formassem "contíguos à terra". Mas Biscoe tinha outra opinião. Tendo visto centenas de icebergs sem nenhum sinal de terra neles, estava convencido de que "se formam de um vasto bloco de gelo, congelado na superfície da água e que se acumula com o tempo."

Com efeito, estava persuadido de que a partir da latitude em que se encontrava até o pólo sul havia somente uma massa sólida de gelo flutuante, talvez com algumas ilhas intercaladas. Esse era o nascedouro dos icebergs. Biscoe estava correto de certo modo — não que os icebergs se formem a partir do mar, visto que, se tivesse conseguido navegar ao longo daquelas 60 milhas, chegando à costa, teria sido possível caminhar sobre o gelo até o pólo sul. Gelo de tal espessura, com até 3mil metros de profundidade, supreenderia mesmo o comandante.

Um iceberg específico, com arcos e cavernas esculpidos, atraiu a atenção de Biscoe. Enquanto admiravam aquele esforço arquitetônico da natureza, dele se desprendeu uma grande massa, com tremendo barulho. Inspirado por esse acontecimento e no espírito da pesquisa científica, ou talvez até como forma de entreter a tripulação, Biscou ordenou que trouxessem balas e pólvora. Com os dois barcos ondulando suavemente no mar, um canhão foi carregado e apontado para a montanha de gelo. O primeiro tiro passou por cima, devido a um movimento do *Tula*, mas o ruído do segundo provocou uma revoada de gaivotas que gritavam lancinantemente. Esse segundo disparo acertara em cheio, contudo somente conseguiu deslocar alguns fragmentos de gelo. Em seguida, Biscoe mandou arriar a baleeira e rodeou o iceberg, verificando que não continha sinais de terra.

Sem dúvida a tripulação se divertiu, esquecendo por algum tempo a tensa e nervosa travessia pelo gelo. As distrações eram parcas e Biscoe havia deixado de aproveitar uma, no dia 20 de fevereiro. Enquanto dormia em sua cabine, a tripulação presenciara no convés um espetáculo extraordinário da aurora austral, e o oficial de quarto ficara tão maravilhado que acabou se esquecendo das ordens recebidas e deixou de acordar o comandante — fazendo com que Biscoe registrasse em seu diário alguns comentários ácidos.

Cinco dias depois dessa exibição celestial ocorreu uma tantalizante "aparência de terra" ao sul. Da gávea, Biscoe avistou uma grande escarpa de gelo "tão alta, ou quase, quanto o promontório Norte", que se estendia por 30 ou 40 milhas. Alguns picos cobertos de gelo indicavam a possibilidade de terra. Havia apenas algumas estreitas aberturas ziguezagueando através do gelo consolidado — só que estreitas demais para o *Tule* e o *Lively*. Uma baleeira foi baixada e Biscoe, com a tripulação do barco, passou através dos canais estreitos em direção à escarpa de gelo. Após uma hora de luta, porém, convenceram-se de que não era possível atravessar. Com os navios afastados um do outro e o tempo se tornando ameaçador, Biscoe prudentemente voltou atrás. Estava certo de que a escarpa não era mais do que um bloco imenso e sólido de gelo. Na verdade, tinham avistado a placa de gelo continental próxima ao promontório Tange.

A visibilidade permaneceu ruim durante dois dias após essa pequena excursão, com freqüentes quedas de neve. O vento continuava teimosamente a vir do leste e, para aumentar o desconforto de todos, o mar agitado fazia os dois barcos jogarem de tal forma que foram obrigados a recolher velas a fim de aliviar a tensão nas vergas e cordames.

Na manhã do dia 28 de fevereiro, entretanto, o mar se tornou mais calmo e tolerável. Estavam agora a 47°20'L e a 66°S, rumando para o Sul por entre blocos partidos do gelo consolidado. Às quatro da tarde avistaram "diversas elevações ao sul, que se assemelham a picos de montanhas". Os marujos de folga subiram aos mastros e, com os oficiais assestando suas lunetas para o sul, a vigilância guiou os navios pelas aberturas do gelo. Duas horas depois, para grande alegria, ficou evidente que iriam colocar no registro de bordo algo mais positivo do que a costumeira "aparência de terra".

As elevações eram agora claramente visíveis, definidas e nítidas, em forma de topos de montanhas escuras cujos flancos penetravam no gelo e na neve. Aqueles picos devem ter suscitado imenso júbilo e excitação entre os marinheiros, tornando suportáveis os meses de sofrimento na umidade e no frio. O diário de Biscoe nada menciona quanto a isso, informando apenas, laconicamente, "grande satisfação".

Durante dois dias Biscoe impeliu seus navios por entre os blocos de gelo — recebendo alguns impactos fortes nesse processo — em direção àqueles picos sedutores. Foi impossível. O vento era brando e tênue, e durante a noite o gelo voltava a se formar nas passagens abertas. Era como navegar em um mar de mingau. A frustração era grande. Desde que haviam partido das ilhas

Sandwich do Sul estiveram lutando por dois meses na direção sul, no esforço de procurar terra. Agora que a encontravam, não podiam atingi-la. Mas se os dois meses anteriores tinham sido extenuantes, os dois seguintes seriam piores.

A provação dos navegantes começou de maneira agradável em 3 de março, com uma exibição brilhante e espetacular da aurora austral, como se tivesse sido preparada por um diretor de cena maligno e astuto. Desta vez, Biscoe contemplou o fenômeno. Novamente, porém, a tripulação do convés foi alvo do veneno de sua língua. Deixemos que o comandante descreva a cena:

> Durante quase toda a noite, a aurora austral fez brilhante aparição, às vezes rolando sobre nossas cabeças em belíssimas colunas e de repente se desenrolando como uma franja de cortina, lançando-se em forma de serpente, e às vezes parecendo estar a não mais de uma jarda [0,91 centímetro] acima de nós; certamente ocorria em nossa própria atmosfera, e sem dúvida foi o fenômeno natural mais espetacular desse gênero que jamais contemplei. Naquele momento nos encontrávamos completamente cercados de blocos de gelo, e, embora os barcos corressem risco considerável de chocarem-se contra eles caso soprasse alguma brisa mais ligeira, o que efetivamente ocorreu, era-me difícil fazer com que os homens se preocupassem com o rumo do navio em vez de admirar a aurora austral.

Após o espetáculo luminoso, o *Tula* e o *Lively* foram levados, como num embuste diabólico, para um canal aberto, de 3 milhas de largura, com icebergs a boreste e gelo consolidado a bombordo, que seguia em direção à terra. Na verdade, era um beco sem saída. Biscoe voltou ao mar aberto e procurou ao longo da orla do gelo outra passagem para o promontório, a que havia chamado de cabo Ann. Outras montanhas receberam os nomes dos irmãos Enderby e uma delas, o monte Gordon, recebeu o nome de casada de uma das irmãs.[2] Na tarde de 5 de março, a velocidade do vento de sudeste aumentara muito, juntamente com uma neve que cegava. Nessas condições de tempestade o *Lively* desapareceu de vista. À meia-noite a ventania já tinha força de furacão.

O *Tula* estava virtualmente ingovernável e seguia impelido para o Noroeste, transformado em uma massa de gelo e neve. As vagas se erguiam monstruosamente a seu redor, levando consigo uma das baleeiras e danificando a outra; amuradas e balaustradas foram carregadas, o gelo se acumulava no casco, no convés, nos mastros, vergas e cordame. Os homens quase não podiam trabalhar no frio intenso, com os dedos e as mãos transformados em garras congeladas. Essas condições duraram até a manhã de 8 de março, deixando o *Tula* "quase destroçado", segundo a anotação sucinta de Biscoe. No horizonte não havia nenhum sinal do *Lively*.

Os ventos de furacão haviam carregado o *Tula* 120 milhas para o norte. Tão logo os ventos se mostraram moderados, porém, Biscoe guinou seu barco avariado e dirigiu-se novamente para o Sul. Diversos homens haviam se ferido durante o vendaval e cinco estavam "em cura": o escorbuto, a temida doença dos marinheiros, fazia sua irrupção. Ao regressarem ao cabo Ann, o tempo recomeçou seu ciclo malévolo: uma ventania de sudoeste a cada 24 horas seguida de curta calmaria, tudo isso com constante queda de neve e borrascas. Em 16 de março, com a temperatura do ar a 5,5º C negativos, avistaram novamente o cabo Ann.

2. Elizabeth Enderby casara-se com o tenente-general Gordon e dele tivera um filho, o major-general Charles Gordon (1833-85), que morreu durante as dez semanas do cerco de Cartum.

Biscoe tinha a esperança de que o gelo consolidado que circundava a terra tivesse sido afastado pelos ventos de furacão, mas a barreira ainda permanecia. Até mesmo o comandante estava extenuado, e tinha de pensar em seus homens. O carpinteiro e outros dois homens tinham perdido o uso das pernas e o escorbuto evidentemente se alastrava entre os demais. Sem outra vela no horizonte, Biscoe presumia que o *Lively* tivesse afundado. Em face de todos esses fatos, não admira que a anotação do dia 16 de março fosse lúgubre:

> Sinto-me absolutamente obrigado a abandonar qualquer nova exploração nesta região. A terra é inacessível, fortes ventos freqüentes todos os dias, alguns dos marinheiros doentes [...]. O barco é muito desconfortável [...] faz muita água e do lado de fora, tanto no casco como no cordame, onde os borrifos do mar podem alcançar, nada mais existe senão uma massa de gelo.

A expressão "nesta região" indica, contudo, que a capitulação não seria total. Derrotado no cabo Ann, Biscoe estava decidido a vencer em outra frente. O tempo, porém, era curto, o inverno se aproximava, a saúde dos homens se deteriorava. Durante mais três semanas o *Tula* procurou na fímbria do gelo consolidado uma passagem para a terra. Em 6 de abril, Biscoe finalmente se deu por vencido. O *Tula*, ainda coberto de gelo, tinha apenas três tripulantes capazes de se manter de pé, o que se dirá de trabalhar. Biscoe se convenceu de que qualquer terra que houvesse ao sul seria inacessível e sentiu-se "obrigado, embora com muita relutância, a abandonar qualquer nova exploração nesta temporada [...]. Considero prudente regressar à Nova Zelândia para prosseguir minha viagem e chegar a clima mais ameno tão prontamente quanto possível".

Danificado pelas tempestades e pelo clima, transportando sua carga de inválidos, o *Tula* avançou lentamente para o Leste. Em 23 de abril o carpinteiro morreu, seguido logo depois por outro marinheiro. O navio estava agora sendo manejado por um único marujo, um rapazinho, os dois oficiais e Biscoe. Deploravelmente enfraquecidos, eram obrigados a arriar as velas ao pôr-do-sol e desfraldá-las de novo de madrugada, esperando durante as noites que eram agora longas e escuras, iluminadas apenas por alguma irrisória aurora ocasional.

À medida que as posições de cada meio-dia iam sendo marcadas na carta de navegação, ficava evidente a necessidade de encontrar um ancoradouro antes de alcançarem a Nova Zelândia. Os homens tinham de descer à terra o mais depressa possível. Hobart, na Tasmânia, era o refúgio mais próximo, e, embora não possuísse mapas da região, Biscoe alterou seu curso para aproximar-se da terra. Mostrava-se corajoso diante dos companheiros, mas no diário revela seus verdadeiros sentimentos: "Procurei com todas as minhas forças manter a coragem dos marinheiros a bordo, e freqüentemente sorria, porém com sentimentos interiores diversos".

No início de maio Biscoe entrou com seu hospital flutuante no rio Derwent, rumo a Hobart. James Weddell, que ali estava no comando do *Eliza*, mandou alguns homens ajudar a atracar o *Tula*. Os doentes foram levados ao hospital em terra. É interessante imaginar o encontro entre Weddell e Biscoe. Ali estavam dois homens de mesma idade, ambos navegadores e marinheiros extraordinários, ambos haviam servido na Marinha Real, ambos tinham mentes investigadoras. A bordo do *Tula* certamente estariam os livros e cartas de Weddell. Sobre o que teriam conversado esses dois homens, que tinham tanto em comum? Formação de icebergs? Religião? Comércio de focas? Amizades comuns dos tempos da

Marinha de Guerra? Antiescorbúticos? Cronômetros? Armadores e suas fraquezas? Aparelhamento de barcos? Política? Os presidiários de Hobart? Problemas de máquinas a vapor em navios? Teria Biscoe relatado suas descobertas a Weddell? (Os Enderby lhe haviam recomendado que guardasse silêncio sobre quaisquer novos viveiros de focas. O problema seria manter o segredo entre os marinheiros. Os marujos nas tavernas dos portos não são conhecidos por seu silêncio e o rum costuma soltar as línguas mais presas.) O que quer que tenham conversado, nada se sabe. O passado permanece silencioso. É certo, no entanto, que um laço de amizade, de camaradagem, como se verá, surgiu entre eles.

Os meses seguintes foram passados em Hobart, reparando o *Tula* e recuperando a saúde da tripulação. Durante esse tempo nada se soube do *Lively*. No início de setembro, o *Tula* desceu o rio Derwent no segundo estádio da viagem. Na embocadura do rio, navegando em direção a eles, uma pequena embarcação conhecida se aproximava. Era o *Lively*, que se dirigia a Hobart. Encontraram-se, trocaram informações e voltaram juntos rio acima.

O relato de Avery era extraordinário. Após a separação durante a tempestade de março, o *Lively* sofrera muito mais do que o *Tula*, se é que isso era possível. Avery, descrito por um repórter do *Tasmanian* como "homem com aparência de simples marinheiro, porém extremamente inteligente e bem informado", perdera toda a tripulação, com exceção de um marujo e um rapazinho que quebrara a mão. Dois homens haviam morrido no convés inferior e, numa cena macabra digna de um Grand Guignol, Avery, o único que ainda tinha forças, executara a lúgubre tarefa de amarrar uma corda em volta do cadáver de cada um deles e içá-los pela escotilha com o guincho, antes de "lançá-los às profundezas", na expressão melodramática do jornalista.

Assim como Biscoe, Avery também resolvera dirigir-se à Tasmânia, no entanto conseguiu alcançar Port Phillip (a cidade de Melbourne de nossos dias) apenas cerca de um mês antes da chegada de Biscoe a Hobart. Terrivelmente debilitados, as três figuras espectrais, dois homens e um menino, "no mais extremo estado de exaustão", conseguiram fundear o *Lively* e sair cambaleando para terra, a fim de buscar água e provisões. Quando regressaram, o pequeno cúter havia desaparecido — levado por nativos ou desgarrado de suas amarras. Durante duas semanas os náufragos procuraram por entre as angras e entradas da baía. Encontraram o barco encalhado em uma delas e com muito esforço fizeram-no flutuar, terminando por zarpar para Hobart a tempo de oportunamente se encontrar com o *Tula* na foz do rio Derwent.

De volta a Hobart, o *Lively* foi reparado e os dois homens, mais o rapazinho, recuperaram as forças. Em 8 de outubro de 1831, James Weddell e outros amigos de Biscoe tomaram o café da manhã na pequena cabine do *Tula*. Após as despedidas finais, os dois navios de Biscoe ergueram âncoras e zarparam para a Nova Zelândia. Ali carregaram lenha e água e seguiram para as ilhas Chatham, ao largo da costa leste da Nova Zelândia, com o intuito de tentar a sorte com as focas. Esses animais, entretanto, haviam sido virtualmente exterminados e no porão havia somente 23 peles no momento em que partiram para as ilhas Bounty, pouco mais ao sul. Novamente, nada encontraram.

Biscoe rumou então para um ponto no oceano a cerca de um terço da distância entre a Nova Zelândia e o cabo Horn. Tratava-se de nova investigação para encontrar ilhas avistadas anteriormente — as ilhas Nimrod. Após ter navegado pela presumida posição, Biscoe atirou as ilhas ao lixo cartográfico, como fizera com as Aurora. Dirigiam-se agora para as Shetland do Sul, a fim de tentar aumentar o ridículo número de peles de foca que tinham caçado.

Navegando para o leste com pequena derivação ao sul, Biscoe resolveu passar ao sul da rota de James Cook cumprida em 1774, na esperança de encontrar terra — sem saber que, onze anos antes, Bellingshausen fizera o mesmo. Não muito ao sul, porém. Após a experiência do ano anterior, Biscoe desejava chegar aos viveiros de focas com os navios intactos e a tripulação saudável.

Comparada com os horrores experimentados ao largo da Terra de Enderby, a travessia foi bastante aprazível. Avistaram o primeiro iceberg em 24 de janeiro e poucos dias depois tiveram a emoção de presenciar o desabamento de outro, com um barulho ensurdecedor, ao qual restou apenas um pequeno núcleo boiando entre os fragmentos. Num dia de boa visibilidade, contaram 250 icebergs à vista do convés. A fauna que os acompanhava dava-lhes alento constante. Uma escolta amigável de pombas-do-cabo esvoaçava entre os dois barcos; a certa distância planavam os arredios albatrozes; as procelárias davam vôos rasantes sobre o mar, em que se viam jorros de baleias e água espirrada pelos saltos dos pingüins. O barômetro, que havia sido substituído, causou certo alarma ao cair a 69,34 centímetros, mas não se produziram os ventos de tempestade que essa leitura permitiria prever no hemisfério norte. Novamente o *Lively* produzia as dores de cabeça habituais; a água potável de bordo havia acabado e foi necessário mandar barris do *Tula*. Biscoe achava que a água obtida pelo derretimento de icebergs provocava disenteria. As condições do velame do cúter também preocupavam. Em linhas gerais, no entanto, a não ser pelo constante perigo das placas de gelo e icebergs, a travessia por aquela parte do oceano austral se mostrava relativamente pouco exigente.

Em 15 de fevereiro de 1832, cinco semanas após terem deixado as ilhas Bounty, avistaram terra a grande distância, a leste-sudeste. Biscoe alterou o rumo nessa direção e no dia seguinte se encontravam nas proximidades. Para o comandante, que não tivera notícia das descobertas das ilhas de Pedro I e de Alexandre por parte de Bellingshausen, essa nova descoberta representava uma recompensa — a terra mais meridional até então descoberta no globo. Batizou-a em honra da rainha Adelaide, esposa de Guilherme IV. A nova terra foi por ele descrita da seguinte maneira:

> Esta terra, a mais meridional conhecida, foi por mim honrada com o nome de H.M.G. Majestade Rainha Adelaide. Tem aparência imponente e bela, com um pico muito alto que alcança as nuvens e ocasionalmente se mostra acima ou abaixo delas; cerca de um terço das montanhas, que têm aproximadamente 4 milhas de extensão norte-sul, possui apenas uma fina cobertura de neve sobre o topo. Em direção à base, os dois terços remanescentes estão cobertos de neve e gelo de brilho extraordinariamente ofuscante. Essa capa de neve e gelo tem cerca de 4 milhas de extensão, diminuindo gradualmente de altitude até terminar em forma de escarpa, de 10 ou 12 pés [3 ou 3,6 metros] de altura, fendida em várias direções ao longo de pelo menos 200 ou 300 jardas [180 a 274 metros] a partir da orla, que parece formar icebergs à espera de uma ventania mais forte para separá-los do corpo principal e lançá-los à água. Devido à grande profundidade da água, acredito que esta terra tenha sido originalmente um grupo de rochas perpendiculares e sou de opinião firme de que, se pudesse ter chegado à terra por mim avistada no ano passado, sua aparência seria semelhante à desta, assim como outras terras existentes nas latitudes meridionais.

Biscoe se dedicava a seu *hobby*. A ilha Rainha Adelaide lhe dava a satisfação de confirmar sua errônea suposição de que os icebergs fossem formados pela água do mar congelada entre grupos de rochas perpendiculares.

O dia seguinte foi especialmente claro: daqueles não muito raros em que a Antártica parece explodir com excesso de oxigênio e o ar tem tal limpidez diamantina que as cadeias de montanhas se estendem até grandes distâncias, como se fossem pintadas por algum cenógrafo exuberante. Para o sul, avistavam-se mais terras, cuja distância Biscoe estimou em 90 milhas. Era um cálculo notavelmente preciso — tratava-se dos picos da extremidade norte da ilha Alexandre, a cerca de 100 milhas dali.

No outro dia, o cenário foi coberto pelo nevoeiro. Enquanto navegavam com cautela para Noroeste, a cerração dissipou-se subitamente e viram-se diante de um grupo de ilhas — as ilhas Biscoe — não tão montanhosas quanto as ilhas Adelaide mas cobertas com um manto de neve e gelo, perfeitamente lisas — exceto na costa. Por trás dessas ilhas havia um pano de fundo composto de uma cordilheira "de aparência grandiosa". Estavam vendo as montanhas da península Antártica. Em 19 de fevereiro despacharam um bote para investigar a ilha, na esperança de encontrar focas, porém o escaler voltou com notícias negativas. Biscoe a batizou com o nome de ilha Pitts, porque um iceberg próximo o fez recordar o estadista "quando sentado".

Parece haver um ritual definido na nomenclatura usada pelos primeiros exploradores para dar nome aos principais acidentes geográficos da Antártica. Basta uma olhada no mapa do continente para verificar os nomes de reis e rainhas, políticos e milionários que disputam a primazia: os reis e os políticos, por seu patrocínio futuro; os milionários, por sua assinatura num cheque. Biscou chamou a essa ilha de Pitts por pura fantasia, e talvez por admiração, pois esse político havia morrido muitos anos antes. Mais de um século depois, cada uma das ilhas e rochedos exteriores que compõem as ilhas Pitts recebeu nomes felizmente diferentes dos previsíveis. Ali estão as ilhas Trundle, Jinks, Snubbin, Nupkins, Sawyer, Pickwick (a maior do grupo), Winkle, Fizking, Snodgrass, Weller e Jingle. O acesso a um pequeno porto se chama entrada de Wardle e os rochedos exteriores se chamam Bardell, Buzfuz e, finalmente, Dickens.

As ilhas Pitts ficam a pouco mais de 200 milhas de New Plymouth, nas Shetland do Sul. Duas semanas mais tarde, tendo enfrentado a combinação costumeira de nevoeiro, ventanias e calmarias, as âncoras do *Tula* e do *Lively* foram lançadas às águas do antigo porto dos caçadores de focas. Num dia daquelas longas duas semanas, Biscoe havia feito escala em uma baía (a cerca de 5 milhas da atual estação Palmer, na ilha Anvers), na qual, registrou ele com certa tristeza, "a água estava tão tranqüila que, se tivesse sido possível encontrar focas, as peles poderiam ser carregadas para bordo com facilidade, visto que os navios ficariam bem junto aos rochedos para esse fim [...] e o sol era tão morno que a neve derretia nas pedras junto à linha da água". Imaginando, incorretamente, que aquela terra fizesse parte do continente, tomou posse formal dela e deu nome às duas montanhas mais elevadas: uma em homenagem a Guilherme IV e outra, ao capitão Moberly — o mesmo que recomendara por escrito a promoção do jovem Biscoe.

Biscoe já havia passado dezenove meses numa aventura comercial que produzira importantes descobertas, mas não conseguira encontrar peles ou óleo que justificassem os custos da viagem. Ali em New Plymouth a sorte do empreendimento poderia mudar. Sua esperança agora era encontrar elefantes-marinhos, e não focas-de-pêlo. Um compatriota, Adam Kellock, estava também fundeado em New Plymouth com sua escuna *Exquisite*, de 22 metros. Deu um testemunho alentador, de que havia elefantes-marinhos em abundância. Biscoe mandou dois barcos e conseguiu trinta animais. Em 17 de março, o *Exquisite* levantou ferros, deixando o *Tula* e o *Lively* sozinhos no ancoradouro. No dia seguinte, com uma tripulação reduzida a bordo do *Tula*, Biscoe partiu no cúter em busca de mais focas para acrescentar à sua magra caçada. Na altura de 2 de abril já haviam regressado, tendo avistado somente onze filhotes de elefantes-marinhos.

De volta ao *Tula*, Biscoe ouviu o relato de um violento vagalhão que entrara no ancoradouro durante a ausência do cúter, tão alto que causou enorme ansiedade à pequena tripulação que ficara a bordo. Era tempo de zarpar. O *Lively* regressaria à Inglaterra e o *Tula* seguiria para o viveiro de baleias mais próximo na tentativa de abarrotar-se de óleo.

Na cabine do *Tula*, Biscoe escreveu os relatórios de viagem e uma carta ao capitão Beaufort, diretor de hidrografia da Marinha em Londres. O comandante estava convencido de que a terra da qual tomara posse em fevereiro — a que chamara de "promontório Guilherme IV" —, além da que tinha descoberto no ano anterior, "formam o litoral de um continente austral [...]; em minha opinião há muito campo para descobertas nessas regiões meridionais, o que traria grande benefício para a ciência e a navegação".

O continente austral, no entanto, ainda reservava surpresas para os marinheiros do *Tula* e do *Lively*. Em 10 de abril, com ambos os navios prontos para partir, foram açoitados por ventos de tempestade e ondas altas que penetravam no ancoradouro. Era impossível zarpar. O *Tula*, que tinha maior calado, batia com o casco no fundo e seu leme acabou se destroçando. Todos o abandonaram e embarcaram no *Lively*, de onde as duas tripulações observaram juntas, impotentes, o jogo do *Tula* corcoveando à mercê das ondas que lhe varriam o convés. Mesmo recalcitrante e às vezes difícil de manejar como era, o *Tula*, com sua figura de proa em forma de mulher enfiada nas catadupas de água, representava a vida que dependia de um cabo de âncora. O cabo agüentou.

A tempestade passou, e com o mar se acalmando — Biscoe estimou as ondas mais altas superiores a 5 metros —, os marinheiros aliviados voltaram ao *Tula*. Com a capacidade de improvisação tão característica dos marujos, em pouco tempo prepararam um leme de emergência. Quanto às 700 milhas da viagem até as Falkland, o diário de Biscoe é sucinto: "Chegamos ao estreito de Berkeley após uma viagem muito árdua".

Era o dia 29 de abril de 1832. Biscoe e sua tripulação, com dois navios inadequados, haviam completado a terceira circunavegação da Antártica. Passaram um mês no estreito de Berkeley recuperando as forças e preparando uma oficina de ferreiro em terra a fim de forjar o ferro para um novo leme. Quando os reparos foram concluídos, a busca de focas continuou. A ilha Nova, do lado oeste das Falkland, foi o destino seguinte. Mas a temporada já estava adiantada e as focas eram escassas. Mais preocupante era o fato de que o *Lively* havia se extraviado na travessia a partir do estreito de Berkeley.

Um mês depois de ter zarpado do estreito, sem focas e sem o *Lively*, Biscoe preparou-se para a busca de seu companheiro ausente. No fim de julho, estava de volta ao estreito, onde más notícias o aguardavam. O pequeno *Lively*, ex-barco de praticagem de Cowes que navegara em águas jamais sonhadas por seus construtores, encontrara seu último repouso no Atlântico Sul. "O sr. Avery", registrou Biscoe, "comandante do *Lively*, subiu a bordo com parte de sua tripulação, havendo sido resgatado na ilha Mackay pelo *Unicorn*, comandado pelo capitão Couzens com bandeira de Montevidéu, tendo o *Lively* naufragado naquela ilha com perda total."

No estreito de Berkeley Biscoe aguardou notícias da Inglaterra. A combinação era de que os Enderby mandariam o *Rose* com suprimentos e provisões para que Biscoe continuasse no oceano austral por mais uma temporada. Com bocas extras para alimentar vindas do *Lively*, o comandante reduziu as rações a 1,5 quilograma de pão por semana e considerou que "isso, juntamente com sopa fresca e outras necessidades [...], é o suficiente. Contudo, a tripulação inteira recusou-se a trabalhar e fui obrigado a dar-lhes 2 quilogramas de pão por semana e prometer que arranjaria novas provisões em algum outro porto [...]. Mas eles estão muito desanimados com a viagem e desertam uns após outros quando têm oportunidade, e na verdade não posso censurá-los".

A lenta erosão de sua tripulação e o atraso do *Rose* fizeram com que Biscoe resolvesse zarpar — com um suprimento de carne bovina fresca para suplementar os 2 quilogramas de pão — em direção a Santa Catarina, no Brasil. Chegaram em 20 de setembro e encontraram abastecimento em forma de frangos, porcos, peixe e lenha. Naquele mesmo mês, a mil milhas ao sul, próximo ao povoado fortificado de Bahía Blanca, Charles Darwin aprendia a usar a boleadeira — sem grande êxito — com os gaúchos e a comer tatu cozinhado na própria casca — tinha gosto de pato —, além de bolinhos feitos com ovos de "avestruz" (ema). Mais interessante do que isso foi encontrar numa escarpa baixa ossos fósseis colossais de animais extintos. Eram descobertas destinadas a dirigir aquela mente inquisitiva para novas águas não antes navegadas.

Enquanto Darwin cavava a face da escarpa, carregava os cavalos com ossos fossilizados e especulava sobre seu significado, Biscoe — em escala muito menor — especulava sobre uma viagem de caça às desoladas ilhas Diego Ramirez, ao largo do cabo Horn. Mas se Biscoe ainda tinha disposição para outra tentativa no oceano austral, seus oficiais e marinheiros eram de opinião contrária. Seduzidos pelas delícias do Brasil, todos desertaram, menos quatro homens e três rapazinhos. Sem tripulação e sem dinheiro — fora obrigado a vender objetos de propriedade do navio e alguns de seus pertences pessoais —, Biscoe tomou a inevitável decisão de regressar à Inglaterra.

Em 8 de fevereiro de 1833, após uma viagem de dois anos e meio, o castigado *Tula* entrou nas docas de Londres com uma carga de trinta peles de foca. Foi um desastre comercial para os Enderby. Entretanto, Charles Enderby pôde ao menos salvar dessa situação algum prestígio nacional e geográfico. Em três dias apresentava um documento intitulado "Recentes descobertas no oceano Antártico" à Real Sociedade de Geografia. O mesmo documento foi reimpresso no *Naval Magazine*, dos Estados Unidos. A Sociedade agraciou Biscoe com uma medalha de ouro — foi a segunda pessoa a recebê-la — e acolheu-o como sócio sem pagamento das mensalidades. Era, talvez, uma pequena recompensa pelos sacrifícios da viagem. Havia sido uma expedição notável sob todos os aspectos. Com dois navios pequenos e inadequados, tripulação malvestida e suprimentos insuficientes, Biscoe lutara com tenacidade de buldogue para atingir aqueles sedutores picos da Terra de Enderby. Poucos homens teriam passado cinco semanas tão duras para chegar a uma Pisgah* tão erma.

Terceiro circunavegador da Antártica, Biscoe foi pioneiro em perceber que suas descobertas "formam o litoral de um continente austral" e em levar o fato ao conhecimento do diretor de hidrografia, em Londres. A anotação do caçador de focas John

* Alusão ao monte bíblico aonde subiu Moisés para avistar o rio Jordão, o qual não lhe seria permitido atravessar (Deuteronômio, 3:24). (N. T.)

Davis em seu diário fora um palpite inspirado, nada mais. Ele não possuía a experiência visual de Biscoe no tocante a massas de terra na Antártica, tão separadas entre si. A outra contribuição à descoberta do continente, obtida com sacrifício por Biscoe, foi o conselho de que em futuras viagens pelas latitudes meridionais elevadas a navegação fosse feita de Oeste para Leste. Na década seguinte, esse conselho foi ouvido, seguido e adotado por expedições nacionais dos Estados Unidos, França e Grã-Bretanha.

A medalha de ouro da Real Sociedade de Geografia foi em breve seguida de outra, da Sociedade Geográfica de Paris. Em uma carta de agradecimento pela distinção, Biscoe reafirma seu interesse em prosseguir na exploração da Antártica: "Permitam-me expressar meus calorosos e sinceros agradecimentos à Sociedade e assegurar que, se se apresentar uma oportunidade de retornar àquelas latitudes, nem as dificuldades nem os perigos me impedirão de retomar a exploração de uma parte do mundo ainda desconhecida e agora tão interessante".

A oportunidade para nova exploração se concretizou alguns anos mais tarde. Porém, antes do retorno às frígidas seduções da Antártica, vieram o casamento, o comando de um brigue que comerciava entre Liverpool e as Índias Ocidentais e depois, como comandante da barca *Superb*, a viagem com a família para a Austrália. Ali estabeleceu seu novo lar.

Em dezembro de 1838, no comando do *Emma*, de 20 metros e preparado para a caça de baleias, Biscoe zarpou de Sydney. Na altura de maio de 1839, o *Emma* voltava ao porto, e um repórter um tanto irritado do *Sydney Herald* informou que "não pudemos obter pormenores a não ser o de que o navio atingiu 75ºS. Ouvimos de uma pessoa que estava a bordo que haviam encontrado uma escuna e um cúter em viagem de descoberta [...]". Se Biscoe tivesse chegado a 75ºS, teria sido uma façanha notável — mais ao sul do que Cook e Weddell —, penetrando mais profundamente tanto no mar de Ross como no mar de Weddell. Mas os relatos jornalísticos raramente constituem modelos de veracidade. Biscoe encontrou Dumont d'Urville em Hobart em dezembro de 1839 e o comandante da expedição francesa registrou que "ele me contou que ultimamente tentara penetrar ao sul ao longo do meridiano da Nova Zelândia, mas que o gelo o detivera a 63ºS de latitude". Quanto à escuna e ao cúter, tratava-se do *Eliza Scott* e do *Sabrina*, comandados por John Balleny — que em breve faria descobertas complementares às de Biscoe.

Os últimos anos de vida que lhe restavam, Biscoe os passou no comando de navios de passageiros e carga ligando Sydney com Port Philip e Hobart. Sua saúde, porém, o abandonava. Em 21 de outubro foi publicada uma pequena nota nos jornais de Hobart:

> AO PÚBLICO: Solicitam-se com empenho doações caritativas ao público, em nome do capitão John Biscoe, ultimamente comandante do *Marian Watson* e anteriormente da escuna *Tula*, de cerca de 120 toneladas, na qual, acompanhado pelo cúter *Lively*, de apenas 46 toneladas, explorou as regiões meridionais em geral, por um período de três anos; sua coragem exemplar naquela ocasião, em busca de conhecimento científico, é reconhecida por testemunhos públicos de governos britânicos e estrangeiros, com um roteiro registrado nas atuais cartas do Almirantado: os sacrifícios e as privações daquela viagem abalaram sua constituição e após uma longa série de enfermidades encontra-se incapacitado de exercer sua profissão.
>
> Seus amigos procuram agora obter meios que lhe permitam regressar com a família à Inglaterra e apelam confiantes para a benevolência do público da Terra de Van Diemen a fim de realizar esse projeto.
>
> As subscrições serão recebidas em todos os bancos e também pelo tesoureiro, sr. William Carter.
>
> Subscrições já recebidas: 109 libras e 12 xelins.

O vice-governador da Terra de Van Diemen, Sir John Franklin — que conhecia bem o gelo do Ártico —, contribuiu com 10 guinéus. Poucos meses após a publicação da nota, Biscoe partiu com a mulher e os filhos, como passageiros da barca *Janet Izat*. Foi a derradeira viagem de John Biscoe: ele faleceu durante o trajeto de regresso à Inglaterra. Não ficou registrada a latitude em que foi celebrado o funeral. Seria, porém, reconfortante imaginar que, após a leitura das orações, quando a prancha fosse inclinada, deixando que a forma envolta em lona caísse de sob a bandeira inglesa, o corpo fosse recolhido pelas águas do oceano austral, próximo a um daqueles icebergs que haviam suscitado tantas indagações em John Biscoe. Todo homem tem direito a uma fantasia inocente durante a vida.

Em 1990 a rainha Elizabeth lançou novo navio para substituir o idoso *John Biscoe*. Nomeando-o *R.R.S. James Clark Ross*, manteve-se a tradição de batizar os navios de pesquisa antártica da Inglaterra em homenagem aos primeiros exploradores do continente. Espera-se que tenha tanta *baraka* quanto seu valoroso antecessor.

12. Kemp e Balleny: as últimas descobertas dos caçadores de focas

Apesar do tempo decorrido desde a descoberta do continente ocidental, e do conseqüente impulso que esse fato conferiu ao espírito das descobertas, é notável verificar que a parte mais interessante deste globo terrestre continua inexplorada e quase totalmente desconhecida. As nações civilizadas deveriam envergonhar-se por, nesta era esclarecida, haver tão pouco conhecimento acerca dos mares, ilhas e talvez dos continentes que possam existir nas regiões polares do hemisfério sul.

Benjamin Morrell, A narrative of four voyages, 1822-1831 [Uma narrativa de quatro viagens], *1832*

Incentivados pelos resultados bem-sucedidos das descobertas geográficas de Biscoe e sem se deixar impressionar com as perdas financeiras, os irmãos Enderby despacharam para a Antártica outra expedição de caça às focas, com a escuna *Hopefull* e o iole *Rose*. A aventura comprovou-se um completo desastre: o *Rose*, esmagado pelo gelo endurecido das Shetland do Sul, afundou, e a tripulação foi recolhida pelo *Hopefull*. O prejuízo dos Enderby foi em parte atenuado pelo curioso fato de que o Departamento do Tesouro lhes pagou 2539 libras. Era um exemplo da astúcia cautelosa dos comerciantes: o Almirantado prometera aos Enderby reembolsar uma parcela de suas perdas desde que houvesse um representante seu a bordo, na pessoa de um certo tenente Rea. O perplexo oficial, acostumado à disciplina da Marinha Real, não aprovou os modos rudes dos caçadores de focas, descrevendo-os como "um grupo de cães amotinados".

Os Enderby caminhavam para o desastre financeiro. E esse caminho por eles percorrido serve de advertência às firmas que se apóiam em informações e planejamento deficientes, energias mal conduzidas e em uma atitude de desprezo em relação aos fatos. Tudo isso culminaria na ruína financeira deles com o fiasco da Companhia Meridional de Pesca de Baleia, do qual eles próprios foram culpados, e em uma tentativa não concretizada de colonizar as remotas ilhas Auckland, ao sul da Nova Zelândia. Isso, porém, era o que o futuro reservava para Charles, Henry e George Enderby. Em 1833 todos estavam eufóricos com as recompensas geográficas trazidas por John Biscoe, pois com elas os irmãos ingressaram na hagiografia da exploração antártica.

Os Enderby, no entanto, tinham concorrentes: Daniel Bennett & Sons, de Londres. Como ocorrera aos Enderby, as aspirações sociais dos Bennett seriam santificadas pelo Colégio de Heráldica, e eles orgulhosamente seriam portadores de escudo e brasão. Por meio dos anuários comerciais, são conhecidas a sorte variável e as ambições dessa família prudente e trabalhadora. O humilde "funileiro" se transforma em "proprietário de navios", em "comerciante" e em "armador nos mares do Sul". Ao contrário dos Enderby, os membros dessa astuta companhia familiar pouco se importavam com descobertas geográficas. Os relatórios dos comandantes de seus navios eram examinados cuidadosamente. Ninguém da família pertencia à Real Sociedade de Geografia. Contudo, fora um navio dos Bennett, o *Dove*, sob o comando de George Powell, que descobrira as Órcadas do Sul, em 1821. E Powell foi quem elaborou a melhor carta e as instruções de navegação mais precisas para as Shetland do Sul publicadas na época.

Em julho de 1833, poucos meses depois do regresso de Biscoe ao Tâmisa, um pequeno navio de propriedade de Bennett, o *Magnet*, de 22 metros, zarpou de Londres em direção ao oceano austral. A bordo havia dezoito homens sob o comando de Peter Kemp. Pouco se conhece a respeito de Kemp. Trata-se de uma daquelas figuras que surgem da massa de anônimos comandantes da Marinha Mercante, ficam um instante à luz dos holofotes devido a uma descoberta na Antártica e em seguida saem de cena. Antes de assumir o comando do *Magnet*, Kemp fora mestre em sete outros navios e fizera pelo menos doze viagens ao oceano austral, trazendo de volta óleo de baleia e de foca, óleo de cachalote e peles de focas. Era um comandante experiente e habilidoso.

Ao partir, Kemp tinha pleno conhecimento das descobertas de Biscoe. Cuidadosamente guardados em sua cabine, estavam dois cronômetros Arnold & Kent, com a numeração 173 e 279. Essa companhia havia iniciado uma guerra de preços ao reduzir de 80 para 40 guinéus (cerca de 4 mil libras, ou 6 mil libras, segundo valores de 1996) o custo de cronômetros de confiança. Mesmo assim, a compra desses instrumentos por parte dos Bennett representava um investimento considerável em se tratando de um negócio de alto risco.

Kemp conduziu o *Magnet* numa travessia sem escalas à ilha Kerguelen — uma longa viagem de 11 mil milhas até o outro lado do mundo, em que deu mostras de uma combinação de urgência de objetivos e provisões adequadas. A ilha Kerguelen, ermo pico vulcânico situado no oceano austral entre a África e a Austrália, fora avistada pela primeira vez pelo bretão Yves Joseph de Kerguelen-Tremarec em 1772, tendo sido visitada por James Cook em sua terceira circunavegação, em 1774. Até mesmo Cook, normalmente impassível, sentiu a atmosfera deprimente da ilha e a batizou de ilha da Desolação. O nome era adequado, pois, estando situada na fímbria da Convergência Antártica, entre dois sistemas climáticos, a ilha possui um clima que só pode ser descrito como perverso: predominam os ventos, a neve, geadas e chuvas.

Os caçadores americanos de focas e de baleias tinham dificuldade em pronunciar o nome de Kerguelen; por isso, seguiram o exemplo de Cook e passaram a chamá-la também de ilha da Desolação. Esses caçadores foram os primeiros a chegar na esteira do *Resolution* e do *Discovery* de Cook, transformando a ilha num dos principais centros de suas operações.

Em dezembro de 1792, depois de caçar baleias no oceano Índico, o *Asia*, o *Alliance* e o *Hunter*, de Nantucket, navegaram em direção à ilha em busca de elefantes-marinhos. Bartlett Coffin, capitão do *Asia*, morreu durante a estada de três meses na ilha e seus marujos "o enterraram de maneira decente" nas praias solitárias de uma ilha muito distante de sua própria ilha natal. Seria a primeira de muitas mortes. A notícia da morte de Coffin chegou a Nantucket em agosto de 1793. Zenia Fanning, infatigável jornalista, escreveu em suas anotações que "no terceiro dia do mês chegaram cartas de Andrew Pinkham [...], segundo oficial de Bartlett Coffin; informando que Bartlett faleceu em 7 de fevereiro; feriu-se gravemente em janeiro e morreu em grande agonia. A pobre prima Judith ficou viúva e inconsolável".

Dezessete anos mais tarde, outra viúva: o capitão John Matley, do *Duke of Portland*, de propriedade dos Bennett, morreu na ilha.

Na viagem seguinte para Kerguelen, a viúva de Matley enviou uma lápide, com inscrições apropriadas. A desolação do lugar onde os corpos eram enterrados contrasta fortemente com o adro de um cemitério gramado de uma igreja de aldeia inglesa.

Muitos comandantes da companhia dos Bennett, assim como os americanos, conheceram bem a ilha da Desolação. Na temporada de 1799-1800, o capitão Robert Rhodes, do *Hillsborough*, passou oito meses caçando focas e baleias nas baías da ilha e ao longo do litoral. Também se empenhou a preparar uma magnífica carta das costas norte e nordeste, juntamente com instruções para navegação. Quarenta anos depois, o capitão James Clark Ross, no comando do *Erebus* e do *Terror*, usou essas informações valiosas durante sua estada de três meses na ilha numa expedição que pretendia estabelecer observatórios magnéticos. Numa homenagem a Rhodes, Ross deu o nome "desse diligente pesquisador" a uma baía. Ross e seus navios passaram 68 dias em um ancoradouro; ventos de tormenta sopraram por 45 dias e apenas três estiveram livres de neve ou chuva. Concisamente, Ross descreveu a estada como "lúgubre e desagradável".

Portanto, foi para essa ilha desagradável que Kemp rumou após rodear a extremidade da África e navegar para o leste e para o sul, nas extensas águas do oceano austral. Embora sombria e desolada, a ilha oferecia certas vantagens: água doce em abundância após a longa viagem, assim como carne fresca de pato, pingüim e foca, além de ovos de pingüim para os pudins cozidos de frutas secas, os favoritos da tripulação. E o mais importante, a ilha possuía um legume fresco, na forma esférica da alcachofra — o repolho de Kerguelen. O médico de Cook, William Anderson, havia notado essa valiosa planta e lhe dera o nome de Sir John Pringle, o presidente da Real Sociedade. A tripulação do *Resolution*, que conhecia bem as estranhas inclinações de seu comandante, comeu-o cru. Anderson acreditava tratar-se de valioso antiescorbútico, e a *Pringlea antiescorbutica* passou a integrar a dieta dos caçadores de baleias e focas que vieram depois de Cook.

A outra vantagem para Kemp era a posição da ilha, a cerca de 1200 milhas ao norte das descobertas antárticas de Biscoe e ligeiramente a leste. De Kerguelen, Kemp poderia descer ao oceano austral utilizando os ventos dominantes de oeste e chegar à latitude da Terra de Enderby, dali navegando para o Oeste — seguindo o conselho de Biscoe de que nas latitudes elevadas junto ao Círculo Antártico predominam os ventos de leste.

Na última semana de novembro, após abastecer-se de água e reanimar a tripulação depois da longa viagem vindo da Inglaterra, Kemp zarpou para o Sul com o *Magnet*. Durante a primeira semana navegaram rapidamente, e na manhã de 27 de novembro avistaram terra, a cerca de 180 milhas ao sul de Kerguelen. No mapa de Kemp em que está traçado o curso do *Magnet*, aparece a lacônica anotação "Terra avistada", e com essa prova pouco consistente os ingleses têm reivindicado a primeira visão da ilha Heard — outro desolado posto avançado no oceano austral. Como o *Magnet* se encontrava a 120 milhas de distância da ilha, é altamente improvável que tenham avistado terra; provavelmente se tratava de uma daquelas nuvens que enganam e atormentam os marinheiros há séculos.

Somente em 1853 o capitão John H. Heard, da barca americana *Oriental*, navegando de Boston para Melbourne e seguindo uma rota circular ampla pelo oceano austral defendida pelo tenente Matthew Fontaine Maury, diretor do Observatório Naval dos Estados Unidos, passaria próximo à ilha e marcaria sua posição.

Essa descoberta possui um toque reconfortante de domesticidade, pois Heard viajava acompanhado de sua esposa, sra. Fidelia Heard, que durante a viagem escreveu um diário. Em 25 de novembro de 1853, Heard avistou o que lhe pareceu um imenso iceberg. Como o tempo estivesse úmido e frio, pediu à esposa que vestisse as roupas "de cozinhar frangos" e subisse ao convés para ver o monstruoso bloco de gelo. A sra. Heard olhou pelo telescópio na direção do suposto iceberg, na esperança de fazer um esboço, mas os contornos estavam indistintos. Ao se aproximarem, à medida que a visibilidade melhorava, John Heard declarou que se tratava de terra, não constante de nenhum mapa. Passaram a uma distância de 20 milhas da descoberta e Heard fez uma observação bastante exata de sua posição, estimando a altitude máxima em 1524 metros. Era o oposto da situação clássica na Antártica, em que os icebergs são geralmente confundidos com terra firme. A sra. Heard ficou radiante com tal aparição no horizonte norte, "pois talvez sejamos os descobridores e, se for assim, o capitão terá o privilégio de dar-lhe um nome".

A notícia da descoberta se tornou pública na edição de 24 de dezembro de 1853 do *Argus*, de Melbourne. Uma semana mais tarde, Heard escreveu a Maury e anexou à carta a passagem de seu registro de bordo em que descrevia a travessia a partir de Boston e reivindicava o privilégio de batizar a ilha com seu nome. Depois, para sua grande consternação, leu no *Argus* que um certo capitão William McDonald, do navio britânico *Samarang*, havia descoberto ilhas — no plural —, no dia 4 de janeiro de 1854, próximo àquela ilha que Heard considerava sua. Era um chamado às armas em defesa de sua descoberta. Heard desembainhou sua pena em 6 de fevereiro e redigiu uma carta ao *Argus*, proclamando que a notícia de *sua* descoberta aparecera no mesmo jornal e argumentando que a prioridade lhe cabia por uma diferença de dois meses. No mesmo dia escreveu outra carta a Maury sobre a terra avistada por McDonald, reiterando sua reivindicação aos Estados Unidos de ter sido o primeiro a avistar a ilha, ou ilhas, além do direito de dar-lhes nome.

Heard não era tolo. Como natural da Nova Inglaterra, temente a Deus e atento às questões financeiras, era motivado tanto por sentimentos patrióticos como por razões pecuniárias, e a ilha — que jamais veria novamente — representava ambas as coisas. Além disso, não se deve desprezar uma das principais motivações de muitos exploradores, isto é, a emoção de ter feito uma descoberta e a fama passageira e a sensação de imortalidade que esse fato acarreta. É uma mistura explosiva de sentimentos que levou a muitas disputas e insultos entre os exploradores e seus defensores.

O capitão tinha consciência de que sua descoberta poderia ser um refúgio ideal para as focas-de-pêlo e elefantes-marinhos, e, devido à grande quantidade de pássaros, possível fonte de guano, o melhor dos fertilizantes. Na opinião de Heard, os Estados Unidos deveriam reivindicar a posse da ilha, estabelecer jurisdição sobre ela e explorar os recursos lá disponíveis em benefício do país. Por haver descoberto tal fonte de riqueza, Heard se acreditava merecedor de substancial recompensa. O Departamento da Marinha e o Departamento de Estado, porém, não concordaram com ele. George L. Macey, do Departamento de Estado, respondeu a uma carta de Heard com evidente desprezo. Trata-se de uma resposta, clássica em sua forma, de um burocrata cansado e atarefado, curvado pelo peso de suas responsabilidades e impaciente com as solicitações disparatadas que vinham do público.

DEPARTAMENTO DE ESTADO

Ilmo. Sr.
John Heard
Boston,
Massachusetts
Washington, 10 de novembro de 1856.

Senhor,

Acuso recebimento de sua carta de 7 do corrente relativa a uma alegada descoberta de ilhas. Em resposta, devo informá-lo de que o governo não oferece nenhuma recompensa por tais descobertas. No entanto, está autorizado a proteger o descobridor de depósitos de guano nas condições previstas na Lei do Congresso, cuja cópia envio em anexo.

Seu obediente servidor,

Geo. L. Marcy

A menção desdenhosa à "alegada descoberta" deve ter penetrado no coração de Heard como um arpão numa baleia.

Nada é mais pungente ao profeta desprezado do que a prova de que estava certo — e a ilha Heard acabou por tornar-se fonte de grande riqueza para os Estados Unidos.

O primeiro desembarque na ilha deu-se em 1855, sob o comando do capitão Erasmus Darwin Rogers (seriam seus pais admiradores do avô rebelde de Charles Darwin, partidário da Revolução Francesa e da independência dos Estados Unidos?), do baleeiro *Corinthian*, navio que zarpara de New London. A ilha rapidamente se tornou um porto avançado para os caçadores de focas daquela cidade de Connecticut. Durante o quarto de século seguinte, mais de 100 mil barris[1] de óleo de elefante-marinho foram transportados da ilha Heard, num processo que utilizou uma frota de navios e milhares de homens.

Em 1874, em sua viagem oceanográfica ao redor do mundo, o *H.M.S. Challenger* fez uma escala na ilha Heard. O capitão Georges Warcs e os membros da expedição encontraram cerca de quarenta americanos caçadores de focas que passavam o ano

1. Cerca de 4 millhões de galões americanos. Cada galão de óleo era vendido a 55 centavos.

inteiro na ilha em cabanas escuras, malcheirosas e enfumaçadas, escavadas no solo. Suas provisões se limitavam a farinha de trigo, ervilhas secas, melaço, açúcar, café, sal e carne de porco salgada, além do que a ilha fornecia — pingüins e ovos de pingüins e línguas de elefantes-marinhos. Para cozinhar e aquecerem-se, usavam carvão, peles de pingüim e restos de gordura dos caldeirões. Os caçadores passavam três anos vivendo rudemente como trogloditas, com um estilo de vida pouco diferente do de seus ancestrais da Idade da Pedra, matando focas aos milhares e transformando a gordura em óleo. Cada um ganhava cerca de 500 dólares.

Nesse ambiente isolado e bárbaro, não admira que por vezes alguns deles se desequilibrassem. Dominado por um *cafard* da Antártica, o marinheiro poderia enlouquecer e sair armado com os instrumentos mortais de sua profissão. Os companheiros, em autodefesa, o trucidavam como a um cão raivoso.

Quanto aos capitães Heard e McDonald, ambos os nomes aparecem nos mapas e atlas mundiais: Heard dá seu nome à ilha maior e McDonald, a um grupo muito menor de ilhas situadas a 28 milhas a oeste. Nos Arquivos Nacionais dos Estados Unidos há um belíssimo mapa da ilha Heard feito à mão. É provável que tenha sido desenhado por um cartógrafo profissional com base em informações de caçadores de focas, mas infelizmente foi intitulado como "ilha Hurds". Os caçadores de focas são useiros e vezeiros em desprezar as convenções da sociedade educada — inclusive a ortografia.

Porém, em novembro de 1833, tudo isso ainda era futuro para a ilha Heard e suas praias atulhadas de elefantes-marinhos. Kemp preferiu não mudar de rumo, mantendo-se em direção sul. Uma semana depois, a 60ºS, encontraram icebergs e gelo consolidado, bem como focas-de-pêlo, um sinal encorajador. Em 14 de dezembro, após dez dias de navegação frustrante — registrada na carta náutica como o caminho em ziguezague de um bêbado confuso —, conseguiram varar a barreira e chegar a águas limpas. O único indício alentador havia sido dado pelas focas-de-pêlo que foram avistadas nadando. O *Magnet* singrava agora águas desprovidas de gelo. Em 19 de dezembro encontraram novamente blocos de gelo e foram obrigados a contorná-los, navegando para o Oeste ao longo da orla. Três dias mais tarde dobraram a extremidade e continuaram seu percurso rumo ao Sul. Encontravam-se agora precisamente a oeste do meridiano de 60ºL e aproximavam-se com velocidade do lado leste das descobertas de Biscoe. Kemp estava exatamente onde queria estar. No dia de Natal, imediatamente ao norte do Círculo Antártico, depararam com blocos de gelo endurecido impenetráveis. No dia seguinte, quando a visibilidade melhorou, avistaram terra ao sul. Atingi-la, no entanto, era o mesmo que tentar navegar até a Lua. Em 29 de dezembro, ainda avistando terra ao sul, Kemp encerrou seus esforços malsucedidos e guinou o *Magnet* para o norte. A experiência de Biscoe o convencera de que chegar até a costa era algo tão remoto que podia ser considerado virtualmente impossível. Encher os barris de óleo era mais importante do que desperdiçar semanas num esforço improdutivo.

Quase cem anos se passariam até que aquele trecho da costa da Antártica fosse visto novamente por olhos humanos. Em 12 de janeiro de 1930, Sir Douglas Mawson, a bordo do *Discovery*,[2] ao chegar próximo à posição de Kemp, descreveu a terra como faldas de gelo com picos rochosos que chegavam a quase mil metros. As encostas da montanha possuíam ravinas profundas e terminavam em escarpas geladas na orla do mar coberto de gelo.

2. Esse fato ocorreu durante as viagens realizadas entre 1929 e 1931 pela Expedição de Pesquisa Antártica Inglesa, Autraliana e Neozelandesa (em inglês B.A.N.Z.A.R.E. — British, Australia & New Zealand Antartic Research Expedition), sob o comando de Sir Douglas Mawson.

Naquele gelo consolidado que se apresentava, o *Discovery* tinha tantas possibilidades de chegar à terra quanto o *Magnet*.

Kemp abandonou aquele litoral gélido e estéril e navegou de volta a Kerguelen, onde os homens retomaram o ofício de matar elefantes-marinhos e transformar gordura em óleo. Era fim de março quando o *Magnet* partiu para Simonstown, na África do Sul, e durante a travessia, no dia 21 de abril, Kemp caiu da amurada e morreu afogado.

Com um novo capitão, o *Magnet* regressou à Inglaterra em janeiro de 1835. A história que se conhece é que o registro de bordo se extraviou num cabriolé em Londres. O único registro da passagem de Kemp partindo de Kerguelen até a costa antártica é a rota do *Magnet*, marcada em vermelho em um mapa no Departamento Hidrográfico. Há também uma zona hachurada que representa uma porção de terra, com a anotação "Terra avistada pelo cap. Kemp, 26 e 27 dez., 1833". Nesse mesmo mapa constam o roteiro de Biscoe e a costa vista do *Tula*, assinalada como "Terra de Enderby".

George Enderby forneceu um breve relato da viagem de Kemp à Real Sociedade de Geografia, dando a impressão de que o *Magnet* fosse um de seus navios. O Almirantado aparentemente aceitou essa versão dos fatos: no mapa que publicou em 1847 com os roteiros e as descobertas e James Clark Ross no comando do *Erebus* e do *Terror*, foram indicadas tanto a Terra de Enderby como a Terra de Kemp, porém com uma anotação de que haviam sido descobertas por Biscoe. Desaparecido no mar, ao caçador de focas não se destinou nem a glória de sua descoberta.

Bem distante do sul da Nova Zelândia e a 170 milhas da costa antártica, um colar de cinco elevações vulcânicas e cobertas de gelo se estende por 105 milhas ao longo do Círculo Antártico. Conhecidas como ilhas Balleny, cada qual recebeu o nome de um mercador londrino e coletivamente o nome do comandante de um navio caçador de focas.

Cercadas e protegidas por gelo consolidado, envoltas em nevoeiro e virtualmente inacessíveis a qualquer desembarque, as ilhas constituem uma fortaleza inexpugnável diante do oceano austral. Se a Antártica possuísse uma mitologia, essas ilhas ermas e pouco atraentes seriam o refúgio de duendes malévolos, demônios corcundas e anões cruéis entoando canções diabólicas. Nelas não há alegria.

Os comerciantes que cederam seus nomes às ilhas desse arquipélago eram todos homens de posses, membros da crescente classe média que enriquecia por meio da política econômica do *laissez-faire* de uma Grã-Bretanha próspera, que se encontrava em célere mudança. Thomas Sturge era refinador de óleo de cachalote; George Young, armador de baleeiros; John Buckle, comerciante com ligações com a Companha das Índias Orientais; James Row, comerciante de óleo e agente financeiro; e William Borradaile, comerciante e agente marítimo. Esses homens, juntamente com William Beale e William Brown, eram sócios e detinham 56 das 64 ações de cada um de dois navios. As onze ações remanescentes pertenciam aos Enderby. Talvez seja uma demonstração do poder de persuasão de Charles Enderby — mesmo após a ruína financeira provocadas pelas viagens do *Hopefull* e do *Rose* — o fato de esses homens prósperos terem se associado a uma aventura questionável e altamente arriscada, especialmente num momento em que a indústria baleeira inglesa estava em declínio.

Nos dezenove anos que se passaram desde a descoberta das Shetland do Sul por William Smith, o perfil econômico da Grã-Bretanha sofreu muitas mudanças. Na década de 1830 a Revolução Industrial ganhou força para seguir, literalmente, a todo vapor. Longe iam, para os caçadores de focas, aqueles poucos anos de prosperidade proporcionados pelas peles de foca. Agora o que interessava a esse grupo de comerciantes era o óleo, de baleia ou de elefante-marinho. Seria mesmo isso? Talvez Charles Enderby fosse atraído pelo tênue engodo do reconhecimento social que as descobertas geográficas acarretavam.

Seis anos depois de associar-se à parceria organizada por Enderby, George Young prestou depoimento diante de uma Comissão Especial Parlamentar que investigava o estado da indústria naval britânica. Falando em nome de muitos caçadores de baleia britânicos, afirmou desconsoladamente que "por nenhum motivo eu investiria mil libras na caça de baleias, pois estou convencido de que jamais poderíamos enfrentar a competição a que estamos sujeitos neste comércio mediante qualquer alteração ou diminuição de custos que o Legislativo teria o poder de efetivar".

A competição a que ele se referia provinha do gás de carvão, dos caçadores de baleias americanos e australianos, e — em face de a Junta de Comércio ter adotado o livre-comércio como uma vingança — da extinção dos direitos aduaneiros sobre o óleo de colza, bem como da eliminação parcial dos direitos sobre o óleo de baleia importado. Tudo isso, concluiu Young gravemente, apontando um dedo acusador aos membros da Comissão — partidários do livre-comércio —, poderia resultar somente em desastre: "Se seguirmos uma política que tenha como único objetivo o benefício do consumidor, no que diz respeito ao comércio marítimo, a conseqüência será a destruição da navegação britânica".

Os armadores haviam investido na escuna *Eliza Scott*, de 23 metros, comandada por John Balleny, e no cúter *Sabrina*, de 17 metros — outro cúter dos estaleiros Solent, similar ao *Lively* de Biscoe —, sob o comando de Thomas Freeman. Ora, nem Balleny nem Freeman possuíam experiência na caça de baleias ou de focas, o que tornava estranha a escolha de ambos para o comando de uma expedição ostensivamente de caça. Além disso, Balleny já contava mais de sessenta anos e passara a maior parte de sua vida no comércio no mar do Norte e no Báltico. Contudo, situações como essa aperfeiçoavam as habilidades marítimas e de navegação, e Balleny era um navegador competente, conhecedor tanto dos mistérios das observações lunares como dos cronômetros. Homem piedoso, que freqüentava cultos religiosos — o que provavelmente o levou a se aproximar dos Enderby, evangélicos —, Balleny foi atormentado por um imediato insubordinado e dado à bebida. O restante da tripulação do *Eliza Scott* era um pouco melhor; porém, dois meses mais tarde o atribulado comandante desistiu dos cultos dominicais e das tentativas de salvar-lhes as almas empedernidas.

Em 18 de julho de 1838 a escuna e o cúter zarparam de Downs e quatro dias mais tarde Balleny se despedia da Inglaterra verificando sua posição ao largo das ilhas Scilly. A bordo levava dois cronômetros, uma bússola de azimute e um barômetro de mercúrio, utilizado para prestar informações à Repartição Hidrográfica. No entanto, os dois navios jogavam tanto que o mercúrio subia e descia pelo tubo do barômetro, fazendo com que Balleny desistisse de registrar a pressão.

Quando as ilhas Scilly desapareceram no horizonte, Balleny, como fizera Kemp, dirigiu seu rumo num longo trajeto numa meia-volta ao mundo. Essa rota o conduziu pelo Atlântico, dobrando o cabo da Boa Esperança e entrando no oceano austral, velejando com os ventos dominantes de oeste para uma primeira escala, realizada na ilha Amsterdam.

O desembarque não fora planejado — Balleny na verdade pretendia passar ao norte da ilha. Essa massa de rochas vulcânicas que sobe desde o fundo do oceano havia sido avistada pela primeira vez em 1522 do convés do *Victoria* durante a horripilante travessia das Índias Orientais até a Espanha, a fim de completar a primeira circunavegação. Situada a 700 milhas ao norte de Kerguelen, a ilha Amsterdam possui clima mais ameno e apresentava para Balleny a vantagem inestimável de ser um viveiro de focas-de-pêlo e elefantes-marinhos. Tal oportunidade não deveria ser perdida. Nas primeiras horas da manhã do dia 4 de novembro, enquanto o *Eliza Scott* e o *Sabrina* esperavam ao largo da costa norte, Balleny foi à terra em um dos baleeiros. O barco regressou quatro horas depois, e tudo o que Balleny vira foram somente os destroços de uma cabana de caçadores e uma carcaça de baleia. Por outro lado, conseguiram pescar alguns peixes, o que representou uma mudança agradável na dieta de carne salgada.

Um mês depois, as duas embarcações entraram na baía Chalky, no litoral sudoeste da ilha do Sul da Nova Zelândia. Fazia cinco meses que haviam partido da Inglaterra e a tripulação estava quase amotinada. Um dos problemas sempre presentes nos navios caçadores de focas e de baleias era a possibilidade de deserção dos marinheiros.

Para Balleny, a isolada baía Chalky parecia ser um ancoradouro ideal, capaz de reduzir essa possibilidade. Alguns marinheiros efetivamente desertaram — talvez para engajar-se em algum outro baleeiro ancorado na baía —, e o restante da tripulação, mesmo resmungando, tratou de trabalhar na pesca e na caça em terra, bem como na coleta de lenha e água. A exatidão dos preciosos cronômetros foi verificada. Em 7 de janeiro de 1839, os dois navios levantaram âncoras e Balleny rumou para a ilha Campbell, a 400 milhas ao sul da Nova Zelândia.

Essa ilha, muito freqüentada por caçadores de focas e de baleias, fora descoberta em 1810 por Frederick Hasselborough, comandante do navio caçador de focas *Perseverance.* Hasselborough morreu afogado no porto Perseverança dessa ilha, quando o escaler em que viajava emborcou devido a uma violenta tempestade. Elizabeth Farr, da ilha Norfolk, também morreu afogada, e sua sepultura foi a primeira da ilha Campbell. As mulheres parecem deslocadas no mundo agressivo da caça às focas, mas em 1838 o reverendo J. Wilkinson já atestava que mulheres da tribo maori — a maior parte delas portadora de doenças venéreas — embarcavam nos navios mediante pagamentos que chegavam a 100 libras. As presidiárias de Sydney, Hobart e da ilha Norfolk também trocavam de bom grado a penosa vida na cadeia pelos duvidosos prazeres dos castelos de proa dos navios caçadores de focas.

A lenda mais duradoura na ilha Campbell diz respeito à "dama das urzes". É permeada da aura romântica que envolve a maioria das histórias envolvendo o "formoso príncipe Charles", o último dos Stuart. Entretanto, a costumeira afronta não é lançada sobre os covardes ingleses, e sim contra os sutis e astutos jacobitas.

Diz a lenda que vivia na ilha Campbell uma mulher solitária vestida com o tecido xadrez real dos Stuart e com um boné escocês de Glengarry, enfeitado com um ramo de urzes. Supunha-se que se tratasse da neta do príncipe Charles, oriunda de sua ligação com Clementina Walkinshaw. Até mesmo depois da morte de Charles, os desconfiados jacobitas, buscando informantes onde podiam e temendo que essa mulher pudesse prejudicar sua desesperada causa, mandaram um certo capitão Stewart raptá-la. Preferindo o exílio à morte, foi abandonada na ilha Campbell, onde uma tosca cabana de barro fora construída para abrigá-la. Conta-se também que junto à morada crescia uma moita de urzes. Essa era a lenda da "dama das urzes", que circulava, provavelmente com acréscimos grosseiros, nos castelos de proa dos navios caçadores de focas.

O *Eliza Scott* e o *Sabrina* passaram menos de uma semana na ilha Campbell. Com simetria adequada, ao desembarcar a fim de procurar focas, Freeman encontrou três homens e uma mulher que moravam em uma miserável cabana de barro e já estavam na ilha havia quatro anos, tentando sem sucesso caçar aqueles animais. Durante essa mesma semana, Balleny avistou outro navio, o *Emma*, proveniente de Sydney e comandado por John Biscoe. "Creio que o capitão Biscoe está procurando terra, assim como nós", escreveu Balleny em seu registro de bordo. Estava feita a ligação entre James Weddell, John Biscoe e John Balleny, caçadores de focas e exploradores.

Os dois navios de Balleny partiram da ilha Campbell em 17 de janeiro. Começavam agora a tentar cumprir o principal objetivo da viagem — a descoberta de terras. O *Sabrina* tinha ordem de permanecer num raio de meia milha de distância do *Eliza Scott* e, caso o mau tempo os separasse, deveriam encontrar-se no ponto de 170ºL e 66ºS. Mas o tempo permaneceu bom e dez dias mais tarde avistaram o primeiro iceberg, a 63º37'S e 176º30'L, no mesmo dia cruzando para o Sul o trajeto executado por Bellingshausen em 1820. Naquela mesma latitude os russos haviam encontrado gelo consolidado impenetrável, tendo sido obrigados a alterar o curso para leste; estavam, porém, adiantados seis semanas na temporada. A época da viagem de Balleny trabalhava em seu favor, mesmo se aquele iceberg isolado se constituísse num presságio do que ainda estava por vir. Dois dias mais tarde, cruzaram o Círculo Antártico e logo navegavam por entre icebergs e blocos de gelo, o que não foi suficiente para retardar seu progresso ao Sul. Em 1º de fevereiro, com tempo claro, Balleny fez uma observação solar, verificando que se encontravam a 68º45'S. Estavam em águas limpas, sem gelo à vista. Isso o estimulou a manter o rumo sul, com vento favorável.

Essas condições ideais, porém, duraram somente algumas horas. Mais tarde, no mesmo dia, como por encanto, surgiu uma compacta orla de gelo consolidado. Visto da gávea, seu limite mais próximo, ondulando levemente ao ritmo das vagas, apresentava uma barreira silenciosa e hostil que se estendia em tons de cinza e branco até o horizonte. Haviam chegado a 69ºS, na longitude 172º11'L, cerca de 250 milhas mais ao sul do que o ponto atingido por Bellingshausen no mesmo meridiano. Oculta no horizonte, a um simples dia de navegação em mar limpo, jazia a costa da Antártica. Os navegadores, contudo, não chegariam a sabê-lo.

Com o progresso em direção ao Sul bloqueado, Balleny foi obrigado pelo vento e pelo gelo a navegar na direção noroeste. Durante a semana seguinte, a Antártica produziu sua costumeira mistura de condições atmosféricas, com ventos fortes alternando-se com calmarias e nevoeiros. O frio era intenso e os únicos indícios encorajadores eram as quantidades abundantes de focas, pingüins e baleias.

Em 9 de fevereiro, com o nevoeiro se dissipando, viram-se rodeados por icebergs e pingüins que nadavam como golfinhos. Mais importante, porém, era uma mancha escura que se entrevia no horizonte, a sudoeste. Em uma hora o sol brilhava, e a observação da latitude ao meio-dia revelou que se encontravam a 66º37'S — ligeiramente ao sul do Círculo Antártico —, e a mancha escura assumira a aparência de terra. Ao sol claro e com brisa favorável, os dois navios deslizaram pelo mar espelhado rumo à terra avistada.

Por volta das oito horas daquela noite viram-se a cerca de 5 milhas de distância de seu objetivo, que tomou a forma de três ilhas separadas, de altitude considerável. Aguardaram a chegada da madrugada fundeados entre elas. À luz da manhã seguinte, num mundo completamente despido de cores, as duas embarcações tentaram prosseguir por entre as ilhas, mas encontraram a passagem bloqueada pelo gelo. O tempo se mostrava ameaçador, e Balleny, navegador prudente, vendo o nevoeiro retornar, tratou de afastar-se das ilhas e esperar até que se dissipasse.

Durante esse período de espera em meio à névoa, sem nenhum sopro de vento e sem possibilidade de manobra, ouviam-se apenas o panejar das velas úmidas e o matraquear dos guinchos e engrenagens. Saindo do nevoeiro, surgiu um iceberg. Balleny estava diante da mesma situação que Weddell enfrentara com o *Jane* e o *Beaufoy*, com a diferença de que agora o *Eliza Scott* estava bloqueado pelo gelo. Um escaler foi arriado e a escuna foi rebocada para fora do caminho da ameaçadora montanha gelada. Nesses mares meridionais, havia perigo até mesmo durante as calmarias.

Logo o nevoeiro se dissipou, e em 11 de fevereiro puderam então avistar as ilhas a oeste-sudoeste; eram de "imensa altura, creio que pelo menos 3600 metros, e cobertas de neve". Há certo exagero nessa afirmação, visto que o ponto mais elevado de qualquer das ilhas é de apenas 1340 metros. A luminosidade da Antártica, porém, dificulta as estimativas de distância e de altitude — como futuros exploradores viriam a descobrir, com prejuízo para as próprias reputações. No dia seguinte, com o nevoeiro em redemoinhos a seu redor, os dois navios se aproximaram mais uma vez da terra para nova investigação. Às seis horas daquela tarde, o escaler do *Sabrina* foi baixado e os dois capitães, com alguns marinheiros, saíram em direção a um ponto que parecia favorável para o desembarque. A decepção foi grande, porque, "ao nos aproximarmos, verificamos que se tratava apenas do refluxo das ondas, numa praia que teria no máximo 90 centímetros a 1,20 metro. O capitão Freeman saltou e recolheu algumas pedras, mas a água lhe ia até a cintura. Não há praias para desembarque nesta terra; na verdade, a não ser pelas escarpas de pedra das quais devem ter se desprendido os icebergs, à primeira vista mal as reconheceríamos como terra; contudo, à medida que nos aproximávamos, víamos claramente que dos topos das montanhas saía fumaça. Trata-se evidentemente de ilhas vulcânicas, como mostrarão os espécimes de pedras e cinzas. As escarpas são perpendiculares e o que provavelmente seriam vales e praias se encontra ocupado por blocos maciços de gelo. Não consegui avistar ancoradouros nem praias, nem nada que se lhes assemelhasse".

Essa sucinta descrição feita por Balleny reflete a esterilidade rude e sombria das ilhas. Somente as águas pareciam conter abundância de vida, com grande quantidade de baleias, pingüins, focas e pássaros marinhos. Não importa; aquele desembarque breve e molhado de Freeman ficaria na história, pois até aquela data não havia registro de desembarques em latitude meridional tão elevada. Na verdade, esse pode ser considerado o primeiro desembarque efetuado abaixo do Círculo Antártico.

Estava evidente para ambos os comandantes que não valeria a pena procurar novas praias ou tentar outros desembarques. Assim, os dois navios rumaram para Noroeste levando aquela pequena coleção de pedras (que se revelaram escória e basalto, com cristais de olivina), além de um esboço das ilhas desenhado por John MacNab, segundo oficial do *Eliza Scott*, em que mostra as duas colunas de fumaça que subiam da ilha Buckle.

Balleny batizara as ilhas e os picos com os nomes dos srs. Young, Borradaile, Buckle, Sturge, Brown, Row e Beale, aqueles "enérgicos comerciantes que se uniram ao sr. Enderby para organizar a expedição". O capitão Beaufort, diretor de hidrografia do Almirantado, lhes daria mais tarde o nome coletivo de ilhas Balleny. Em poucos anos, essas ilhas se tornaram o ponto crucial de discussões ásperas e um tanto fervorosas entre os líderes de expedições britânicas e americanas.

Os dias finais do mês de fevereiro encontraram ambas as embarcações se dirigindo para o Oeste, entre os paralelos de 65 e 63 graus Sul, acompanhando os blocos de gelo firme. Ao sul, mais além dessa barreira gelada, Balleny avistou trechos tentadores de mar limpo, mas a possibilidade de alcançá-los era a mesma de navegar subindo uma montanha. E caso se apresentasse alguma abertura, quais seriam as possibilidades de conseguirem regressar? As condições do tempo se alternavam entre neve, geada e nevoeiro. Haviam estado navegando abaixo da Convergência Antártica, com as temperaturas do ar e da água próximas ao ponto de congelamento, durante cinco semanas. Os vigias do convés gelavam até os ossos, sempre atentos, de olhos bem abertos, buscando verificar a existência de icebergs e placas de gelo. Até mesmo à tarefa que cabia ao timoneiro havia obstáculos, pois a bússola magnética girava loucamente por estar tão próxima ao pólo. Com freqüência Balleny registrava variações da bússola entre 50 e 30 graus. A única visão alentadora eram as imensas revoadas de aves marinhas, os cardumes de baleias, os bandos de pingüins nadando como golfinhos e as focas que nadavam nas águas, dando vida à grande monotonia.

A rota que seguiam, 66 anos depois de James Cook, e navegando no mesmo quadrante da Antártica, era quase paralela à do *Resolution*, porém 300 milhas mais ao sul. Como uma estrada de ferro de duas vias, os rumos eram opostos: Cook navegara para o Leste e Balleny seguia para o Oeste. O comandante do *Eliza Scott* seguia os conselhos de John Biscoe quanto aos ventos dominantes naquelas latitudes elevadas.

Em 2 de março, a 64°58'S e 121°08'L, depois de um dia de tempestades de neve e chuva gelada de sudeste e com a temperatura pouco acima do ponto de congelamento, o mar de repente ficou muito calmo e os navegantes arriaram as velas e se detiveram. Ali naquele mar estranhamente tranqüilo, rodeados de pedaços flutuantes de gelo, a visibilidade melhorou subitamente e avistaram terra ao sul. O nevoeiro caiu novamente e à meia-noite começou a nevar. Na manhã seguinte, à luz fantasmagórica da madrugada, com o convés ainda coberto de neve, partiram navegando lentamente por entre o gelo que se tornava mais espesso. Em pouco tempo se viram cercados de icebergs e chegaram ao inevitável gelo consolidado. Era lá, atrás daquela barreira, que ficava a convidativa terra. O clima, porém, dava mostras de que o nevoeiro seria interminável, e Balleny foi obrigado a rodear o gelo em direção ao Norte. A terra que tinham avistado aparece hoje nos mapas com o nome de costa Sabrina. Foi a primeira e última visão que tiveram do continente.

O rumo os levava agora na direção noroeste, com a constante companhia de icebergs entrevistos em meio à neve e à geada. À meia-noite de 10 de março, a tripulação assistiu fascinada ao magnífico espetáculo da aurora austral. Três dias depois, passaram junto a um iceberg que tinha incrustada no gelo uma grande pedra, estimada em 3,60 metros por 1,80. John MacNab, o desenhista das ilhas Balleny, puxou seu bloco e fez um esboço daquela visão inusitada.

Até essa data, a causa e a origem dos icebergs próprios da Antártica haviam confundido todos os exploradores. Cook, Bellingshausen, Weddell e Biscoe, todos especularam sobre esse fenômeno. Aqueles com rochas incrustadas e terra eram os mais estranhos de todos.

Era o tipo de problema que interessaria à mente inquisitiva de Charles Darwin, que tratava de recifes de coral, pombos, conchas, plantas trepadeiras e minhocas. Por que não pedras em icebergs?

A edição em três volumes das *Voyages of His Majesty's Ships* Adventure *and* Beagle [Viagens dos navios de Sua Majestade *Adventure* e *Beagle*], narrativa oficial de FitzRoy e King, fora publicada em 1839. A contribuição de Darwin se encontra no terceiro volume dessa coleção. Os primeiros dois tomos, como é o destino da maior parte dos relatórios oficiais, continuam intactos nas prateleiras das bibliotecas, mas a parte de Darwin foi um sucesso imediato e teve duas reimpressões no primeiro ano. Em suma, Darwin ficara famoso.

No regresso do *Eliza Scott* a Londres, Darwin se encontrou com John MacNab — por intermédio de Charles Enderby — e se ocupou da questão da rocha incrustada no iceberg. Era de fato um problema estranho, o de pedras e rochas sem relação com as que existiam a seu redor — "blocos erráticos" —, que intrigava os geólogos. Ali estava um caso clássico de transporte por meio do gelo. Esse exemplo de grandes pedras incrustadas em icebergs era somente o segundo do qual Darwin tivera conhecimento (evidentemente não lera a obra de Weddell). Biscoe não avistara nenhum deles durante todas as suas incursões pela Antártica, mas o contramestre do *Beagle*, antigo caçador de focas, havia visto uma grande rocha no alto de um iceberg a leste das Shetland do Sul. Darwin reparou que todos os navegantes da Antártica haviam assinalado que muitos icebergs eram levados pela corrente para latitudes baixas. "Nesse caso", concluiu ele, "se apenas um iceberg em cada mil, ou em cada 10 mil, transporta um fragmento de rocha, o fundo do mar Antártico e as costas de suas ilhas devem estar juncados de massas de rochas diversas — a contrapartida dos 'blocos erráticos' do hemisfério norte."

Quarenta e seis anos mais tarde, a predição de Darwin foi confirmada quando Sir John Murray, figura influente e catalítica da expedição do *H.M.S. Challenger* realizada entre 1872 e 1876 (trata-se do primeiro navio a vapor a cruzar o Círculo Antártico), afirmou que "o *Challenger* dragou fragmentos de xisto de mica, quartzito, arenito, calcário e xisto argiloso, o que deixa pouca margem para que se duvide da existência, dentro do Círculo Antártico, de uma massa de terra continental de estrutura bastante semelhante à de outros continentes". Seu mapa imaginário da forma que teria essa massa desconhecida de terra, baseado nos resultados das dragagens e no que se sabia das limitadas descobertas dos exploradores, aproxima-se notavelmente dos verdadeiros contornos do continente.

Porém, se aquele iceberg admirado numa quarta-feira, dia 13 de março de 1839, dominaria as atenções de um dos grandes homens do século XIX, o mesmo dia se revelaria decisivo para dois jovens tripulantes da escuna e do cúter. "Esta manhã", lê-se no registro de bordo do *Eliza Scott*, "o capitão Freeman veio a bordo trazendo consigo o menino Smith e levou o menino Juggins para o cúter." Não está especificado o motivo dessa mudança de tripulação, mas para o pobre Juggins seria fatal.

A escuna e o cúter subiam agora em direção ao curso seguido por Cook em 1773, e, poucos dias depois da ida de Juggins para o *Sabrina*, os dois navios cruzaram o paralelo de 60º. Desde aquela ocasião em que o capitão Freeman desembarcara nas águas da praia das ilhas Balleny, os homens haviam levado mais de um mês para percorrer 2250 milhas em condições miseráveis, e evidentemente sentiam os rigores da viagem. Uma das convenções mais sensatas da navegação é que o timoneiro deve repetir em voz alta as ordens de alteração de rumo que lhe são dadas pelo oficial de quarto. Dessa forma, o oficial se certifica de que a ordem foi corretamente entendida.

Um timoneiro mal-humorado, de serviço na cana do leme, deixou de repetir a ordem de Balleny para que a escuna se aproximasse do cúter. Balleny perguntou se o homem ouvira ou não a ordem. A resposta foi uma torrente de impropérios, seguidos de uma agressão de parte do timoneiro a seu capitão com uma corda. O comandante, esquecendo-se dos piedosos conselhos bíblicos para que oferecesse a outra face, agarrou o homem pelo pescoço e empurrou-o; recordando-se então de outra passagem da Bíblia — "olho por olho, dente por dente" —, deu-lhe uma surra. Entre os marinheiros, talvez essa fosse a única linguagem que funcionava.

Um pouco ao norte da Convergência Antártica, a 50ºS e 95ºL, os dois navios foram recebidos com tempestade. Na noite de 24 de março, o *Sabrina* soltou um foguete azul, sinal de perigo, uma coluna de luz titubeante por entre a confusão das águas encapeladas e o zunir da ventania. O *Eliza Scott*, no entanto, tinha seus próprios problemas com os vagalhões do mar agitado. Um deles arrebentou no convés, estraçalhando os dois escaleres, levando tudo o que ali se encontrava e fazendo o barco adernar e assim permanecer durante dez minutos, agitando-se como um porco atolado. Tudo parecia perdido, mas a pequena escuna finalmente se endireitou e voltou à vida. O *Sabrina*, porém, desaparecera. O pequeno cúter, Freeman e a tripulação, inclusive o menino Juggins, encontraram seu último repouso nas águas tempestuosas do oceano austral.

Balleny conduziu então o *Eliza Scott* para o Norte, cruzando os ventos de oeste até encontrar os de leste, dominantes na parte meridional do oceano Índico. Utilizando essas brisas mornas e amenas, desembarcou na extremidade sul de Madagáscar. Mesmo no reinado da sanguinária rainha Ranavalona I, o desembarque na ilha se revelou bem-vindo depois da navegação pela Antártica. Ali o clima era tropical, com água e provisões frescas para uma tripulação doentia e fatigada, que sobrevivera de rações salgadas por nove meses. O *Eliza Scott* também exigia atenção e a permanência na ilha durou um mês, tempo necessário para que os marinheiros recuperassem as forças e a escuna castigada pelo gelo e pelas intempéries fosse adequadamente reparada.

Balleny zarpou de Madagáscar na primeira semana de junho, rumo a Santa Helena, acompanhado por dois baleeiros. A escuna passou uma semana nessa ilha e em seguida partiu para o último estádio da viagem de regresso à Inglaterra. Balleny estava doente e foi obrigado a pedir auxílio médico a um baleeiro americano, que vinha de Providence, no estado de Rhode Island. Em 18 de setembro de 1839, o funcionário aduaneiro e o prático do rio Tâmisa subiram no *Eliza Scott* para sua curta travessia rio acima até as docas das Índias Ocidentais. A bordo havia menos de duzentas peles de foca: já havia terminado a época em que os porões dos navios caçadores de focas ficavam atulhados com milhares de peles.

O infatigável Charles Enderby, exteriormente imperturbável apesar das perdas financeiras, logo informaria aos membros da Real Sociedade de Geografia os acontecimentos da viagem de John Balleny, bem como suas descobertas. Um extrato baseado no registro de bordo do *Eliza Scott*, "Descobertas no oceano Antártico em fevereiro de 1839", apareceu no *Geographical Journal.* Nesse artigo, a questão do iceberg foi novamente suscitada, com Charles Enderby especulando que "esse iceberg se encontrava a 1400 milhas de distância da terra mais próxima *certamente conhecida*, isto é, a Terra de Enderby, situada a oeste-sudoeste. Dada a natureza compacta do gelo etc., é altamente provável que exista terra entre os paralelos 66 e 68 graus Sul, e nesse caso o iceberg não estaria a mais de 300 milhas dessa suposta terra [...]". Era uma estimativa inteligente e premonitória: a terra nesse setor fica efetivamente entre 66 e 68 graus Sul, e o cálculo de 300 milhas é exato; como se diz, ele "acertou na mosca".

Balleny, como muitos outros, caiu no esquecimento. Em sua homenagem, ficaram as ilhas que receberam seu nome e seu registro de bordo, conservado pela Real Sociedade de Geografia. Junto a ele, há uma carta escrita em 1856 pelo explorador ártico almirante Sir George Back, em resposta a uma indagação quanto à legitimidade do registro. Duvidar dele, na opinião de Back, seria "uma injustiça à memória e aos sacrifícios desse navegador intrépido".

Por um desses caprichos da sorte, quando o *Eliza Scott* subia o Tâmisa em setembro de 1839, passou por dois navios da Marinha Real que se preparavam para uma expedição à Antártica nas docas de Chatham. Eram o *Erebus* e o *Terror*, que zarpariam dez dias mais tarde. Seu comandante, o capitão James Clark Ross, levava consigo uma cópia da carta e do registro de bordo de Balleny. O mais importante, Ross notou, era a inestimável informação de que entre os meridianos de 180 e 170 graus Leste poderia haver uma passagem através do gelo para latitudes ainda mais elevadas do que aquelas por onde navegara Balleny. O velho marinheiro mostrara a Ross o caminho da descoberta da rota clássica para o coração da Antártica. Era a rota que seria seguida, seis décadas depois, pelos navios das figuras quase mitológicas da exploração antártica: o *Southern Cross*, de Borchgrevink, o *Discovery* e o *Terra Nova*, de Scott, o *Nimrod* e o *Aurora*, de Shackleton, e, o mais extraordinário de todos, o *Fram*, de Amundsen.

Epílogo

Durante a semana em que o *Eliza Scott* descarregava seu parco carregamento de peles de foca e em que o registro de bordo estava sendo copiado para que o capitão James Clark Ross o levasse em sua viagem, dois navios expedicionários franceses, o *Astrolabe* e o *Zélée*, navegavam entre Bornéu e Java, a caminho da Tasmânia, sob o comando do capitão Dumont d'Urville, que se encontrava deitado numa banheira na tentativa de aliviar as dores provocadas pela gota. Os franceses, que haviam realizado uma incursão um tanto insatisfatória pelo mar de Weddell em 1838, agora se dirigiam para o Sul, um tanto relutantemente, para travar uma nova batalha contra o gelo.

Enquanto Dumont d'Urville relaxava em sua banheira, os navios da Expedição Exploradora dos Estados Unidos se encontravam a 6 mil milhas a leste, ancorados no Taiti. Embora não sofresse de gota, o tenente Charles Wilkes mostrava o temperamento irascível dos doentes ao exigir que todos os seus homens estivessem de volta aos navios ao pôr-do-sol. Aos sábados — o dia santificado dos missionários do Pacífico —, todos os marinheiros e oficiais desfilavam solenemente pela praia, antes de marchar até a igreja dos missionários para assistir ao culto. E o palco onde se desenrolavam tais ações era a ilha que desde sua descoberta, em 1767, vinha sendo considerada pelos fidalgos filósofos ocidentais a terra dos "nobres selvagens" e pelos marinheiros comuns, mais grosseiros, o lugar ideal para desfrutar delícias carnais infindáveis. A flotilha americana, tal como a francesa, também lutara com pouco sucesso contra os blocos de gelo do mar de Weddell e agora se dirigia a Sydney para novo embate com a Antártica.

As expedições francesa, americana e inglesa acrescentariam milhares de milhas ao contorno emergente do litoral do continente antártico. Nesse processo, Wilkes, cujo temperamento irritadiço estimulava controvérsias e discussões, conseguiu entrar em disputas ásperas com Ross, D'Urville, seus próprios oficiais, com a equipe científica e seus superiores em Washington.

A viagem de Balleny constitui-se num divisor de águas na exploração da Antártica. Nos vinte anos decorridos entre a chegada de William Smith às Shetland do Sul e as descobertas de Balleny, em 1839, os caçadores de focas e a expedição russa de Bellingshausen haviam expandido os resultados da grande viagem de Cook e trazido à luz pedaços de um novo continente. As expedições de Cook e de Bellingshausen haviam sido patrocinadas pelos respectivos governos e, portanto, seus elementos principais eram a costumeira mistura de nacionalismo, interesse próprio e altruísmo. O estímulo para os caçadores de focas era mais simples: restringia-se ao lucro. Para a maioria deles, a Antártica e suas ilhas representavam um lugar singularmente perigoso e desagradável, mas que oferecia vultosas recompensas financeiras, ao menos durante um breve período. Em suma, era um lugar a ser pilhado e explorado, o que fizeram com eficiência mortal e sangrenta. Alguns, a minoria, temperaram a matança com exploração geográfica e científica. Homens como Weddell e Biscoe podem ser considerados representantes de um novo espírito de investigação que penetrava em um mundo em rápida transição.

As três expedições nacionais que se dirigiram à Antártica marcaram a aurora dessa nova era. Já ia longe a arrogância do perído da Regência, com suas roupas de pavão, fidalgos naturalistas e cientistas diletantes. A ética evangélica permeara todas as camadas sociais a partir de suas raízes dissidentes, e um novo espírito de sobriedade e seriedade, e também, por que não dizer, de hipocrisia, penetrava a passos largos e visíveis em todos os aspectos da vida nacional.

Em 1774, ano em que James Cook e o *Resolution* chegaram à mais alta latitude sul, dois homens reuniram seus talentos para formar uma firma de engenharia no interior da Inglaterra. A Soho Engineering Works, cujos sócios eram James Watt e Matthew Boulton, estava prestes a mudar a face da Grã-Bretanha e a do mundo. As máquinas a vapor por eles produzidas — um aperfeiçoamento extraordinário em relação às máquinas Newcomen, utilizadas para bombear água das minas — e os aparentemente inesgotáveis avanços introduzidos por Watts na tecnologia das máquinas a vapor logo passaram a ser introduzidos em navios. O primeiro barco a vapor capaz de funcionar fora construído em 1783 pelo marquês francês Jouffroy d'Abbas. Por volta da primeira década do século XIX, a *Charlotte Dundas*, uma barca de 9 metros de comprimento, equipada com rodas-d'água, fazia viagens comerciais entre os canais Forth and Clyde, na Escócia. Nos Estados Unidos, o *Clermont*, de 45 metros, projetado por Robert

Fulton e com máquinas produzidas por Boulton e Watt, subia o rio Hudson entre Nova York e Albany em 32 horas, completando o percurso de volta em trinta. Poucos anos mais tarde, em 1817, uma solitária carta de protesto foi publicada na *Colchester Gazette*, na Inglaterra. Referia-se ao desastre ocorrido a bordo do vapor *Courier*, quando um maquinista impaciente pendurara um peso de 6 quilogramas na válvula de segurança, causando a morte de oito passageiros na inevitável explosão da caldeira:

> Dentre todas as aplicações do motor a vapor, a propulsão de barcos e navios parece ser a mais absurda, especialmente porque essa forma de navegação é utilizada sobretudo para embarcações de passageiros. Há muitas pessoas, aliás, que arriscam suas vidas sobre a água; não é possível compreender que essa gente se coloque em perigo num barco a vapor e literalmente se ponha entre o fogo e a água [...] Esperemos que os acidentes calamitosos que ocorreram recentemente acabem de uma vez por todas com a euforia em relação às máquinas a vapor.

O autor poderia ter tentado estancar o movimento das marés no litoral de sua East Anglia natal.

Na altura de 1835, W. R. M'Phun, de Glasgow, encontrou motivos suficientes para publicar *The Scottish tourist's steam boat pocket guide to the Western Highlands and islands* [O guia de bolso escocês do barco a vapor do turista escocês para as Terras Altas ocidentais e ilhas], livro de tamanho adequado ao viajante por ser "das dimensões de uma caixa de rapé". No mesmo ano, idéias mais audaciosas eram debatidas numa reunião da junta diretora da companhia de estradas de ferro Great Western. Um dos diretores se queixou a Isambard Brunel, engenheiro da companhia, de que a linha férrea projetada que uniria Londres a Bristol era longa demais. O irreprimível Brunel, pensando alto como de costume, imediatamente retrucou: "Por que não fazê-la ainda mais longa? Vamos construir um navio a vapor para viajar a Nova York e batizá-lo de *Great Western*". Esse tipo de audácia era característico de Brunel — de Londres a Nova York no trem e no navio da companhia. O *Great Western*, de 65 metros de comprimento e movido a vapor, foi lançado ao mar em julho de 1837 e completou sua primeira viagem transatlântica a partir de Bristol em 8 de abril de 1838, chegando a Nova York no dia 23 de abril. Foi a primeira de noventa travessias. Estava inaugurado o serviço de transporte de passageiros em barcos a vapor através do Atlântico.

Locomotivas a vapor movendo-se sobre rodas de ferro, navios movidos a vapor com rodas-d'água: o antigo transporte por meio de vagões puxados por cavalos e dos barcos a vela passava por bruscas mudanças.

O primeiro número mensal do *The Posthumous Papers of the Pickwick Club*, encadernado em capa verde-clara, ao preço de 1 xelim, apareceu em Londres em 31 de março de 1836. A tiragem inicial foi de quatrocentos exemplares. O último capítulo foi publicado em novembro de 1837, com mais de 40 mil exemplares. Pode-se dizer que se trata do livro de maior sucesso de Charles Dickens, e seu elenco de personagens (os menos generosos dirão que são caricaturas) entrou para o rol dos imortais da ficção. A extraordinária popularidade das edições mensais penetrava em todas as camadas sociais: os juízes liam às escondidas o último número, enquanto os advogados liam em voz baixa, e grupos de pessoas mais pobres se reuniam para ouvir a leitura de mais um capítulo, alugado na biblioteca pública. Quando se fala nos *Pickwick papers* [Documentos de Pickwick], a imagem que provavelmente se projeta na tela da mente é a do benévolo sr. Pickwick propriamente dito, a do "anjo de cinta e polainas" de Sam Weller, mas também a de diligências e hospedarias de estrada.

Para os leitores da década de 1830, aquele mundo desaparecia rapidamente. Em seu lugar, as novas estradas corriam sobre trilhos de ferro, construíam pontes, furavam túneis e faziam cortes nos morros com velocidade impressionante. Tudo isso era executado com zelo quase evangélico. Quando o sr. Pickwick, Sam Weller e o sr. Jingle ingressaram na cena mundial, as minas da Inglaterra produziam 60% do carvão da Europa e quase 50% do ferro. Essas estatísticas deprimentes ganham vida no livro de viagens de Alexander Kinglake, intitulado *Eothen*. Kinglake evoca um imaginário pachá turco cuja admiração incontida pelas novas maravilhas da técnica decorrentes da abundância de carvão e ferro se resume na exclamação por ele repetida: "Whirr! Whirr! Tudo sobre rodas! Whiz! Whiz! Tudo a vapor!".

Os caçadores de focas haviam navegado pelas águas desconhecidas, hostis e cobertas de gelo da Antártica a bordo de navios pouco diferentes das embarcações pesqueiras, de cabotagem e de passageiros usadas por seus antepassados do século XVI — barcaças, traineiras, carvoeiros, caravelas, rebocadores, galeões, tartanas e *pinks*. As provisões e a vestimenta pertenciam à mesma era.

As embarcações para navegação podem ser entendidas como o artefato mais tecnicamente avançado executado pelo homem antes da era do vapor e do ferro. Para enfrentar a complexidade de manejar a mastreação, o velame, os nós e as emendas, as roldanas e os guinchos, as velas e os lemes, os homens tinham de aprender uma linguagem estranha, totalmente diferenciada de seus semelhantes terrestres: uma linguagem que Joseph Conrad considerava absolutamente perfeita para seu objetivo. Ao aprender a manejar as velas com as mãos, tornavam-se bons marujos. Toda a navegação, assim como a matança, era feita à mão.

O vapor do pachá demorou a chegar à Antártica, mas, quando o fez, foi com força total. Em 1864, o *Spes et Fides* [Esperança e Fé], um navio caçador de baleias de 29 metros, movido a vapor, deixou o estaleiro de seu construtor em Oslo. Equipado com granadas nos arpões, o navio e seu armamento eram produto do gênio do norueguês Svend Foyn. Começavam a ser introduzidos os métodos modernos de caça às baleias. Quarenta anos mais tarde, outro baleeiro norueguês a vapor, o *Fortuna*, matou seu primeiro cetáceo — uma baleia-jubarte — em 22 de dezembro de 1904, ao largo da Geórgia do Sul. Em catorze meses, 236 baleias, a maior parte dessa mesma espécie, foram transformadas em óleo em Grytviken. Na temporada de 1909-10, com a Geórgia do Sul e a ilha Deception convertidas em principais bases baleeiras, 37 baleeiros singravam a Antártica, recolhendo um total de 6 mil baleias. Svend Foyn, homem honesto e temente a Deus, equivalente norueguês dos puritanos da Nova Inglaterra, entrou para a demonologia dos ativistas anticaça às baleias dos tempos modernos.

O que aconteceu aos Enderby, que tiveram papel de destaque durante as primeiras explorações do oceano austral? A falência de Charles, Henry e George inspira cautela aos homens de negócios. O velho Samuel Enderby, avô deles, fora o fundador da companhia e, em 1789, um de seus navios, o *Amelia*, dobrara o cabo Horn e caçara o primeiro cachalote no Atlântico. Os oficiais e marinheiros provinham quase todos de Nantucket e o imediato, Archaelus Hammond, que fazia as vezes de arpoador, está enterrado no cemitério de Old North, naquela cidade. O *Amelia* regressou a Londres com plena carga e as comportas se abriram para transformar o oceano Pacífico no paraíso dos caçadores de baleias e num virtual lago americano.

O velho Samuel morreu em 1797, deixando para os três filhos uma próspera companhia baleeira e de navegação. Um deles,

Samuel Enderby Jr., revelou-se tão prolífico em sua descendência quanto fora o pai na importação de óleo de baleia. Quando morreu, em 1829, coube a três de seus oito filhos — Charles, Henry e George — a administração da companhia. Charles e George eram membros da Real Sociedade de Geografia e participavam do Conselho da entidade. Assim prosseguiam uma tradição familiar, pois tanto o avô como o pai demonstraram grande interesse pela história natural, instruindo os comandantes de seus navios a recolher espécimes para Sir Joseph Banks, antigo companheiro de navegação de Cook e agora presidente da Real Sociedade. É evidente que o velho Samuel conhecia bem os homens influentes. Em 1792, comprou da Marinha Real a chalupa *Rattler* e despachou-a para o Pacífico em viagem exploratória com apoio financeiro do Tesouro e sob o comando de um oficial naval a meio soldo, o capitão James Colnett. Foi um precedente útil, do qual os netos posteriormente lançaram mão na desastrosa viagem do *Hopefull* e do *Rose*. Os irmãos fariam nova tentativa após a viagem de Balleny, mas o Tesouro, duas vezes "mordido", dessa vez se esquivou dos planos dos Enderby e recusou firmemente.

Os navios dos Enderby também transportavam condenados para as colônias penais em Nova Gales do Sul, e na década de 1830 traziam de volta carregamentos de lã. A decadência dos Enderby pode ser acompanhada por frias estatísticas. Em 1821, possuíam catorze navios. Já em 1836, tinham apenas um, o *Samuel Enderby*, construído em Cowes em 1834. A madeira do casco havia sido banhada em um derivado de alcatrão para melhor preservação (Charles, pesquisador amador, era diretor da companhia que fabricava esse preparado). Herman Melville dispensou palavras de carinho ao único barco restante: "Embarquei nele uma vez à meia-noite, em algum lugar do litoral da Patagônia, e bebi um bom *flip** no castelo de proa [...]; navio alegre; comida boa e em abundância; *flip* saboroso e forte; todos competentes marinheiros, das botas até o chapéu". Trata-se de um maravilhoso elogio de despedida.

Em poucos anos Charles, Henry e George passaram a viver com economia — o equivalente à pobreza na classe média — em conseqüência da desastrosa participação em um plano de Charles, sempre financeiramente irresponsável: uma tentativa de colonização das ilhas Auckland, ao sul da Nova Zelândia, para exportar óleo de baleia. Em torno de Charles paira uma aura de vigarice. Era plausível, persuasivo, bem-educado, mas não era digno de confiança quando se tratava de dinheiro.

A conexão dos Enderby com a Real Sociedade de Geografia manteve viva a memória da família, ao contrário de Daniel Bennett e filhos. Essa companhia prosperou, mas, como não se promoviam em terrenos alheios a seus negócios, o nome desapareceu dos anais da exploração da Antártica. A única recordação dessa família na região é o cabo Bennett, na ilha da Coroação das Órcadas do Sul, assim batizado por George Powell, do *Dove,* em homenagem à família. Não obstante, um motorista que passe por uma estrada em Oxfordshire, perto de Faringdon, pode sentir-se curioso ao ver grandes caldeirões negros de ferro que marcam a entrada de uma alameda particular. A imagem que vem à mente é a que nos oferecem os desenhos animados, com um coronel inglês de chapéu de explorador, bigodes e roupas de safári sendo cozinhado por selvagens nus. Os caldeirões são antigas peças que integravam o equipamento dos navios caçadores de baleia e indicam a velha casa da família Bennett.

* Bebida doce composta de uma mistura de cerveja, vinho, ovos, temperos etc. (N. T.)

A atmosfera da Antártica gera ilusões de óptica diabólicas. Cadeias de montanhas parecem extraordinariamente próximas, quando na verdade estão a muitas milhas de distância; os pingüins que caminham sobre o gelo parecem pessoas, e as pessoas são tomadas por pingüins; dunas baixas de neve, chamadas *sastrugi*, tomam a forma de profundas fendas e ondas de gelo quando vistas ao nível dos olhos. Tudo é muito enganador. A história do continente também nos prega peças estranhas e perturbadoras. Ela parece repetir-se, porém seus detalhes subitamente se alteram, como na engraçada casa de espelhos da história, em que as imagens se mostram distorcidas. As viagens de James Cook levaram os caçadores de focas rumo ao Sul para a primeira exploração econômica da Antártica. O papel dos membros da família Enderby como comerciantes de baleia e exploradores foi repetido cem anos mais tarde pela família Christensen, da Noruega, cujos navios, com o auxílio de hidroaviões, descobriram novos trechos do litoral da Antártica.

Talvez a ilha do Rei Jorge, nas Shetland do Sul, possa ser tomada como um reflexo em miniatura da história da Antártica. Descoberta em 1819, logo suas praias ficaram desertas de focas-de-pêlo e elefantes-marinhos. Os primeiros seres humanos de que se tem notícia a passar um inverno na Antártica foram onze homens do navio britânico *Lord Melville*, nessa ilha, em 1821. Quase cem anos mais tarde o litoral foi novamente invadido por caçadores de baleias, animais cujas vértebras, mandíbulas e crânios esbranquiçados, cobertos de liquens, ainda juncam as praias. Em seguida vieram os governos, com a instalação de bases científicas, tratores e um campo de pouso. Oito países possuem bases um tanto supérfluas na Antártica: China, Chile, Rússia, Uruguai, Coréia, Argentina, Polônia e Brasil. Homens barbados, embriões de doutores, medem solenemente a distância entre os ninhos de cascalho dos pingüins. Turistas encasacados, que parecem o boneco da propaganda dos pneus Michelin, caminham pelo litoral, contemplando a Antártica através das lentes de suas filmadoras portáteis e murmurando o registro do momento em seus microfones. Só podemos imaginar o que pensariam disso os caçadores de focas e de baleias, barbudos, engordurados e cobertos de sangue. Provavelmente balançariam as cabeças em sinal de dúvida, cuspiriam no chão e amolariam um pouco mais as facas de cortar gordura, prosseguindo em seu trabalho.

As focas e as baleias estão voltando, mas a obra dos tratores é irreversível.

Mapas

O Oceano Austral

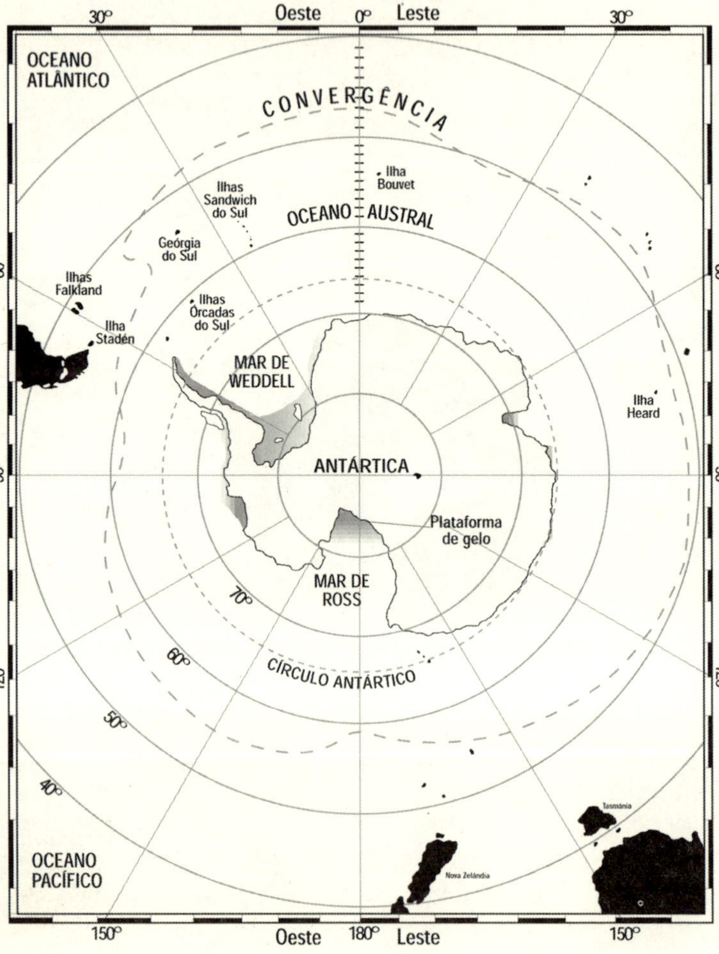

O Sul visto por Halley, 1699-1700

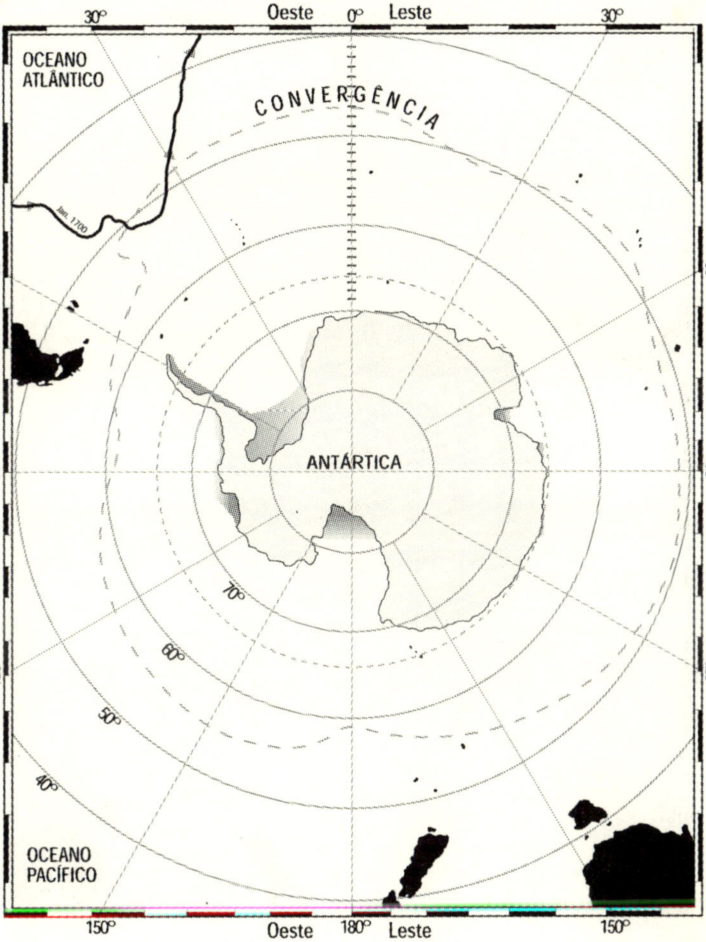

O Sul visto por Cook, 1772-5

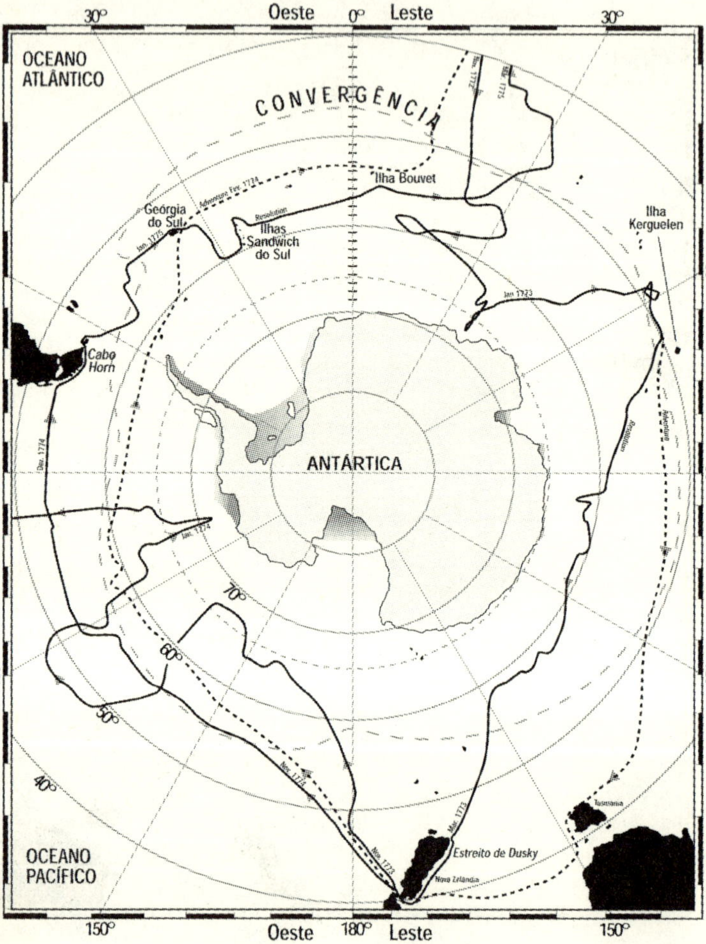

O Sul visto por Bellingshausen, 1819-21

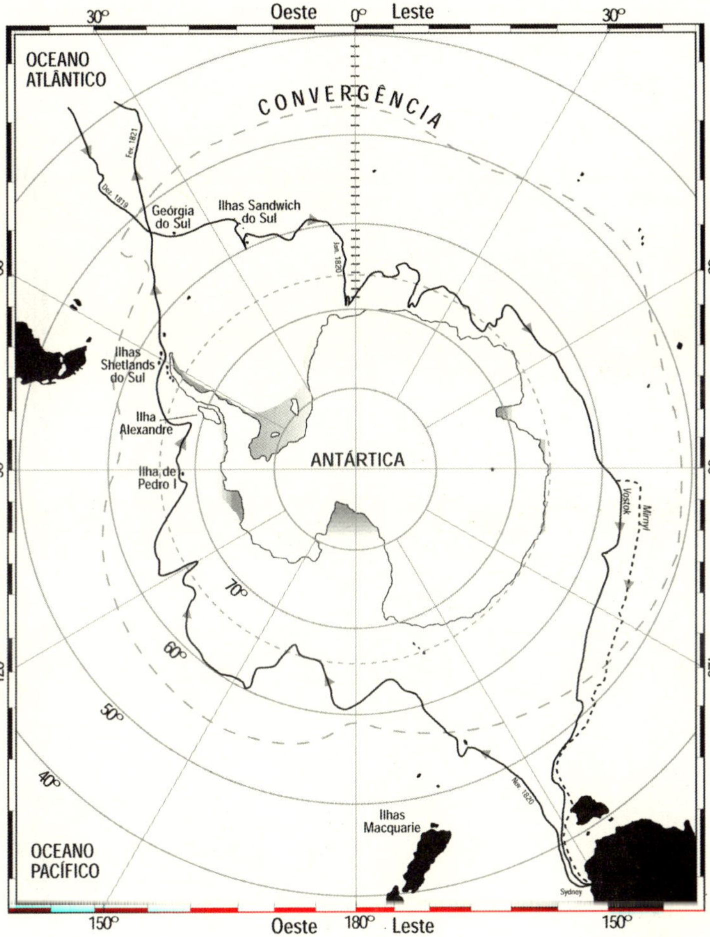

Ilhas Sandwich do Sul

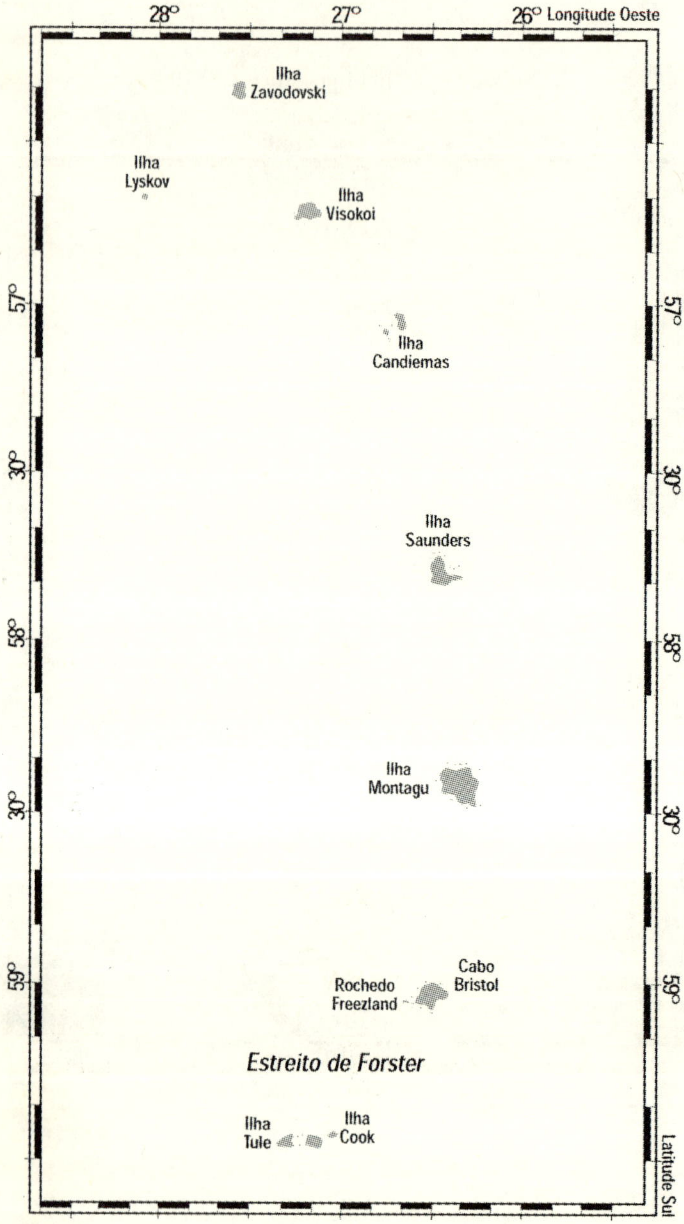

O Sul dos caçadores de focas, 1820-3

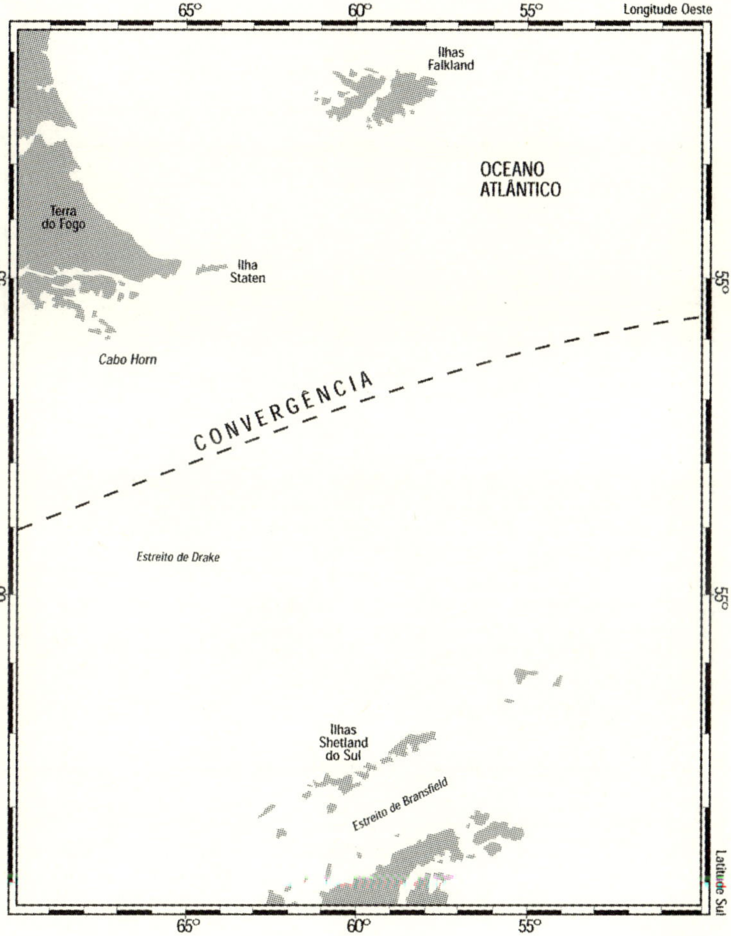

Ilhas Shetland do Sul

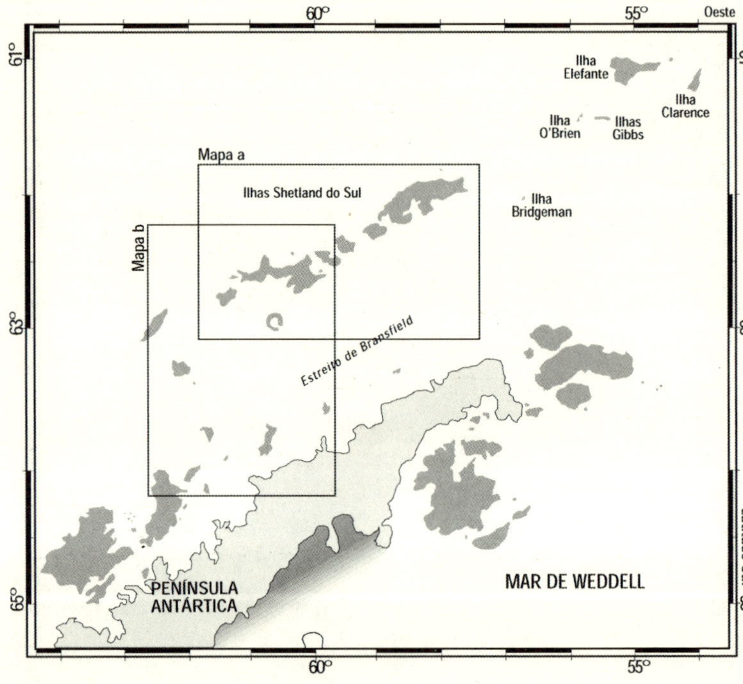

As Ilhas Shetland do Sul

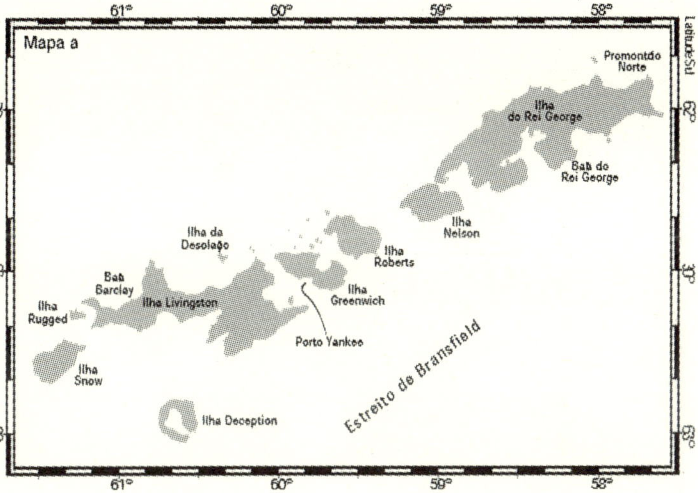

As Ilhas Shetland do Sul

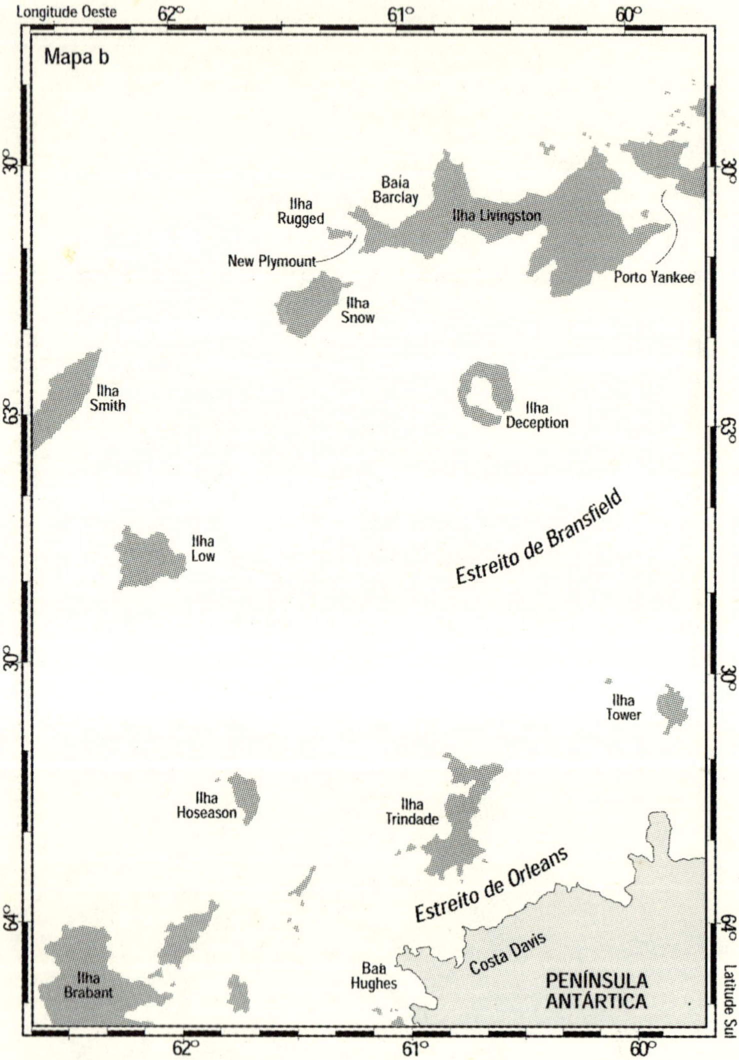

O Sul visto por Weddell

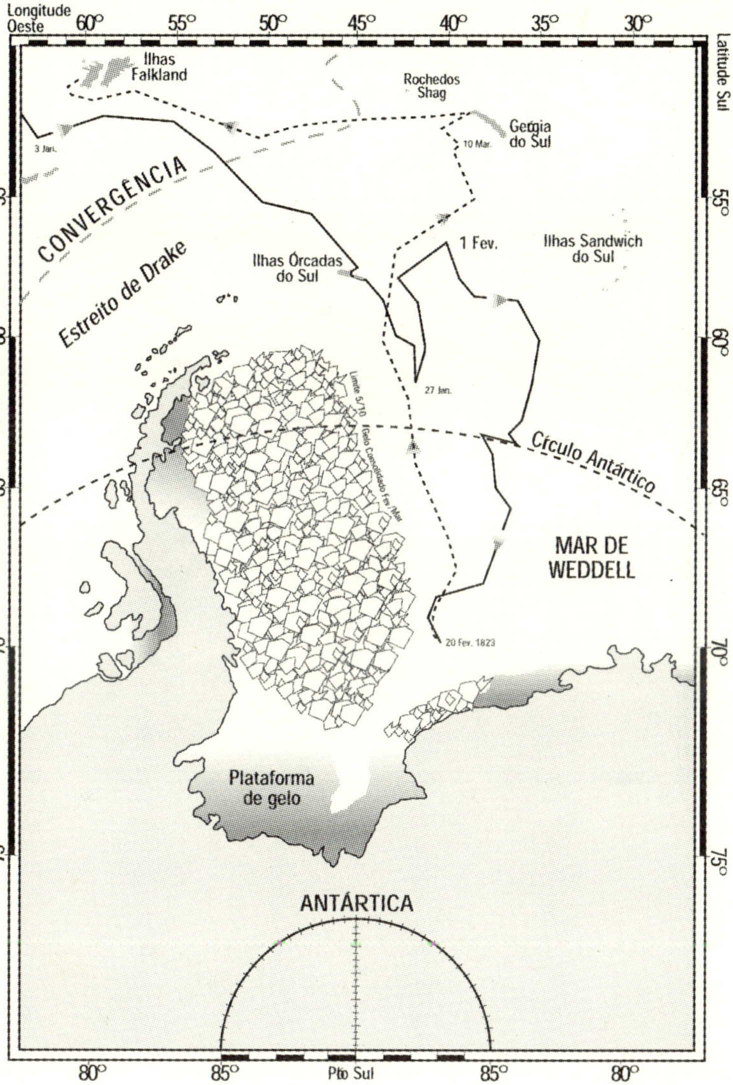

Geórgia do Sul

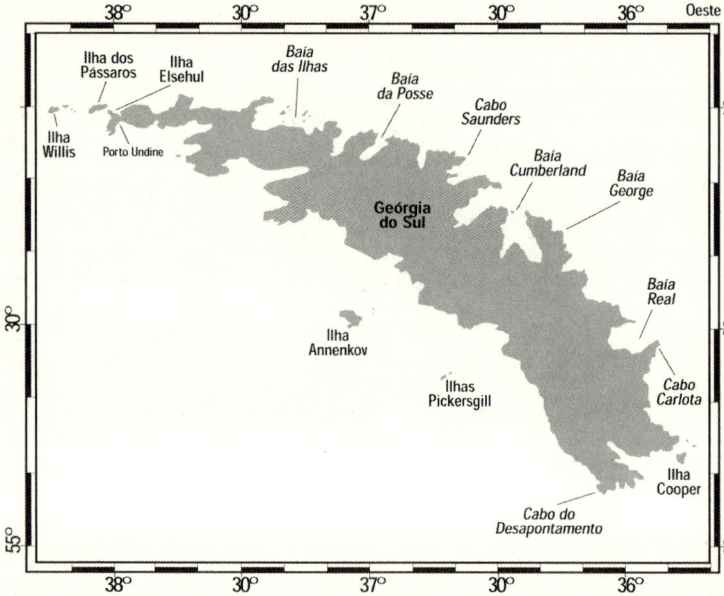

O Sul visto por Biscoe, 1830-2

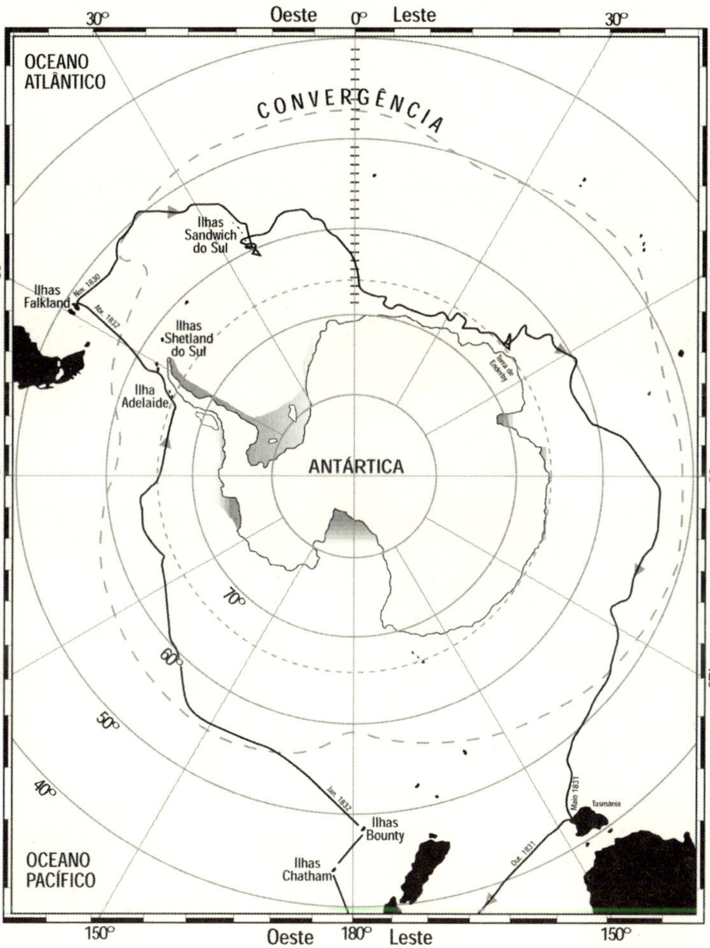

O Sul visto por Kemp, 1833, e por Balleny, 1839

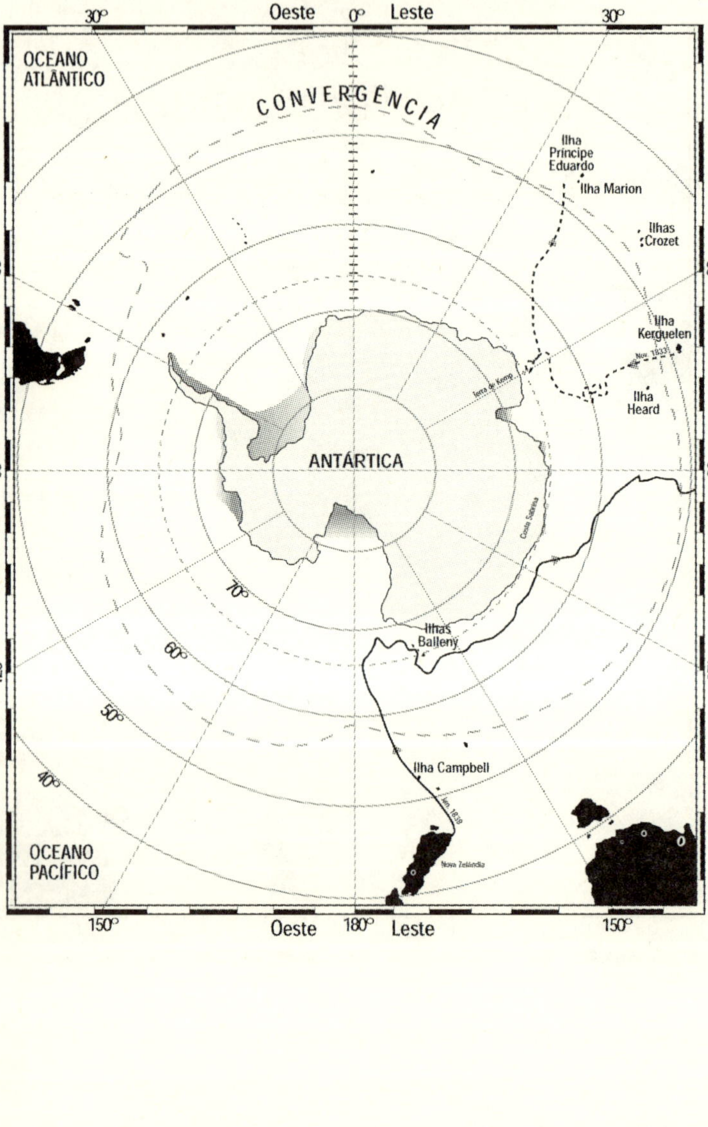

As ilhas Balleny

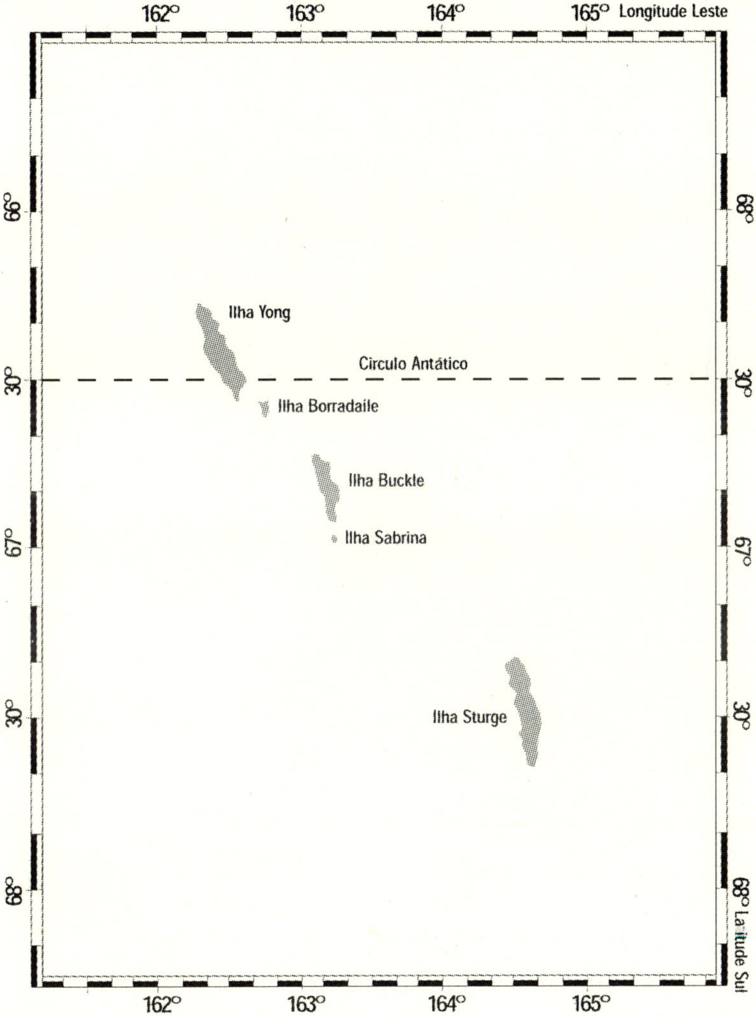

Bibliografia

1. *TERRA AUSTRALIS INCOGNITA* (PP. 15-45)

Beaglehole, J. C. *The exploration of the Pacific.* Londres, 1975.

_______. *The life of captain James Cook.* Londres, 1974.

Beazley, C. R. *The dawn of modern geography.* Londres, 1897.

Burney, J. A. *A chronological history of the discoveries in the South Sea or Pacific Ocean.* Londres, 1803-17.

Dalrymple, A. *An historical collection of the several voyages and discoveries in the South Pacific.* Londres, 1770-1.

_______. *A collection of voyages, chiefly in the Southern Atlantick Ocean.* Londres, 1775.

Dampier, W. *Voyages.* Editado por John Masefield. Londres, 1906.

_______. *A new voyage round the world.* Editado por A. Gray. Londres, 1927.

Debenham, F. *Discovery and exploration*, Londres, 1960.

The Encyclopedia of Discovery and Exploration. *The glorious age of exploration.* Nova York, 1973.

Fernandez-Armesto, F. *Columbus.* Oxford, 1992.

Gibbon, E. *The decline and fall of the Roman Empire.* Londres, 1776.

Gould, R. T. *Captain Cook.* Londres, 1935.

Hakluyt, R. *The principal navigations, voyages and discoveries of the English Nation.* Londres, 1908.

Hogben, L. *Astronomer priest & ancient mariner.* Nova York, 1973.
______. *Maps, mirrors & mechanics.* Nova York, 1973.
McLaren, M. *The Highland jaunt.* Londres, 1954.
Mill, H. R. *The siege of the South Pole.* Londres, 1905.
Mitchell, M. *Elcano: the first circumnavigator.* Londres, 1958.
Moorehead, A. *The fatal impact.* Nova York, 1966.
Morison, S. E. *Admiral of the ocean sea: A life of Christopher Columbus.* Boston, 1942.
______. *The European discovery of America: The Northern voyages 500-1600.* Nova York, 1971.
______. *The European discovery of America: The Southern voyages 1492-1616.* Nova York, 1974.
Nansen, F. *In Northern mists.* Londres, 1911.
The Oxford history of the classical world. Oxford, 1986.
Skelton, R. A. *Explorer's maps.* Londres, 1958.
Slocum, J. *Sailing alone around the world.* Nova York, 1900.
Swift, J. *A Tale of a tub.* Londres, 1704.
Toynbee, A. J. *A study of history.* Editado por D. C. Somervell. Oxford, 1946.
Wilford, J. N. *The mapmakers.* Nova York, 1982.

2. A ARTE DE DESCOBRIR ANCORADOUROS (PP. 46-68)

Cook, J. *The journals of captain James Cook on his voyages of discovery.* Vol. 2. Editado por J. C. Beaglehole. Cambridge, Inglaterra, 1969 (Sociedade Hakluyt).
Forbes, E. G. *The birth of navigational science.* Londres, 1980.
Gould, T. T. *The marine chronometer: its history and development.* Londres, 1923.
Stackpole, E. A. *The sea hunters.* Nova York, 1953.
Wilford, J. N. *The mapmakers.* Nova York, 1982.

3. A PESTE DO MAR (PP. 69-101)

Brillat-Savarin, J. A. *The physiology of taste* . Tradução de M. F. K. Fisher. Nova York, 1971.
Drummond, J. C. & Wilbraham, A. *The Englishman's food.* Londres, 1991.
Gerard, J. *The herball.* Editado por B. D. Jackson. Londres, 1876.
Hakluyt, R. *The principal navigations... of the English Nation.* Londres, 1908.

Hartley, D. *Food in England.* Londres, 1954.

Hickey, W. *Memoirs of William Hickey.* Editado por Peter Quennell. Londres, 1975.

Johnson, S. *Letters of Samuel Johnson.* Editado por R. W. Chapman. Oxford, 1952.

Labat, Padre. *The memoirs of père Labat.* Editado por J. Eaden. Londres, 1931.

Lind, J. A. *Treatise of the scurvey.* Edimburgo, 1753.

Lloyd, C. *The British seaman.* Londres, 1968.

Masefield, J. *Sea life in Nelson's time.* Londres, 1905.

Morison, S. E. *The great explorers.* Nova York, 1978.

Pigafetta, A. *First voyage round the world by Magellan.* Londres, 1874 (Sociedade Hakluyt).

Veer, G. de. *The three voyages of William Barents to the arctic regions.* Londres, 1876 (Sociedade Haklyut).

Walter, R. *A voyage round the world in the year 1740, 1, 2, 3, 4.* Londres, 1748.

Watt, J.; Freeman, E. J; Bynum, W. F. (orgs.). *Starving sailors.* Londres, 1981.

4. O OCEANO AUSTRAL (PP. 102-30)

Belloc, H. *The cruise of the Nona.* Nova York, 1925.

Bonner, W. N. *Seals and man.* Washington, D. C., 1982.

Bonner, W. N. & Walton, D. W. H. (orgs.). *Antarctica.* Oxford, 1985.

Campbell, V. *The wicked mate.* Editado por H. G. R. King. Harleston, Inglaterra, 1988.

Centro de Hidrografia. *Sailing directions for Antarctica.* Washington, D. C., 1976.

Deacon, G. *The Antarctic circumpolar ocean.* Cambridge, Inglaterra, 1984.

Debenham, F. *Antarctica.* Nova York, 1961.

Departamento de Hidrografia. *Antarctic pilot.* Taunton, Inglaterra, 1974.

Hardy, A. *Great waters.* Nova York, 1967.

Martin, R. M. *Mammals of the oceans.* Nova York, 1977.

Ponting, H. G. *The great white South.* Londres, 1921.

Ross, J. C. *A voyage of discovery and research in the Southern and antarctic regions 1839-43.* Londres, 1847.

Simpson, G. G. *Penguins.* New Haven, Connecticut, 1976.

Stonehouse, B. *Animals of the Antar*ctic. Nova York, 1972.

Watson, G. E. *Birds of the Antarctic and Sub-Antarctic.* Washington, D. C., 1975.

Watson, L. *Whales of the world.* Nova York, 1981.

Wilson, E. *Diary of the "Terra Nova" expedition to the Antarctic 1910-1912.* Nova York, 1972.

5. EDMOND HALLEY E O *PINK PARAMORE* (PP. 131-58)

Armitage, A. *Edmond Halley.* Londres, 1966.

Aubrey, J. *Brief lives.* Oxford, 1898.

Evelyn, J. *The diary of John Evelyn.* Editado por A. Dobson. Londres, 1908.

Halley, E. *The three voyages of Edmond Halley in the* Paramore *1698-1701.* Editado por N. J. W.Thrower. Londres, 1981 (Sociedade Hakluyt).

Ronan, C. A. *Edmond Halley: genius in eclipse.* Londres, 1969.

6. JAMES COOK (PP. 159-97)

Beaglehole, J. C. *The life of captain James Cook.* Stamford, 1974.

Benham, H. *Once upon a tide.* Londres, 1955.

Besant, W. *Captain Cook.* Londres, 1890.

Boswell, J. *The life of Samuel Johnson.* Londres, 1791.

Cook, J. *The journals of captain James Cook on his voyages of discovery. Vols. 1-4.* Editado por J. C. Beaglehole. Cambridge, Inglaterra, 1955-69 (Sociedade Hakluyt).

Elliot, J. *Captain Cook's second voyage.* Editado por C. Holmes. Londres, 1984.

Forster, J. G. A. *A voyage round the world in his Brittanic Majesty's sloop* Resolution*... during the years 1772, 3, 4 & 5.* Londres, 1777.

Forster, J. R. *The* Resolution *journal of Johann Reinhold Forster 1772-1775.* Editado por M. E. Hoare. Londres, 1982 (Sociedade Hakluyt).

Gould, R. T. *Captain Cook.* Londres, 1935.

Hoare, M. E. *The tactless philosopher.* Melbourne, Austrália, 1976.

Kippis, A. *A narrative of the voyages round the world by James Cook.* Londres, 1788.

Knox, J. *An historical journal of the campaigns in North America for the years 1757, 1758, 1759 and 1760.* Londres, 1769.

O'Brian, P. *Joseph Banks.* Londres, 1987.

Skelton, R. A. *James Cook: surveyor of newfoundland.* San Francisco, 1965.

Taylor, H. *Memoirs of the principal events in the life of Henry Taylor.* North Shields, 1911.

Villiers, A. J. *Captain Cook.* Londres, 1967.

7. A VIAGEM DO *RESOLUTION* E DO *ADVENTURE* (PP. 198-261)

Beaglehole, J. C. *The life of captain James Cook.*

Boswell, J. *The private papers of James Boswell.* Editado por G. Scott e F. A. Pottle. Nova York, 1928-37.

Burney, J. *The private journal of James Burney.* Editado por B. Hooper. Canberra, Austrália, 1975.

Cook, J. *Journals.*

Dalrymple, A. *An historical collection of voyages in the South Pacific.*

_________. *A collection of voyages in the South Atlantick.*

Elliot, J. *Captain Cook's second voyage.*

Forster, J. G. A. *A voyage round the world.*

Forster, J. R. *The* Resolution *journal.*

Furneaux, R. *Tobias Furneaux, circumnavigator.* Londres, 1960.

Gould, R. T. *Captain Cook.*

Hawkesworth, J. *An account of the voyages undertaken... for making discoveries in the Southern Hemisphere.* Londres, 1773.

Kippis, A. *A narrative of the voyages by James Cook.*

Hoare, M. E. *The tactless philosopher.*

Migot, A. *The lonely South.* Londres, 1957.

O'Brian, P. *Joseph Banks.*

Sparrman, A. *A voyage round the world.* Londres, 1953.

Villers, A. J. *Captain Cook.*

8. O CONTINENTE DESCOBERTO (PP. 262-328)

Adams, J. C. *The writings of John Quincy Adams.* Editado por W. C. Ford. Nova York, 1917.

Auger, H. *Passage to glory: John Ledyard's America.* Nova York, 1946.

Balch, E. S. *Antarctica.* Filadélfia, 1902.

Bellingshausen, T. T. *Voyage of captain Bellingshausen to the Antarctic seas 1818-1821.* Editado por Frank Debenham. Londres, 1945 (Sociedade Hakluyt).

Bertrand, K. J. *Americans in Antarctica, 1775-1945.* Sociedade Geográfica Americana. *Special Bulletin* n. 39, 1971.

Bonner, W. N. *Seals and man.*

Bonner & Walton (orgs.). *Antarctica.*

Clark, A. H. *The fisheries and fishery industries of the United States.* Washington, D. C., 1887.

Delano, A. *Narrative of voyages and travels in the Northern and Southern hemisphere.* Boston, 1871.

"Edward Bransfield's Antarctic voyage, 1819-20, and the discovery of the Antarctic continent", *Polar Record.* Cambridge, Inglaterra, jul. 1946.

Fanning, E. *Voyages round the world.* Nova York, 1833.

Goodridge, C. M. *Narrative of a voyage to the South seas.* Londres, 1832.

Gould, R. T. "The first sighting of the Antarctic continent". *Geographical Journal.* Londres, mar. 1925.

_______. "The charting of the South Shetlands 1819-1828". *Mariners Mirror.* Londres, jul. 1941.

Hobbs, W. H. "Discoveries of Antarctica within the American sector, as revealed by maps and documents". *Transactions of the American Philosophical Society.* Filadélfia, jan. 1939.

Jackson, G. *The British whaling trade.* Londres, 1978.

Jones, A. G. E. *Antarctica observed.* Whitby, Inglaterra, 1982.

_______. *Polar portraits.* Whitby, Inglaterra, 1992.

Kirwan, L. P. *The white road.* Londres, 1959.

Ledyard, J. A. *Journal of captain Cook's last voyage to the Pacific ocean.* Hartford, Inglaterra, 1783.

Martin, L. "Antarctica discovered by a Connecticut yankee, captain Nathaniel Brown Palmer". *Geographical Review,* out. 1940.

Matthew, L. H. *Sea Elephant.* Londres, 1952.

Miers, J. *Travels in Chile and La Plata.* Londres, 1826.

_______. "An account of the discovery of new South Shetland" *Edinburgh Philosophical Journal,* 1820.

Mill, H. R. *The siege of the South Pole.*

Mitterling, P. I. *America in the Antarctic to 1840.* Urbana, Illinois, 1959.

"Notice of the voyage of Edward Bransfield, master of his Majesty's Ship Andromache, to new South Shetland". *Edinburgh Philosophical Journal,* 1820.

Nunn, J. *Wreck of the favorite.* Londres, 1850.

Palmer, N. B. *Logbook of the hero.* Washington, D. C., Biblioteca do Congresso.

Spears, J. R. *Captain Nathanael Brown Palmer.* Nova York, 1922.

Stackpole, E. A. *The voyage of the* Huron *and the* Huntress. Mystic, Connecticut, 1955.

_______. *The sea hunters.*

Thomas, D. *Cochrane.* Londres, 1978.

Weddell, J. *A voyage towards the South pole performed in the years 1822-24.* Londres, 1825.

9. WEDDELL E BRISBANE NAVEGAM PARA O SUL (PP. 329-76)

Barnard, C. H. *A narrative of the sufferings and adventures, etc.* Nova York, 1829.

Bertrand, K. J. *Americans.*

Cobbett, W. *Rural rides.* Londres, 1830.

Darwin, C. *The autobiography of Charles Darwin 1809-1882.* Editado por N. Barlow. Nova York, 1969.

D'Urville, J. S.-C. D. *Two voyages to the South seas.* Editado e traduzido por H. Rosenman. Melbourne, Austrália, 1987.

Jones, A. G. E. *Polar portraits.*

Plumb, J. H. *The first four Georges.* Boston, 1956.

Reynolds, W. *Voyage to the Southern ocean.* Editado por A. H. Cleaver e E. J. Stann. Annapolis, Maryland, 1988.

Ross, J. C. *A voyage of discovery.*

Scoresby, W. *An account of the Arctic regions.* Londres, 1820.

Stamp, T. & C. *William Scoresby, Arctic scientist.* Whitby, Canadá, 1975.

Trevelyan, G. M. *English social history.* Londres, 1944.

Weddell, J. *Voyage towards the South Pole.*

Wilkes, C. *Narrative of the United States exploring expedition during the years 1838, 1839, 1840, 1841, 1842.* Filadélfia, 1845.

10. WEDDELL E OS FUEGUINOS (PP. 377-416)

Bridges, E. L. *Uttermost part of Earth.* Nova York, 1949.

Cawkell, M. B. R.; Maling, D. H.; Cawkell, E. M. *The Falkland islands.* Londres, 1960.

Darwin, C. *The origin of species.* Londres, 1859.

_______. *The voyage of the* Beagle. Editado por L. Engel. Nova York, 1962.

_______. *Autobiography.*

Fisher, M. & J. *Shackleton.* Londres, 1957.

FitzRoy, R. *Narrative of the surveying voyages of HMS* Adventure *and* HMS Beagle. Londres, 1839.

Mellersh, H. E. L. *FitzRoy of the* Beagle. Nova York, 1968.

Murphy, R. C. *Logbook for Grace.* Nova York, 1947.

Shackleton, E. *South.* Londres, 1920.

Weddell, J. *Voyage towards the South Pole.*

Worsley, F. A. *Shackleton's boat journey.* Nova York, 1977.

11. JOHN BISCOE: A TERCEIRA CIRCUNAVEGAÇÃO (PP. 417-49)

Biscoe, J. "Recent discoveries in the Antarctic ocean from the log-book of the brig *Tula*". *Geographic Journal.* Londres, 1833.

Cumpston, J. "The Antarctic landfalls of John Biscoe 1831". *Geographical Journal.* Londres, 1963.

Jones, A. G. E. *Polar portraits.*

Kirwan, L. P. *The white road.*

Melville, H. *Moby-Dick; or, the whale.* Nova York, 1851.

Mill, H. R. *The siege of the South Pole.*

Murray, G. *The Antarctic manual.* Londres, 1901.

Savours, A. "Biscoe's Antarctic voyage 1830-33". *Geographical Journal.* Londres, 1982.

_______. "John Biscoe, master mariner 1794-1843". *Polar Record.* Cambridge, Inglaterra, 1983.

12. KEMP E BALLENY: AS ÚLTIMAS DESCOBERTAS DOS CAÇADORES DE FOCAS (PP. 450-77)

Balleny, J. "Discoveries of the Antarctic ocean in February 1839". *Journal of the Royal Geographical Society.* Londres, 1839.

Bertrand, J. K. *Americans.*

Eden, A. W. *Islands of despair.* Londres, 1955.

Jackson, G. *The British whaling trade.*

Jones, A. G. E. *Polar portraits.*

Kerr, I. S. *Campbell Island — a history.* Wellington, Nova Zelândia, 1976.

Kirwan, L. P. *The white road.*

Mill, H. R. *The siege of the South Pole.*

Moseley, H. N. *Notes by a naturalist on HMS* Challenger. Londres, 1880.

Ross, J. C. *A voyage of* Discovery.

Spry, W. J. J. *The cruise of HMS* Challenger. Londres, 1877.

Stackpole, E. A. *The sea hunters.*

EPÍLOGO (PP. 479-89)

Fogg, G. E. *A history of Antarctic science.* Cambridge, 1992.

Headland, R. K. *Chronological list of Antarctic expeditions.* Cambridge, Inglaterra, 1989.

Departamento de Hidrografia. *The Antarctic pilot.* Taunton, Inglaterra, 1974.

_______. *The Antarctic pilot.* Londres, 1948.

_______. *The mariners handbook.* Taunton, Inglaterra, 1971.

_______. *Ocean Passages for the world.* Taunton, Inglaterra, 1987.

_______. *South America pilot.* Vol. 2. Taunton, Inglaterra, 1971.

Jones, A. G. E. *Ships employed in the South seas trade*, 1775-1861. Canberra, Austrália, 1986.

Murray, G. *The Antarctic manual.* Real Sociedade de Geografia. Londres, 1901.

Comitê Americano de Nomes Geográficos. "Geographic names of Antarctica". *Gazetteer* n. 14, Washington, D. C., 1956.

Índice remissivo

ESTA OBRA FOI COMPOSTA PELA SPRESS EM MINION E IMPRESSA PELA
PROL EDITORA GRÁFICA EM OFF-SET SOBRE PAPEL PÓLEN SOFT
DA COMPANHIA SUZANO PARA A EDITORA SCHWARCZ EM MARÇO DE 2001